パッと見るだけ

{ The best book for office workers. }

やさしく教わる Excel

Office 2021 / Microsoft 365 対応

国本温子 著

SB Creative

本書の掲載内容

本書は、2024年2月の情報に基づき、Excel 2021の操作方法について解説しています。また、本書ではWindows版のExcel 2021の画面を用いて解説しています。ご利用のExcelのOSのバージョン・種類によっては、項目の位置などに若干の差異がある場合があります。あらかじめご了承ください。

本書に関するお問い合わせ

この度は小社書籍をご購入いただき誠にありがとうございます。小社では本書の内容に関するご質問を受け付けております。本書を読み進めていただきます中でご不明な箇所がございましたらお問い合わせください。なお、ご質問の前に小社Webサイトで「正誤表」をご確認ください。最新の正誤情報を下記のWebページに掲載しております。

本書サポートページ　https://isbn2.sbcr.jp/23913/

上記ページに記載の「正誤情報」のリンクをクリックしてください。
なお、正誤情報がない場合、リンクをクリックすることはできません。

ご質問送付先

ご質問については下記のいずれかの方法をご利用ください。

Webページより

上記のサポートページ内にある「お問い合わせ」をクリックしていただき、ページ内の「書籍の内容について」をクリックするとメールフォームが開きます。要綱に従ってご質問をご記入の上、送信してください。

郵送

郵送の場合は下記までお願いいたします。

〒105-0001
東京都港区虎ノ門2-2-1
SBクリエイティブ　読者サポート係

はじめに

Excelは、ビジネスの中で最も使用されている表計算ソフトです。Excelの習得が事務仕事をする上で必須といえるでしょう。

本書は、パソコンを使って仕事をしたことがなく、パソコン作業に不慣れな方を対象として作成しています。そのため、本書ではすぐにExcelの操作に入らずにファイルの仕組みや取り扱い方法から説明しています。それは、事務仕事の中ではファイルの管理が必要で、とても重要だからです。

Excelには、表を作成して、計算し、データを集めて、集計、分析するといった、ビジネスで必要とされる機能が幅広く用意されています。本書は、はじめてExcelを操作する方をイメージして執筆しています。そのため、セル選択や文字入力といった基本操作から書式設定、数式や関数の入力、グラフ作成、データの利用、印刷と順を追って一つ一つ丁寧に説明しています。

また、レッスンの進め方にも工夫を凝らしています。Sectionごとに、最初にBeforeとAfterの画面を見ていただき、これから何をするのかを確認します。次に練習用サンプルを使い、画面の手順に従って実際に操作します。各レッスンの目標が明確なので、紹介する機能を着実にマスターしていただけるでしょう。

本書を一通り学習することで、Excelの基本的な操作や機能をマスターし、実務でほぼ問題なくExcelで作業できるまでの実力を手に入れることができることと思います。本書が皆様のスキルアップに役立てていただければ幸いです。

2024年3月
国本温子

本書の使い方

「見るだけ方式」採用！初心者のためのいちばんやさしいExcelの入門書です。Excelがはじめての方も、オフィスでパソコン仕事ができるレベルまでスキルアップできるよう、たくさんの工夫と仕掛けを用意しました。以下の学習法を参考にしながら、適宜アレンジしてご活用ください。

Step 1

「見る」

眺めるだけで学習効率アップ！

「見るだけコーナー」で概要をチェック

まずは、使う機能の効果を確認しましょう。Before/Afterの図解で、操作の前後でどう変わるのかよくわかります。

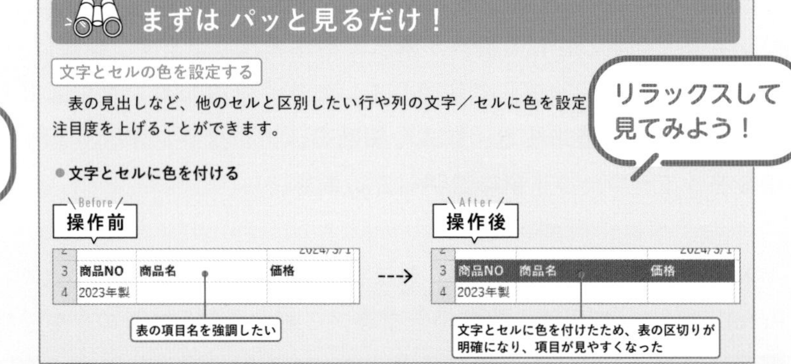

Step 2

「試す」

練習用ファイルのダウンロードはp.6参照

「レッスン」で操作をマスター

紙面を見ながら練習用ファイルを使って、実際にExcelの機能を試してみましょう。1操作ずつ画面に沿って丁寧に解説しているので、安心して進められます。

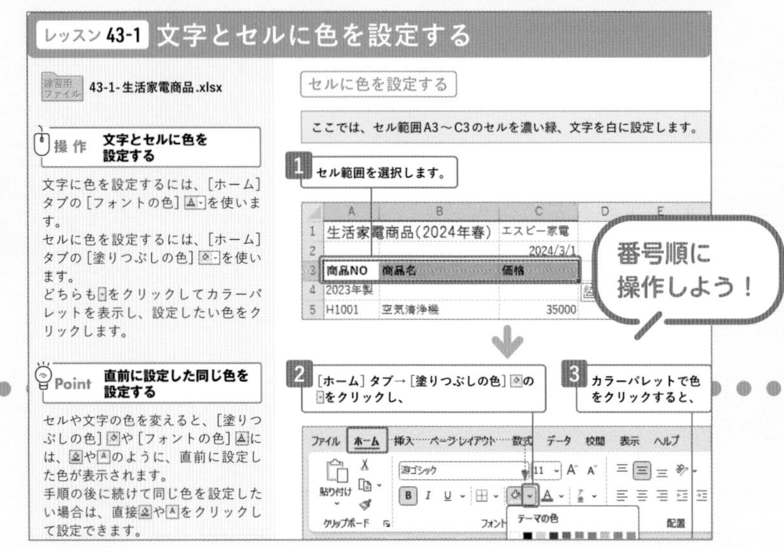

Step 3「演習」

「パソコン仕事の練習問題」に挑戦

レッスンで試した機能を、パソコン仕事でよくあるシチュエーションで練習してみましょう。各章を学習したら、自分のペースで練習問題にチャレンジしましょう。

練習問題 いろいろな入力方法を練習してみよう　練習用ファイル 演習4-担当表.xlsx

完成見本を参考に、以下の手順でデータを入力してください。

1 セルA1の「受付スケジュール」を「受付担当スケジュール」に修正する
2 セル範囲A4～A9、セルA4の日付を元にオートフィルを使って連続データ
3 セルG4の値を元に、担当氏名の姓のみをフラッシュフィルを使ってセ
4 セル範囲B4～B9に入力するデータを、データの入力規則を使ってセ
として設定する
5 セルC7に「はじめての投資」、セルC8に「NISAで資産形成」、セルC9
オートコンプリートを使って入力する
6 セル範囲D4～D9に「50」を一気に入力する

レッスンを見ながら
操作もOK！

▼元の表

	A	B	C	D	E	F	G
1	受付スケジュール						
2							
3	日付	担当	セミナー名	定員		担当氏名	担当
4	4月1日		はじめての投資			鈴木　早苗	鈴木
5			NISAで資産形成			田村　真凛	
6			株式投資入門			吉川　聡子	

パソコン仕事の
イメージがつかめる！

▼完成見本

	A	B	C	D	E	F	G
1	受付担当スケジュール						
2							
3	日付	担当	セミナー名	定員		担当氏名	担当
4	4月1日		はじめての投資	50		鈴木　早苗	鈴木
5	4月2日		SAで資産形成	50		田村　真凛	田村

【ずっと使える】充実のコンテンツ

解説している機能や操作の理解を深め、便利に使うための関連知識をたっぷり掲載しています。仕事のお供に手元に置いて、リファレンスとしてお役立てください。

Point	操作のポイントや注意点	ショートカットキー	効率を上げるショートカットキー
Memo	より使いこなすための知識	時短ワザ	作業を短時間でこなすワザ
コラム	役立つ関連情報	上級テクニック	慣れたら使いたいテクニック

本書のナビゲーションキャラクター

要点で登場して理解をサポート

練習用ファイルの使い方

学習を進める前に、本書の各セクションで使用する練習用ファイルをダウンロードしてください。以下のWebページからダウンロードできます。

練習用ファイルのダウンロード

https://www.sbcr.jp/product/4815623913/

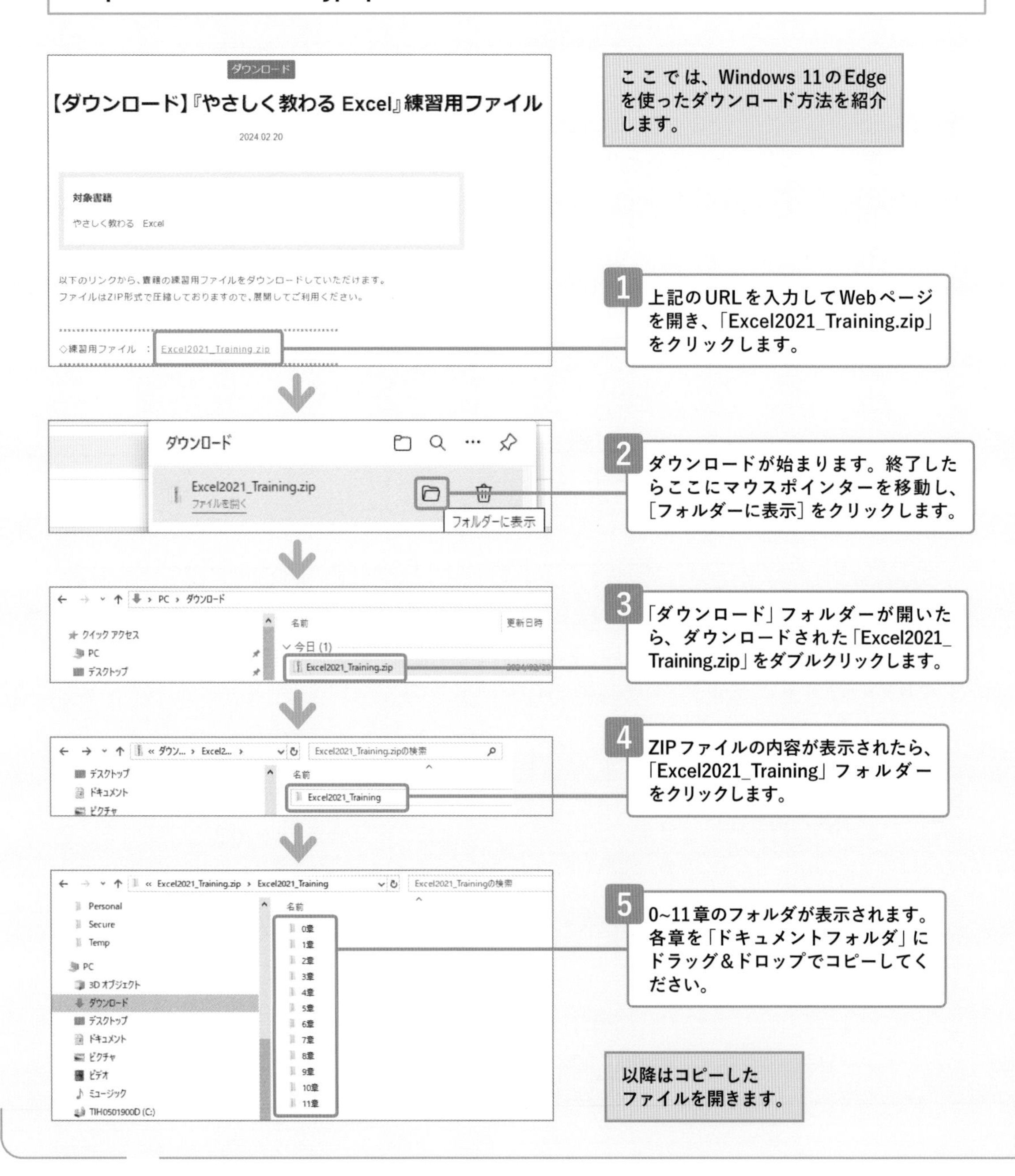

練習用ファイルの内容

練習用ファイルの内容は下図のようになっています。

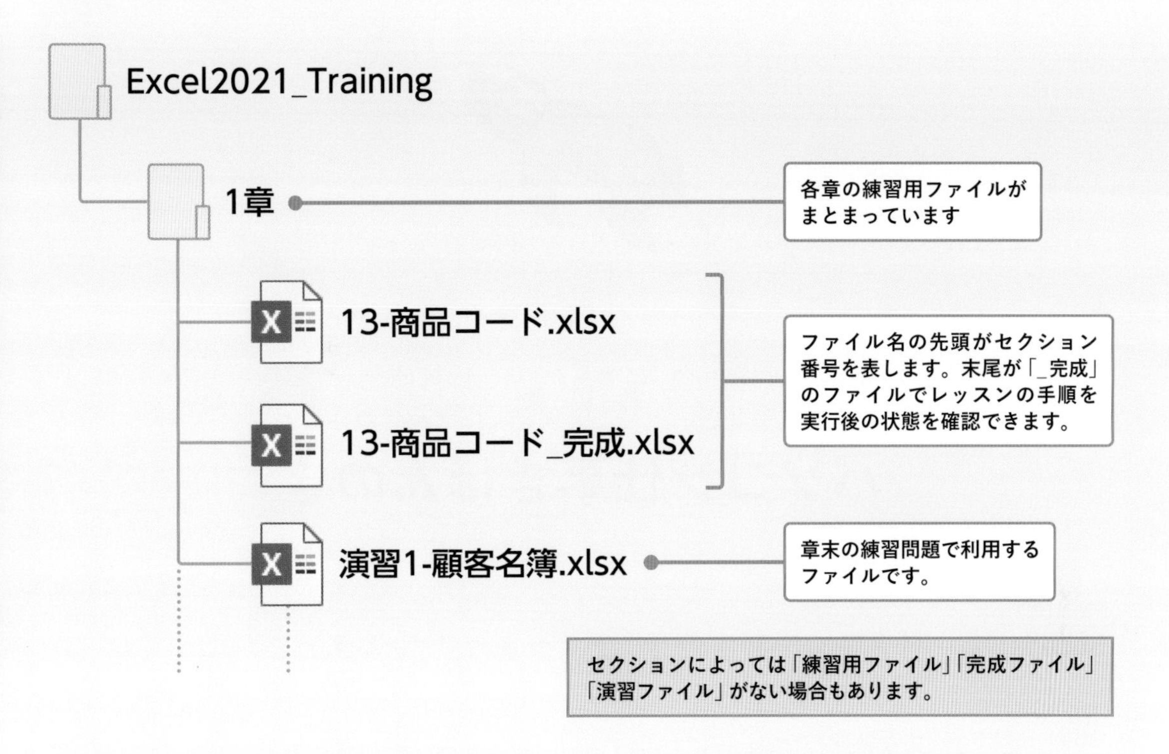

使用時の注意点

練習用ファイルを開こうとすると、画面の上部に警告が表示されます。これはインターネットからダウンロードしたファイルには危険なプログラムが含まれている可能性があるためです。本書の練習用ファイルは問題ありませんので、[編集を有効にする] をクリックして、各セクションの操作を行ってください。

Contents

第 0 章

パソコン仕事きほんのき

21

第1章

Excelの基礎を知ろう

第 6 章
数式や関数で楽に計算する
209

第0章

パソコン仕事 きほんのき

パソコン仕事では、その多くの時間でWordやExcelなどを使ってデータを入力したり、文書や表を作成したりします。そのため、パソコンの作業環境や、適切なデータの保存方法を知ることはとても大切です。

リラックスして
はじめましょう

Section 01

パソコンで必ず使う「デスクトップ」「スタートメニュー」

パソコンを起動するとまず表示される画面がデスクトップです。パソコン仕事では、スタートメニューでWordやExcelなどのアプリケーションを起動させて作業します。

ここで学べること

習得スキル	操作ガイド	ページ
▶デスクトップの役割を知る	なし	p.23
▶スタートメニューの利用		p.23

まずは パッと見るだけ！

デスクトップとスタートメニュー

デスクトップは、Desk Topという文字通り「パソコンの机の上」、つまり作業台にあたります。スタートメニューは、使用できるアプリケーションが一覧で表示されるメニューです。パソコンで仕事をする際に必ず使います。

▼パソコン仕事のルーティーン

❶電源を入れると、デスクトップが表示されます。

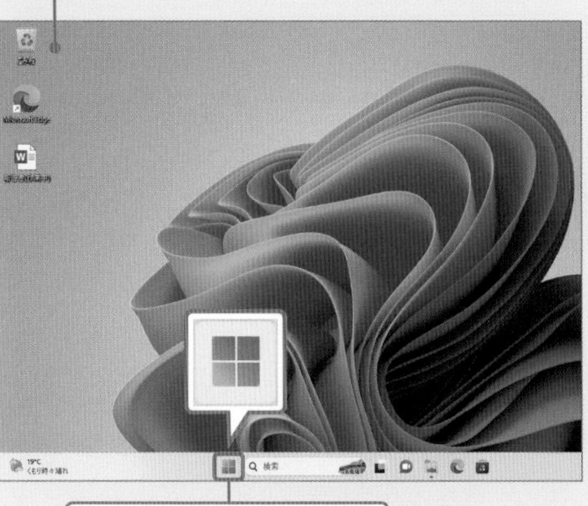

❷スタートボタンを押します。

❸スタートメニューが表示されます。

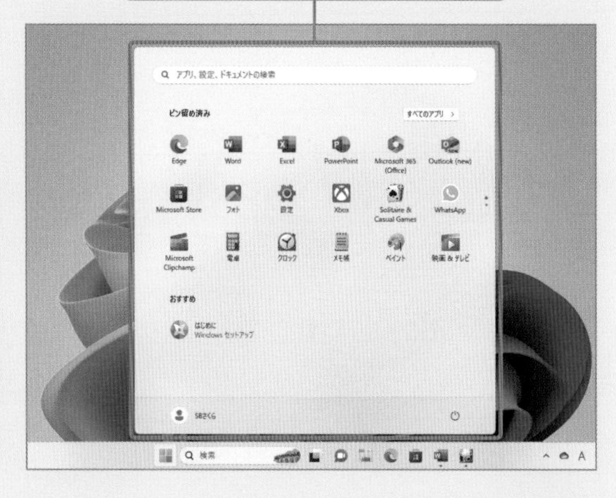

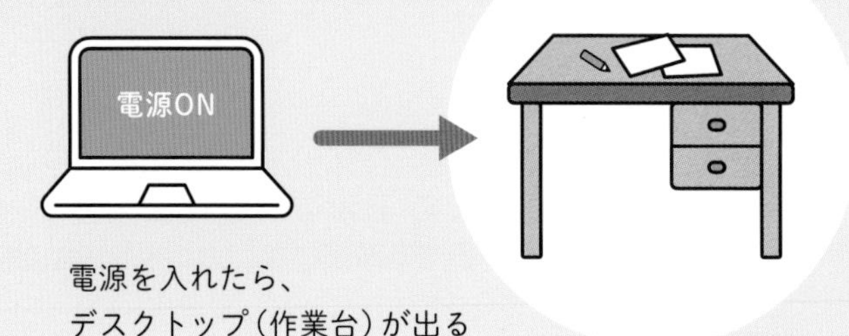

電源を入れたら、
デスクトップ（作業台）が出る

デスクトップについて

Point デスクトップの機能

デスクトップでは、ウィンドウを開いたり、ファイルを置いたりできます。また、削除されたファイルが保管される[ゴミ箱]やスタートボタンなどが配置されている[タスクバー]が表示されています。

Memo アプリケーションとは

コンピュータ上で動作するプログラムソフトのこと。「アプリケーションソフト」「アプリ」ともいいます。

デスクトップに表示される内容を確認します。

スタートメニューについて

Point スタートメニューの機能

スタートメニューには、アプリケーションの一覧と、Windowsにサインインしているユーザー名、電源のアイコンが表示されます。

Memo 使いたいアプリケーションが見つからない場合

スタートメニューには、よく使用するアプリケーションがあらかじめいくつか登録されています。使用したいアプリケーションが見つからない場合は、[すべてのアプリ]をクリックすると、使用できるアプリケーションの一覧が表示され、選択して起動できます。

スタートメニューに表示される内容を確認します。

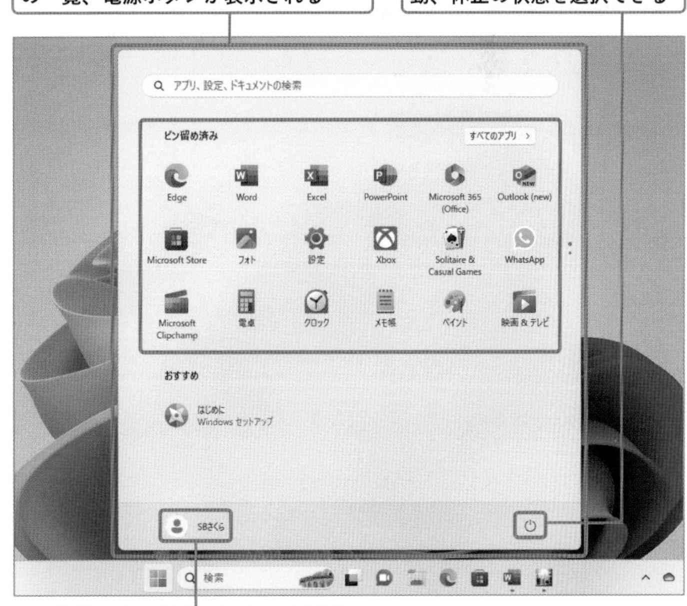

Section

02 パソコンの引き出し「ドライブ」と「フォルダ」「ファイル」

パソコンの「ドライブ」「フォルダ」「ファイル」を実際の物に例えてイメージを理解してから、パソコンの画面を紹介します。

習得スキル	操作ガイド	ページ
▶ドライブの役割を知る	なし	p.25
▶フォルダの役割を知る		p.25
▶ファイルの役割を知る		p.25

まずは パッと見るだけ！

ドライブ／フォルダ／ファイル

ドライブは、パソコンの引き出しです。**フォルダ**は、引き出しの中にしまわれた**ファイル**の保管場所です。関連する書類をパソコンの中でまとめて保管できます。

例えば「見積書フォルダ」では、Wordで作成した見積書データをまとめて保管します。

ファイルは、作成した一つ一つの書類データです。

ドライブについて

Point ドライブの種類

パソコンのドライブには、ハードディスクやUSBなどの機器があります。通常、標準でパソコンに内蔵されているハードディスクは[Cドライブ]というドライブ名がついています。

Memo ハードディスクとは

コンピュータの代表的な外部記憶装置(ストレージ)のことで、データを記憶するための装置です。

ドライブの一覧を確認します。

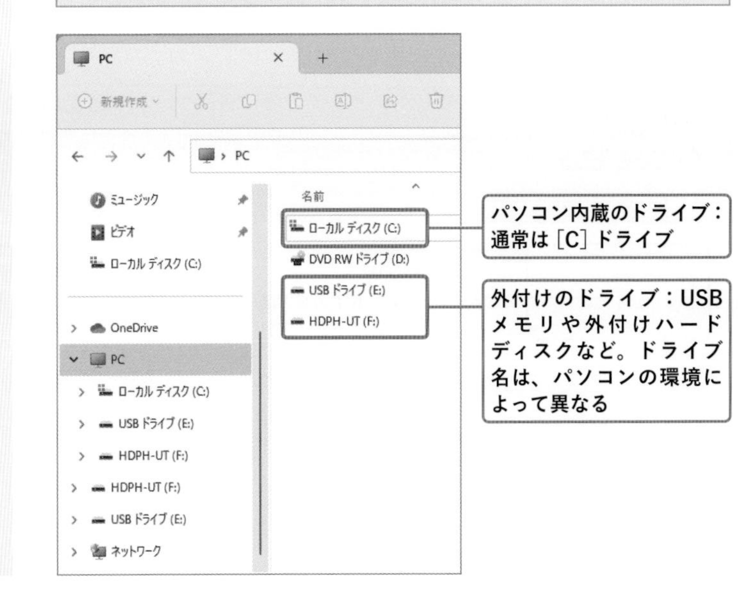

フォルダ/ファイルについて

Point フォルダの種類

ドライブ内には、あらかじめ[Windows]や[ユーザー]といったフォルダが用意され、関連するファイルが保管されていますが、ユーザーが任意の場所に作成することもできます(p.35参照)。

Point ファイルとは

ファイルは、データの保存単位です。例えば、Wordで作成した文書はファイルとして保存します。

Memo 拡張子とは

ファイル名の末尾に、「.」(ピリオド)に続けてアルファベットの文字列が表示される場合があります。これを、「拡張子」といいます。詳細はSection04を参照してください。

フォルダの一覧を確認します。

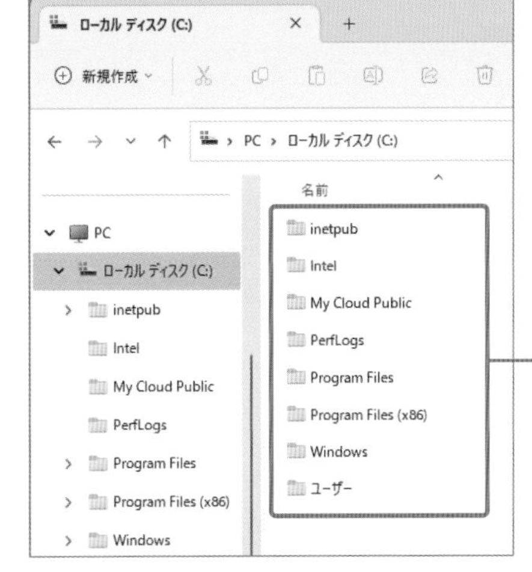

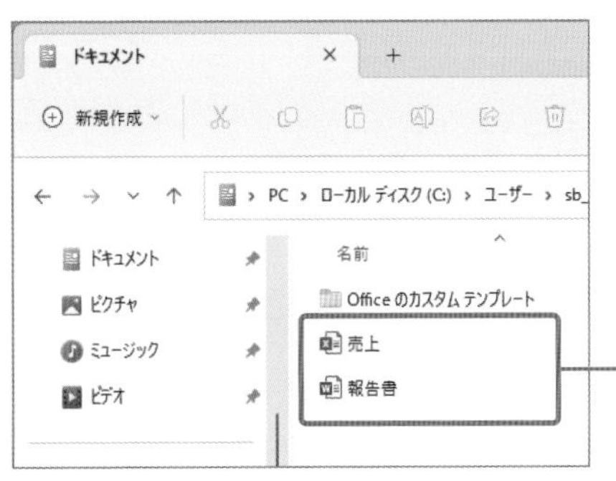

Section

03 ファイルの内容によって保存場所を決めよう

手元で作成したファイルの保存場所を、どのように決めるべきか解説します。保存場所がきちんと決まれば、パソコンの中が整理整頓されて仕事がスムーズに進みます。

ここで学べること

習得スキル	操作ガイド	ページ
▶［ドキュメント］フォルダの利用	レッスン03-1	p.28

まずは パッと見るだけ！

自分用のファイルは［ドキュメント］に保存する

自分だけが利用するファイルは、［ドキュメント］フォルダに保存します。［ドキュメント］フォルダは、自分専用のフォルダなので他のユーザーは原則開けません。［ドキュメント］フォルダは、エクスプローラーの［クイックアクセス］から開けます。

Before 操作前

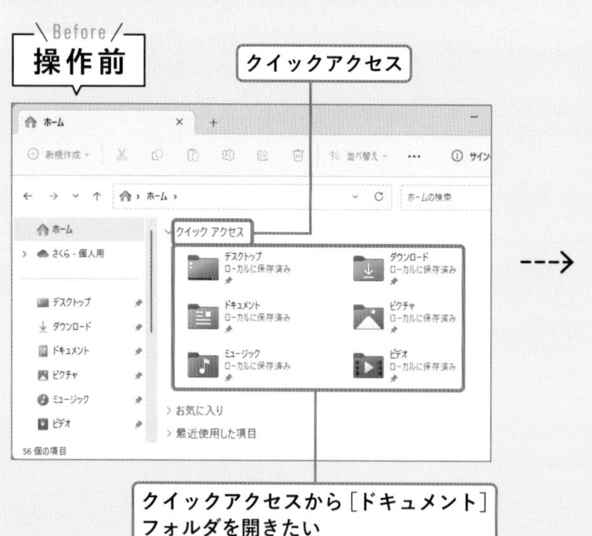

--->

After 操作後

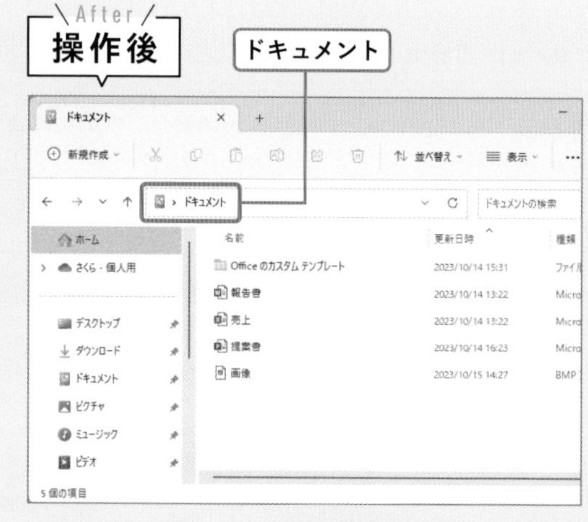

Memo クイックアクセスに表示されるフォルダ

クイックアクセスには、ユーザー専用のフォルダや、これまで利用したフォルダ・ファイルの一覧が表示されます。ユーザー専用のフォルダには、［デスクトップ］［ダウンロード］［ドキュメント］［ピクチャ］［ミュージック］［ビデオ］の6種類あります。

一時的な保存ならデスクトップでもOK

Point デスクトップに保存するメリット

[デスクトップ] フォルダにファイルを保存すると、デスクトップ上にファイルが表示されます。デスクトップ上にあるため、開きやすく便利です。

Point デスクトップに保存するデメリット

[デスクトップ] に保存すると、他の人に見られやすいというセキュリティ上の問題があります。また、数多く保存するとデスクトップ上が乱雑になります。デスクトップは一時的な保存場所にするか、すぐに削除するファイルだけを保存しましょう。

左のページの操作前の画面で、[クイックアクセス] から [デスクトップ] フォルダをダブルクリックして開くと以下のようになり、デスクトップに表示されているファイルやフォルダが表示されます ([ごみ箱] 以外)。

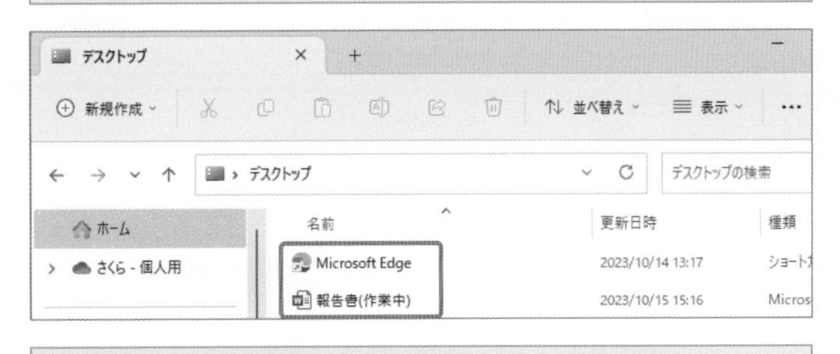

実際のデスクトップ画面

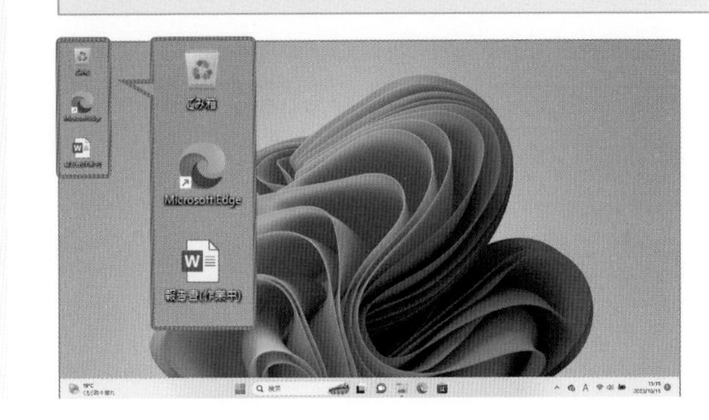

ドライブ内にフォルダを作成して保存できる

Point 任意のフォルダに保存

自分だけが利用するファイルは、[ドキュメント] フォルダへの保存が推奨ですが、ドライブ内に任意のフォルダを作成して保存することもできます (Section06 参照)。

コラム 既存のフォルダには保存しない

[Windows] フォルダなどのパソコンに初めから作成されているフォルダには、パソコンを動かすために必要なファイルやフォルダが保存されています。これらのファイルやフォルダは必要なとき以外は、開かないようにしてください。誤って削除したり、移動したりするとパソコンが正常に動作しなくなる場合があります。

[C] ドライブに [学習] フォルダを作成し、いくつかのファイルを保存している場合、エクスプローラーではこのように表示されます。

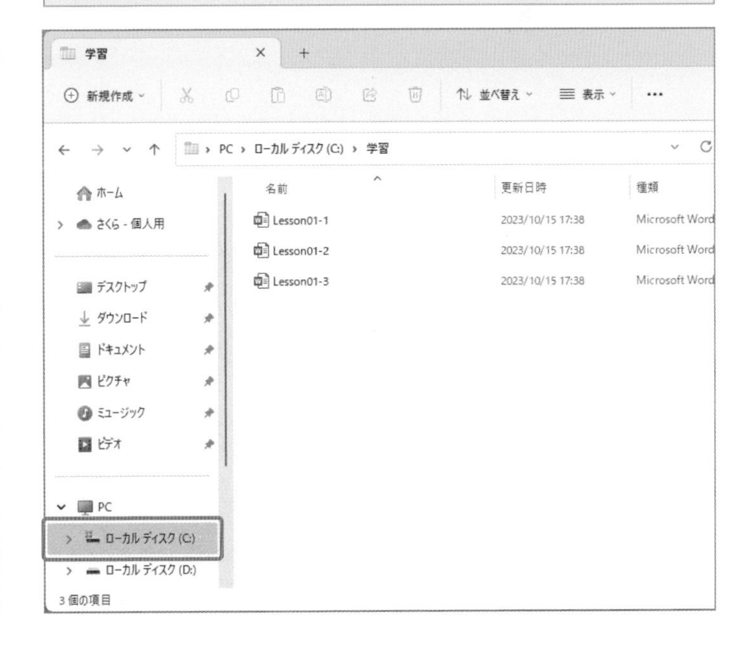

レッスン 03-1 エクスプローラーで すばやく［ドキュメント］フォルダを開く

操作 ［ドキュメント］フォルダを開く

ユーザーの［ドキュメント］フォルダをエクスプローラーから開くには、クイックアクセスから開くのが便利です。

Memo ［ホーム］以外が選択されているとき

手順2で［ホーム］以外が選択されている場合は、左側に縦に並んで表示されているクイックアクセスから［ドキュメント］をクリックしても表示できます。

Memo クイックアクセスの機能

クイックアクセスには、ユーザー用に用意されているフォルダや、ユーザーが最近使ったフォルダやファイルのショートカットが表示されます。ここに表示されているフォルダやファイルをダブルクリックだけで、フォルダやファイルを開くことができます。

Memo 矢印がついているアイコンはショートカット

アイコンの左下に↗が表示されている場合があります❶。これは「ショートカット」といいます。実際のファイルではなく、別の場所にあるファイルやフォルダへのリンクが保存されているアイコンです。ショートカットをダブルクリックすると、実際のファイルやフォルダを開くことができます。

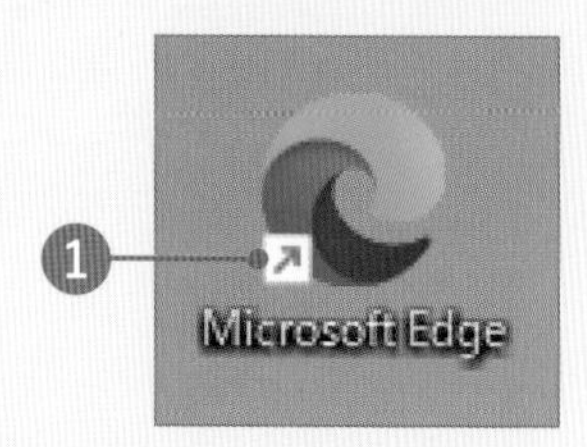

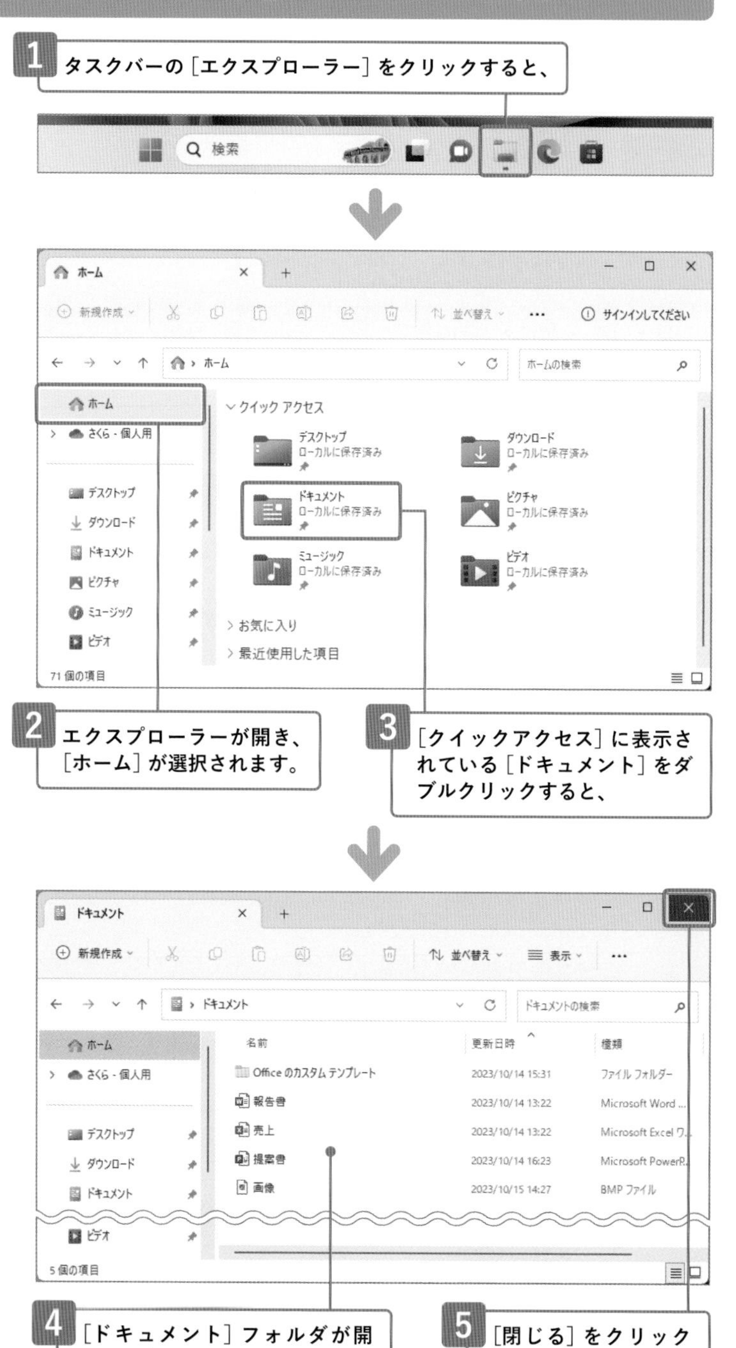

上図に表示されている各ファイルは、ダウンロードファイル内にある0章フォルダに用意しています。p.37を参考に［ドキュメントフォルダ］にコピーすると手順通りの画面になります。ただし、［Officeのカスタムテンプレート］フォルダは、WordやExcelを使用すると自動的に作成されるフォルダであるため、サンプルファイルには用意していません。

コラム　ユーザーの［ドキュメント］フォルダの実際の位置を理解しよう

クイックアクセスに表示されているフォルダやファイルには↗マークはつけていませんが、これらはすべてショートカットです。ショートカットは前ページのMemoでも説明したように、実際のファイルやフォルダへのリンクが保存されているアイコンで、ダブルクリックするだけでそのファイルやフォルダを開くことができます。
ユーザーの［ドキュメント］フォルダの実際の場所は、Cドライブの［ユーザー］フォルダの中の各ユーザー名（ここでは［sb_sa］）のフォルダの中にあります（右図を参照）。
エクスプローラーでCドライブから順番にたどりながらフォルダを開くには以下の手順になります。

ユーザーの［ドキュメント］フォルダが実際に作成されている場所です。

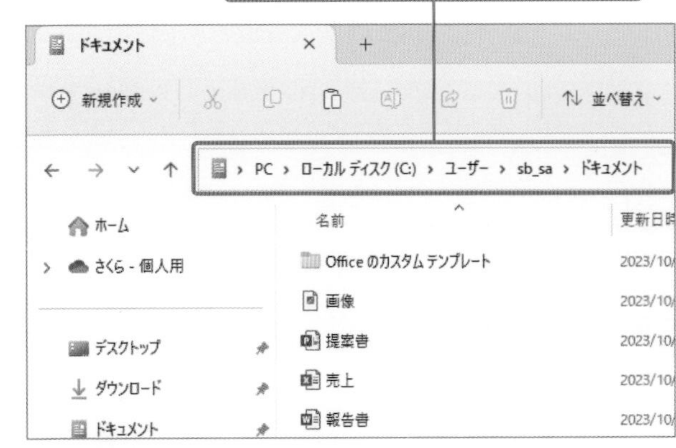

1 p.28の手順でエクスプローラーを開き、左側の一覧から［PC］をクリックします。

2 ドライブ一覧から［C］をダブルクリックします。

3 Cドライブ内にあるフォルダが表示されました。

4 ［ユーザー］フォルダをダブルクリックします。

5 パソコン内に作成されている全ユーザーのフォルダが表示されました。

6 自分のユーザー名のフォルダをダブルクリックします。

7 自分のフォルダ内にあるフォルダ一覧が表示されました。

8 ［ドキュメント］をダブルクリックします。

9 自分の［ドキュメント］フォルダが表示されました。

10 ［閉じる］をクリックしてエクスプローラーを閉じます。

Section

04 ファイルの種類と拡張子

ここでは、パソコン仕事でよく使われる「ファイルの拡張子の種類」を確認します。また、各ファイルを表すアイコンもあわせて確認してください。

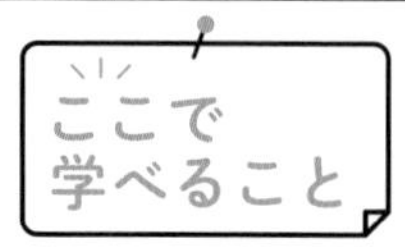

習得スキル	操作ガイド	ページ
▶拡張子の表示／非表示の切り替え	レッスン04-1	p.31

まずは パッと見るだけ！

拡張子を知る

拡張子とは、ファイルの種類を示す文字列です。「.」(ピリオド) と3～4文字のアルファベットで構成されます。拡張子はファイルの種類によって異なります。例えば、Wordのファイルは「.docx」、Excelのファイルは「.xlsx」、テキストファイルは「.txt」になります。

報告.docx

ファイル名　拡張子

▼主なファイルの種類の拡張子とアイコン

ファイルの種類	アイコン	拡張子
Word文書	W	.docx
Excelブック	X	.xlsx
PowerPointプレゼンテーション	P	.pptx
テキストファイル		.txt
CSVファイル	X a,	.csv
PDFファイル	PDF	.pdf

CSVファイルとは、Comma Separated Valuesの略で、カンマで区切られたテキストデータを保存するファイル形式のことです。一般的に、データベースや表計算ソフト間でデータを交換する場合に使用されます。

レッスン04-1 拡張子の表示を切り替える

操作 拡張子を表示する

ファイルの拡張子は、エクスプローラーで表示／非表示を切り替えます。ここでの設定変更は、エクスプローラーだけでなく、ExcelやWordなど各アプリケーションにも適用されます。

Memo 拡張子を非表示にする

拡張子が表示されている場合は、[ファイル名拡張子] の先頭にチェックマークがつきます。この状態で[表示]→[表示]→[ファイル名拡張子] をクリックすると、拡張子を非表示にできます。

項目チェック ボックス
✓ ファイル名拡張子

拡張子が表示されている場合は、チェックマークが表示されている。

Memo エクスプローラーの表示

ここでは、確認用に[ドキュメント] フォルダにいくつかのファイルが保存されている状態で拡張子の表示手順を紹介していますが、エクスプローラーが開いていれば、何が表示されていても設定できます。

ダウンロードファイルの0章フォルダに含まれているファイルを自分の[ドキュメント] フォルダにコピーして操作すると手順通りの画面になります。

1 レッスン03-1の手順でエクスプローラーを起動し、[ドキュメント] フォルダを開く

2 [表示] → [表示] → [ファイル名拡張子] をクリックすると、

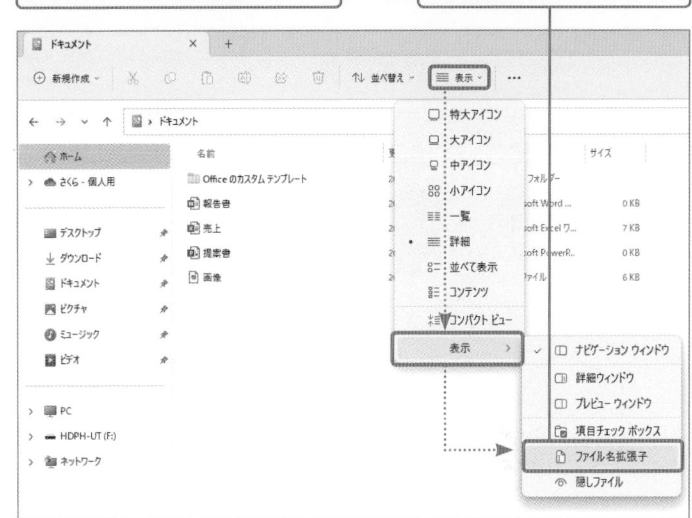

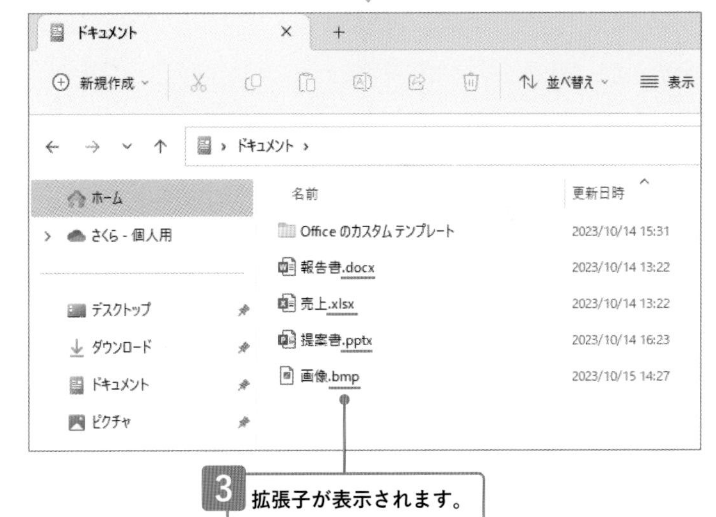

3 拡張子が表示されます。

以降、エクスローラーや他のすべてのアプリケーションソフトのファイル選択画面で、ファイル名と拡張子が表示されます。

Section

05 ファイルやフォルダを探す

パソコン内に保存されているファイルやフォルダの場所を忘れてしまっても大丈夫です。保存場所がわからない場合は、エクスプローラーの検索機能を使って探すことができます。

習得スキル	操作ガイド	ページ
▶ファイルやフォルダの検索	レッスン05-1	p.33

まずは パッと見るだけ！

エクスプローラーでファイルやフォルダを検索する

エクスプローラーとは、Windows上でファイルやフォルダを管理するためのプログラムです。エクスプローラーの検索機能を使うと、ファイル名やフォルダ名、ファイル内に保存されている文字列を検索ワードにして検索できます。

Before 操作前

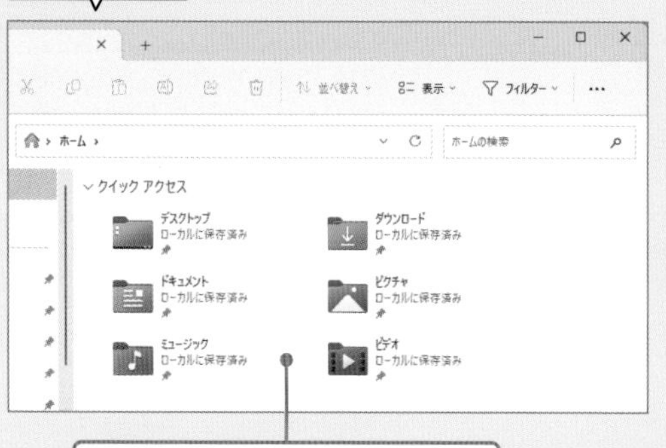

使いたい［報告書］ファイルがどこにあるのかわからない

After 操作後

検索ボックス

「報告」を検索ワードにしてファイルが検索できた

Memo ファイル内の文字列も検索対象になる

検索ワードに指定できるのは、ファイル名やフォルダ名だけではありません。ファイル内の文字列も検索対象になります。そのため、検索ワードに指定した用語を含む文書を調べることができます。

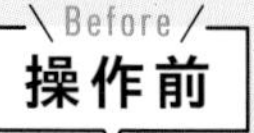

レッスン 05-1 ファイルを検索する

操作 エクスプローラーの[検索]ボックスで検索する

エクスプローラーで、検索場所を開き、[検索]ボックスに検索ワードとなる文字列（ファイル名など）を入力して Enter キーを押すと、検索ワードを含むファイルまたはフォルダが検索され、一覧に表示されます。

ダウンロードファイルの0章フォルダに含まれているファイルを自分の[ドキュメント]フォルダにコピーして操作すると手順通りの画面になります（p.37）。

1 エクスプローラーを開く

2 ファイルを検索する場所を選択する（ここでは[ホーム]）

3 検索ボックスに、[○○の検索]と表示されたことを確認（ここでは[ホームの検索]）

4 検索ボックスに検索ワード（ここでは[報告]）を入力

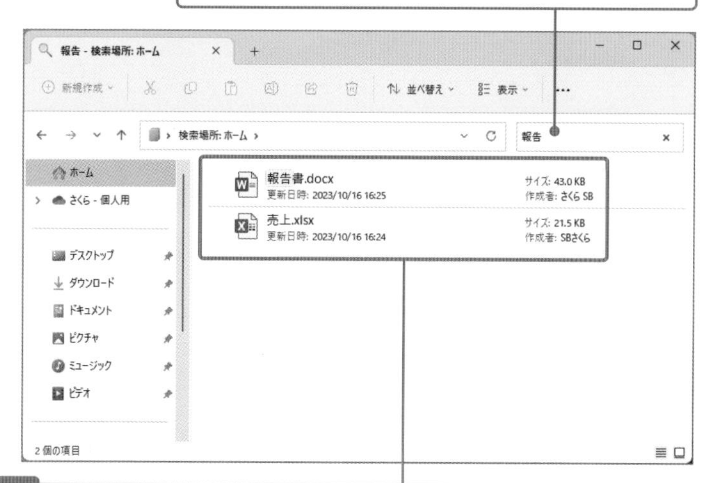

5 すぐに検索が実行され、見つかったファイルが一覧に表示されます。検索ワードに該当する部分が黄色いマーカーで表示されます。

見つかったファイルをダブルクリックするとファイルを開くことができます。

Memo ファイル名に「報告」が含まれないのに表示されるファイル

検索結果で表示されたファイルに「売上.xlsx」があります。ファイル名には「報告」が含まれていませんが、ファイルを開くと下図のように「報告」という文字を含んでいるために検索されます。これを利用すれば、ファイル名を思い出せなくても、ファイルの内容を元に検索できます。

	A	B	C	D
1	10月売上	報告		
2				
3		支店1	支店2	支店3
4	商品A	2,800	3,000	2,600

時短ワザ 検索のポイント

検索場所は、フォルダ単位で指定したほうが短時間で検索できて便利です。検索対象となるファイルが保存されているフォルダがわかっている場合は、そのフォルダを指定してください。

Section

06 フォルダを作成する

パソコンでは、ドライブ内の任意の位置にフォルダを作成できます。フォルダを作成すれば、関連するファイルを分類して保存することができます。

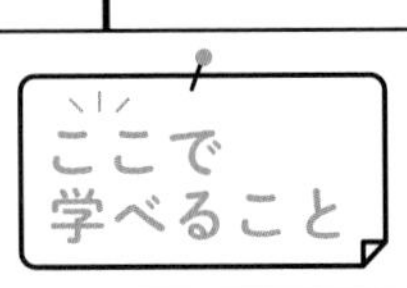

習得スキル	操作ガイド	ページ
▶フォルダの作成と削除	レッスン06-1	p.35

まずは パッと見るだけ！

パソコン内の任意の場所にフォルダを作成する

ファイルを保存するフォルダは、エクスプローラーで作成できます。その際、フォルダを作成したいドライブやフォルダを先に開いておきます。

Before 操作前

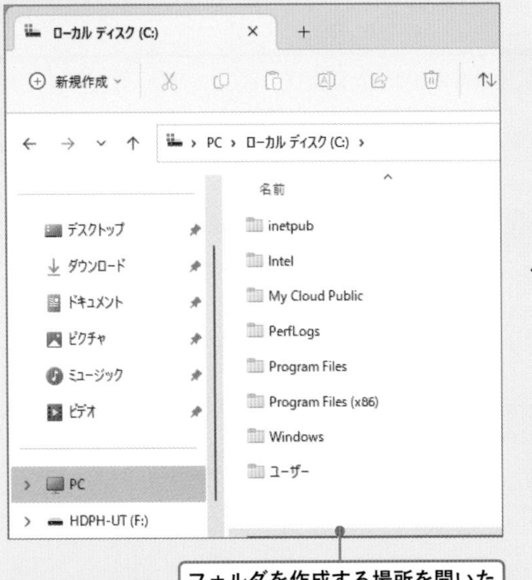

フォルダを作成する場所を開いた

After 操作後

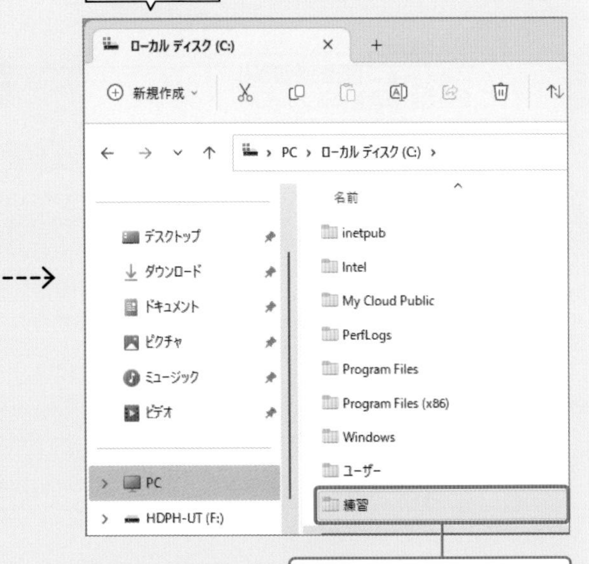

［練習］フォルダが追加できた

レッスン 06-1 ［C］ドライブにフォルダを作成する

操作 エクスプローラーでフォルダを作成する

フォルダを作成したい場所をエクスプローラーで開き、［新規作成］ボタンをクリックして作成します。

Memo フォルダを削除する

フォルダを削除するには、削除したいフォルダをクリックして選択し、delete キーを押します。または、エクスプローラーの［削除］ボタンをクリックしても削除できます。

Memo フォルダ名を変更する

フォルダ名を間違えた場合は、変更したいフォルダをクリックして選択し、フォルダ名の上でクリックします。フォルダ名が右図のように青く反転し編集状態になったら、入力し直してください。

ここでは、Cドライブに［練習］フォルダを作成してみましょう。

1 p.28の手順でエクスプローラーを開く

2 ［PC］をクリックし、

3 ［ローカルディスク(C:)］をダブルクリックすると、

4 Cドライブが開いて、ドライブ内のフォルダが表示されます。

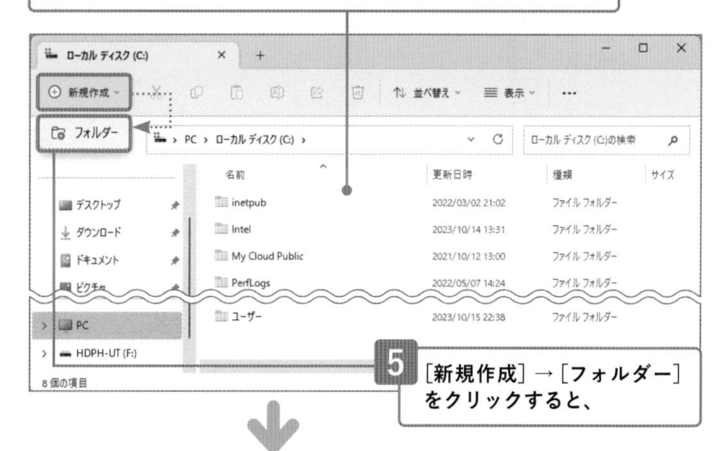

5 ［新規作成］→［フォルダー］をクリックすると、

6 新規フォルダが作成され、フォルダ名の「新しいフォルダー」が編集状態になります。

7 フォルダ名（ここでは「練習」）を入力し、

8 Enter キーを押して名前を確定します。

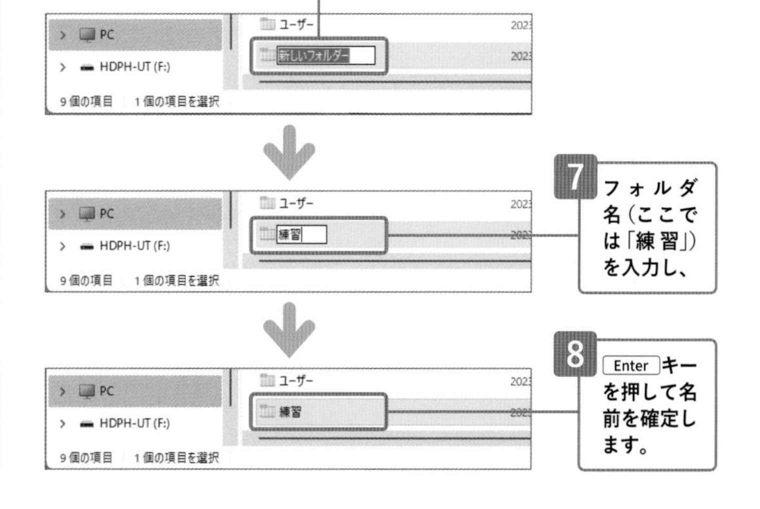

Section 07

ファイルやフォルダのコピー／移動／削除

作成したファイルやフォルダは、好きなタイミングで移動・コピーできます。コピーすると、同じ内容を複製することになるのでファイルのバックアップを取りたいときや、同じファイルを別の場所にもう一つ用意したい場合に利用します。また不要になれば削除できます。

習得スキル	操作ガイド	ページ
▶ファイル／フォルダのコピー	レッスン07-1	p.37
▶ファイル／フォルダの移動	レッスン07-2	p.38
▶ファイル／フォルダの削除	レッスン07-3	p.39

まずは パッと見るだけ！

コピー／移動／削除

ファイルやフォルダをコピー、移動するには、[コピー]、[切り取り]、[貼り付け] を使います。削除は、[削除] を使います。削除すると、ごみ箱に移動します。

以下は [1月] フォルダに [報告書.docx] ファイルが保存されている場合の、コピー、移動、削除の様子です。

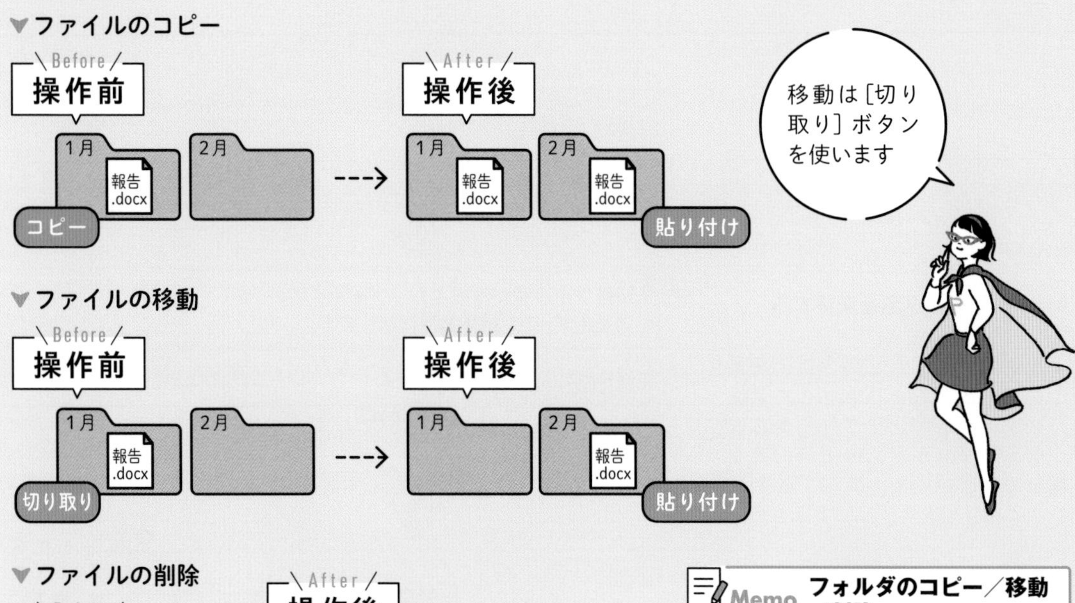

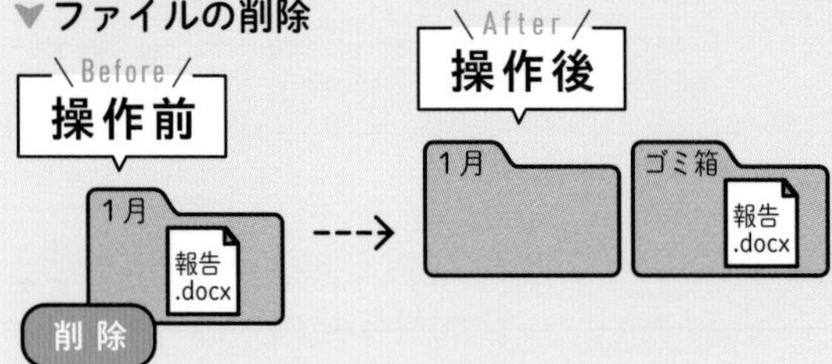

Memo フォルダのコピー／移動／削除

フォルダもファイルと同様にコピー、移動、削除できます。フォルダの場合は、フォルダ内に保存されているファイルやフォルダも一緒にコピー、移動、削除されます。

レッスン 07-1 フォルダをコピーする

操作 ファイルやフォルダをコピーする

ファイルやフォルダをコピーする場合は、対象となるファイルまたはフォルダを選択し、[コピー] ボタンをクリックします。次にコピー先を開き、[貼り付け] ボタンをクリックします。

ショートカットキー

- コピー
  Ctrl + C
- 貼り付け
  Ctrl + V

Memo 間違えてコピーした場合

間違えてコピーしてしまった場合は、直後にエクスプローラーの [···] → [元に戻す] をクリックするか、Ctrl + Z キーを押してください。直前の操作が取り消されコピーする前の状態に戻ります。

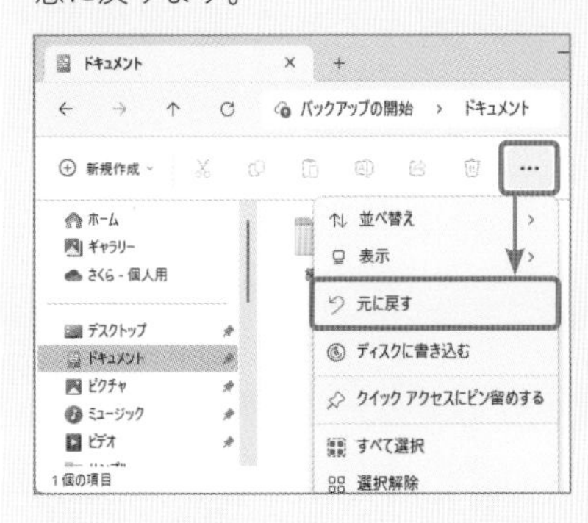

Memo ドラッグで移動／コピーする

ファイルやフォルダはドラッグでも移動、コピーできます。詳細は3章のp.72を参照してください。

ここでは、Section06で作成したCドライブの [練習] フォルダを、[ドキュメント] フォルダにコピーしてみましょう。

1 エクスプローラーで [C] ドライブを開く
2 [練習] フォルダをクリック
3 [コピー] をクリック

4 [ドキュメント] をクリック
5 [貼り付け] をクリック

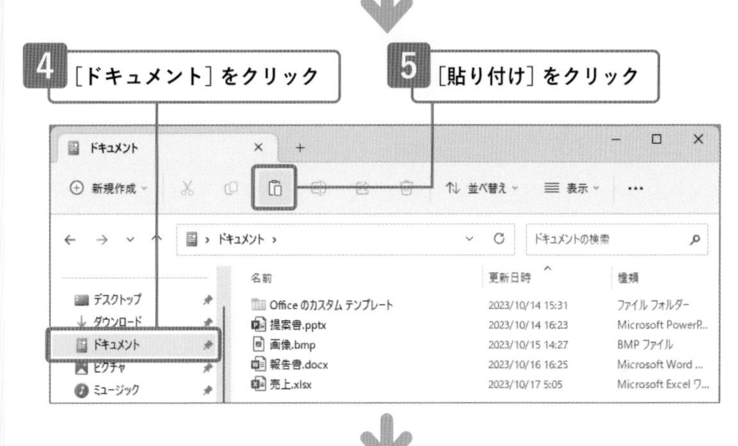

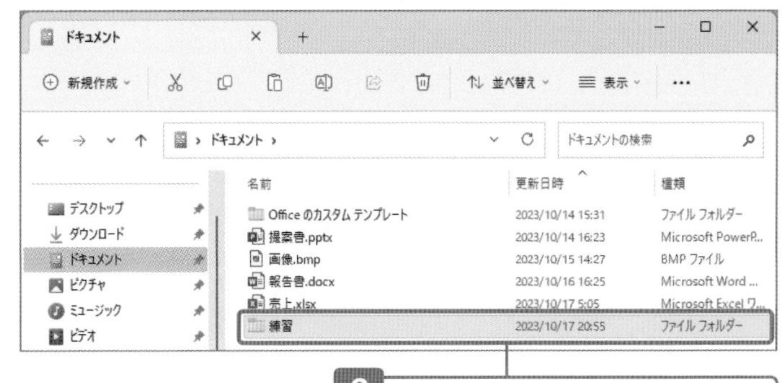

6 [練習] フォルダがコピーされました

ダウンロードファイルの0章フォルダに含まれているファイルを自分の [ドキュメント] フォルダにコピーして操作すると手順通りの画面になります。

レッスン07-2 ［ドキュメント］内のファイルを移動する

操作 ファイルやフォルダを移動する

ファイルやフォルダを移動する場合は、対象となるファイルまたはフォルダを選択し、［切り取り］ボタンをクリックします。次に移動先を開き、［貼り付け］ボタンをクリックします。

Memo 間違えて移動した場合

直後であれば、［…］→［元に戻す］をクリックするか、Ctrl＋Zキーを押して移動前の状態に戻すことができます。

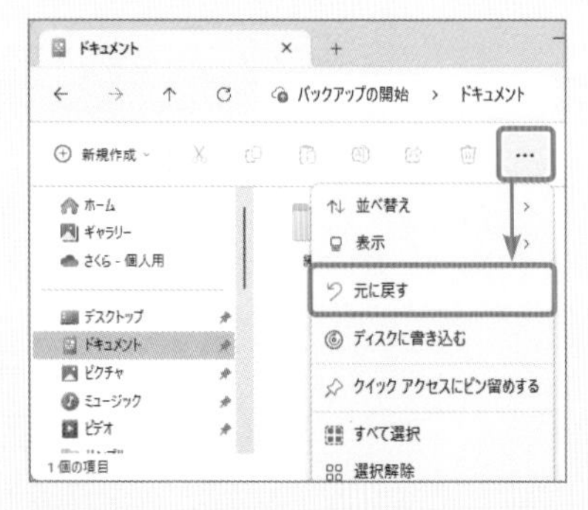

ショートカットキー

- 切り取り
  Ctrl＋X
- 貼り付け
  Ctrl＋V
- 元に戻す
  Ctrl＋Z

ここでは、［ドキュメント］フォルダ内の［報告書.docx］ファイルを前のレッスンでコピーした［練習］フォルダに移動してみましょう。

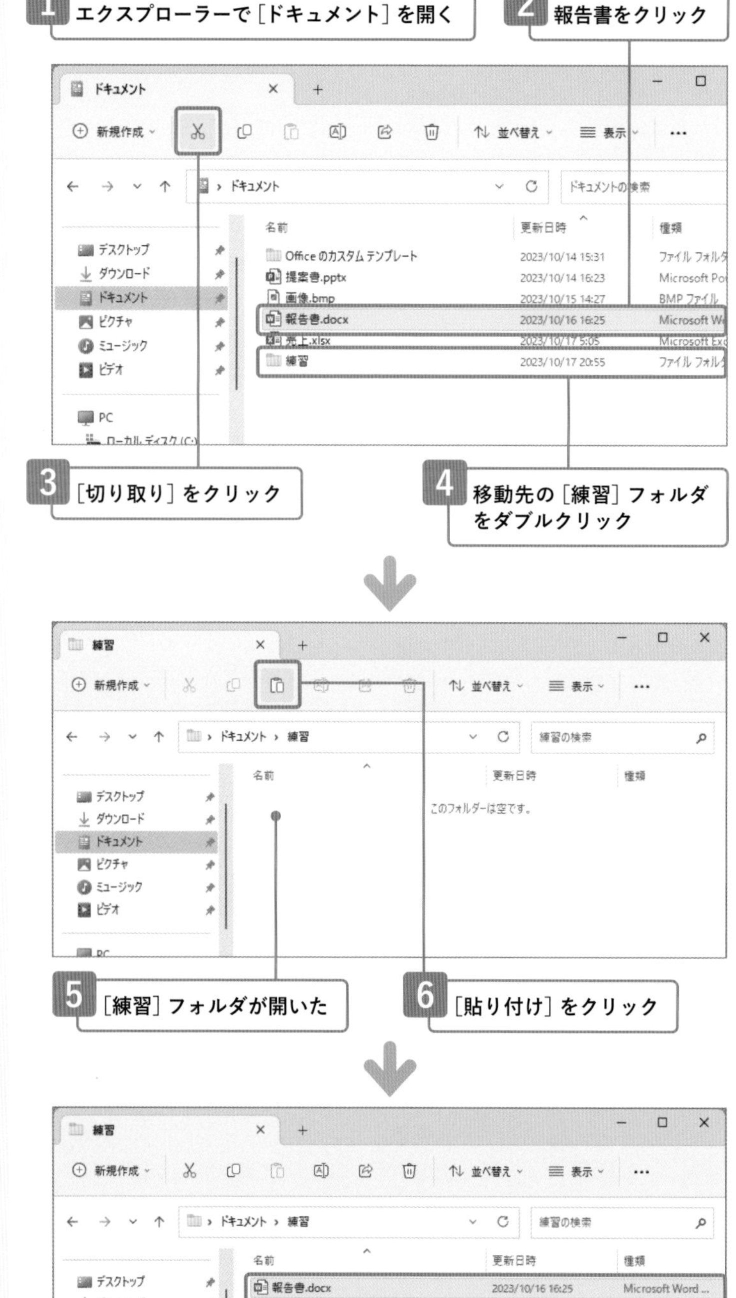

レッスン 07-3 ［ドキュメント］内のファイルを削除する

操作 ファイルやフォルダを削除する

パソコンでは、ファイルやフォルダを削除すると、デスクトップ上にある［ゴミ箱］に移動します。そのため、間違えて削除した場合は、ごみ箱から元の位置に戻すことができます。

Memo Delete キーでゴミ箱に移動する

ファイルやフォルダを選択し、Delete キーを押してもごみ箱に移動できます。

Memo ごみ箱を空にする

ごみ箱を右クリックし、［ごみ箱を空にする］をクリックするとゴミ箱の中にあるすべてのファイルやフォルダが完全に削除されます。完全に削除すると元に戻すことはできません。

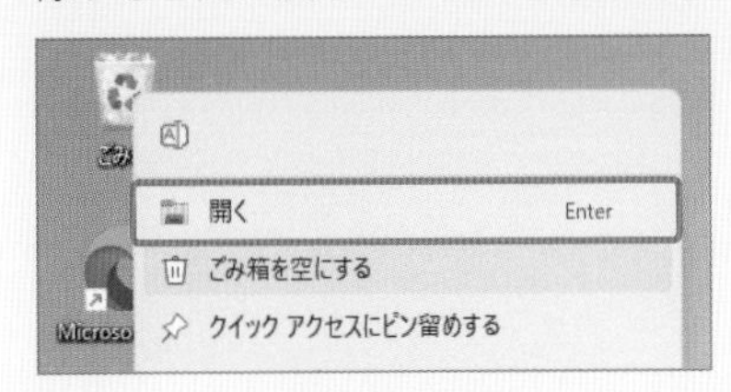

Memo ゴミ箱に移動しないで削除する

ゴミ箱に移動しないで削除したい場合は、削除するファイルまたはフォルダを選択し、Shift + Delete キーを押します。以下のような確認メッセージが表示されるので、［はい］をクリックするとゴミ箱に移動しないで直接削除されます。

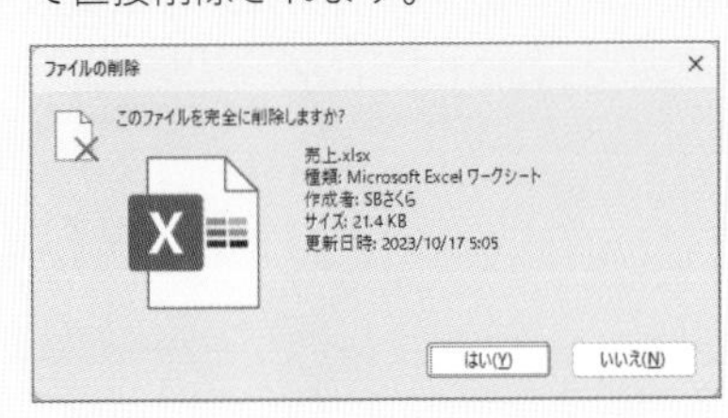

ここでは、［ドキュメント］フォルダ内の［売上.xlsx］ファイルを削除してみましょう。

1 エクスプローラーで［ドキュメント］を開く

2 ［売上.xlsx］をクリック

3 ［削除］をクリック

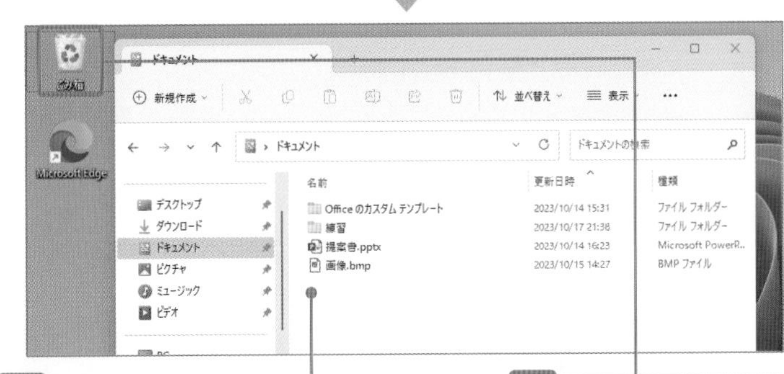

4 ［売上.xlsx］ファイルが削除されました。

5 ［ごみ箱］をダブルクリック

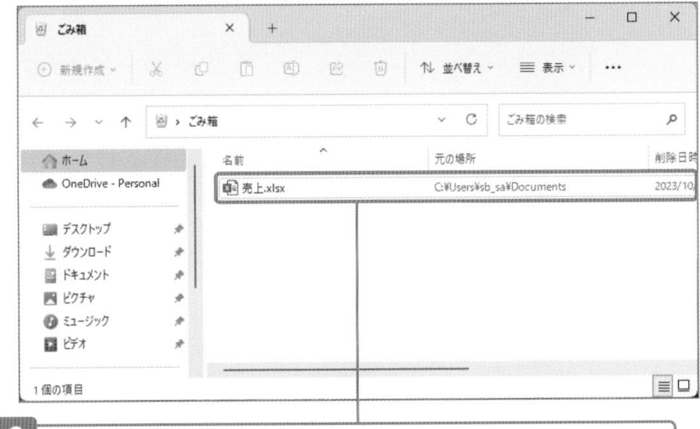

6 ［ごみ箱］が開き、［売上.xlsx］が移動していることが確認できます。

事務職のタイムスケジュールってどんな感じ？

事務職の女性のある1日をのぞいてみましょう。Kさんの勤務時間は9：00〜17：00です。

 8：50　出社

できるだけ始業10分前には出社。お気に入りのコーヒーショップでコーヒーを買って行きます。毎日のことだけど、朝のラッシュと早歩きの後、席について飲む始業前のコーヒーで、ほっと一息。コーヒーを飲みながら今日のスケジュールを確認します。

 9：00　始業開始

締め切りや日程などを確認し、優先順位の高い業務から仕事を進めます。
今日は、10時からミーティングがあるので、ミーティングの準備を最優先にして、会議室の確認と資料を用意します。パソコンで作成していた資料をプリントアウトし、人数分をセット。準備ができたら、会議までの間、メールのチェックや、電話／来客時対応などの作業もします。

 10：00　グループミーティング

会議室に移動し、各メンバーの業務報告や進捗状況を共有し、進行中の企画や案件についてスケジュール調整などを相談。自分のスケジュールは要チェック。

 12：00　昼休み（1時間）

いつもはお弁当ですが、今日は近くのコンビニで期間限定のお弁当を購入。狙っていたお弁当が購入できたので満足。ときには近くの定食屋さんに行ったり、カフェでランチしたりと、外食してリフレッシュ！

 13：00　オフィス内整備と郵便物チェック

ロビーに設置しているパンフレットやチラシの確認や入れ替えをし、備品のチェックをして必要なものは発注をかけたり、郵便物のチェックをしたりします。

 14：00　データ入力や書類作成などの事務処理

社内システムを使ってデータ入力したり、WordやExcelを使って資料や書類を作成したりと、座って落ち着いてパソコン作業をします。電話／来客時対応は随時行っています。

 17：00　退社

明日のスケジュールを確認してからパソコンの電源を切り、机の上を整理して退社。今日は、パン屋さんによって帰ろうかな。

余裕を持って自分のペースを確保

毎日の作業は、締め切りや会議などを考慮して、スケジューリングします。また、あまりタイトなスケジュールを組まないのがコツ。例えば、会議が長引いたり、急な来客があったりと、思うように作業が進まないことが多々あります。

優先順位を考えてスケジューリングを！

第1章

Excelの基礎を知ろう

Excelで作業をはじめる前に、Excelの基本的な使い方を覚えておきましょう。ここでは、起動や終了の方法や画面構成、機能の実行方法など、必要な基礎知識を紹介します。

Section

08 Excelでできること

Excelは、表計算ソフトの一つで、表作成や計算を得意とします。加えてデータをもとにグラフの作成、並べ替えや抽出、集計などデータをまとめる機能や分析する機能も用意されています。

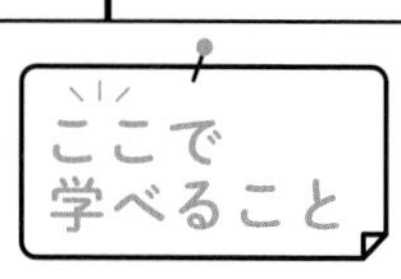

習得スキル	操作ガイド	ページ
▶ Excelの主な機能	なし	p.42

まずは パッと見るだけ！

Excelの主な機能

Excelでは、表の作成だけでなく、グラフや図形の追加、並べ替えや抽出、集計や分析など、集めたデータを有効に利用する機能があります。

● **表の作成**

	A	B	C	D	E	F	G
1	商品別地区別売上数						
2		商品1	商品2	商品3	合計		
3	東地区	1,400	1,800	900	4,100		
4	西地区	1,200	1,700	1,000	3,900		
5	南地区	1,500	1,600	800	3,900		
6	北地区	1,300	1,600	900	3,800		
7	合計	5,400	6,700	3,600	15,700		
8	平均	1,350	1,675	900	1,308		
9	最大	1,500	1,800	1,000	1,800		
10	最小	1,200	1,600	800	800		
11							

文字、数値、計算式を入力し、色や罫線を設定してさまざまな表が作成できます。

● **関数を使った表作成**

D3 =IF(B3>=90,"A",IF(B3>=70,"B","C")) ― 関数

	A	B	C	D	E	F	G
1	進級テスト結果						
2	学籍番号	得点	進級	評価			
3	S1001	76	進級	B			
4	S1002	93	進級	A			
5	S1003	64		C			
6	S1004	81	進級	B			
7	S1005	100	進級	A			
8	S1006	60		C			
9							

合計や平均などの計算をするだけでなく、文字を取り出したり、条件によって異なる結果をセルに表示したりするなどいろいろな結果を表示できます。

●データの並べ替え

	A	B	C	D	E	F
1	申込者一覧					
2	NO	氏名	フリガナ	地区	加入年	
3	6	安藤　慎一	アンドウ　シンイチ	神奈川	2001年	
4	2	井上　健吾	イノウエ　ケンゴ	千葉	2013年	
5	5	岡崎　由香	オカザキ　ユカ	埼玉	2020年	
6	3	清水　未希	シミズ　ミキ	神奈川	2008年	
7	1	田村　陽介	タムラ　ヨウスケ	東京	2003年	
8	4	藤田　剛	フジタ　ツヨシ	東京	2018年	
9						

50音で並び替え

表のデータを数値の大きい順や、50音順で並べ替えてデータを整列したり、まとめたりできます。

●特定の値を持つデータの抽出

	A	B	C	D	E	F
1	申込者一覧					
2	NO	氏名	フリガナ	地区	加入年	
3	1	田村　陽介	タムラ　ヨウスケ	東京	2003年	
6	4	藤田　剛	フジタ　ツヨシ	東京	2018年	
9						

地区が「東京」のデータで絞り込み

表内の特定のデータだけを絞り込んで表示することができます。

●テーブルの利用

	A	B	C	D	E	F	G	H	I	J
2	NO	氏名	フリガナ	性別	種別	所在地	生年月日	年齢	購入金額	
3	1	工藤　恵子	クドウ　ケイコ	女	ゴールド	東京都世田谷区	1994/11/6	29	123,000	
4	2	青山　健介	アオヤマ　ケンスケ	男	プラチナ	埼玉県さいたま市	1981/8/18	42	429,000	
5	3	川崎　太郎	カワサキ　タロウ	男	シルバー	東京都港区	1998/4/12	25	63,000	
6	4	田村　輝美	タムラ　テルミ	女	ゴールド	千葉県市川市	1992/7/16	31	184,000	
16	14	山崎　健吾	ヤマザキ　ケンゴ	男	レギュラー	埼玉県所沢市	1988/6/17	35	18,000	
17	15	角田　美優	カドタ　ミユ	女	ゴールド	東京都渋谷区	1982/9/2	41	139,000	
18	16	中村　明美	ナカムラ　アケミ	女	シルバー	東京都港区	1994/6/24	29	65,000	
19	集計							16	163,063	

表をテーブルに変換してデータの管理や集計が効率的にできます(p.306参照)。他にもピボットテーブルという集計機能を使って集計表を簡単に作成することもできます(本書では解説していません)。

●表のデータをもとにしたグラフや図形の作成

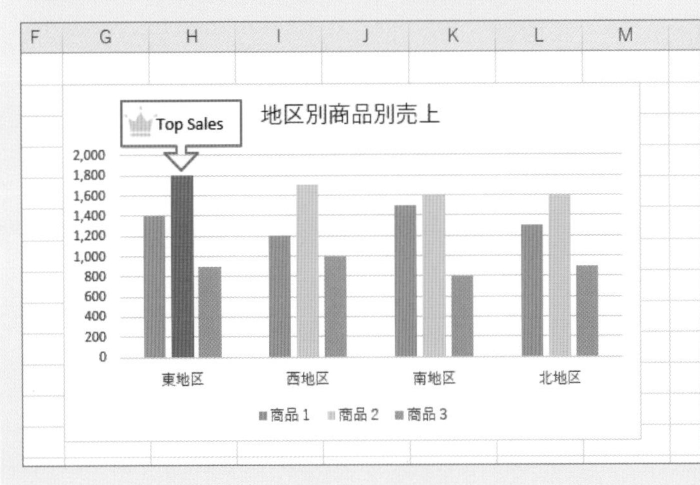

まずは「見ておくだけ」でOK!

表のデータをもとにグラフを作成してデータを視覚化したり、図形を追加して見栄えよくしたりできます。

Section

09 Excelを起動／終了する

Excelで作業をはじめるには、Excelを起動し、空白のブックを追加して新規の画面を表示します。ここでは、Excelの起動と終了の方法、新規ブックの作成方法を確認しましょう。

習得スキル	操作ガイド	ページ
▶Excelの起動	レッスン09-1	p.45
▶空白のブックの追加	レッスン09-1	p.45
▶Excelの終了	レッスン09-2	p.47

まずは パッと見るだけ！

Excelを起動して空白のブックを表示する

Excelを起動すると、Excelのウィンドウが開き、タスクバーにExcelのアイコンが表示されます。

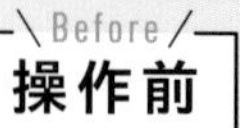

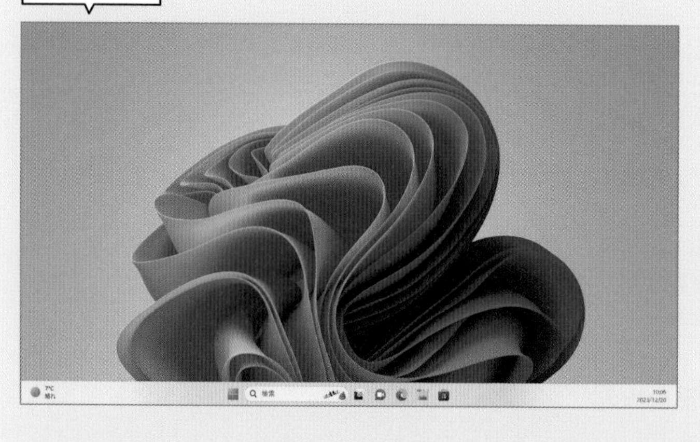

保存単位となるファイルのことを「ブック」と呼び、空白の状態から利用します

After
操作後

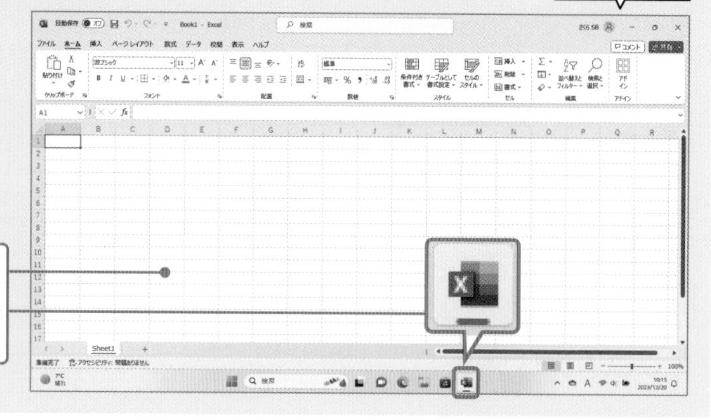

デスクトップ上にExcelのウィンドウが開き、タスクバーにExcelのアイコンが表示される

レッスン 09-1 Excelを起動して空白のブックを表示する

操作 Excelを起動する

Excelを起動するには、[スタート]ボタンをクリックし、Excelのアイコンをクリックします。

Memo Excelのアイコンが見えないとき

すべてのアプリの一覧で、[Excel]のアイコンが見えない場合は、[Excel]のアイコンが見えるまでスクロールバーを下にドラッグしてください。

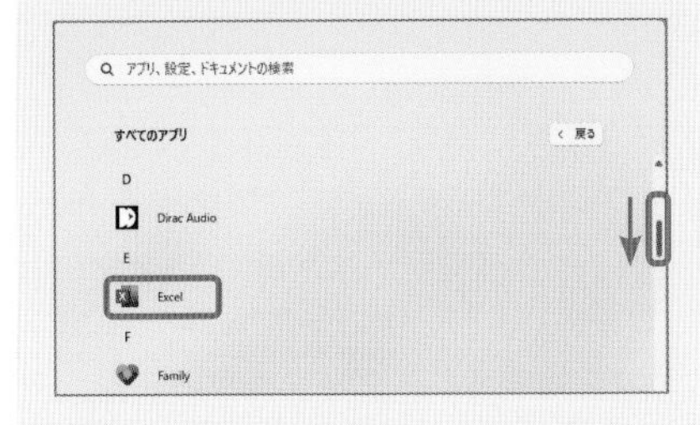

Memo プレインストール版のパソコンの場合

パソコン購入時にExcelがすでにインストールされている場合は、手順1の[スタートボタン]をクリックしたときに表示されるスタートメニューに[Excel]のアイコンが表示される場合があります。

1 [スタート]ボタンをクリックし、

2 表示されたスタートメニューの[すべてのアプリ]をクリックします。

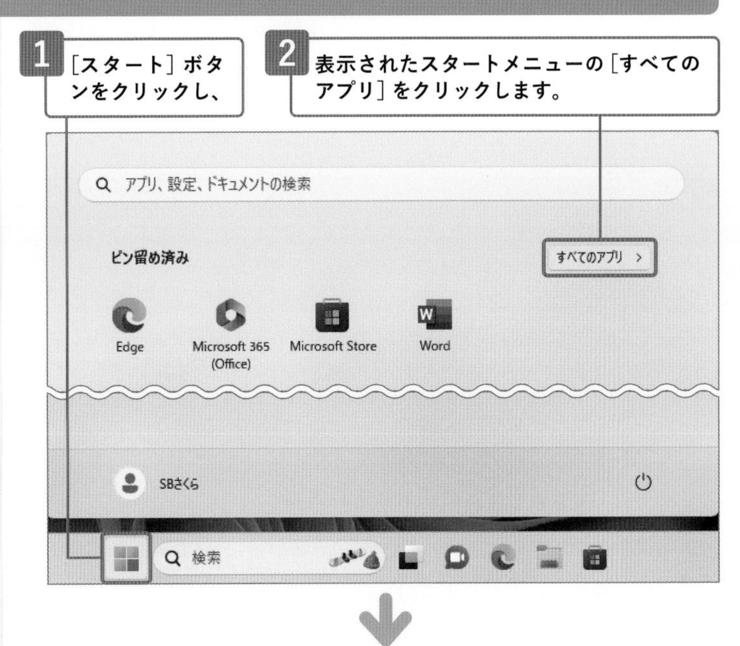

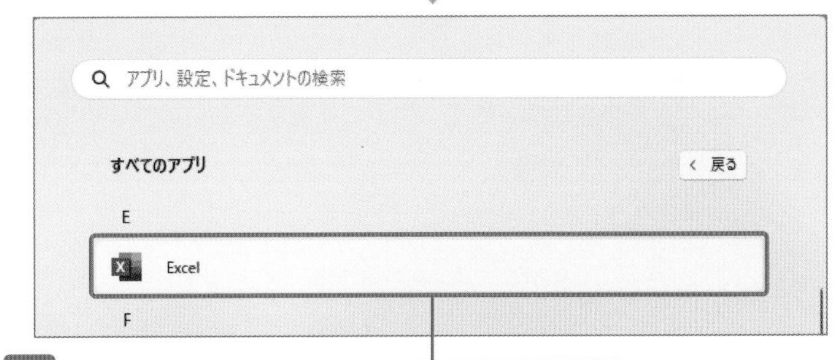

3 すべてのアプリにある[Excel]をクリックすると、

4 Excelが起動します。

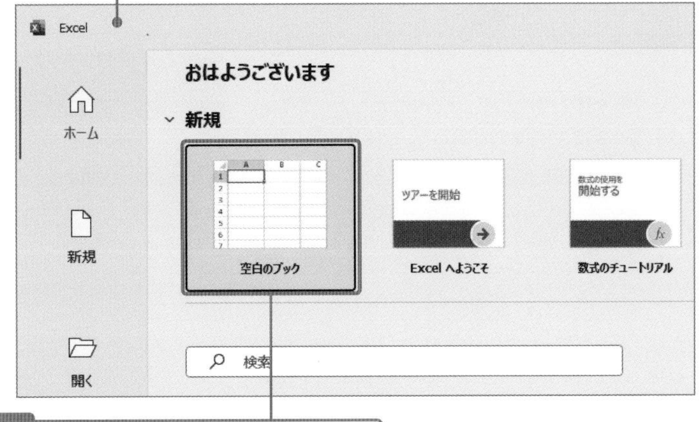

5 [空白のブック]をクリックすると、

Memo タイトルバーのブック名の表示

新規ブックを作成すると、タイトルバーにブックの仮の名前「Book1」と表示されます。ブックを保存すると、ファイル名が表示されます。

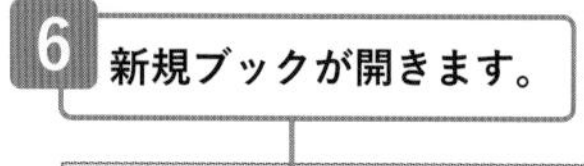

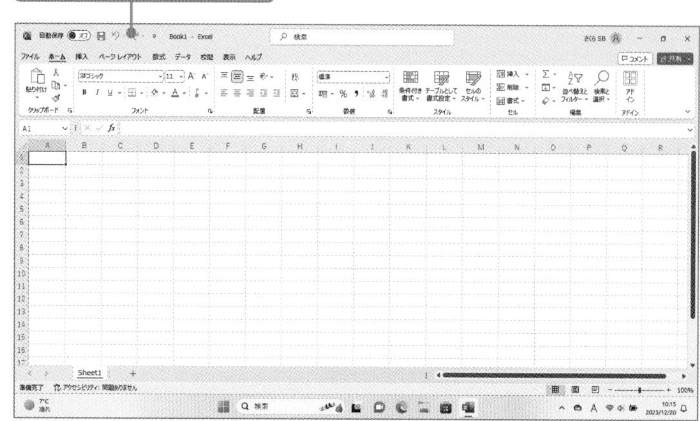

コラム Excelをすばやく起動する方法

Excelのアイコンをスタートメニューやタスクバーにピン留めすると、アイコンをクリックするだけですばやく起動できるようになります。

●スタートメニューにピン留めする

前ページの手順3で表示した［Excel］を右クリックし❶、［スタートにピン留めする］をクリックすると❷、スタートメニューの一番下にExcelのアイコンが追加されます❸。追加されたアイコンはドラッグで自由な位置に移動できるので、使いやすい位置に配置するといいでしょう。

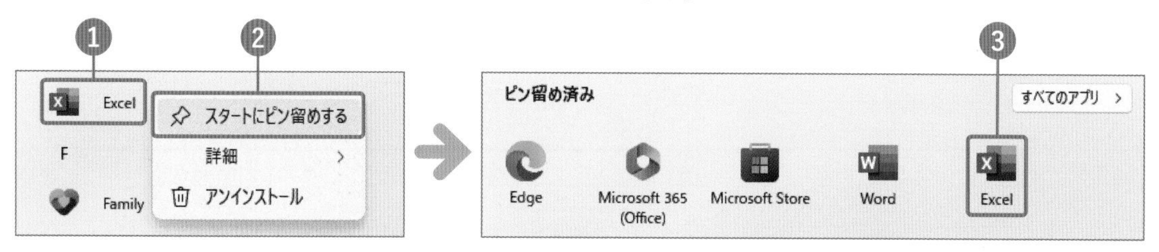

●タスクバーにピン留めする

Excelが起動しているときに、タスクバーにあるExcelのアイコンを右クリックし❶、［タスクバーにピン留めする］をクリックします❷。これで、タスクバーにExcelのアイコンが常に表示されるようになり、クリックするだけでExcelが起動します❸。

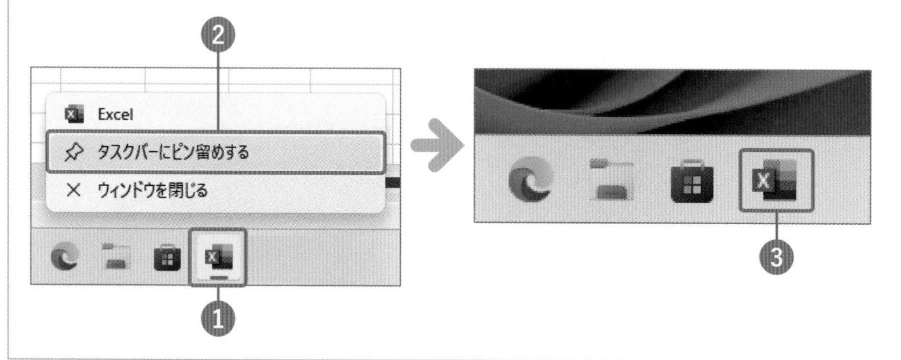

レッスン 09-2 Excelを終了する

操作 Excelを終了する

Excelを終了するには、タイトルバーの右端にある［閉じる］をクリックします。複数のブック（Excel画面）を開いている場合は、クリックしたブックだけが閉じます。開いているブックが1つのみの場合に［閉じる］をクリックすると、ブックを閉じるとともにExcelも終了します。

ショートカットキー

- Excelを終了する
  Alt + F4

Memo すべてブックをまとめて閉じて終了する

複数のブックを開いているとき、Shift キーを押しながら［閉じる］をクリックすると、開いているすべてのブックを閉じると同時にExcelも終了します。

1 タイトルバーの右端にある［閉じる］をクリックすると、

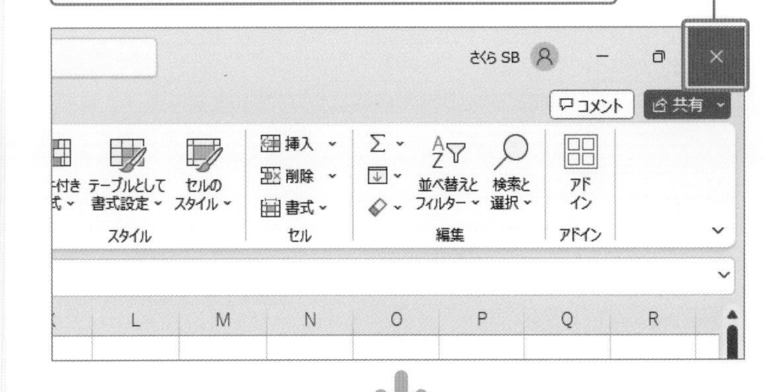

2 Excelが終了します。

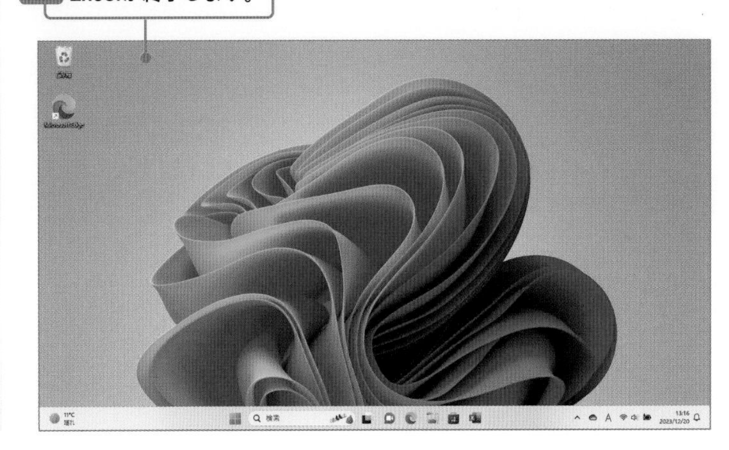

コラム スタート画面について

Excel起動時の画面を「スタート画面」といいます。この画面ではこれからExcelで行う操作を選択できます。起動時に表示される［ホーム］画面では、新規ブック作成の選択画面、最近表示したブックの一覧が表示されます。❶［新規］をクリックするとブックの新規作成用の画面、❷［開く］をクリックすると保存済みのブックを開くための画面が表示されます。

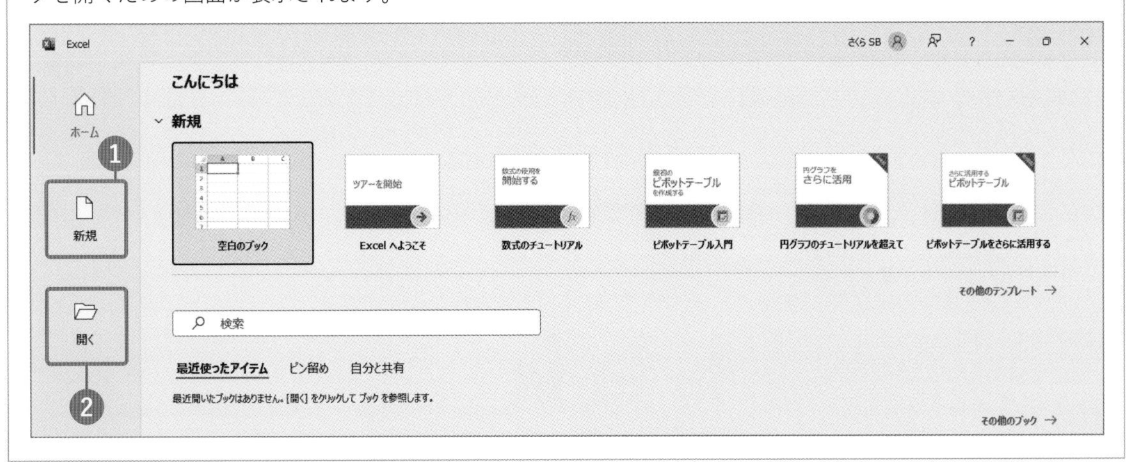

Section 10

Excelのブックを開く／閉じる

保存されているExcelのブック（ファイル）にあるデータを使って作業をしたい場合は、ブックを開きます。ここでは、既存のブックの開き方と閉じ方を確認しましょう。

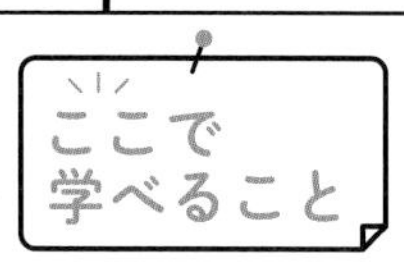

習得スキル	操作ガイド	ページ
▶ブックを開く	レッスン10-1	p.49
▶ブックを閉じる	レッスン10-2	p.50

まずは パッと見るだけ！

［ファイルを開く］ダイアログでファイルを開く

保存されているExcelのブックを開くには、［ファイルを開く］ダイアログを表示し、開きたいブックを選択します。

レッスン 10-1 ブックを開く

10-売上報告.xlsx

操作 Excelのブックを開く

Excelで作成し、一度保存したブックを開いて続きを編集したい場合は、この手順でブックを開きます。

Memo 複数のブックを同時に開く

Excelでは、同時に複数のブックを開くことができます。
なお、「ブックを開く」についての詳細はp.93を参照してください。

ショートカットキー

- ［開く］画面を表示する
  Ctrl + O

Memo 表示履歴から文書を開く

手順 1 で表示される［開く］画面の右側には、最近使用したブックが表示されます。この表示履歴を利用して、一覧にあるブック名をクリックするだけで、すばやく開けます。

1 p.45の手順でExcelを起動し、Excelのスタート画面で［開く］をクリックし、

2 ［参照］をクリックすると、

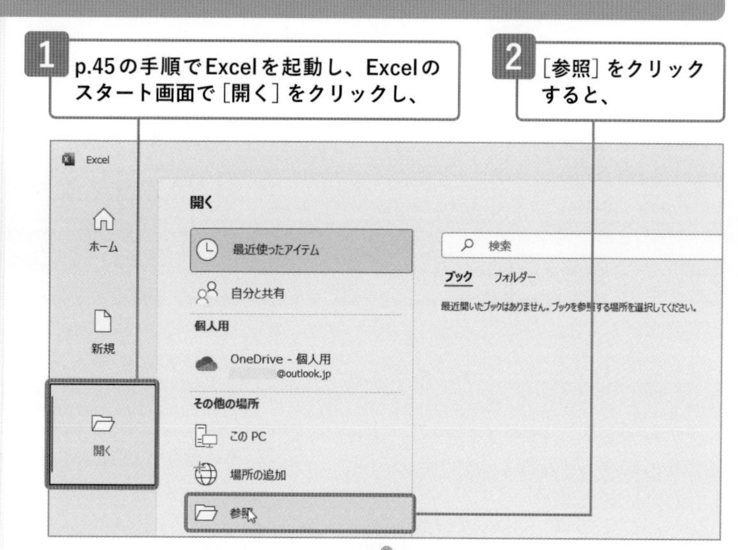

3 ［ファイルを開く］ダイアログが表示されます。

4 ブックが保存されている場所を選択し、

5 開きたいブックをクリックして、

6 ［開く］をクリックします。

7 ブックが開きます。

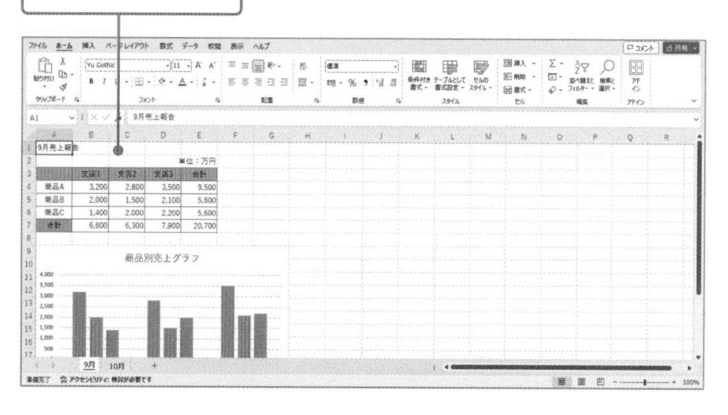

レッスン10-2 ブックを閉じる

操作　ブックを閉じる

Excelを終了しないでブックだけを閉じたい場合は、[ファイル] タブ→[閉じる] をクリックします。

Memo 確認メッセージが表示される場合

ブックを変更後、保存せずに閉じようとすると、以下のような保存確認のメッセージが表示されます。
変更を保存する場合は [保存]、保存しない場合は [保存しない] をクリックして閉じます。
[キャンセル] をクリックすると閉じる操作を取り消します。なお、保存についての詳細はp.90を参照してください。

このファイルの変更内容を保存しますか?
代わりにクラウドにバックアップされたフォルダーに保存することで、今後このファイルに対する変更が失われないようにします。
ファイル名
10-1-売上表 .xlsx
場所を選択
ドキュメント
C: » Users » sb_sa
保存(S) 保存しない(N) キャンセル

ショートカットキー

- ブックを閉じる
  Ctrl + W

1 [ファイル] タブをクリックし、

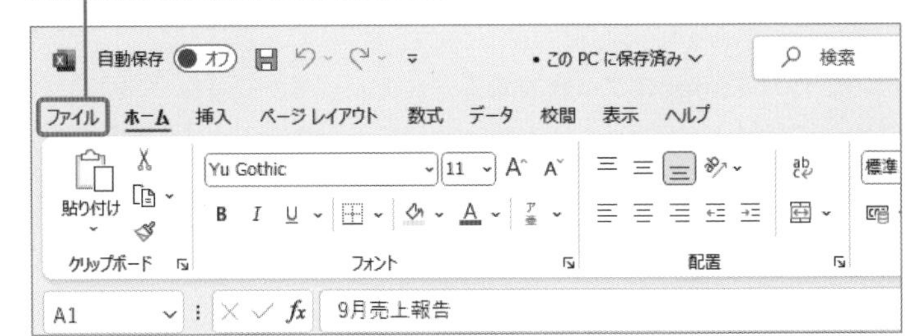

2 [その他] → [閉じる] をクリックすると、

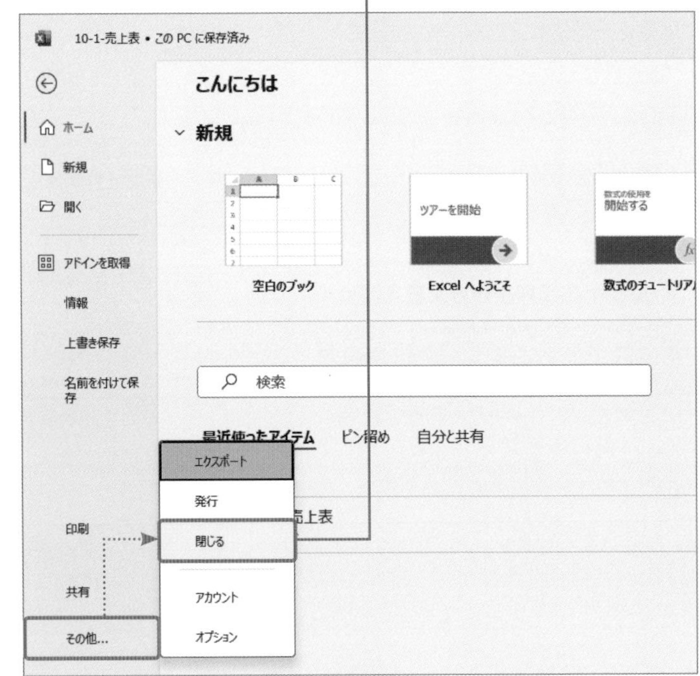

3 開いていたブックが閉じます。

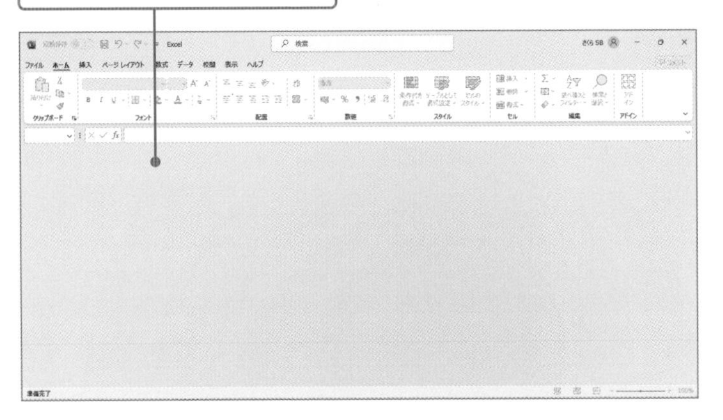

コラム Excelの基本要素

Excelは、ブック、ワークシート、セルで構成されています。Excelでは、保存単位となるファイルのことを「ブック」と呼びます。また、「ワークシート」は作業用のシートで、ブック内に複数追加できます。ワークシートは行と列で区切られており、1つ1つのマス目のことを「セル」といいます。また、セルの中でも太枠のセルのことを「アクティブセル」といいます。アクティブセルとは、作業対象のセルです。

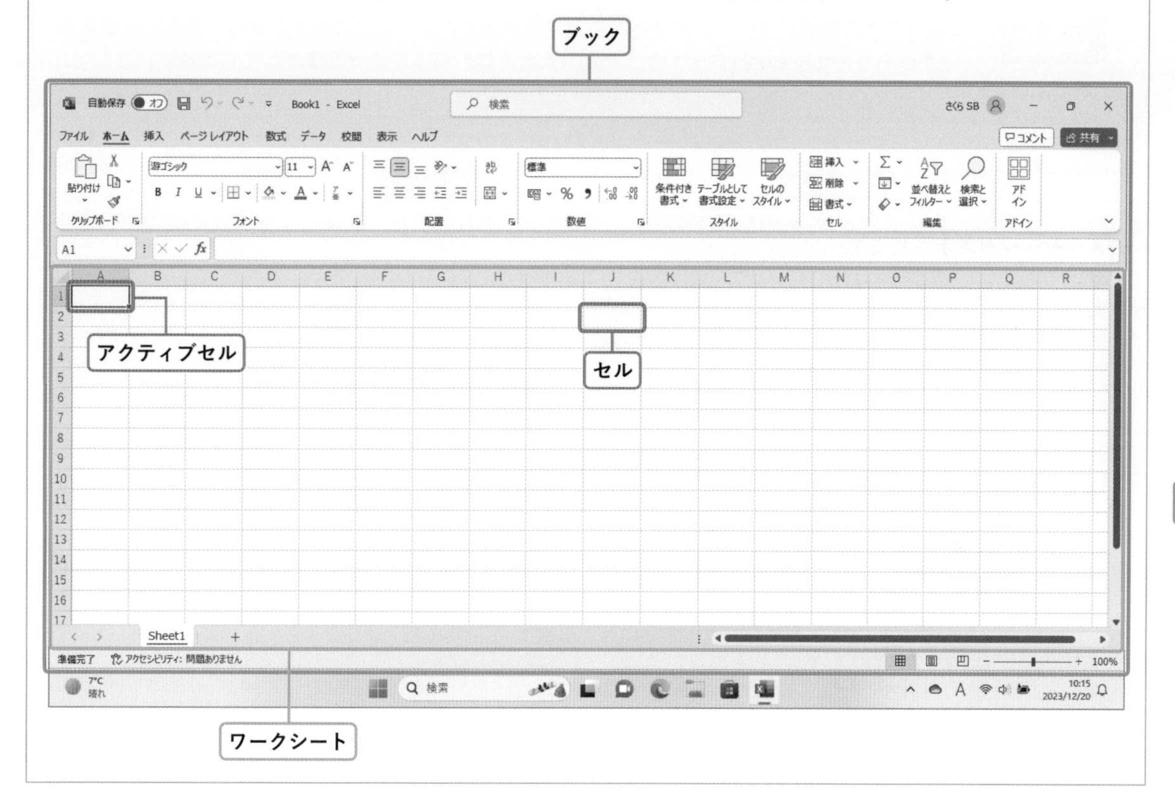

11 Excelの画面構成を知ろう

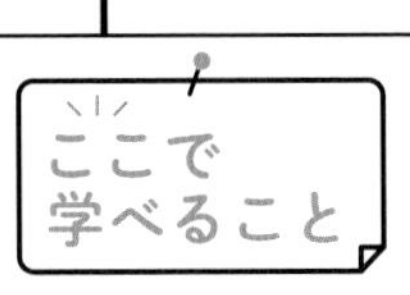

Excelの画面構成について、主な各部の名称と機能をここでまとめます。すべての名称を覚える必要はありませんが、操作をする上で迷ったときは、ここに戻って確認してください。

習得スキル	操作ガイド	ページ
▶Excelの画面構成を知る	なし	p.52
▶各部の名称と役割を知る		p.53

まずは パッと見るだけ！

Excelの画面の概要

画面の上部で、[上書き保存] [ブックの名前の確認] [Excel画面サイズの変更] を行います。[リボン] は、Excelを操作する機能のセットです。この機能のセットは、[タブ] で切り替えます。中央のマスが入力スペース、下部でブックの状態を確認できます。

▼ Excelの画面構成を確認する

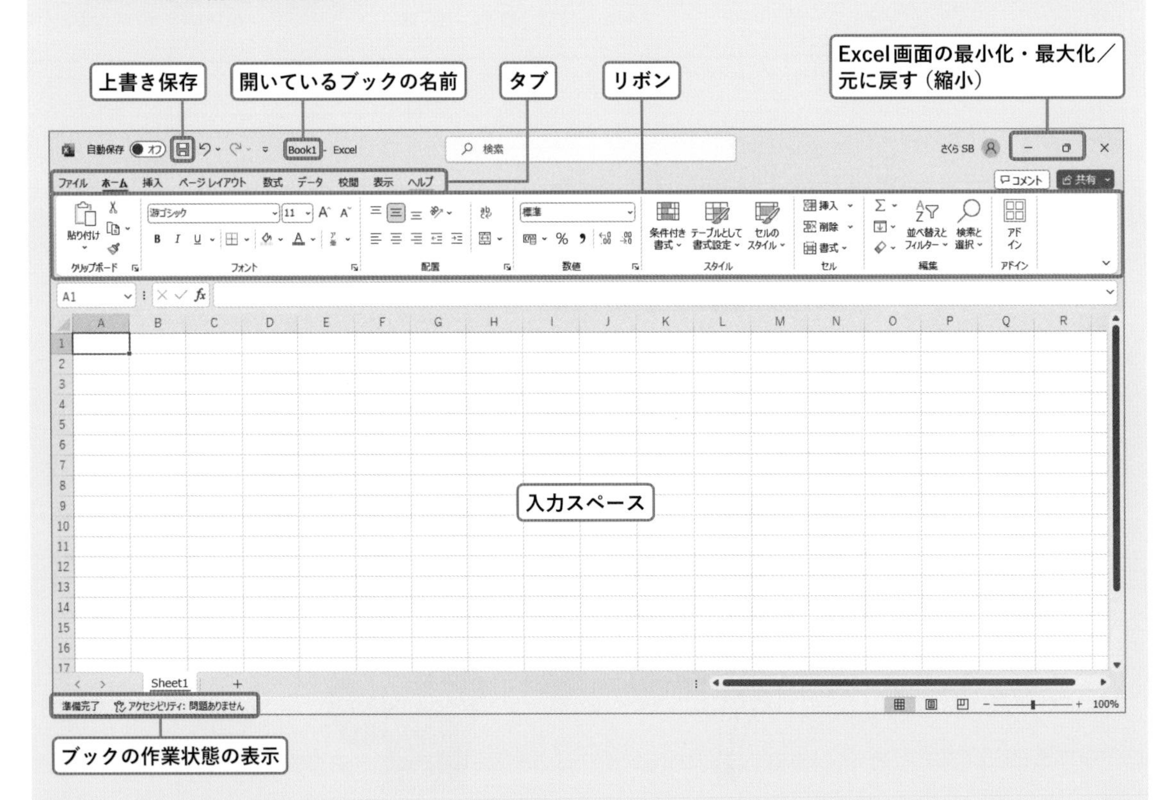

Excelの画面構成

細かな各部の名称と機能は以下の通りです。

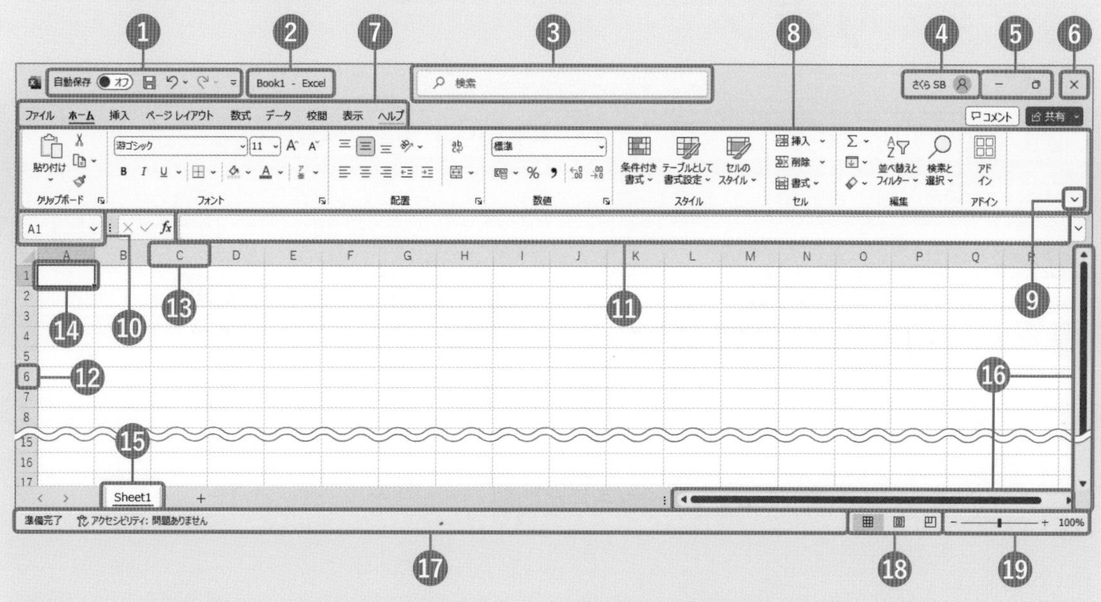

NO	名称	機能
❶	クイックアクセスツールバー	よく使う機能がボタンで登録されている。登録するボタンは自由に変更できる
❷	タイトルバー	開いているブック名が表示される
❸	Microsoft Search	入力したキーワードに対応した機能やヘルプを表示したり、文書内で検索したりする
❹	Microsoftアカウント	サインインしているMicrosoftアカウントが表示される
❺	[最小化][最大化／元に戻す（縮小）]	[最小化]でExcel画面をタスクバーにしまい、[最大化]でExcelをデスクトップ一杯に表示する。最大化になっていると[元に戻す（縮小）]に変わる
❻	[閉じる]	Excelの画面を閉じるボタン。文書が1つだけのときはExcel自体が終了し、複数の文書を開いているときには、クリックした文書だけが閉じる
❼	タブ	リボンを切り替えるための見出し
❽	リボン	Excelを操作するボタンが表示される領域。上のタブをクリックするとリボンの内容が切り替わる。リボンのボタンは機能ごとにグループにまとめられている
❾	リボンの表示オプション	リボンの表示／非表示など表示方法を設定する
❿	名前ボックス	アクティブセルのセル番地やセル範囲につけた名前が表示される
⓫	数式バー	アクティブセルに入力されたデータや数式が表示される
⓬	行番号	行の位置を示す数字
⓭	列番号	列の位置を示すアルファベット
⓮	セル／アクティブセル	ワークシート内の1つのマス目。現在選択されているセルを「アクティブセル」という
⓯	シート見出し	ブックに含まれるワークシート名
⓰	スクロールバー	バーをドラッグして画面に表示する領域を移動する
⓱	ステータスバー	エクセルの現在の状態が表示される
⓲	表示選択ショートカット	文書の表示モードを切り替える（p.70参照）
⓳	ズームスライダー	画面の表示倍率を変更する

Section

12 Excelの機能を実行する①：リボン

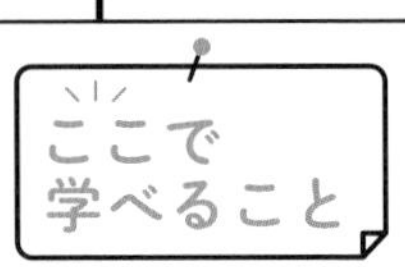

Excelの機能を実行するには、リボンに配置されているボタンを使います。ここで、リボンの種類(タブ名)と機能を確認しておきましょう。

ここで学べること

習得スキル	操作ガイド	ページ
▶リボンの利用	レッスン12-1	p.55
▶リボンの表示/非表示を切り替える	レッスン12-2	p.56
▶コンテキストタブの利用	レッスン12-3	p.57

まずは パッと見るだけ！

リボンの種類(タブ名)と機能

リボンは機能別に用意されており、タブをクリックして切り替えます。標準で表示されているタブは9つの種類があります。

ホームタブ：ホームのリボンに切り替える

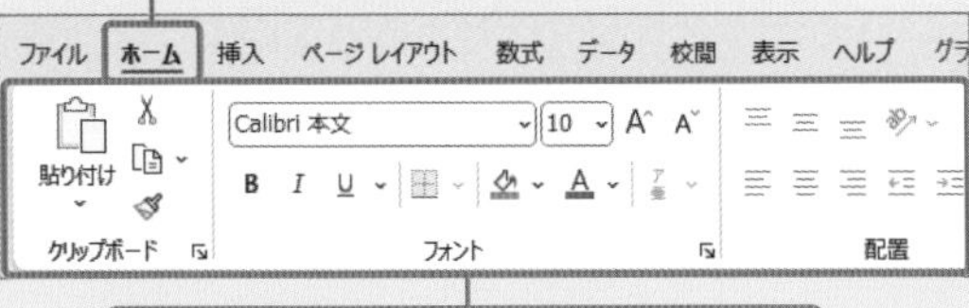

ホームのリボン：ホーム機能を実行するボタンが表示される

挿入タブ：挿入のリボンに切り替える

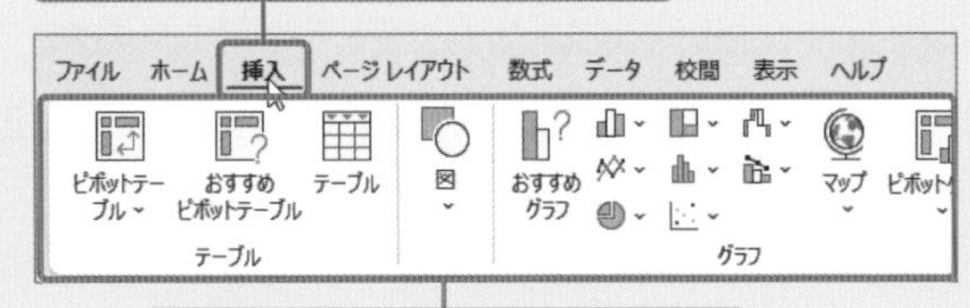

挿入のリボン：挿入機能を実行するボタンが表示される

▼タブ一覧

NO	リボン名(タブ名)	機能
❶	ファイル	Backstageビューを表示する。文書の新規作成や保存、閉じる、印刷など文書ファイルの操作に関する設定をする
❷	ホーム	コピーや貼り付け、文字サイズや色、文字列の配置や行間隔など、文字の修飾やレイアウトなどの設定をする
❸	挿入	表、写真、図形、ヘッダー/フッター、ページ番号などを追加する
❹	ページレイアウト	用紙のサイズや向きなど印刷に関する設定やテーマなど、ブック全体に関する設定をする
❺	数式	関数の挿入や名前、数式の検証など、Excelで計算するための機能がまとめられている
❻	データ	外部からのデータを取り込み、並べ替え、抽出、集計など、集めたデータを活用する機能がまとめられている
❼	校閲	文章の校正や翻訳、コメントの追加、シートの保護などデータの内容を校閲する
❽	表示	画面の表示モードや倍率、ウィンドウの整列方法など画面表示の設定をする
❾	ヘルプ	わからないことをオンラインで調べる

レッスン12-1 リボンを切り替えて機能を実行する

操作 基本的な機能を実行する

Excelの機能を実行するには、リボンにあるボタンをクリックします。リボンは、タブをクリックすることで切り替えることができます。

Memo メニューが表示されるボタン

手順3のように⌄が表示されているボタンはクリックするとメニューが表示されます。表示されていないボタンはすぐに機能が実行されます。

Memo ウィンドウサイズによるボタンの表示の違い

ウィンドウのサイズを小さくすると、そのウィンドウサイズに合わせて自動的にボタンがまとめられます❶。まとめられたボタンをクリックすれば、非表示になったボタンが表示されます❷。

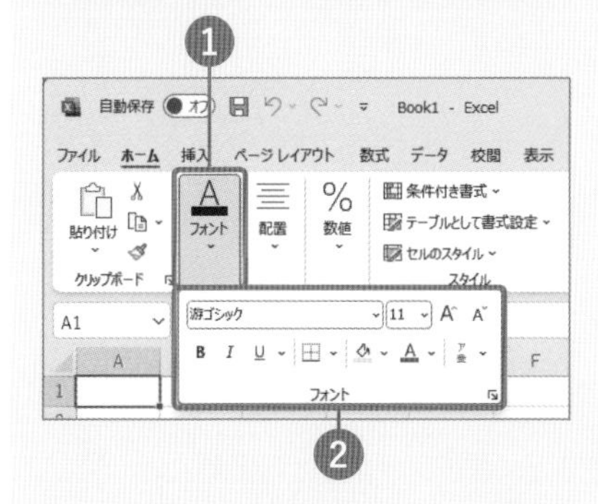

1 切り替えたいタブ（ここでは［ページレイアウト］タブ）をクリックすると、

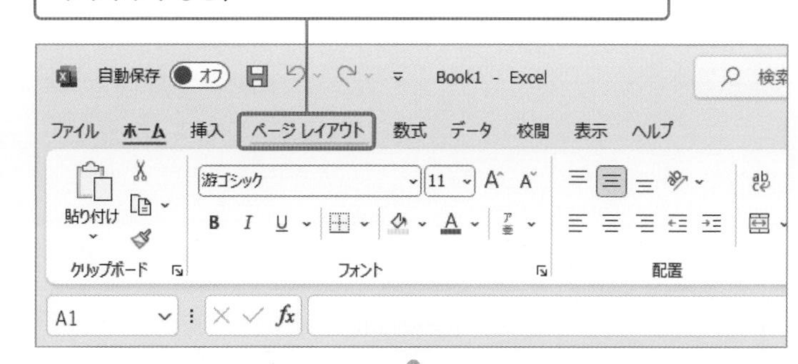

2 リボンが切り替わります（ここでは［ページレイアウト］リボン）。

3 ボタンをクリックすると、

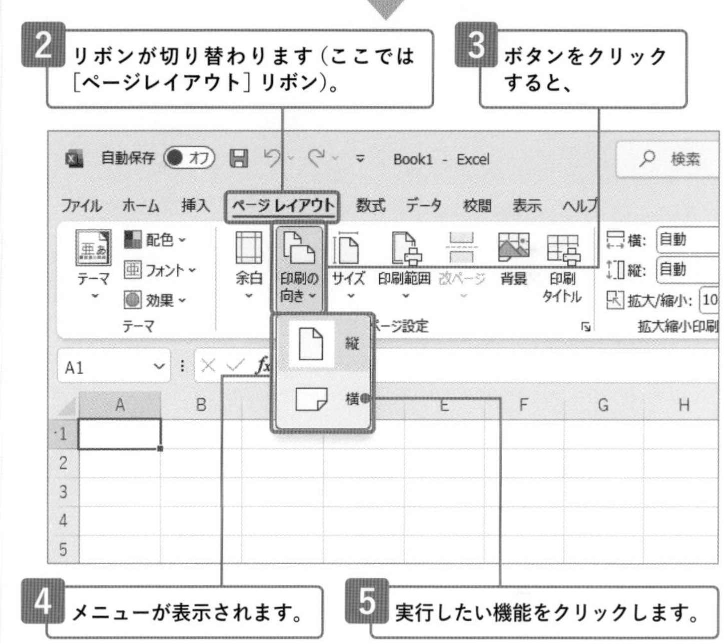

4 メニューが表示されます。

5 実行したい機能をクリックします。

コラム ボタンはグループに分類されている

リボンの中のボタンは、設定内容によってグループに分類されています。例えば、［ホーム］リボンの［フォント］グループには、文字（フォント）の書式を設定するボタンをまとめられています。

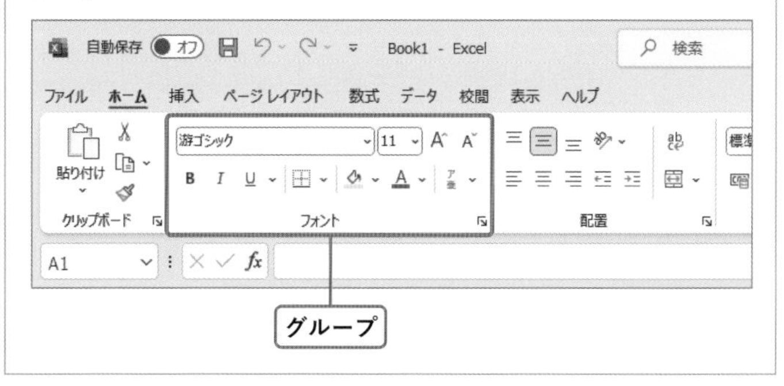

レッスン 12-2 リボンを非表示にして画面を大きく使う

操作 リボンを非表示にする

リボンは、たたんで非表示にすることができます。非表示にすると編集画面を大きく使うことができます。

1 選択されているタブをダブルクリックすると、

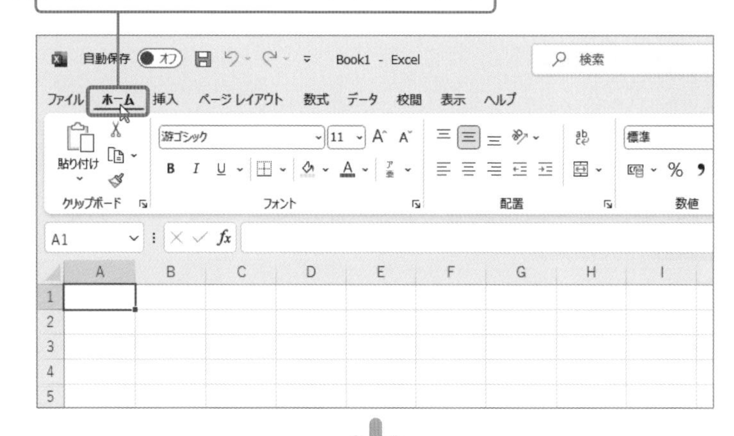

2 リボンが非表示になり、タブのみ表示されます。

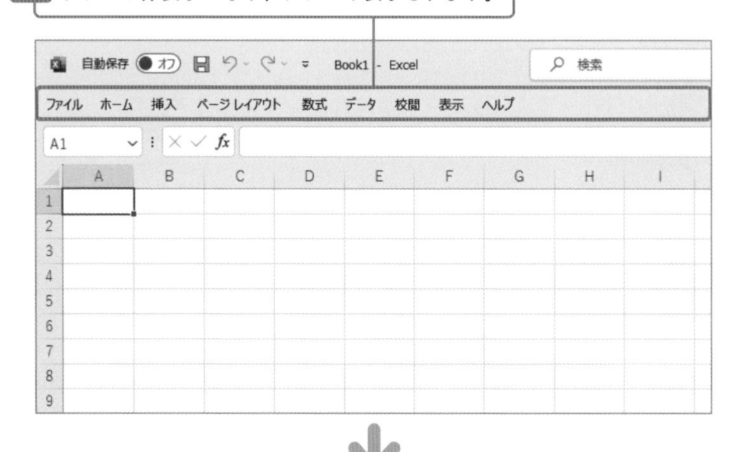

3 使用したいタブをクリックすると、リボンが表示されます。

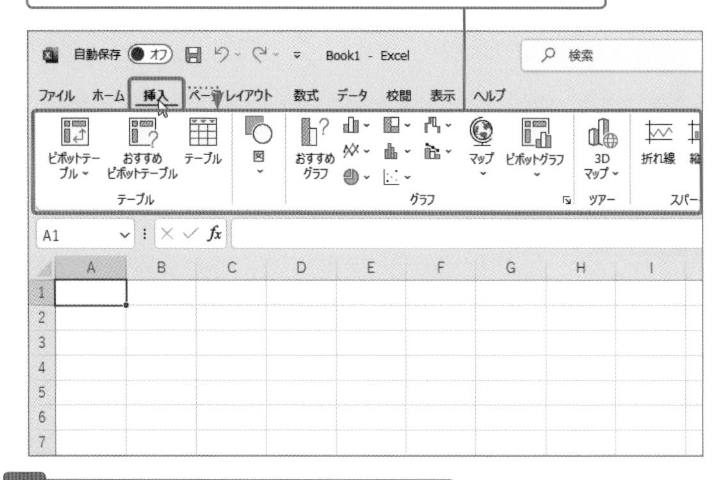

4 以降、タブをクリックするごとにリボンの表示／非表示が切り替わります。

Memo リボンの表示を戻すには

リボンが常に表示されるように戻すには、選択されているタブをダブルクリックするか、下図のように［リボンの表示オプション］をクリックし［常にリボンを表示する］を選択し、チェックを付けます。

［リボンの表示オプション］

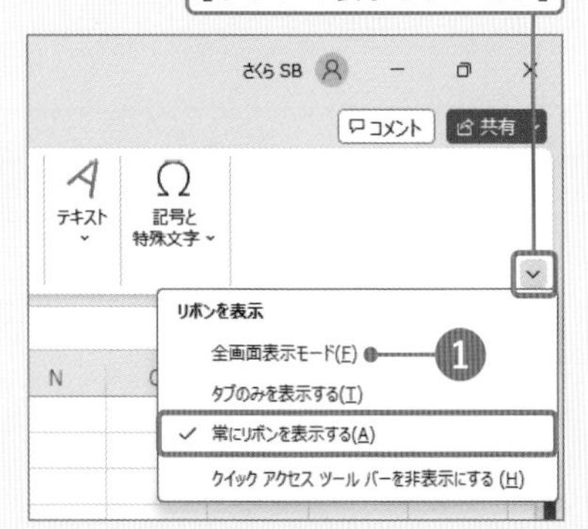

なお、［全画面表示モード］を選択すると❶、タブとリボンが非表示になり、タイトルバーをクリックするとタブとリボンが表示されます。［タブのみを表示する］をクリックするとタブのみ表示され、タブをクリックしてリボンを表示します。

レッスン 12-3 編集対象によって表示されるリボンを確認する

12-売上報告.xlsx

操作 コンテキストタブを使う

ワークシート上のグラフや図形を選択するなど、特定の場合に表示されるタブを「コンテキストタブ」といいます。コンテキストタブは緑文字で表示され、タブをクリックすると、選択しているグラフや図形の編集用のリボンに切り替わります。

Memo コンテキストタブが表示されない

コンテキストタブは、グラフや図形などを選択している場合のみ表示されます。通常のワークシートのセルが選択されている場合は、表示されません。

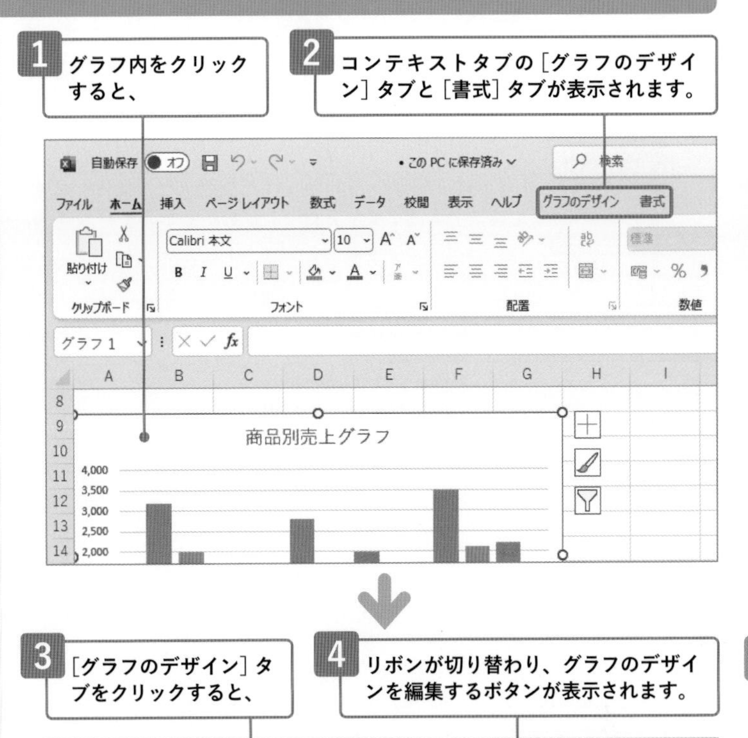

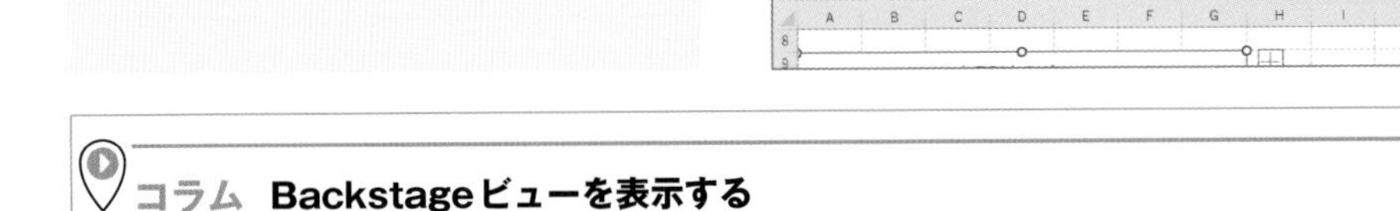

コラム Backstageビューを表示する

［ファイル］タブは、他のタブと異なり、「Backstageビュー」という画面が表示されます。ここには、ブックの新規作成、開く、保存、閉じる、印刷などファイルの操作に関するメニューが用意されています。また、Excelの設定をするときにも使用します。

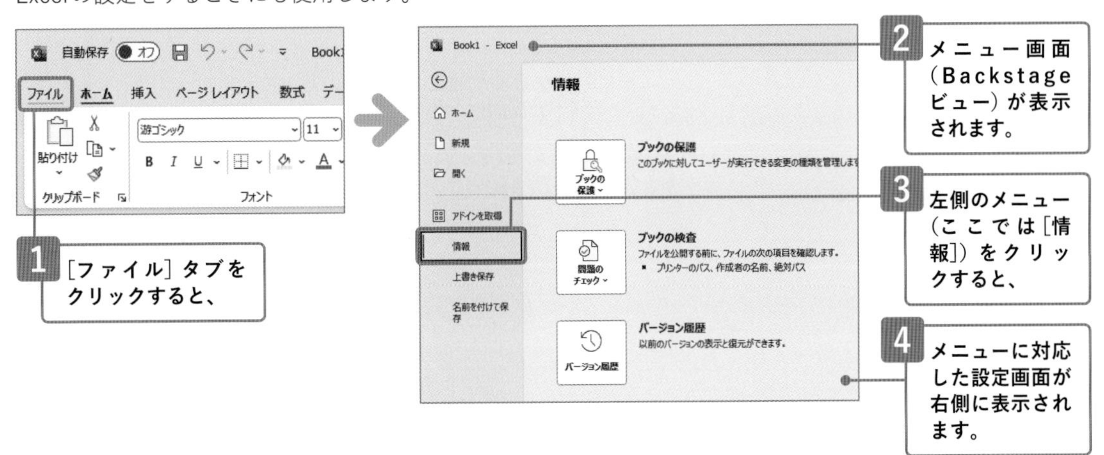

● **編集画面に戻る**

画面左上の㊀をクリックするか、esc キーを押すと、文書の編集画面に戻ります。

Section

13 Excelの機能を実行する② ：ダイアログ／作業ウィンドウ

Excelは、編集したいセルなどを選択して操作しますが、選択部分に対して複数の機能をまとめて設定できる「ダイアログ」があります。また関連機能の「作業ウィンドウ」も紹介します。

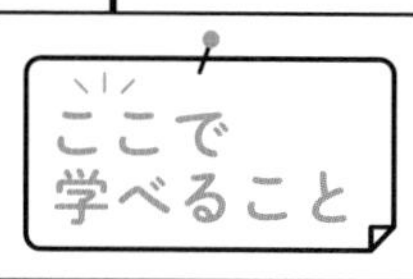

習得スキル	操作ガイド	ページ
▶ダイアログの利用	レッスン13-1	p.59
▶作業ウィンドウの利用	レッスン13-2	p.60

まずは パッと見るだけ！

ダイアログと作業ウィンドウ

ダイアログでは、選択部分に対して複数の機能をまとめて設定できます。グラフや図形が選択されている場合など、設定対象や内容によってはダイアログではなく作業ウィンドウが表示される場合があります。

▼ダイアログ

タブをクリックして切り替えられる

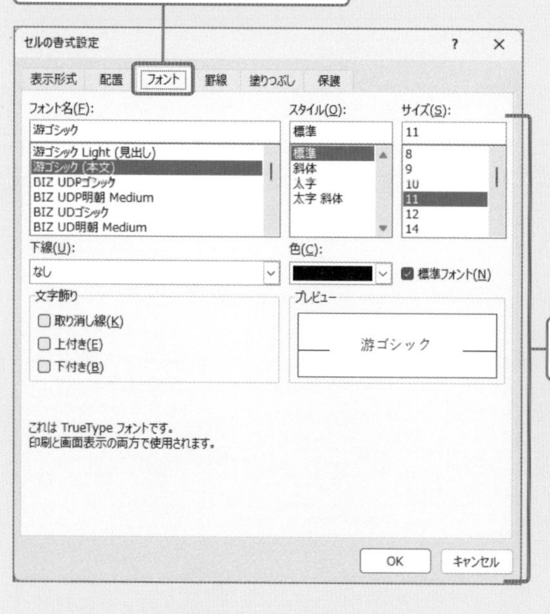

まとめて設定する部分

▼作業ウィンドウ

アイコンをクリックして切り替えられる

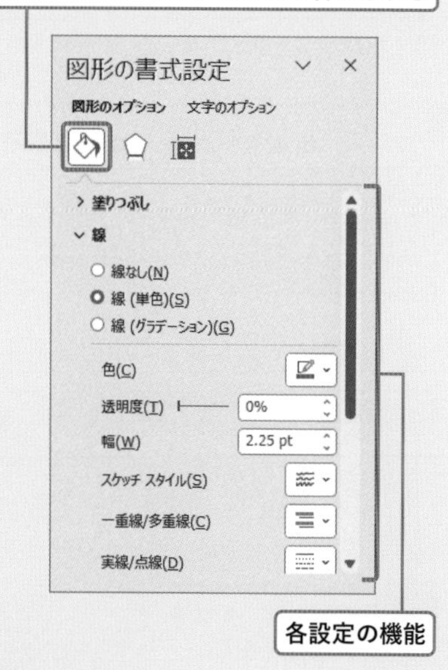

各設定の機能

設定機能がまとまっていることだけ押さえよう〜

レッスン 13-1 リボンからダイアログを表示する

13-1-売上報告.xlsx

操作 ダイアログを使う

ダイアログでは、選択部分に対して複数の機能をまとめて設定できます。[OK] ボタンをクリックすると設定が反映され、[キャンセル] ボタンをクリックすると設定せずに画面を閉じます。
なお、ダイアログ表示中はワークシート上での編集など他の操作ができなくなります。なお、ダイアログは、ダイアログボックスとも表現されます。

Memo ダイアログボックス起動ツール

手順3でクリックした◳は、そのグループに対する設定をまとめて設定できる画面を表示する「ダイアログボックス起動ツール」というボタンです。ここではダイアログが表示されますが、作業ウィンドウ（p.60参照）が表示される場合もあります。

1 設定対象（ここではセルA1）を選択し、

2 任意のタブ（ここでは［ホーム］タブ）をクリックして、

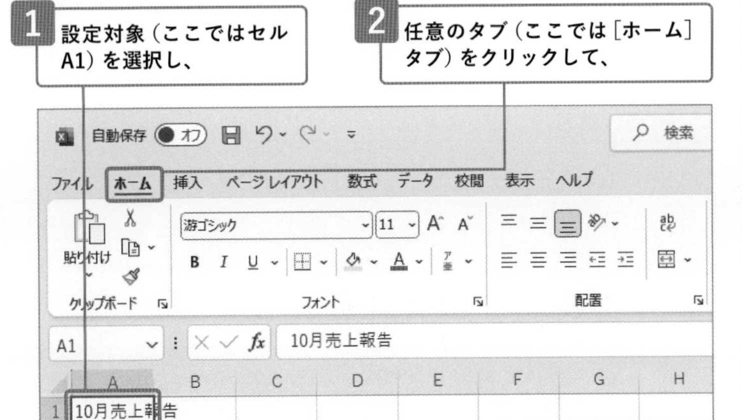

3 グループ（ここでは［フォント］グループ）の右下の◳をクリックすると、

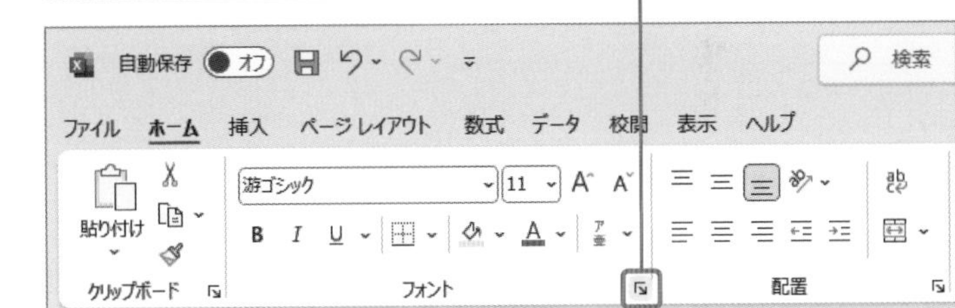

4 そのグループに関連するダイアログ（ここでは［セルの書式設定］ダイアログ）が表示されます。

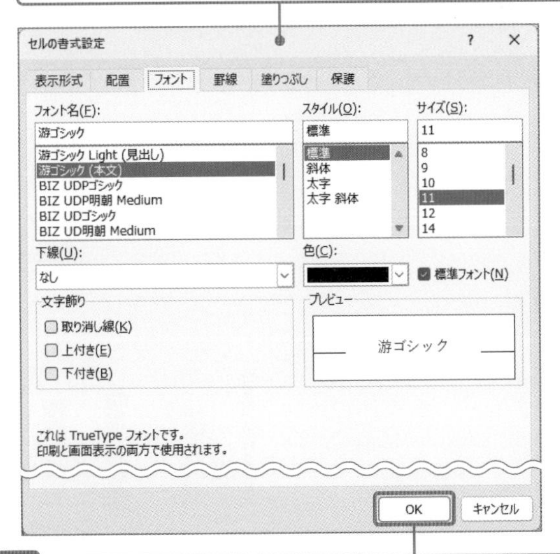

5 必要な設定をし、[OK] をクリックすると、ダイアログが閉じ、設定が反映されます。

レッスン13-2 作業ウィンドウを表示する

13-2-売上報告.xlsx

操作 作業ウィンドウを使う

グラフや図形が選択されている場合など、設定対象や内容によってダイアログではなく作業ウィンドウが表示される場合があります。
作業ウィンドウでは、設定内容がすぐに反映されます。また作業ウィンドウを表示したまま編集作業を行うことができます。

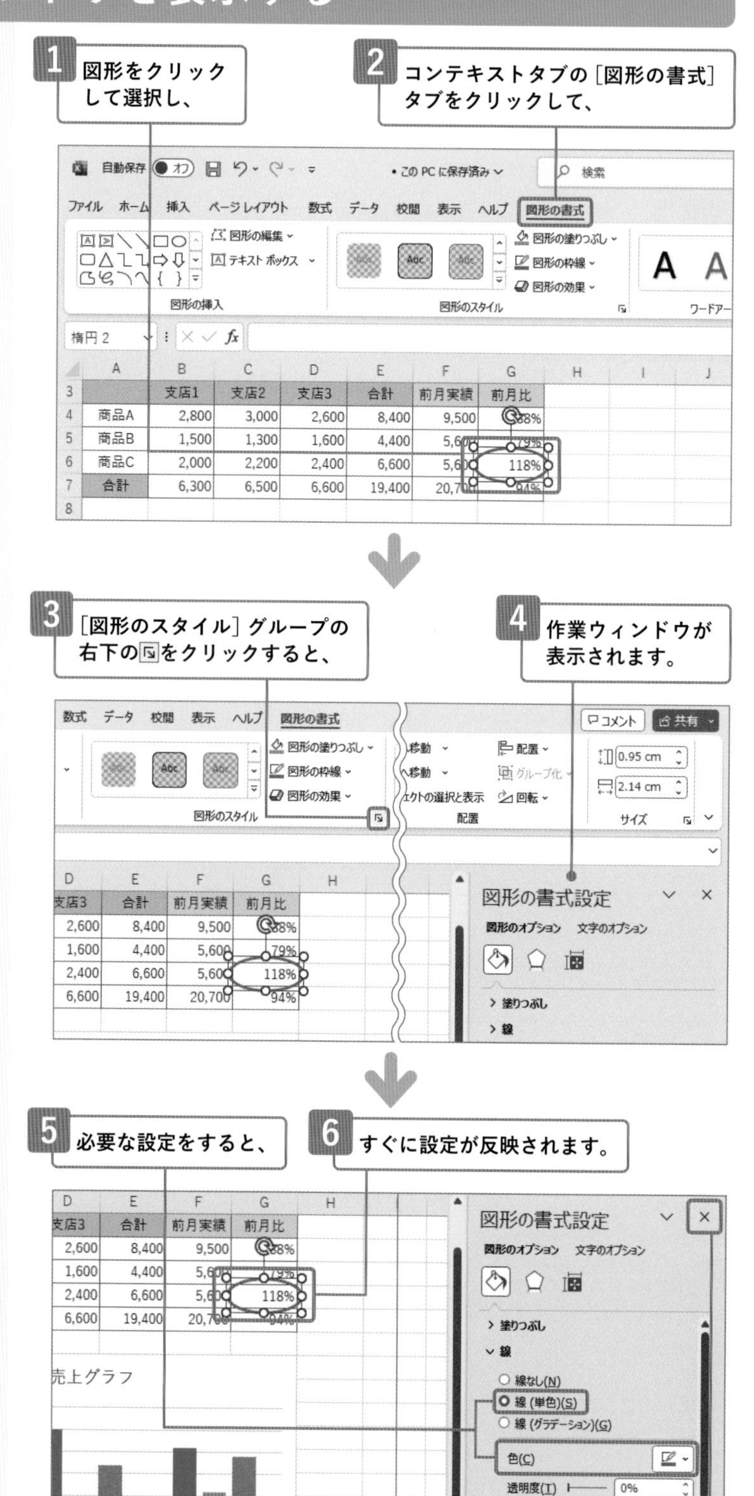

コラム　よく使用されるダイアログや作業ウィンドウ

ダイアログで最も使用するのは、**レッスン13-1**で表示した［セルの書式設定］ダイアログです。セル内のデータに対していろいろな設定をすることができます。それに加えて以下のダイアログもよく使用します。また、作業ウィンドウでは、**レッスン13-2**で表示した［図形の書式設定］作業ウィンドウを最もよく使用します。他に、グラフを作成したときにグラフの各要素の詳細設定をする［（グラフ要素名）の書式設定］作業ウィンドウもよく利用します。

●［ページ設定］ダイアログ（p.349）
用紙の設定や印刷時の設定を行います。

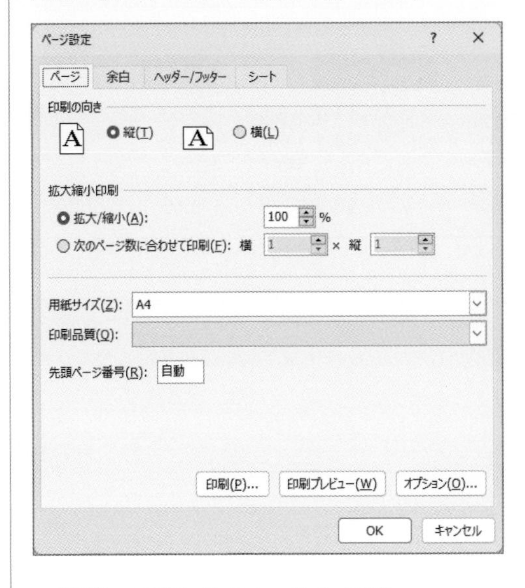

●［関数の引数］ダイアログ（p.218）
関数の引数を設定する画面です。

●［並べ替え］ダイアログ（p.292）
並べ替えに関する設定をする画面です。

●［（グラフ要素名）の書式設定］作業ウィンドウ（p.283）
グラフで選択されているグラフ要素に対する各種設定ができます。ここではグラフのデータラベルに関する［データラベルの書式設定］作業ウィンドウを表示しています。

Section

14 Excelの機能をすばやく実行する

Excelの機能をより早く実行する方法があります。よく使う機能を常に表示するクイックアクセスツールバー、編集画面に表示されるミニツールバーとショートカットメニュー、特定のキーを押すだけで機能が実行できるショートカットキーです。操作に慣れてきたら使ってみましょう。

ここで学べること

習得スキル	操作ガイド	ページ
▶クイックアクセスツールバーの利用	レッスン14-1	p.63
▶ミニツールバーの利用	レッスン14-2	p.64
▶ショートカットメニューの利用	レッスン14-3	p.64
▶ショートカットキーの利用	レッスン14-4	p.65

まずは パッと見るだけ！

覚えておくと便利なメニュー

それぞれのメニューがどのようなものかを確認しましょう。

●クイックアクセスツールバー

よく使う機能を登録しておけるツールバーで、タイトルバーの左端に表示されます。

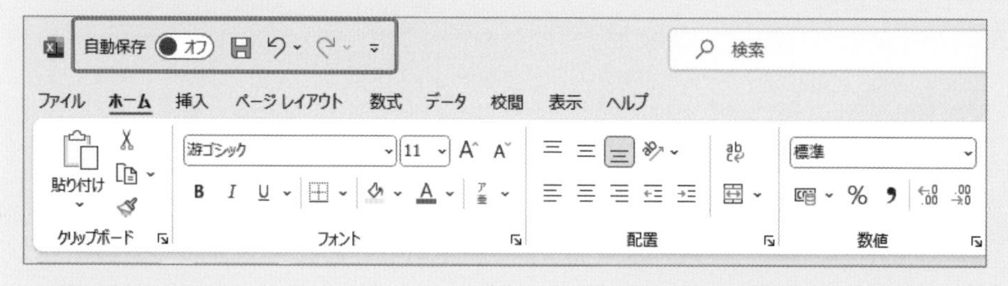

●ミニツールバー

セルや図形などを右クリックしたときに表示されるメニューで、主に書式設定のボタンが集められています。

●ショートカットメニュー

セルや図形などを右クリックしたときに表示されるメニューで、右クリックした対象に対して実行できる機能が一覧表示されます。

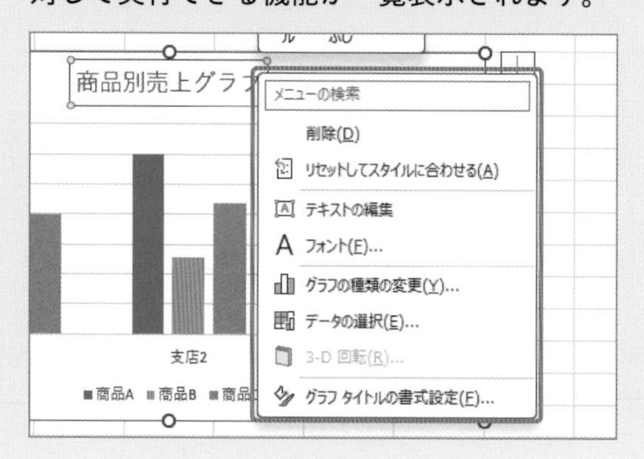

レッスン14-1 クイックアクセスツールバーを使う

練習用ファイル 14-1-売上報告.xlsx

操作 クイックアクセスツールバーを使う

クイックアクセスツールバーは、常にタイトルバーの左端に表示されています。ボタンを自由に追加できるため、よく使う機能を配置しておくと便利です。

機能を実行する

1 クイックアクセスツールバーに表示されているボタン（ここでは［上書き保存］）をクリックすると、その機能が実行されます。

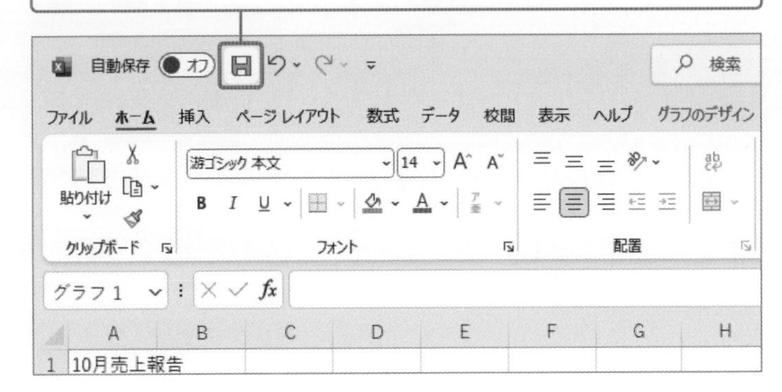

ボタンを追加する

1 ［クイックアクセスツールバーのユーザー設定］をクリックし、

2 一覧から機能をクリックすると、

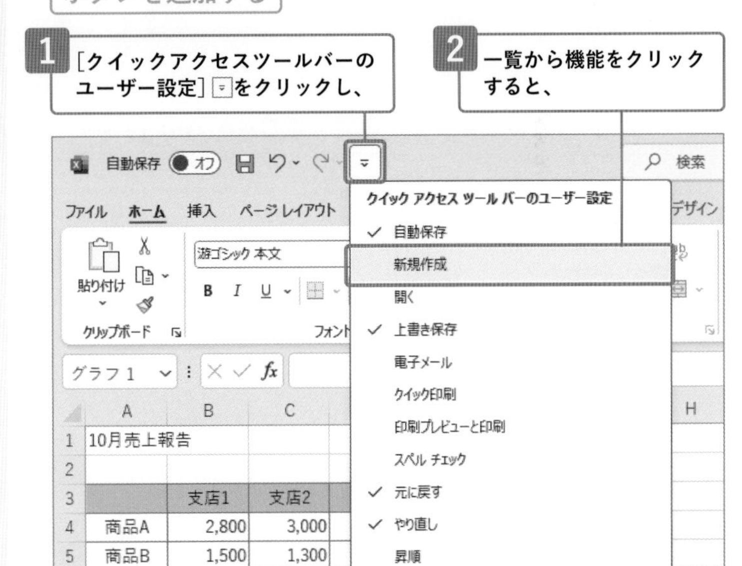

3 ボタンが追加されます。

Memo クイックアクセスツールバーのボタンを削除する

削除したいボタンを右クリックし、［クイックアクセスツールバーから削除］をクリックすると、ボタンが削除されます。

レッスン14-2 ミニツールバーを使う

14-2-売上報告.xlsx

操作 ミニツールバーを使う

ミニツールバーは、文字を選択したり、右クリックしたりしたときに対象文字の右上あたりに表示されるボタンの集まりです。設定対象によって表示されるボタンが異なります。例えば、文字を選択した場合は、文字サイズなどの書式を設定するボタンが表示されます。不要な場合は esc キーを押して非表示にできます。

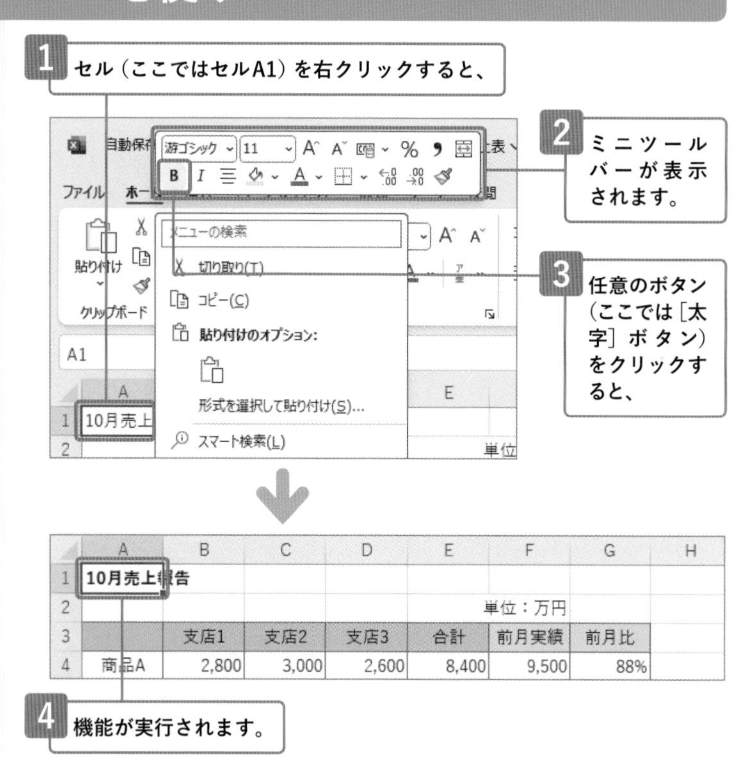

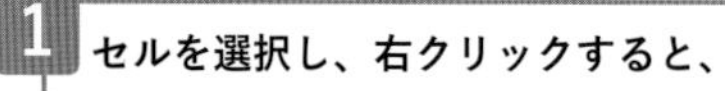

	A	B	C	D	E	F	G	H
1	10月売上報告							
2						単位：万円		
3		支店1	支店2	支店3	合計	前月実績	前月比	
4	商品A	2,800	3,000	2,600	8,400	9,500	88%	

4 機能が実行されます。

レッスン14-3 ショートカットメニューを使う

14-3-売上報告.xlsx

操作 ショートカットメニューを使う

ショートカットメニューは、セルや図形などを選択し、右クリックしたときに表示されるメニューです。右クリックした対象に対して実行できる機能が一覧で表示され、機能をすばやく実行するのに便利です。

Memo ふりがなを表示する

Excelでは、セルに入力された漢字にはふりがな情報が保存されています。［ふりがなの表示］を実行すると漢字のふりがなが表示されます。再度同じメニューを選択するとふりがなを非表示にできます。

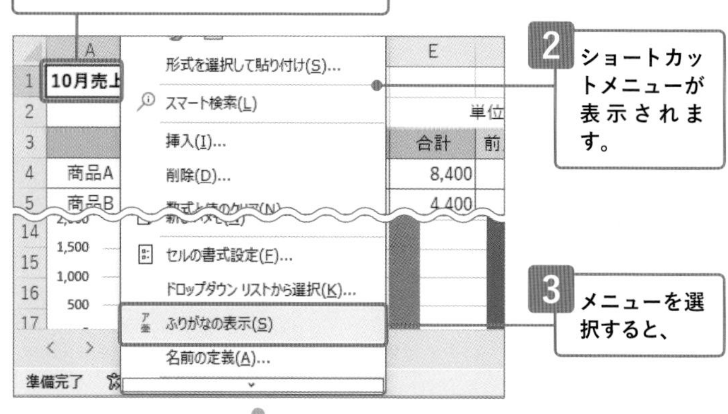

	A	B	C	D	E	F
1	ガツウリアゲホウコク 10月売上報告					
2						単位：
3		支店1	支店2	支店3	合計	前月実
4	商品A	2,800	3,000	2,600	8,400	9

4 機能が実行されます。

レッスン 14-4 ショートカットキーを使う

練習用ファイル 14-4-売上報告.xlsx

操作 ショートカットキーを使う

ショートカットキーは、機能が割り当てられている単独のキー、またはキーの組み合わせです。
例えば、文字列を選択しCtrlキーを押しながらBキーを押すと太字が設定されます。

Memo ショートカットキーを確認する

ショートカットキーは、リボンのボタンにマウスポインターを合わせたときに表示される「ヒント」で確認できます。

1 設定対象（ここではセルA1）を選択し、

2 ショートカットキー（ここでは、Ctrl+Iキー）を押すと、

	A	B	C	D	E	F
1	10月売上報告					
2						単位：万円
3		支店1	支店2	支店3	合計	前月実績
4	商品A	2,800	3,000	2,600	8,400	9,500
5	商品B	1,500	1,300	1,600	4,400	5,600
6	商品C	2,000	2,200	2,400	6,600	5,600
7	合計	6,300	6,500	6,600	19,400	20,700

3 機能（ここでは斜体）が実行されます。

	A	B	C	D	E	F
1	*10月売上報告*					
2						単位：万円
3		支店1	支店2	支店3	合計	前月実績
4	商品A	2,800	3,000	2,600	8,400	9,500
5	商品B	1,500	1,300	1,600	4,400	5,600
6	商品C	2,000	2,200	2,400	6,600	5,600
7	合計	6,300	6,500	6,600	19,400	20,700

コラム 覚えておきたいショートカットキー

よく使用されるショートカットキーを紹介します。

機能	ショートカットキー
コピー	Ctrl + C
切り取り	Ctrl + X
貼り付け	Ctrl + V
太字	Ctrl + B
斜体	Ctrl + I
下線	Ctrl + U
元に戻す	Ctrl + Z
やり直し	Ctrl + Y
繰り返し	F4
[名前を付けて保存] ダイアログを表示	F12
[ファイルを開く] ダイアログを表示	Ctrl + F12
ウィンドウを閉じる	Alt + F4

Section 15

画面をスクロールする

画面に表示する領域を移動することを「スクロール」といいます。作業中に、画面に表示されていない表の上下左右を見るには、画面をスクロールします。画面のスクロールは、スクロールバーを使います。

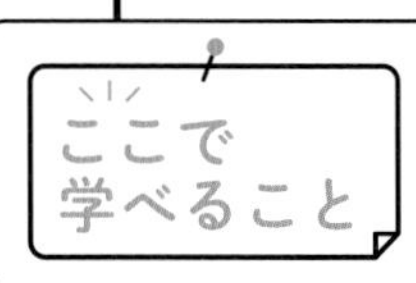

習得スキル	操作ガイド	ページ
▶画面のスクロール	レッスン15-1	p.67

まずは パッと見るだけ！

表示画面を移動する

売上データなど、行数の多い表を作成する場合、1画面では表示しきれないことがあります。表示されていない部分に移動するには、**スクロールバー**を使って表示画面を移動します。

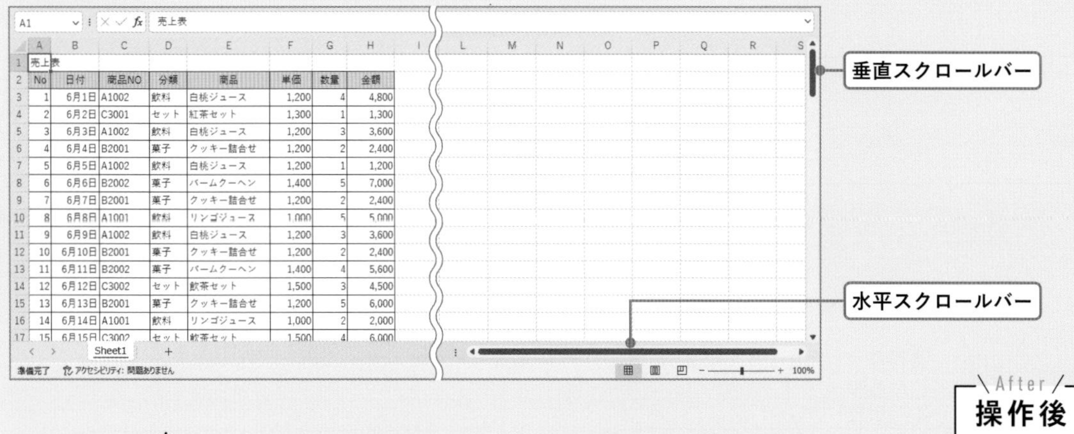

No	日付	商品NO	分類	商品	単価	数量	金額
1	6月1日	A1002	飲料	白桃ジュース	1,200	4	4,800
2	6月2日	C3001	セット	紅茶セット	1,300	1	1,300
3	6月3日	A1002	飲料	白桃ジュース	1,200	3	3,600
4	6月4日	B2001	菓子	クッキー詰合せ	1,200	2	2,400
5	6月5日	A1002	飲料	白桃ジュース	1,200	1	1,200
6	6月6日	B2002	菓子	バームクーヘン	1,400	5	7,000
7	6月7日	B2001	菓子	クッキー詰合せ	1,200	2	2,400
8	6月8日	A1001	飲料	リンゴジュース	1,000	5	5,000
9	6月9日	A1002	飲料	白桃ジュース	1,200	3	3,600
10	6月10日	B2001	菓子	クッキー詰合せ	1,200	2	2,400
11	6月11日	B2002	菓子	バームクーヘン	1,400	4	5,600
12	6月12日	C3002	セット	飲茶セット	1,500	3	4,500
13	6月13日	B2001	菓子	クッキー詰合せ	1,200	5	6,000
14	6月14日	A1001	飲料	リンゴジュース	1,000	2	2,000
15	6月15日	C3002	セット	飲茶セット	1,500	4	6,000

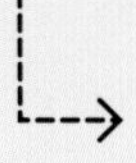

80	8月19日	B2002	菓子	バームクーヘン	1,400	1	1,400
81	8月20日	C3001	セット	紅茶セット	1,300	3	3,900
82	8月21日	C3001	セット	紅茶セット	1,300	1	1,300
83	8月22日	B2002	菓子	バームクーヘン	1,400	2	2,800
84	8月23日	B2002	菓子	バームクーヘン	1,400	2	2,800
85	8月24日	B2001	菓子	クッキー詰合せ	1,200	2	2,400
86	8月25日	A1001	飲料	リンゴジュース	1,000	1	1,000
87	8月26日	C3002	セット	飲茶セット	1,500	4	6,000
88	8月27日	A1001	飲料	リンゴジュース	1,000	1	1,000
89	8月28日	C3001	セット	紅茶セット	1,300	3	3,900
90	8月29日	A1001	飲料	リンゴジュース	1,000	1	1,000
91	8月30日	B2002	菓子	バームクーヘン	1,400	1	1,400
92	8月31日	B2001	菓子	クッキー詰合せ	1,200	2	2,400

レッスン 15-1 画面をスクロールする

15-売上表.xlsx

操作 上下にスクロールする

画面を上下にスクロールするには、画面右側に表示されている垂直スクロールバーを使います。スクロールバーのつまみを上下にドラッグすることでワークシートを上下にスクロールできます。また、スクロールバーの両端にある▲や▼をクリックすると1行ずつスクロールできます。なお、スクロールしてもアクティブセル（選択中のセル）の位置は変わりません。

Point 横方向にスクロールするには

横方向に表示しきれていない部分を表示するには、水平スクロールバーをドラッグして、画面を左右に移動します。

Memo マウスを使ってスクロールする

マウスにホイールが付いている場合は、ホイールを回転することで画面を上下にスクロールできます。

1 垂直スクロールバーのつまみをドラッグすると、

	A	B	C	D	E	F	G	H
1	売上表							
2	No	日付	商品NO	分類	商品	単価	数量	金額
3	1	6月1日	A1002	飲料	白桃ジュース	1,200	4	4,800
4	2	6月2日	C3001	セット	紅茶セット	1,300	1	1,300
5	3	6月3日	A1002	飲料	白桃ジュース	1,200	3	3,600
6	4	6月4日	B2001	菓子	クッキー詰合せ	1,200	2	2,400
7	5	6月5日	A1002	飲料	白桃ジュース	1,200	1	1,200
8	6	6月6日	B2002	菓子	バームクーヘン	1,400	5	7,000
9	7	6月7日	B2001	菓子	クッキー詰合せ	1,200	2	2,400
10	8	6月8日	A1001	飲料	リンゴジュース	1,000	5	5,000
11	9	6月9日	A1002	飲料	白桃ジュース	1,200	3	3,600
12	10	6月10日	B2001	菓子	クッキー詰合せ	1,200	2	2,400
13	11	6月11日	B2002	菓子	バームクーヘン	1,400	4	5,600
14	12	6月12日	C3002	セット	飲茶セット	1,500	3	4,500
15	13	6月13日	B2001	菓子	クッキー詰合せ	1,200	5	6,000
16	14	6月14日	A1001	飲料	リンゴジュース	1,000	2	2,000
17	15	6月15日	C3002	セット	飲茶セット	1,500	4	6,000

Sheet1
準備完了 アクセシビリティ: 問題ありません 100%

2 画面がスクロールされ、表の下の部分が表示されます。

	A	B	C	D	E	F	G	H
79	77	8月16日	C3002	セット	飲茶セット	1,500	5	7,500
80	78	8月17日	A1001	飲料	リンゴジュース	1,000	3	3,000
81	79	8月18日	C3001	セット	紅茶セット	1,300	5	6,500
82	80	8月19日	B2002	菓子	バームクーヘン	1,400	1	1,400
83	81	8月20日	C3001	セット	紅茶セット	1,300	3	3,900
84	82	8月21日	C3001	セット	紅茶セット	1,300	1	1,300
85	83	8月22日	B2002	菓子	バームクーヘン	1,400	2	2,800
86	84	8月23日	B2002	菓子	バームクーヘン	1,400	2	2,800
87	85	8月24日	B2001	菓子	クッキー詰合せ	1,200	2	2,400
88	86	8月25日	A1001	飲料	リンゴジュース	1,000	1	1,000
89	87	8月26日	C3002	セット	飲茶セット	1,500	4	6,000
90	88	8月27日	A1001	飲料	リンゴジュース	1,000	1	1,000
91	89	8月28日	C3001	セット	紅茶セット	1,300	3	3,900
92	90	8月29日	A1001	飲料	リンゴジュース	1,000	1	1,000
93	91	8月30日	B2002	菓子	バームクーヘン	1,400	1	1,400
94	92	8月31日	B2001	菓子	クッキー詰合せ	1,200	2	2,400
95								

Sheet1
準備完了 アクセシビリティ: 問題ありません 100%

コラム キーボードを使って画面移動

キーボードを使って画面移動する主なキー操作を紹介します。キー操作による画面移動はアクティブセルも移動します。なお、アクティブセルの移動のショートカットキーはp.380も参照してください。

機能	ショートカットキー
上、下に1行ずつ画面移動	↑、↓
右、左に1列ずつ画面移動	→、←
1画面ずつ上、下に移動	PgUp、PgDn
1画面ずつ左、右に移動	Alt + PgUp / PgDn

Section

16 画面の表示倍率を変更する

画面を拡大して部分的に大きく見たり、縮小して表の全体を見たりなど、画面の表示倍率を10%～400%の範囲で変更できます。

習得スキル	操作ガイド	ページ
▶表示倍率の変更	レッスン16-1	p.69

まずは パッと見るだけ！

ズーム機能で表示倍率を変更する

作業内容に合わせて画面の表示倍率を自由に変更できます。

Before 操作前

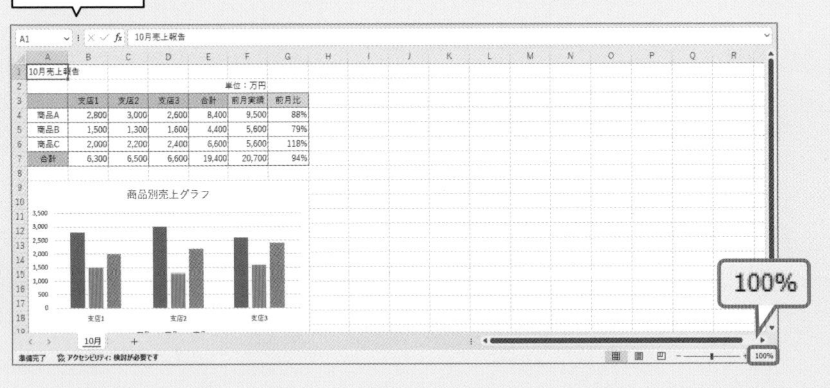

After 操作後

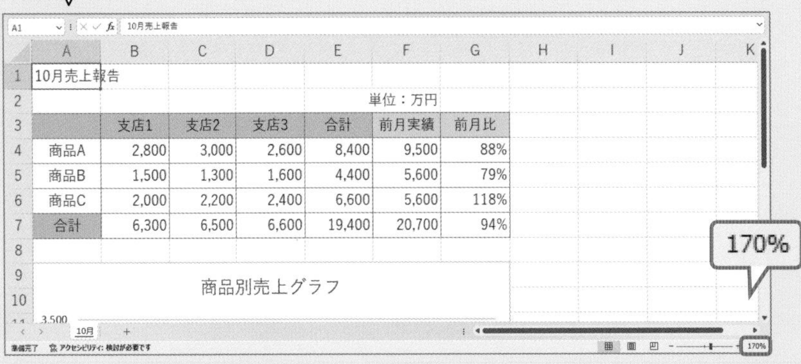

レッスン 16-1 画面の表示倍率を変更する

16-売上報告.xlsx

操作 画面の表示倍率を変更する

画面の表示倍率は、ズームスライダーの左右のつまみをドラッグする方法と、リボンにあるボタンを使う方法があります。また、ズームスライダーの左右にある[+][−]をクリックすると、10%〜400%の範囲で10%ずつ拡大／縮小します。

Point いろいろな表示倍率

[ズーム]グループのボタンをクリックして指定された倍率に簡単に変更できます。最初の状態に戻すには[100%]をクリックします。[選択範囲に合わせて拡大/縮小]をクリックすると、選択されているセル範囲に合わせて表示倍率が変更されます。また、[ズーム]をクリックすると、[ズーム]ダイアログが表示されます。

Memo [ズーム]ダイアログで倍率変更する

[ズーム]ダイアログでは、いろいろな倍率の選択肢があり、倍率を直接入力して指定することもできます。また、ズームスライダーの右側にある表示倍率の数字をクリックしても[ズーム]ダイアログを表示できます。

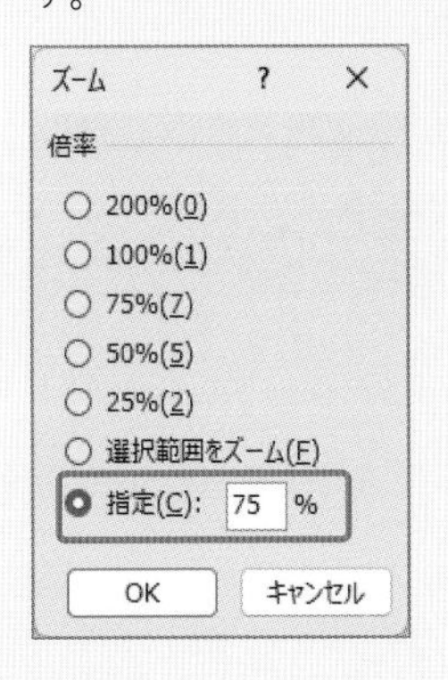

ズームスライダーを使って倍率を変更する

1 画面右下にあるズームスライダーのつまみを左右にドラッグすると、

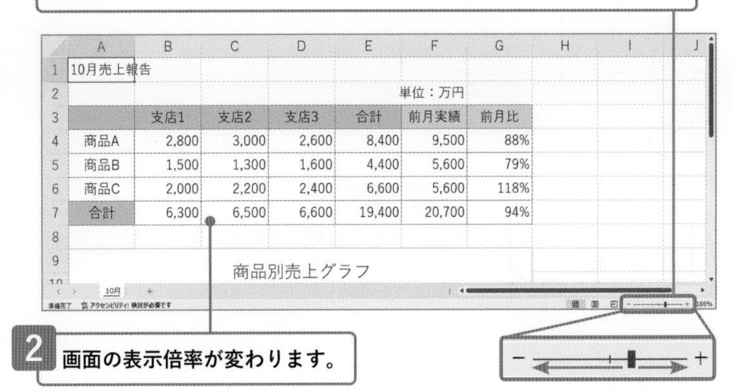

2 画面の表示倍率が変わります。

リボンを使って表示倍率を変更する

1 [表示]タブをクリックし、

2 [ズーム]グループ内のボタンをクリックすると、

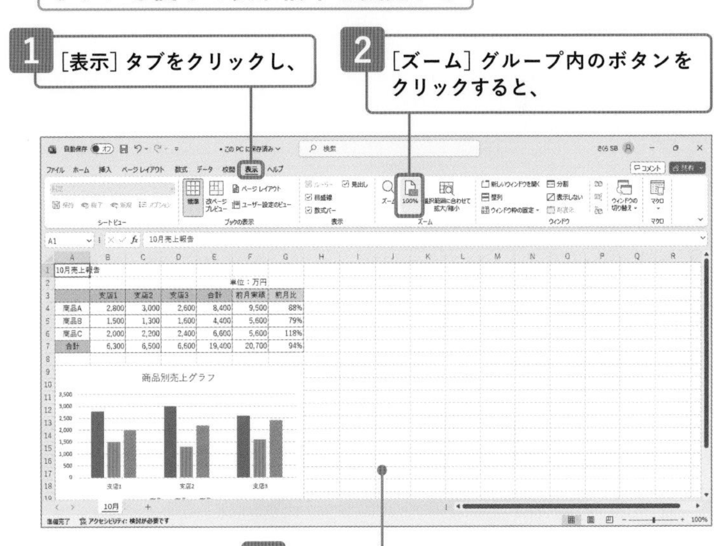

3 表示倍率が変わります。

Section

17 表示モードを知ろう

Excelには、「標準」「改ページプレビュー」「ページレイアウト」の3つの表示モードがあります。通常は、「標準」で編集作業を行います。ここでは、3つの表示モードの特徴や違いを確認しておきましょう。

ここで学べること

習得スキル	操作ガイド	ページ
▶標準モードに切り替える	レッスン17-1	p.71
▶ページレイアウトに切り替える	レッスン17-2	p.71
▶改ページプレビューに切り替える	レッスン17-3	p.72

まずは パッと見るだけ！

3つの表示モード

表示モード	表示画面
標準 通常の編集画面。ワークシートが画面全体に表示される	
改ページプレビュー 印刷される範囲がページごとに青枠で囲まれて表示される	
ページレイアウト ワークシートが1ページずつ分かれて表示される	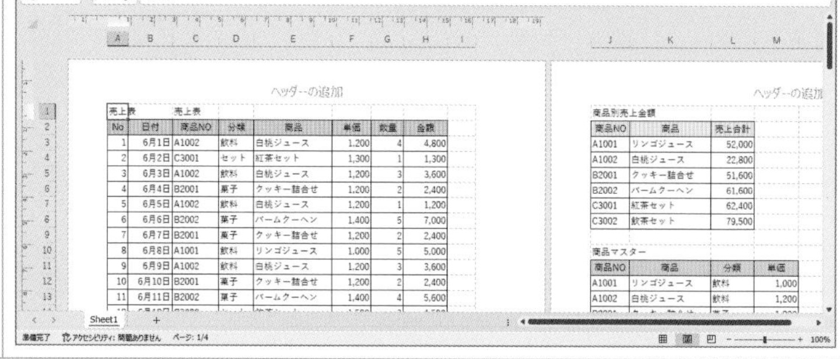

レッスン 17-1 標準に切り替える

17-売上表.xlsx

操作 表示モードを切り替える

標準は、通常の編集画面です。作業は常に標準画面で行います。表示モードは、画面右下にある表示選択ショートカットを使って切り替えます。[表示] タブの [ブックの表示] グループにあるボタンでも切り替えられます。

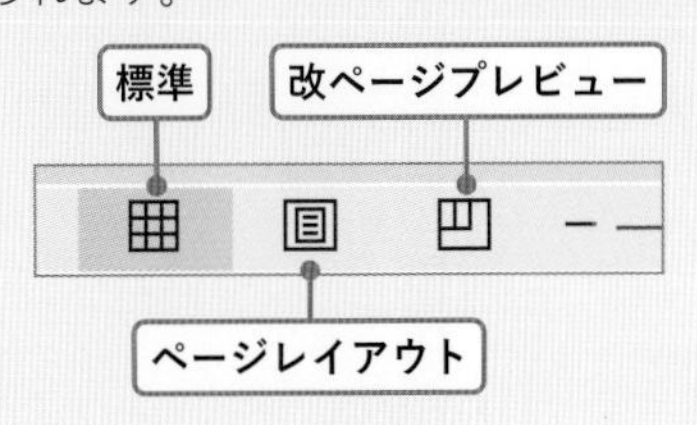

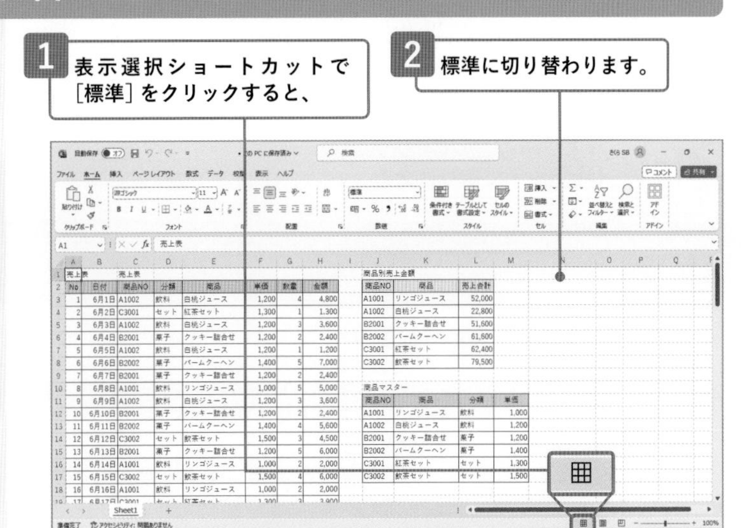

Memo リボンから [標準] に切り替える

[表示] タブの [標準] をクリックしても表示を切り替えられます。

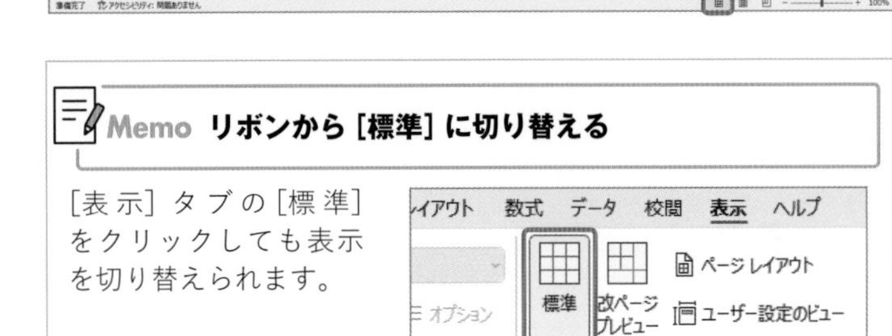

レッスン 17-2 ページレイアウトに切り替える

17-売上表.xlsx

Memo リボンから [ページレイアウト] に切り替える

[表示] タブの [ページレイアウト] をクリックしても表示を切り替えられます。

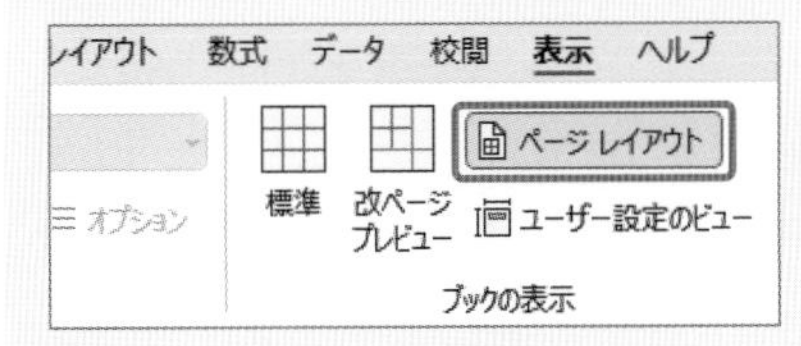

Point ページレイアウトの使い方

ページレイアウトは1ページ単位で表示されるため、印刷イメージを確認しながら編集できます。ヘッダーやフッターを設定するときに表示すると便利です（p.362参照）。

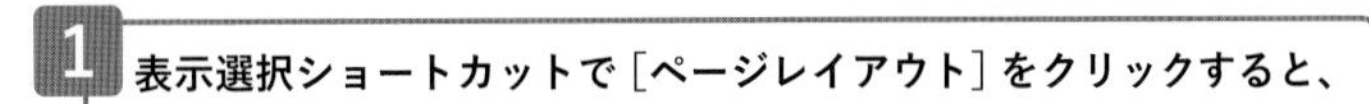

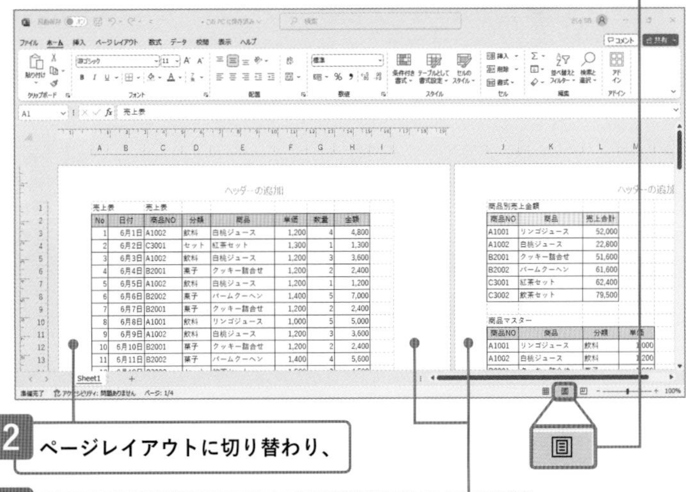

レッスン 17-3 改ページプレビューに切り替える

17-売上表.xlsx

Memo リボンから［改ページプレビュー］に切り替える

［表示］タブの［改ページプレビュー］をクリックしても表示を切り替えられます。

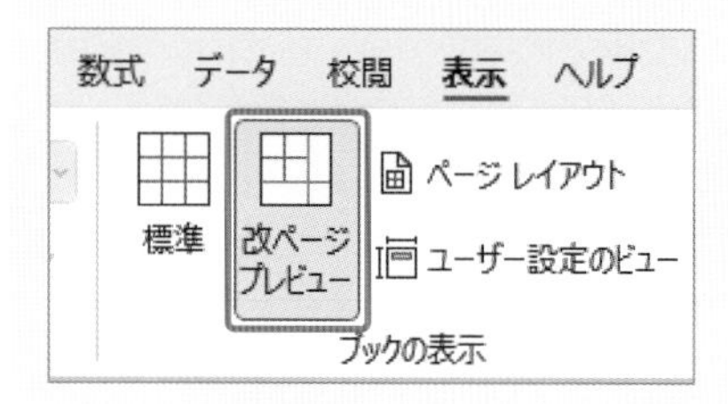

Point 改ページプレビューの使い方

改ページプレビューでは、ページ区切り線が表示されるため、印刷前に表示して改ページ位置を確認できます。必要に応じてページ区切り線を移動できます（p.359参照）

1 表示選択ショートカットで［改ページプレビュー］をクリックすると、

2 改ページプレビューに切り替わります。

3 ページの区切りに青色の点線が表示されます。

コラム ドラッグでファイルやフォルダをコピー／移動する

ファイルやフォルダの移動やコピーは、ドラッグ操作でも行えます。ドラッグ操作を覚えるとわざわざボタンをクリックする必要がないため便利です。同じドライブ内と、異なるドライブ間とでは、コピーと移動の動作が変わってくるので気をつけましょう。

● 同じドライブ内でのコピーと移動

例えばCドライブの中でファイルをドラッグすると移動になり、Ctrl キーを押しながらドラッグするとコピーになります。

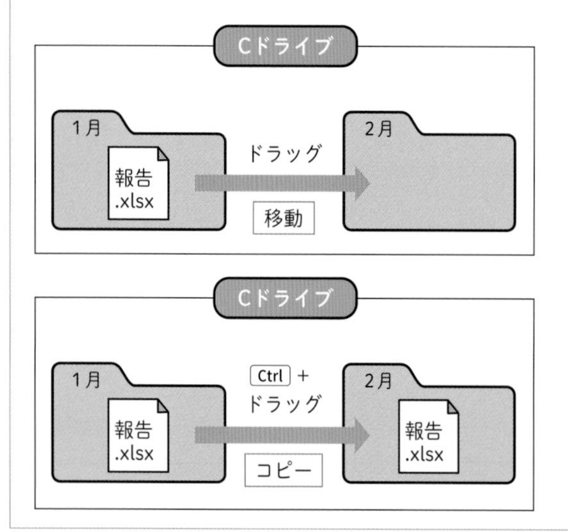

● 異なるドライブ間でのコピーと移動

例えばCドライブとDドライブの間でファイルをドラッグするとコピーになり、Shift キーを押しながらドラッグすると移動になります。

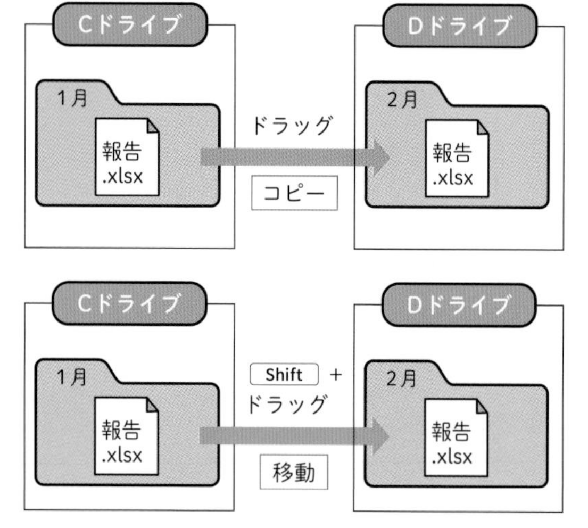

コラム Excelの設定画面の開き方を覚えておこう

Excel全般の設定をするには、[Excelのオプション] ダイアログを表示します。Excelの操作に慣れてくると、自分が使いやすいように設定を変更したくなることがあるでしょう。そのときに、この画面で設定変更します。

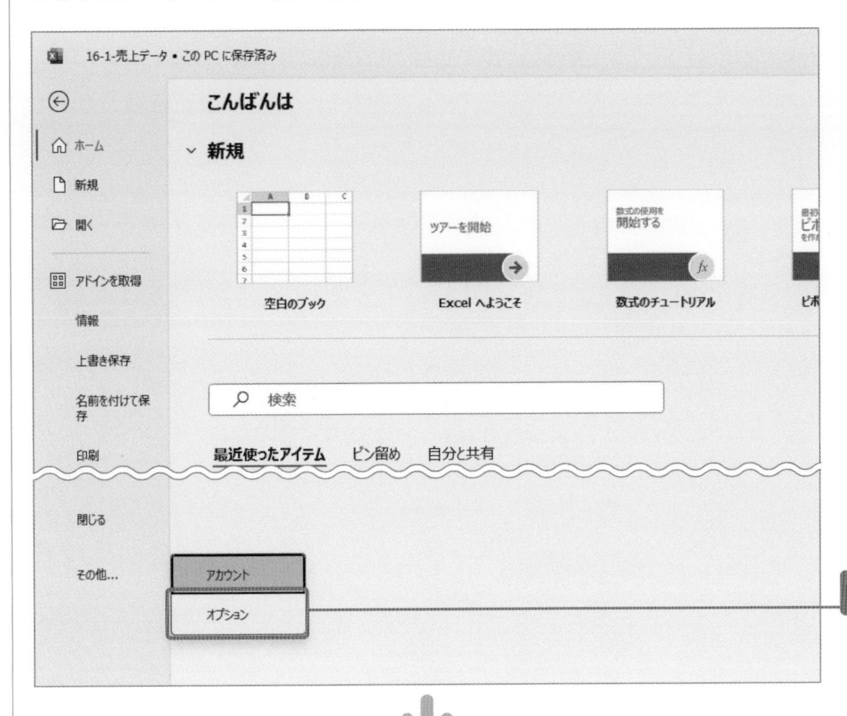

1 [ファイル] タブ→ [その他] → [オプション] をクリックします。

2 [Excelのオプション] ダイアログが表示されます。

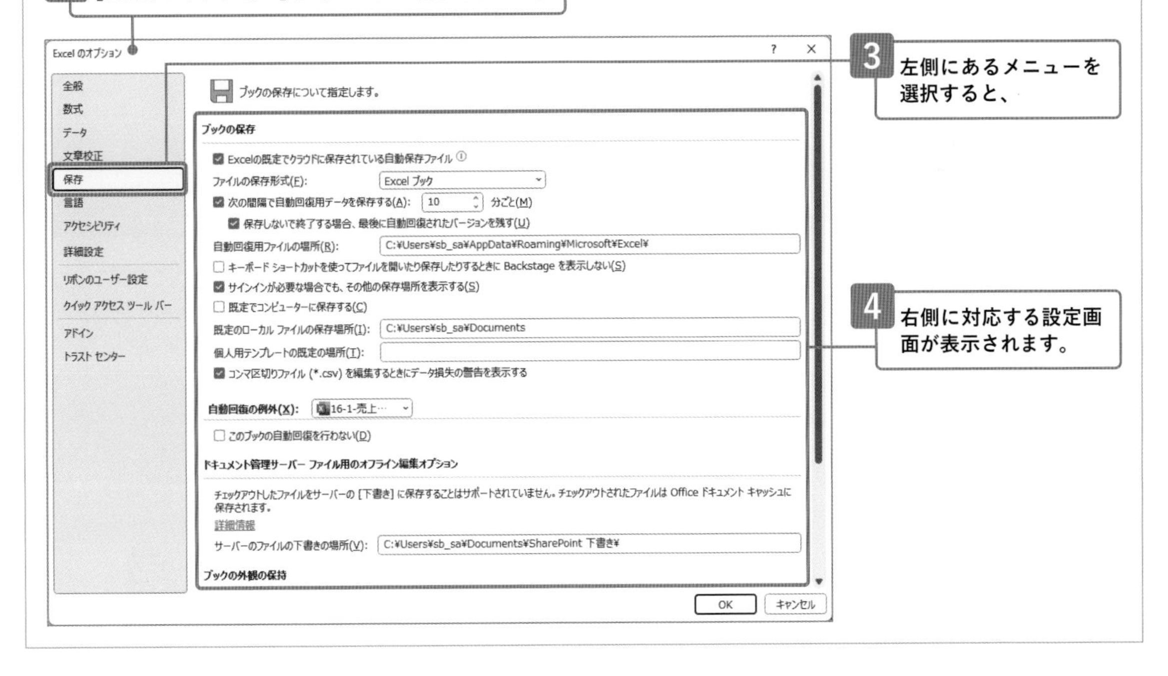

3 左側にあるメニューを選択すると、

4 右側に対応する設定画面が表示されます。

操作がわからなくても大丈夫

Excel操作に慣れていないと、操作やボタンの場所がわからないことがあります。「困ったな」と思ったら、Microsoft Searchやヘルプ機能を使ってみましょう。やりたいことや機能名を入力するだけで、目的の操作や内容を表示できます。

● Microsoft Search

タイトルバーの中央にある入力欄がMicrosoft Searchです。やりたいことや機能のキーワードを入力するだけで関連する機能や検索結果を表示できます。

入力欄にやりたいことのキーワードを入力すると❶、キーワードに関連する機能や文書内でキーワードを検索した結果が表示されます❷。一覧から目的の機能をクリックすると、その機能をすぐに実行できます❸。

● ヘルプ

［ヘルプ］作業ウィンドウの検索欄に用語や機能などを入力すると、関連する内容の解説をオンラインで調べられます。ヘルプを使う場合は、インターネットに接続している必要があります。

［ヘルプ］タブの［ヘルプ］をクリックすると❶、［ヘルプ］作業ウィンドウが表示されます❷。検索ボックスに調べたい内容を入力して Enter キーを押すと❸、関連する内容の解説が一覧表示されるので、目的の解説をクリックして内容を確認します❹。

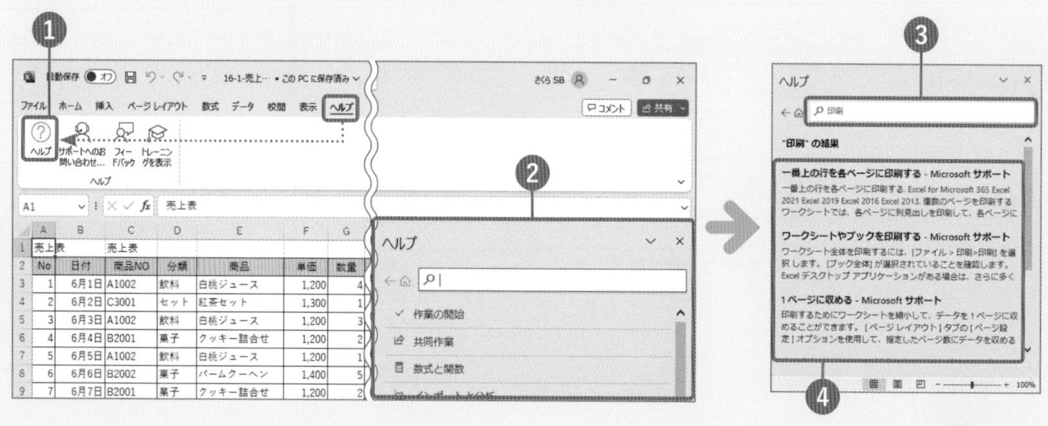

Point 落ち着いて調べてみよう

第 2 章

表作成の手順をマスターする

ここでは、ビジネスで必要とされる表の例を紹介します。Excelでどのような表を作成できるか確認してください。次に、表をイチから作成していきます。ここで基本的な表作成の手順を習得しましょう。

手順を押さえて
スムーズに
作業しましょう

Section

18 ビジネスで求められる表を知ろう

ビジネスでは、目的や内容によっていろいろな表が必要になります。ここでは、よく作成される表をいくつか紹介します。Excelの機能を使うことで、目的の表を効率的に作成できます。

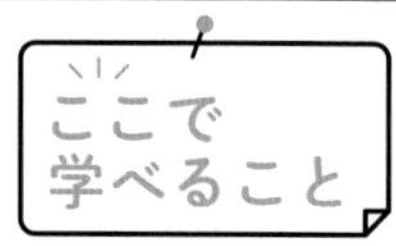

習得スキル	操作ガイド	ページ
▶ビジネスで求められる表の種類	なし	p.76

まずは パッと見るだけ！

ビジネスで求められる表

ビジネスでは、多数のデータを表にして管理します。表でどんなデータが管理され、計算されるのか見てみましょう。関数や数式は、6章で丁寧に解説します。

● 名簿

顧客名簿や生徒名簿のようなデータを管理する表です。都道府県別に抽出して必要なデータのみを表示したり、50音順で並べ替えてデータを整理したりして利用します。

名簿

NO	氏名	フリガナ	郵便番号	都道府県	住所1	住所2
1	鈴木　敦美	スズキ　アツミ	285-0806	千葉県	佐倉市大篠塚4-X	△△ガーデン111
2	木下　良助	キノシタ　リョウスケ	300-4111	茨城県	土浦市大畑3-3-ＸＸ	
3	川崎　太郎	カワサキ　タロウ	561-0851	大阪府	豊中市服部元町4-8-X	
4	斉藤　真一	サイトウ　シンイチ	112-0012	東京都	文京区大塚5-1-ＸＸ	○△マンション801
5	松本　朋美	マツモト　トモミ	192-0011	東京都	八王子市滝山町2-2-X	
6	遠藤　義美	エンドウ　ヨシミ	105-0021	東京都	港区東新橋14-8-X	SSビル４階
7	小宮　和子	コミヤ　カズコ	252-0142	神奈川県	相模原市緑区元橋本町8-X	ハイツ青森205
8	近藤　晴美	コンドウ　ハルミ	103-0022	東京都	中央区日本橋室町3-X	ＭＭビル１階
9	原田　雄二	ハラダ　ユウジ	330-0046	埼玉県	さいたま市浦和区大原１-１-X	
10	佐々木　信行	ササキ　ノブユキ	154-0001	東京都	世田谷区池尻5-1-X	ＴＴビル５階
11	山崎　栄太郎	ヤマサキ　エイタロウ	299-2502	千葉県	南房総市石堂原2-X-X	
12	森下　浩二	モリシタ　コウジ	272-0134	千葉県	市川市入船1-2-X	ＡＢハイツ102号
13	野口　伸介	ノグチ　シンスケ	210-0808	神奈川県	川崎市川崎区旭町XXX	
14	井出　正樹	イデ　マサキ	215-0012	神奈川県	川崎市麻生区東百合丘3-15-X	レジデンス○○202

● 納品書（p.157）

納品書の明細行で商品名や税込み金額のセルに関数を設定することで、商品NOを入力すると、それに対応する商品名や税込み金額を、別表を参照して表示します。

納品書

受注NO　1001
受注日　2024年02月10日

山本　花子　様

株式会社　SB製菓
〒106-0032　東京都港区六本木ｘ－ｘ－ｘ
ＴＥＬ：03-ｘｘｘ-ｘｘｘｘ

NO	商品NO	商品名	税込価格	数量	税込金額
1	A1001	リンゴジュース	1,080	2	¥2,160
2	B2002	バームクーヘン	1,512	1	¥1,512
3	C3001	紅茶セット	1,404	1	¥1,404
4					
5					
				合計	¥5,076

商品NO	商品	分類	単価	税込み金額
A1001	リンゴジュース	飲料	1,000	1,080
A1002	白桃ジュース	飲料	1,200	1,296
B2001	クッキー詰合せ	菓子	1,200	1,296
B2002	バームクーヘン	菓子	1,400	1,512
C3001	紅茶セット	セット	1,300	1,404
C3002	飲茶セット	セット	1,500	1,620

参照して表示

● 成績表 (p.95)

テストの点数をもとに、関数や数式を使って、合計点、平均点、最高点、最低点や、順位、偏差値を表示した表を作成し、テスト結果を分析します。

	A	B	C	D	E	F	G	H	I
1	テスト結果成績表						標準偏差	38.23101	
2									
3	NO	学生名	英語	数学	国語	合計	順位	偏差値	
4	1	山本　慎二	82	73	88	243	5	52.17	
5	2	大野　朋美	91	86	73	250	4	54.00	
6	3	田辺　久美	100	96	93	289	1	64.20	
7	4	近藤　健治	52	63	51	166	10	32.03	
8	5	藤田　凛子	68	63	54	185	9	37.00	
9	6	吉田　桃子	74	79	61	214	8	44.59	
10	7	飯田　明美	69	83	71	223	7	46.94	
11	8	坂下　裕子	96	92	88	276	3	60.80	
12	9	斉藤　剛	88	96	93	277	2	61.06	
13	10	新庄　努	70	74	80	224	6	47.20	
14		平均点	79	80.5	75.2	234.7			
15		最高点	100	96	93	289			
16		最低点	52	63	51	166			

● シフト表 (p.114)

日付で土日のセルだけ自動で色を付ける機能を利用したり、関数を使って「出」の漢字の数を出勤人数として表示したりします。

	A	B	C	D	E	F
1	シフト表					
2						
3	日付	鈴木	田中	高橋	出勤人数	
4	3月1日(金)	出	休	出	2	
5	3月2日(土)	出	出	出	3	
6	3月3日(日)	休	出	出	2	
7	3月4日(月)	出	出	出	3	
8	3月5日(火)	出	出	休	2	
9	3月6日(水)	有給休暇	出	出	2	
10	3月7日(木)	出	出	出	3	
11	3月8日(金)	出	休	出	2	
12	3月9日(土)	休	出	出	2	
13	3月10日(日)	出	休	出	2	
14	3月11日(月)	出	出	出	3	
15	3月12日(火)	出	出	休	2	
16	3月13日(水)	出	有給休暇	出	2	
17	3月14日(木)	出	出	出	3	

● 売上表

毎日の売上データを一覧にした表です。1行目に項目名、2行目以降にデータを入力した表を作成すると、Excelの機能を使って分析できます。

	A	B	C	D	E	F	G	H	I
1	売上表								
2									
3	No	日付	商品NO	分類	商品	単価	数量	金額	
4	1	6月1日	A1002	飲料	白桃ジュース	1,200	4	4,800	
5	2	6月2日	C3001	セット	紅茶セット	1,300	1	1,300	
6	3	6月3日	A1002	飲料	白桃ジュース	1,200	3	3,600	
7	4	6月4日	B2001	菓子	クッキー詰合せ	1,200	2	2,400	
8	5	6月5日	A1002	飲料	白桃ジュース	1,200	1	1,200	
9	6	6月6日	B2002	菓子	バームクーヘン	1,400	5	7,000	
10	7	6月7日	B2001	菓子	クッキー詰合せ	1,200	2	2,400	
11	8	6月8日	A1001	飲料	リンゴジュース	1,000	5	5,000	
12	9	6月9日	A1002	飲料	白桃ジュース	1,200	3	3,600	
13	10	6月10日	B2001	菓子	クッキー詰合せ	1,200	2	2,400	
14	11	6月11日	B2002	菓子	バームクーヘン	1,400	4	5,600	
15	12	6月12日	C3002	セット	飲茶セット	1,500	3	4,500	
16	13	6月13日	B2001	菓子	クッキー詰合せ	1,200	5	6,000	
17	14	6月14日	A1001	飲料	リンゴジュース	1,000	2	2,000	

直接入力する以外に、テキストファイルで提供されているデータを取り込んで表にすることもできます

● 売上集計表 (p.177)

データを集計して表にする機能を使って、月別商品別の売上集計表を作り、データの分析に利用します。

	A	B	C	D	E	F	G
1	売上集計						
2							
3			月				
4	分類	商品	6月	7月	8月	総計	
5	セット	紅茶セット	5,200	28,600	28,600	62,400	
6		飲茶セット	24,000	31,500	24,000	79,500	
7	セット 集計		29,200	60,100	52,600	141,900	
8	飲料	リンゴジュース	20,000	15,000	17,000	52,000	
9		白桃ジュース	19,200	2,400	1,200	22,800	
10	飲料 集計		39,200	17,400	18,200	74,800	
11	菓子	バームクーヘン	21,000	19,600	21,000	61,600	
12		クッキー詰合せ	25,200	13,200	13,200	51,600	
13	菓子 集計		46,200	32,800	34,200	113,200	
14	総計		114,600	110,300	105,000	329,900	
15							

Section

19 表作成の流れを確認する

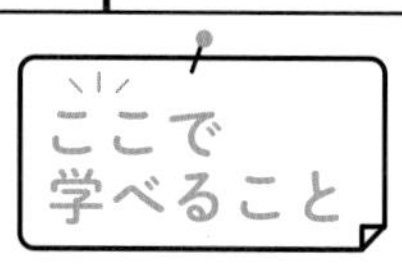

Excelで表を作成する手順を紹介します。実際に表を作成する前に作業の流れを確認しておきましょう。

ここで学べること

習得スキル	操作ガイド	ページ
▶表作成の手順を理解する	なし	p.78

まずは パッと見るだけ！

表作成の流れ

ここでは売上表を例に、表作成の流れを紹介します。基本的な手順なので、Step4の書式設定の後で数式を入力することもできますし、保存はどのタイミングでも行えます。

●Step1　新規ブック作成

新規ブックを作成します。

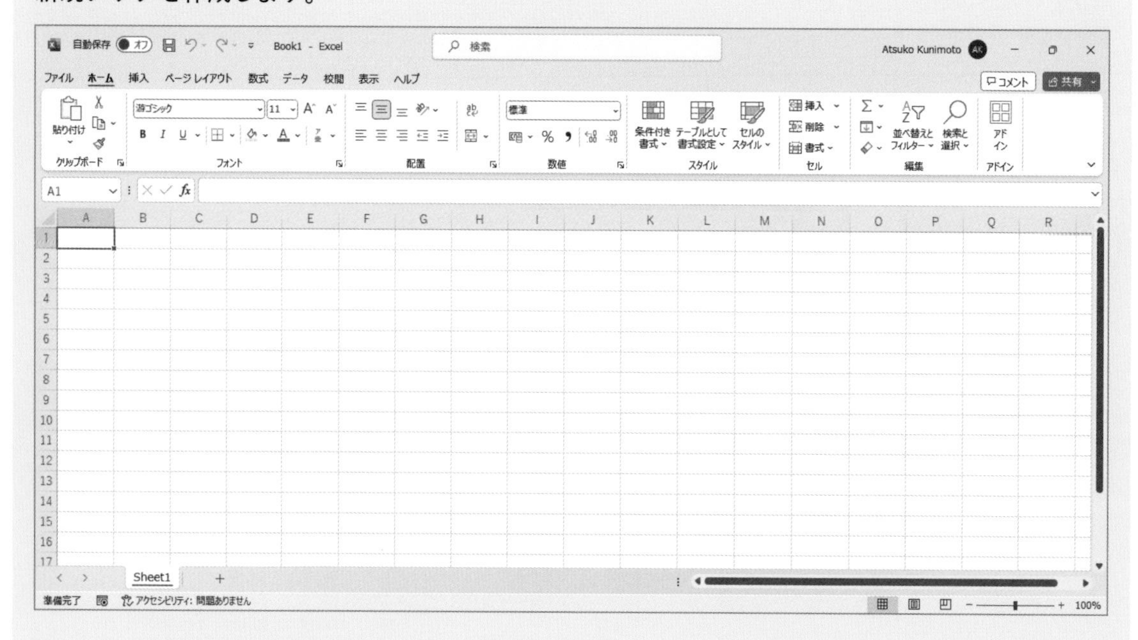

●Step2　データ入力

文字や数値、日付などのデータを入力します。

	A	B	C	D	E
1	売上表			12月23日	
2					
3		前期	後期	合計	
4	コーヒー	1500	2000		
5	紅茶	1000	1600		
6	ジュース	1800	2200		
7					

●Step3　数式入力

数式を入力して、合計を求めます。

	A	B	C	D	E
1	売上表			12月23日	
2					
3		前期	後期	合計	
4	コーヒー	1500	2000	3500	
5	紅茶	1000	1600	2600	
6	ジュース	1800	2200	4000	
7					

●Step4　書式設定

文字書式、色、罫線を設定するなどして表を完成させます。

	A	B	C	D	E
1	**売上表**			12月23日	
2					
3		前期	後期	合計	
4	コーヒー	1,500	2,000	3,500	
5	紅茶	1,000	1,600	2,600	
6	ジュース	1,800	2,200	4,000	
7					
8					
9					

●Step5　保存

ブックをファイルとして保存します。

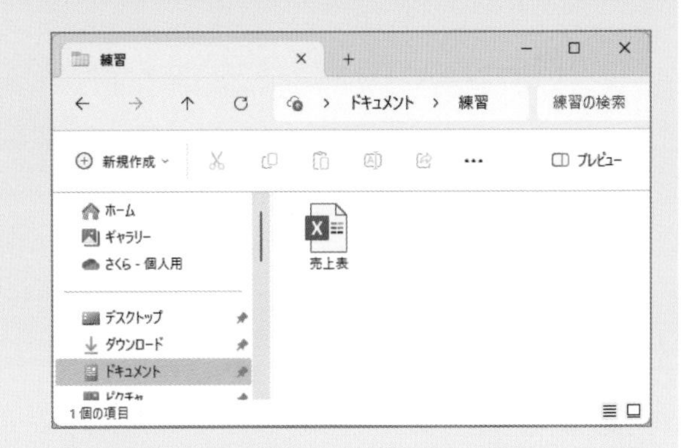

●Step6　印刷

作成した表を印刷します。印刷プレビューを確認し、印刷枚数などを指定して印刷を実行します。

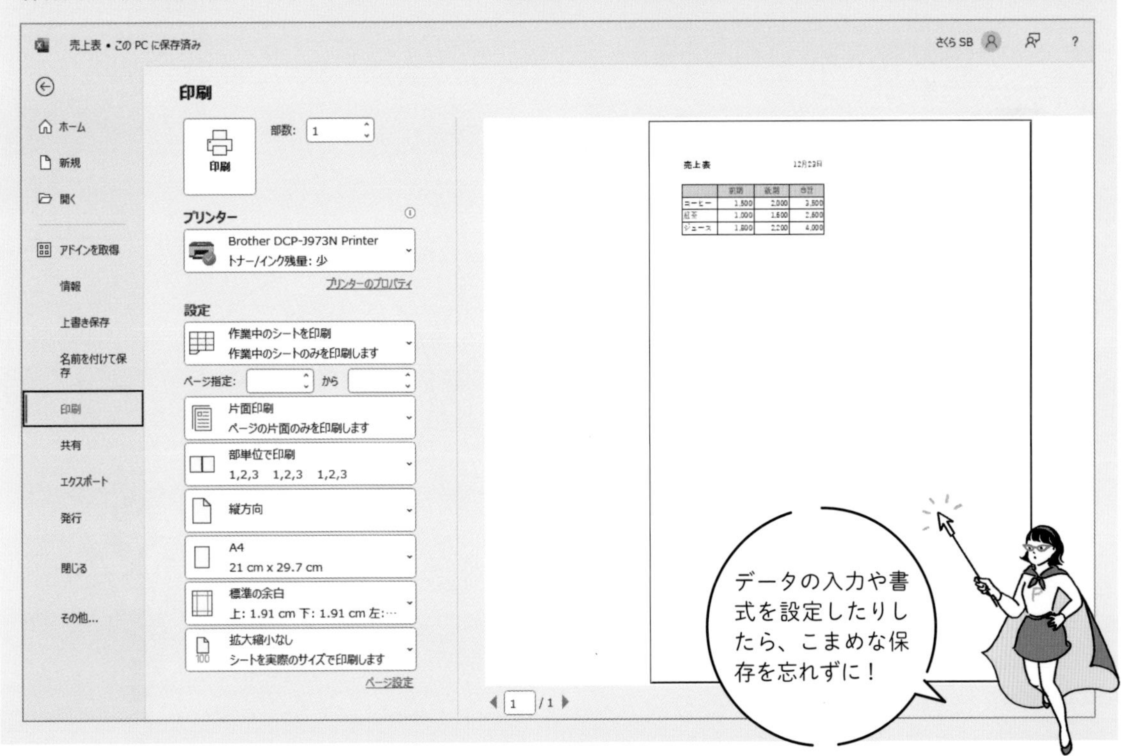

Section

20 文字や数字や日付を入力する

表を作成するにあたり、文字や数字、日付などのデータを入力します。ここでは、日本語や数字、日付の入力方法の基礎を確認しながら入力していきましょう。なお、入力についての詳細は4章で説明しています。

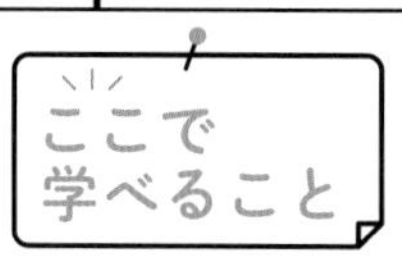

習得スキル	操作ガイド	ページ
▶文字の入力	レッスン20-1	p.81
▶数値の入力	レッスン20-2	p.83
▶日付の入力	レッスン20-3	p.83

まずは パッと見るだけ！

データの入力

データを入力するには、空白のブックの「入力先のセル」をクリックして選択し、文字を入力します。

Before
操作前

	A	B	C	D	E	F
1						
2						
3						
4						
5						
6						
7						
8						

	A	B	C	D	E	F
1	売上表			12月23日		
2						
3		前期	後期	合計		
4	コーヒー	1500	2000			
5	紅茶	1000	1600			
6	ジュース	1800	2200			
7						
8						

データを入力して、表のだいたいのレイアウトを決めましょう

レッスン 20-1 文字を入力する

操作 日本語を入力する

日本語を入力するには、日本語入力モードを[ひらがな] あにします。Excel起動直後は、日本語入力モードが[半角英数字] Aになっているので、[半角/全角] キーを押して[ひらがな] あに切り替えます。日本語入力モードの状態はタスクバーで確認できます。

[ひらがな]モード　[半角英数字]モード

Memo セルを選択する

セルを選択するには、マウスポインターを選択したいセルに移動し、マウスポインターの形が✚のときにクリックします。

時短ワザ [予測入力] 機能を利用する

日本語の読みを数文字入力すると、Space キーを押さなくても、[予測入力] という機能が働き変換候補が表示されます。候補の中に目的の漢字が表示されたら、Tab キーまたは↓キーを押して選択し、Enter キーで確定できます。

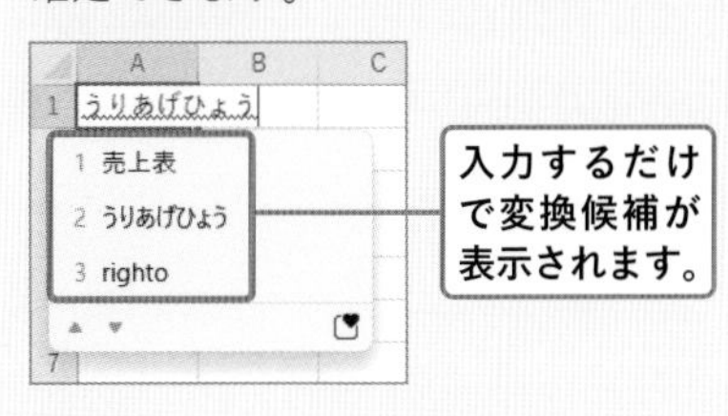

Memo セルの文字を削除する

入力を確定したセルの文字を削除するには、セルを選択し Delete キーを押します。

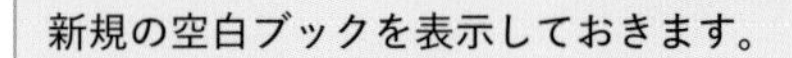

新規の空白ブックを表示しておきます。

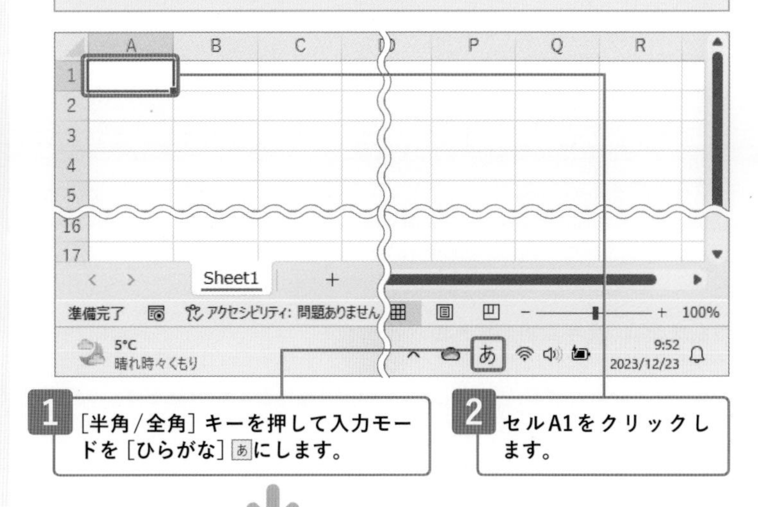

1 [半角/全角] キーを押して入力モードを [ひらがな] あにします。

2 セルA1をクリックします。

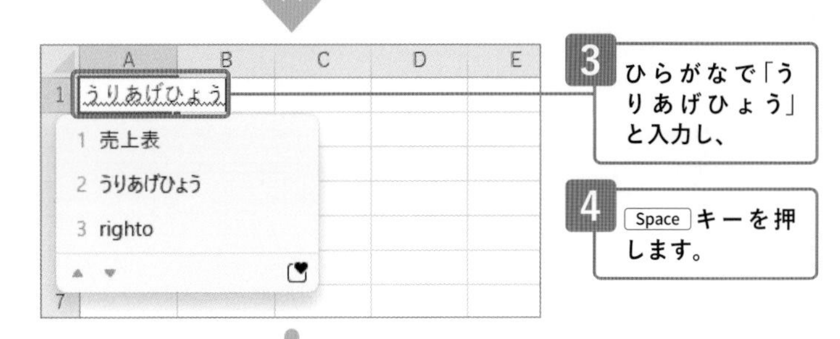

3 ひらがなで「うりあげひょう」と入力し、

4 Space キーを押します。

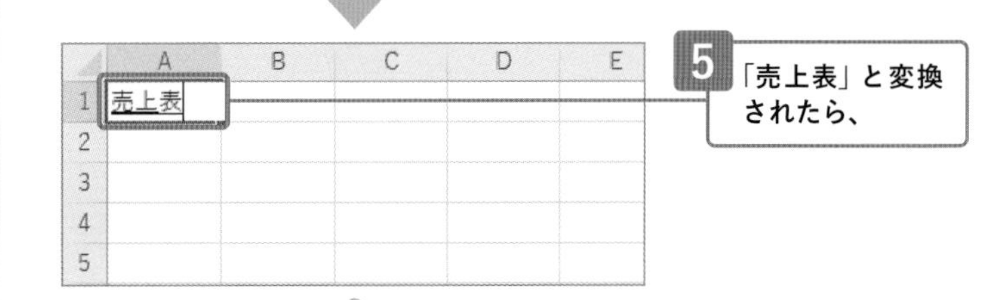

5 「売上表」と変換されたら、

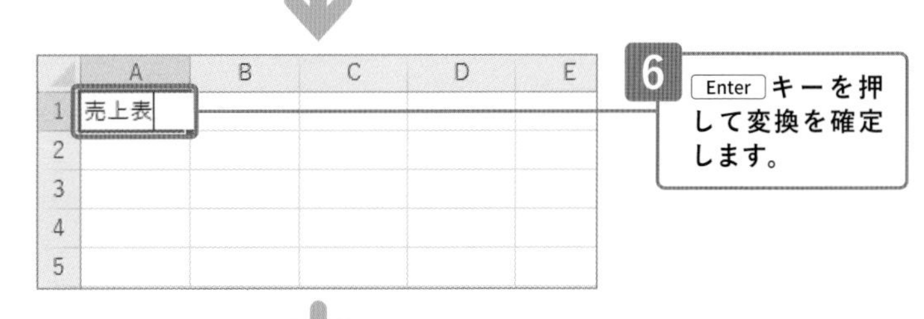

6 Enter キーを押して変換を確定します。

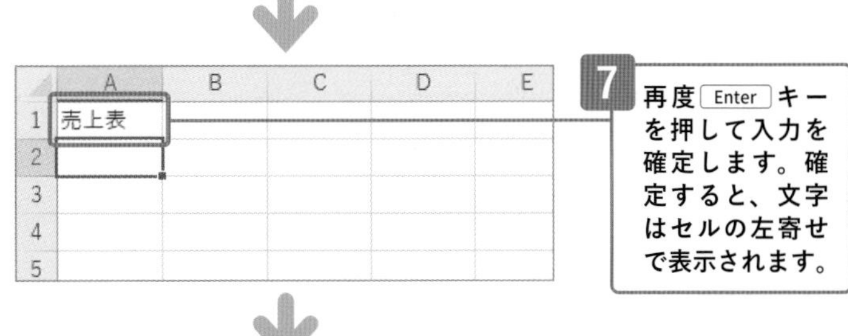

7 再度 Enter キーを押して入力を確定します。確定すると、文字はセルの左寄せで表示されます。

Memo 入力確定後のセル移動

手順7のように、文字確定後 Enter キーを押すと、入力が確定され、アクティブセルが1つ下に移動します。Tab キーを押すと、1つ右にアクティブセルが移動します。
なお、Ctrl + Enter キーを押すと、アクティブセルを移動せずに入力を確定できます。

	A	B	C	D	E
1	売上表				
2					
3		前期	後期	合計	
4	コーヒー				
5	紅茶				
6	ジュース				
7					
8					
9					
10					

8 同様にして、他のセルに文字を入力します。

コラム 文字変換のまとめ

Excelでセルに文字を入力して、変換する方法をまとめます。なお、文字確定後の修正方法については、レッスン36-1を参照してください。

● 漢字変換する

読みを入力したら Space キーを押して変換します❶。正しく変換できたら Enter キーで確定しますが、正しい漢字に変換されなかった場合は再度 Space キーを押して変換候補を表示し❷、↓↑キーを押して目的の変換候補を選択して❸、Enter キーを押して確定します❹。

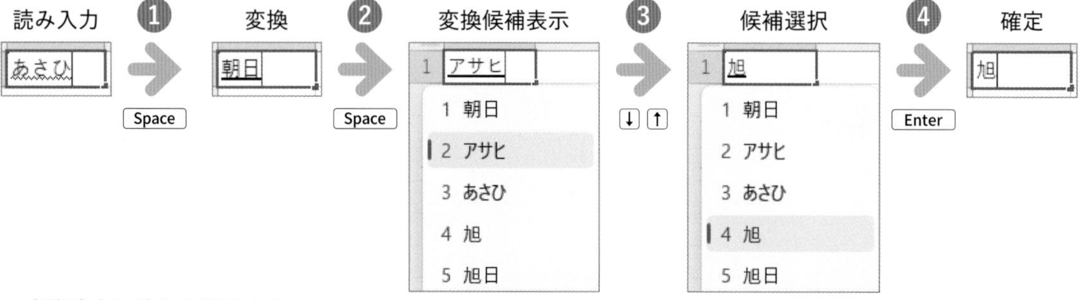

● 変換途中に読みを修正する

手順5のように、変換途中は下線が表示されます。このとき、Esc キーを押すと読みに戻ります❶。読みに戻したら、読みを修正して❷、Space キーで変換し直したら❸、Enter キーで確定します❹。なお、読みに戻したら、←または→キーでカーソルを移動して、文字を追加します。不要な文字は、Back space キーでカーソルの前の文字、Delete キーでカーソルの後ろの文字を削除します。

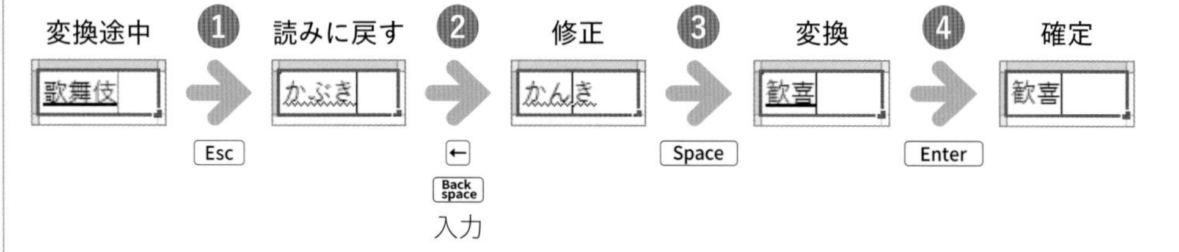

● ファンクションキーで変換する

変換途中で、ファンクションキーの F6 ～ F10 を使ってひらがな、カタカナ、英数字に変換できます。ファンクションキーを続けて押すと、右表のようにカタカナやひらがなが混在、大文字、小文字が混在して変換されます。

キー	変換	例（読み：あさひ）
F6	ひらがな	あさひ→アさひ→アサひ→あさひ
F7	全角カタカナ	アサヒ→アサひ→アさひ→アサヒ
F8	半角カタカナ	ｱｻﾋ→ｱｻひ→ｱさひ→ｱｻﾋ
F9	全角英数字	ａｓａｈｉ→ＡＳＡＨＩ→Ａｓａｈｉ→ａｓａｈｉ
F10	半角英数字	asahi→ASAHI→Asahi→asahi

レッスン 20-2 数値を入力する

練習用ファイル 20-2-売上表.xlsx

操作 数値を入力する

セルに数値を入力すると、半角文字で右寄せで表示されます。Excel起動直後は、日本語入力モードが［半角英数字］Aになっているのでそのまま入力します。［ひらがな］あになっている場合は、［半角/全角］キーを押して［半角英数字］Aに切り替えます。

Point 全角で数値を入力した場合

全角で数値を入力しても、入力確定時に自動で数値と判断され、半角に変換されて、右寄せで表示されます。

［半角/全角］キーを押して入力モードを［半角英数］Aに変更しておきます。

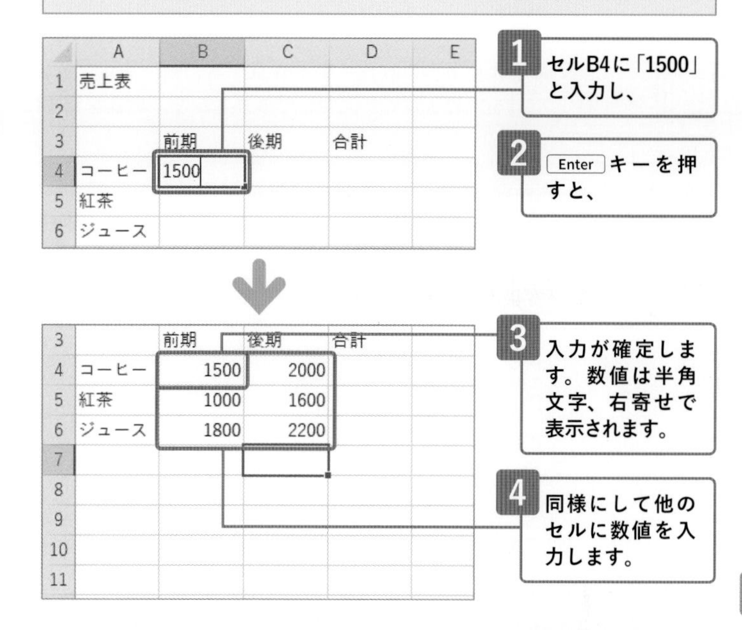

レッスン 20-3 日付を入力する

練習用ファイル 20-3-売上表.xlsx

操作 日付を入力する

セルに日付を入力するには、「12/23」のように「/」または「-」で区切って入力します。日付と認識されると、自動的に日付データに変換され、日付の表示形式が設定されます。「月/日」の形式で月日だけを入力すると今年の日付に認識されます。日本語入力モードは［半角英数字］Aにして入力しましょう。

Point 入力された日付を確認する

日付が入力されたセルには、「12月23日」のように表示されますが、実際には今年の年（2024）が補われて「2024/12/23」が入力されています。セルD1をクリックしてアクティブセルを移動し、数式バーを見ると、D1に入力されている実際の日付データが確認できます。

［半角/全角］キーを押して入力モードを［半角英数］Aに変更しておきます。

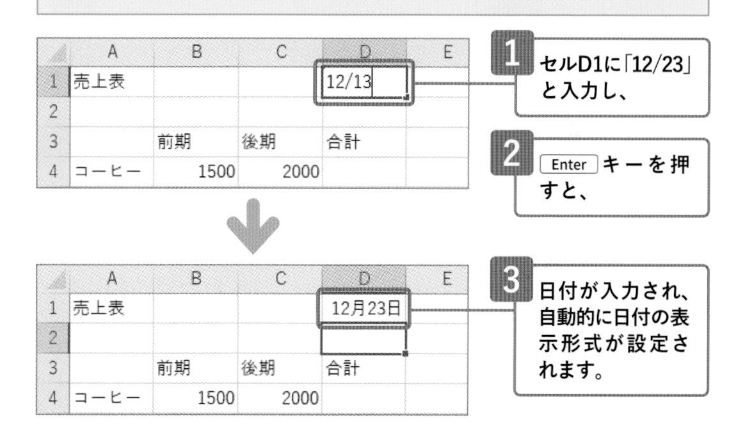

Memo 年を指定して入力する

年を指定して入力する場合は、「2024/12/23」のように「年/月/日」の形式で入力します。年を指定すると、去年以前や来年以降の日付を入力できます。年を含めて入力すると、セルには「2024/12/23」とそのまま表示されますが、実際には［西暦4桁/月/日］の表示形式が設定されています。
なお、表示形式については**レッスン48-1**を参照してください。

Section

21 数値を計算する

セルに入力された数値を計算するには、セルに数式を入力します。ここでは、足し算をして合計を求める数式を入力してみましょう。数式を簡単にコピーする方法もあわせて紹介します。

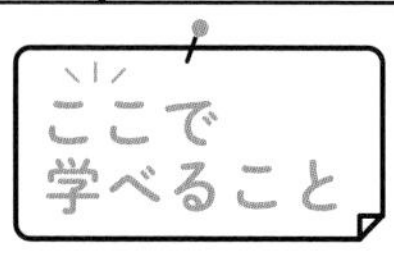

習得スキル	操作ガイド	ページ
▶数式の入力	レッスン21-1	p.85
▶数式のコピー	レッスン21-2	p.85

まずは パッと見るだけ！

数式の入力

セルに入力された数値を使って計算するには、**数式**を利用します。数式は半角の「=」ではじまり、「+」や「-」のような**算術演算子**と**セル番地**（数字の行数とアルファベットの列でセルを指定したもの）を組み合わせて作成します。以下は、前期と後期の合計を求めています。

Before
操作前

D4 fx

	A	B	C	D	E	F
1	売上表			12月23日		
2						
3		前期	後期	合計		
4	コーヒー	1500	2000			
5	紅茶	1000	1600			
6	ジュース	1800	2200			

↓

After
操作後

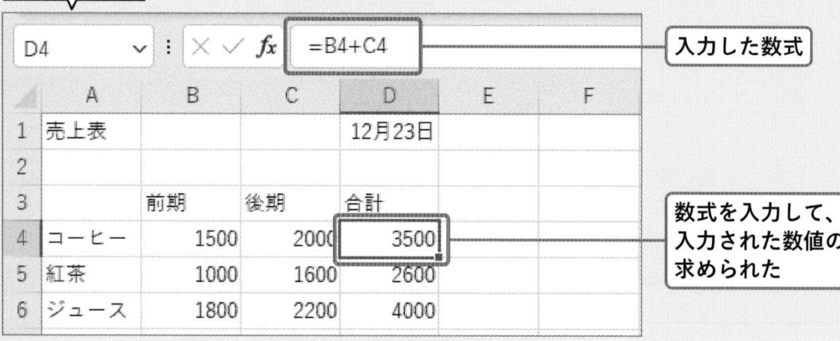
D4 fx =B4+C4

	A	B	C	D	E	F
1	売上表			12月23日		
2						
3		前期	後期	合計		
4	コーヒー	1500	2000	3500		
5	紅茶	1000	1600	2600		
6	ジュース	1800	2200	4000		

レッスン 21-1 数式を入力する

練習用ファイル 21-1-売上表.xlsx

操作 数式を入力する

前期と後期の売上合計を求める数式を入力してみましょう。売上合計は、「前期＋後期」で求められます。コーヒーの前期の金額はセルB4、後期の金額はセルC4なのでセル番地を使うと「B4+C4」となります。数式は、半角の「=」（イコール）を入力してから式を入力するので、合計のセルD4に「=B4+C4」と入力します。
なお、数式については**Section53**で詳細を説明します。

Point 数式を確認する

計算結果が表示されたセルをクリックして、数式バーを見ると、数式が入力されていることが確認できます。

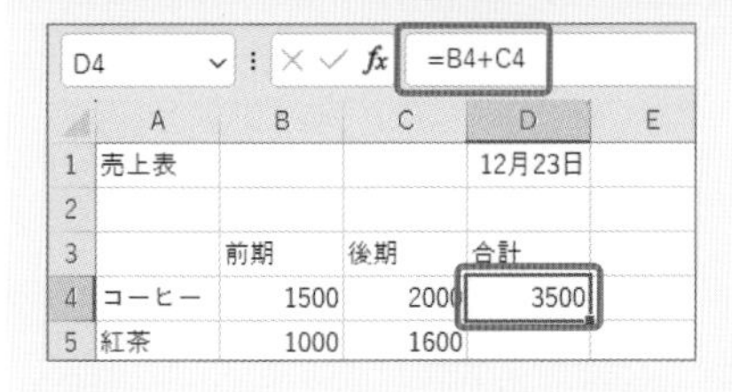

入力モードを［半角英数字］にしておきます。

1 合計を表示するセル（ここではセルD4）をクリックし、「=」と入力して、

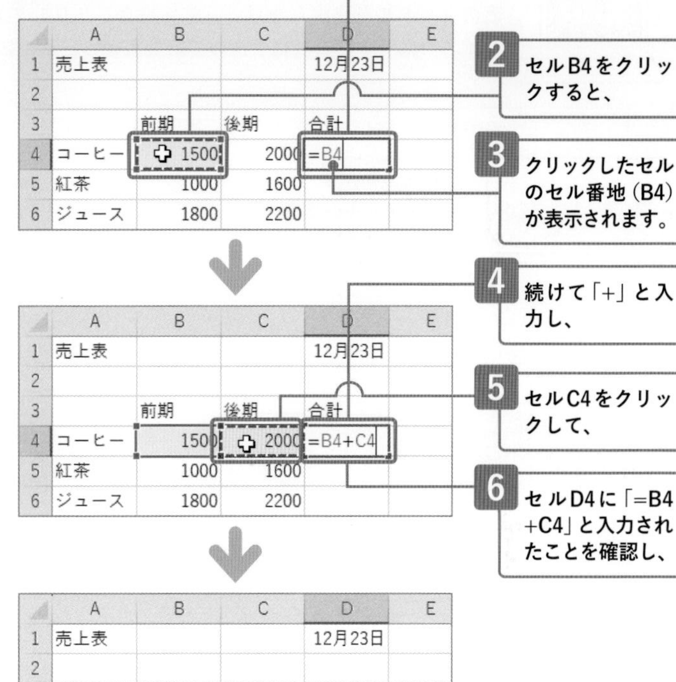

レッスン 21-2 数式をコピーする

練習用ファイル 21-2-売上表.xlsx

操作 数式をコピーする

セルD4には、コーヒーの合計を求める数式を入力しました。同様にして紅茶とジュースの合計を求めるのに、セルD4の数式をセルD5～D6にコピーして求めましょう。ここでは、「オートフィル」という機能を使用して数式をコピーし、紅茶とジュースの合計を求めます。
なお、オートフィルについては**Section37**で詳細を説明します。

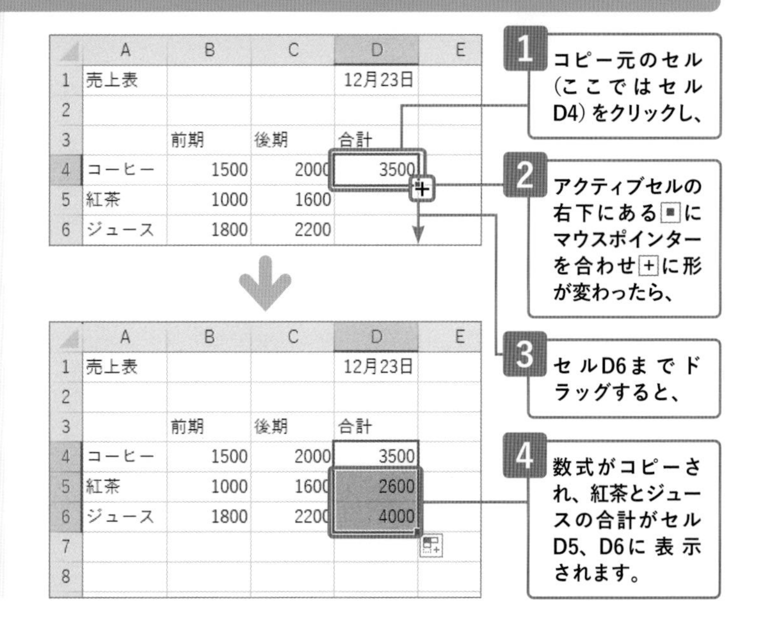

Section
22 表の見た目を整える

表のタイトルを強調したり、罫線を設定したりして表の見た目を整えて表を仕上げます。文字サイズや太字の変更、格子状の罫線を設定し、セルに色を付けてみましょう。

ここで学べること

習得スキル	操作ガイド	ページ
▶タイトルの強調	レッスン22-1	p.87
▶文字の中央揃え	レッスン22-2	p.87
▶数値の桁区切り	レッスン22-3	p.88
▶罫線を設定する	レッスン22-4	p.88
▶セルに色を設定する	レッスン22-5	p.89

まずは パッと見るだけ！

表の編集

「❶タイトル文字の強調」「❷文字の配置の整理」「❸数値の桁区切り」「❹罫線の設定」「❺見出しセルに色付け」を行い、表の見た目を整えます。

Before 操作前

	A	B	C	D	E	F
1	売上表			12月23日		
2						
3		前期	後期	合計		
4	コーヒー	1500	2000	3500		
5	紅茶	1000	1600	2600		
6	ジュース	1800	2200	4000		
7						

After 操作後

	A	B	C	D	E	F
1	売上表			12月23日		
2						
3		前期	後期	合計		
4	コーヒー	1,500	2,000	3,500		
5	紅茶	1,000	1,600	2,600		
6	ジュース	1,800	2,200	4,000		
7						
8						

❶タイトル文字の強調
❷文字の配置の整理（セルの中央に揃えた）
❸数字の桁区切り（カンマで区切った）
❹罫線の設定
❺見出しセルに色付け

レッスン 22-1 タイトルを強調する

練習用ファイル 22-1-売上表.xlsx

Point タイトルの強調

表のタイトルになる文字を強調するために、ここでは文字サイズを大きくし、太字を設定してみましょう。このような文字を修飾するものを「書式」といいます。書式設定の詳細はSection42を参照してください。

操作 フォントサイズを変更する

文字の大きさを変更するには、フォントサイズを変更します。フォントサイズは、ポイント単位で設定され、1ポイントは約0.35mmです。

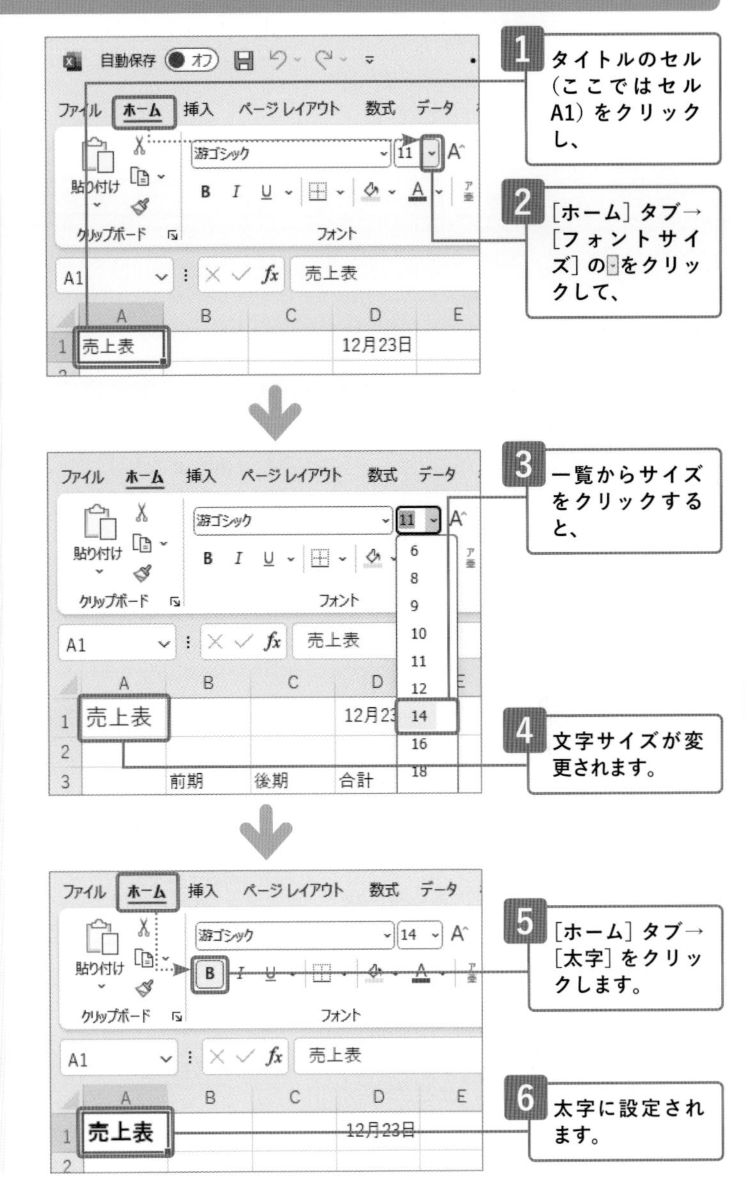

レッスン 22-2 文字をセルの中央に揃える

練習用ファイル 22-2-売上表.xlsx

Point 文字の中央揃え

表の見出しとなる文字をセルの中央に揃えて配置を整えます。ここでは、セル範囲B3～D3の文字を中央に揃えてみましょう。配置の詳細はSection46を参照してください。

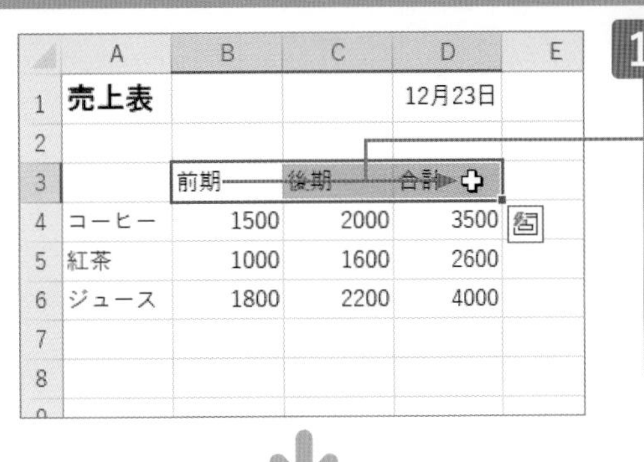

操作　セル範囲を選択する

セル範囲を選択するには、マウスポインターを選択したいセルに移動し、マウスポインターの形が✚のときにドラッグします（Section26参照）。

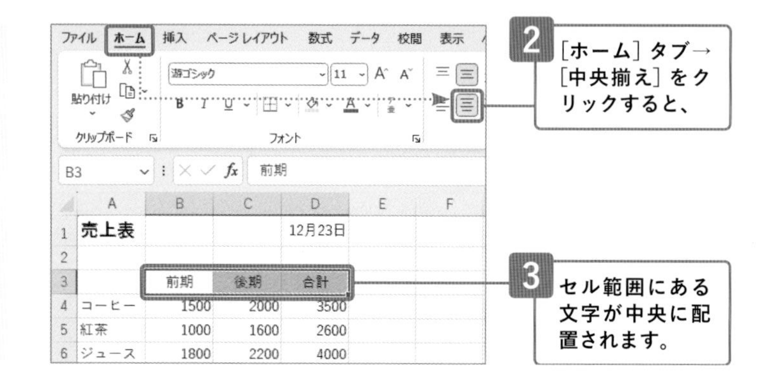

レッスン 22-3 桁区切りカンマを付ける

練習用ファイル 22-3-売上表.xlsx

操作　桁区切りカンマを付ける

数値に3桁ごとの桁区切りカンマを付けると、数値が見やすくなります。ここでは、セル範囲B4～D6の数値に桁区切りカンマを設定してみましょう。数値の表示形式の詳細はSection48を参照してください。

Point　数値の表示形式

数値に桁区切りカンマを付けたり、通貨記号「¥」を付けたりして、表示形式を変更することができます。表示形式はセルに表示するための書式で、実際の数値は数式バーで確認できます。

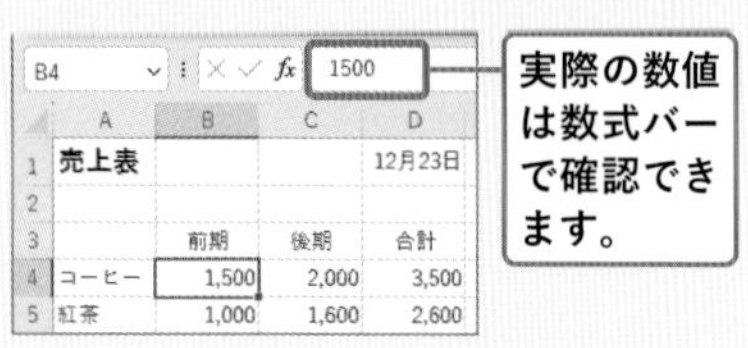

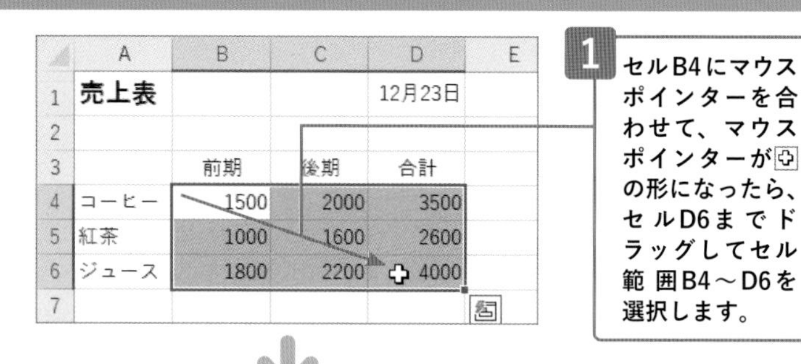

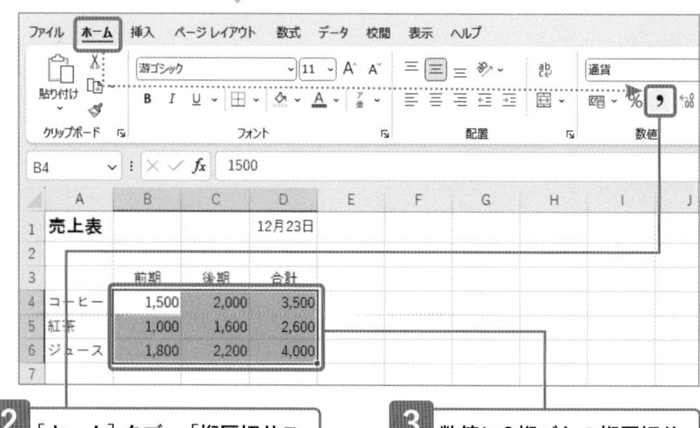

レッスン 22-4 表に格子状の罫線を設定する

練習用ファイル 22-4-売上表.xlsx

操作　格子状の罫線を引く

セル範囲に格子状の罫線を引くと、一気に表組みに整えられます。ここではセル範囲A3～D6に格子状の罫線を引いてみましょう。罫線設定の詳細はSection45を参照してください。

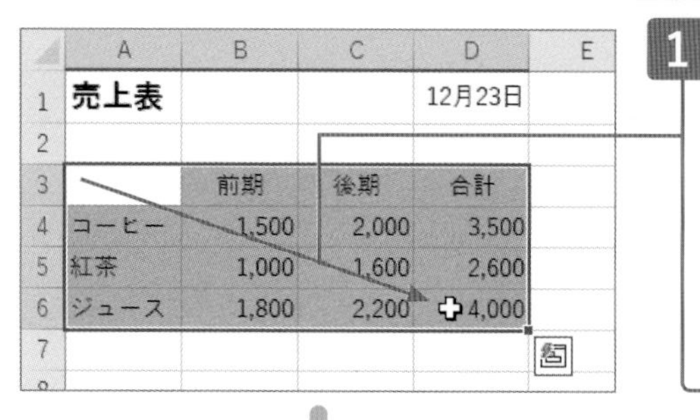

Memo 罫線の設定

[ホーム]タブ→[罫線]の⌄をクリックすると、選択範囲に対して設定できる罫線のパターンが表示されます。[格子]田をクリックするとセル範囲に格子状の罫線を設定できます。[枠なし]田をクリックすると、セル範囲の罫線を削除できます(**レッスン45-1**参照)。

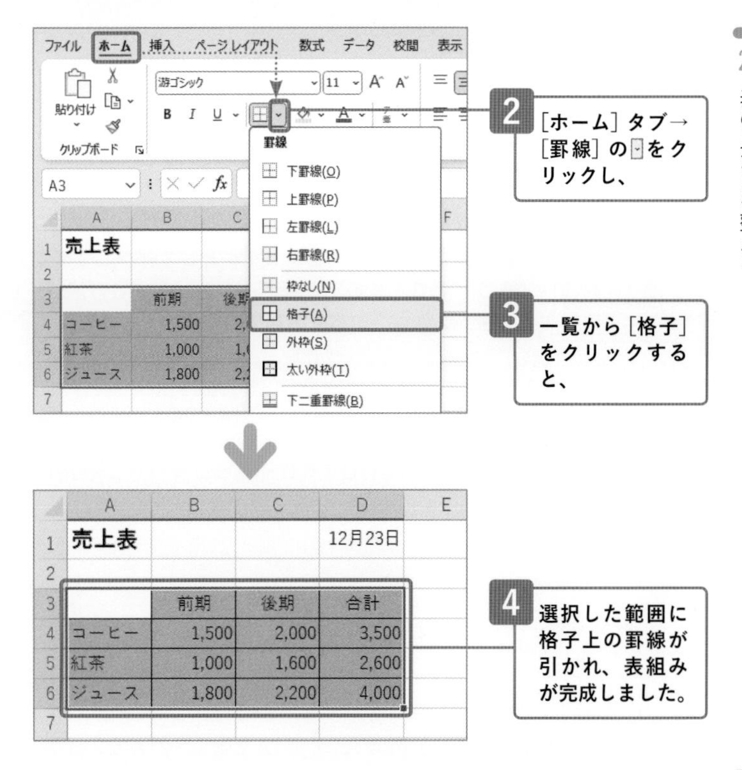

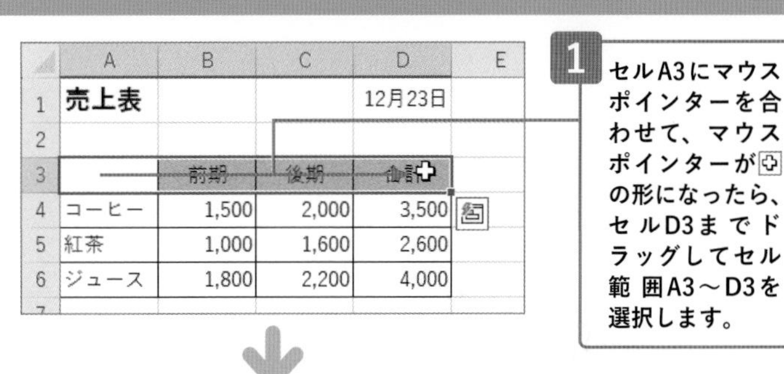

レッスン 22-5 セルに色を設定する

練習用ファイル 22-5-売上表.xlsx

操作 セルに色を付ける

表の見出しになるセルに色を付けると、見出しが強調され、見栄えが良くなります。セルに色を付けるには、[ホーム]タブの[塗りつぶしの色]◇で色を指定します。ここでは、表の見出し行となるセル範囲A3～D3に色を付けてみましょう。塗りつぶしの詳細は**Section43**を参照してください。

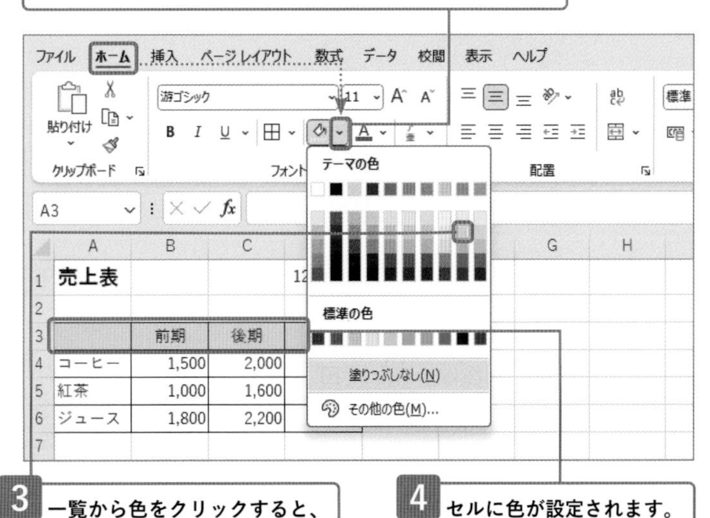

Section

23 ブックを保存する

表を作成したブックをファイルとして保存しておくと、Excelを終了した後に再度開いて編集することができます。新規ブックを保存する方法や、既存のブックを別の名前を付けて保存する方法、ブックの内容を更新する方法を覚えましょう。

習得スキル	操作ガイド	ページ
▶名前を付けて保存	レッスン23-1	p.91
▶上書き保存	レッスン23-2	p.92

まずは パッと見るだけ！

ブックの保存

保存方法には、**名前を付けて保存**と**上書き保存**の2種類があります。新規ブックを保存する場合と、すでに保存されているブックを保存する場合の違いもあわせて確認してください。

●新規ブック

新規ブックを作成すると、「Book1」のような名前がタイトルバーに表示されます。これは、仮の名前として表示されているだけでまだファイルとしては存在していません。ファイルとして残したい場合は、名前を付けて保存します。

●保存済みのブック

一度ファイルとして保存したブックは、上書き保存と名前を付けて保存の使い分けが必要です。上書き保存は、同じ名前で保存するためデータが更新され、元ファイルの変更前のデータは残りません。
一方、名前を付けて保存は、元ファイルで編集した内容を別の名前を付けて保存するため、元ファイルは変更前の状態で残ります。

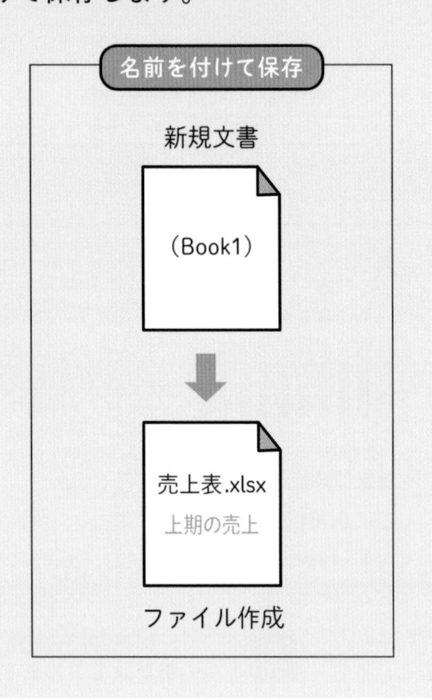

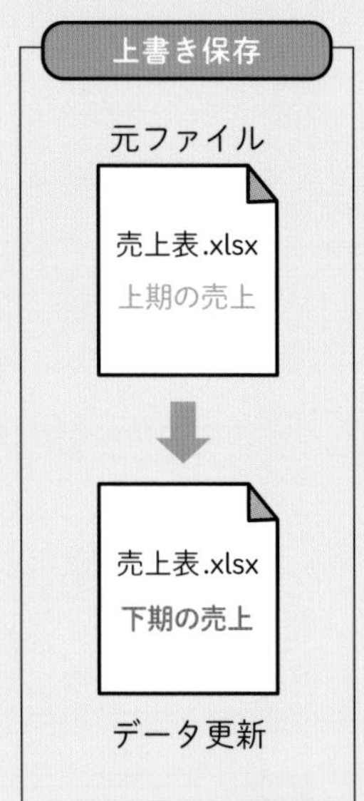

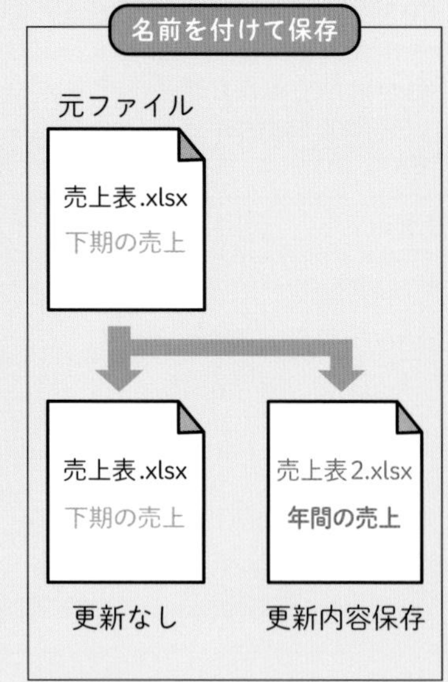

レッスン23-1 保存場所と名前を指定して保存する

練習用ファイル 23-売上表.xlsx

操作 名前を付けて保存する

新規のブックを保存する場合は、[名前を付けて保存] ダイアログを表示し、保存場所と名前を指定してファイルとして保存します。保存済みのブックの場合、同じ操作で別のファイルとして保存できます。ここでは、レッスン22-5で作成したブックを [ドキュメント] フォルダに「売上表」という名前で保存してみましょう。

Memo OneDriveに保存する

保存場所でOneDriveを選択すると、ブックをネットワーク上に保存できます。OneDriveに保存すれば、わざわざファイルを持ち運ぶことなく、別のパソコンからブックを開くことができます。この場合、Microsoftアカウントでサインインしている必要があります。詳細はp.369を参照してください。

ショートカットキー

- [名前を付けて保存] ダイアログ表示 F12

ここではサインインしていない状態で [ドキュメント] フォルダに保存します。

1 [ファイル] タブ→ [名前を付けて保存] をクリックし、

2 [参照] をクリックします。

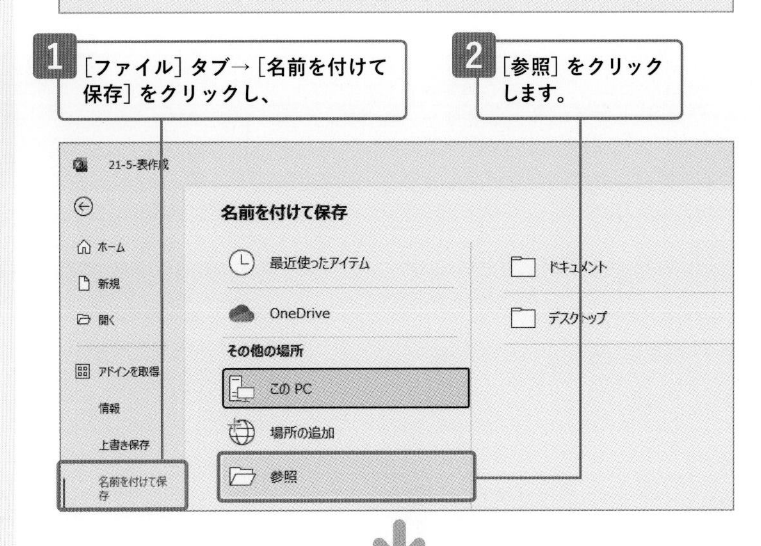

3 [名前を付けて保存] ダイアログが表示されます。

4 保存先のフォルダを選択 (ここでは「ドキュメント」) し、

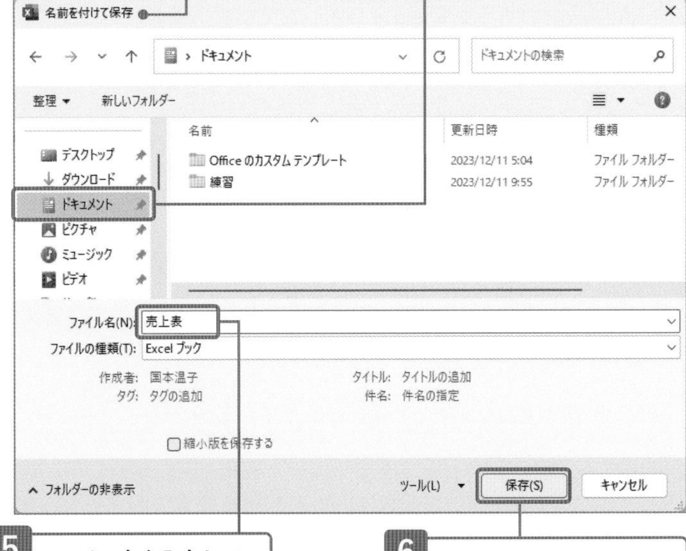

5 ファイル名を入力して、

6 [保存] をクリックします。

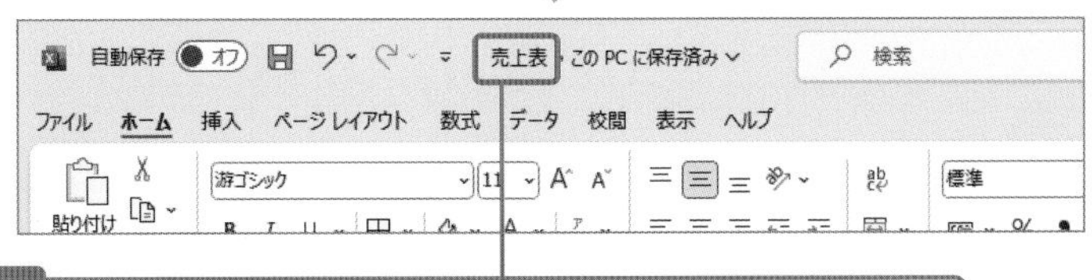

7 ブックが保存され、ブック名がタイトルバーに表示されます。

レッスン23-2 上書き保存する

操作 上書き保存する

一度保存したことのあるブックは、上書き保存をして変更内容を更新して保存します。クイックアクセスツールバーの［上書き保存］をクリックします。データが更新されるので、ブックを開いたときの内容は残りません。

ショートカットキー

- 上書き保存
  Ctrl ＋ S

1 クイックアクセスツールバーの［上書き保存］をクリックします。

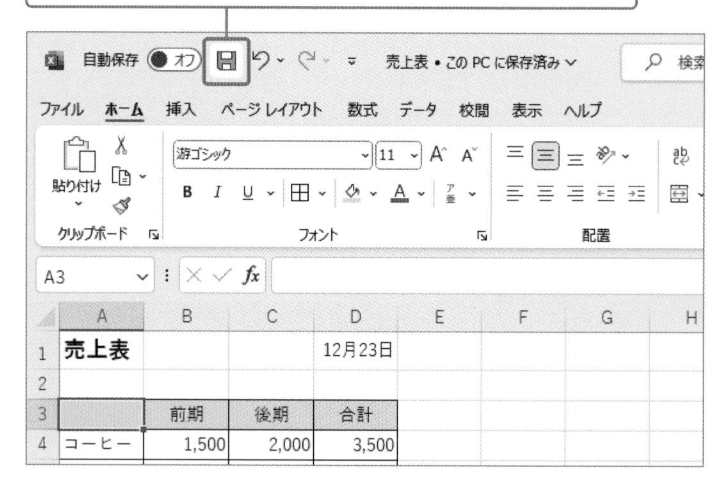

コラム 自動保存を理解しましょう

タイトルバーの左端に表示されている自動保存は、Microsoftアカウントでサインインしているときにブックを OneDrive に保存すると有効になります。Microsoftアカウントでサインインしている場合に、ブックを OneDrive に保存すると、［自動保存］がオンになり、ブックに変更があると自動で上書き保存されます。

● Microsoftアカウントでサインインしていない場合

ブックを保存しても［自動保存］はオンになりません。保存後、ブックに変更を加えた場合は、自分で上書き保存をしてブックを更新してください。このとき［自動保存］をクリックしてオンにしようとするとサインインを要求する画面が表示されます。

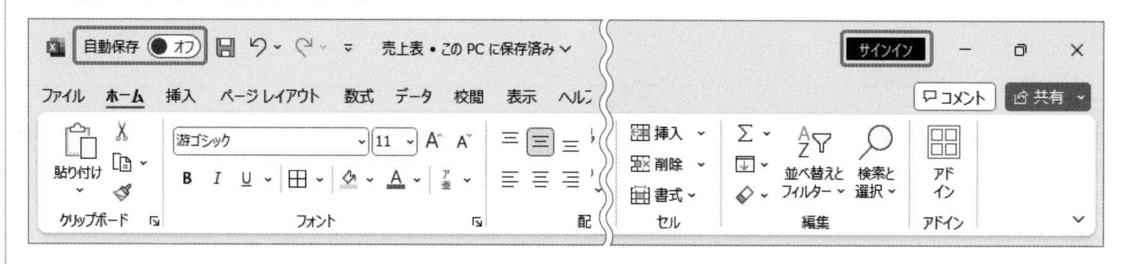

● Microsoftアカウントでサインインしている場合

ブックを OneDrive に保存すると［自動保存］はオンになり、ブックに変更があると、自動的に上書き保存が実行され、データが更新されます。ブックの［自動保存］のオンとオフの設定は、ブックごとに保存されます。次にブックを開いたときは、前回と同じ設定で開きます。また、［上書き保存］のアイコンが になり、クリックすると自分が行った変更が保存されると同時に、文書が共有されている場合は、他のユーザーによる変更も反映されます。なお、サインインしていても、文書をパソコン上のドライブに保存している場合は、［自動保存］はオフのままです。

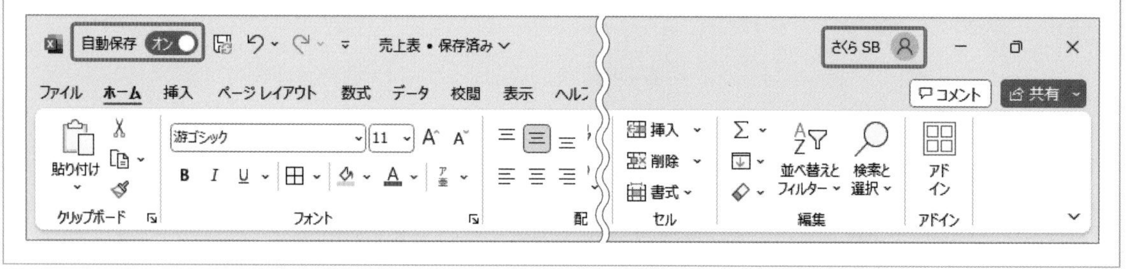

Section

24 ブックを開く

ファイルとして保存したブックは、Excel画面から開くだけでなく、エクスプローラーから開くこともできます。また、Excelでは複数のブックを同時に開いて編集することもできます。

習得スキル	操作ガイド	ページ
▶ブックを開く	レッスン24-1	p.94
▶エクスプローラーから開く	レッスン24-2	p.95

まずは パッと見るだけ！

文書の開き方を確認する

Excelのブックは、［ファイルを開く］ダイアログから開くのが基本ですが、エクスプローラーから直接ブックをダブルクリックして開くことも可能です。

Before 操作前

● ［ファイルを開く］ダイアログ

● エクスプローラー

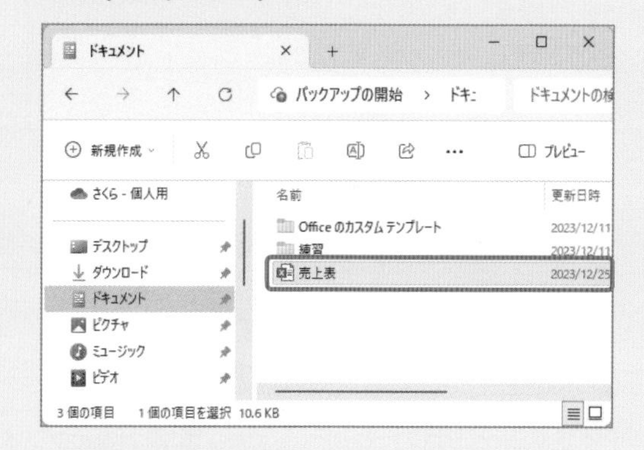

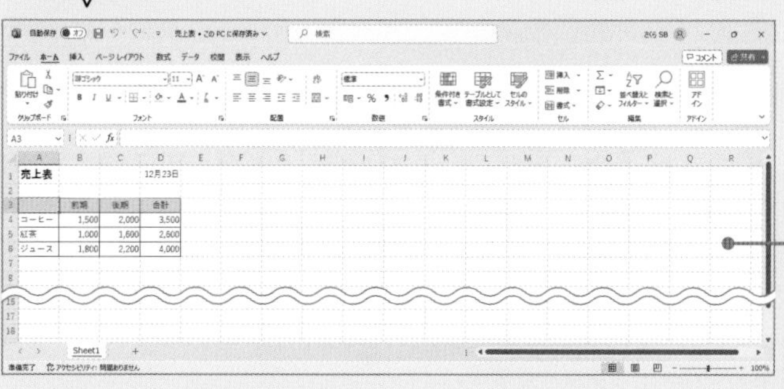

指定したブックが開いた

エクスプローラーのダブルクリックがおすすめ

レッスン 24-1 保存場所を選択して開く

24-売上表.xlsx

操作 [ファイルを開く]ダイアログから開く

Excelのブックを開くには、[ファイルを開く] ダイアログを表示して、保存場所と開くファイルを指定します。Excelでは複数ファイルを同時に開いて編集することができます。手順5で、1つ目のファイルを選択したのち、2つ目以降のファイルをCtrlキーを押しながらクリックすると複数ファイルを選択できます。複数選択した状態で[開く]をクリックすると複数ファイルをまとめて開けます。

Memo 複数のブックを切り替えるには

[表示] タブ→[ウィンドウの切り替え]をクリックして❶、一覧から切り替えたい文書をクリックします❷。または、タスクバーのExcelのアイコンにマウスポインターを合わせ、表示されるブックのサムネイル (縮小表示) で、編集したいブックをクリックしても切り替えられます。

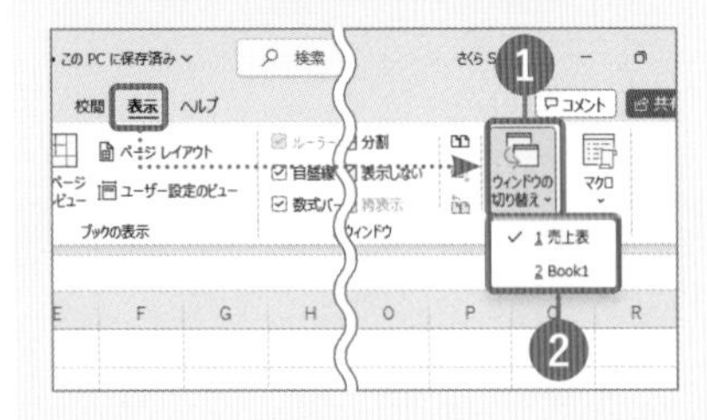

ショートカットキー

- [開く] 画面表示
  Ctrl + O
- [ファイルを開く] ダイアログ表示
  Ctrl + F12

ドキュメントフォルダに、24-売上表.xlsxをコピーしておくと以下の画面と同じになります。ファイルのコピー方法は、p.37参照

1 [ファイル] タブ→[開く]をクリックし、

2 [参照]をクリックします。

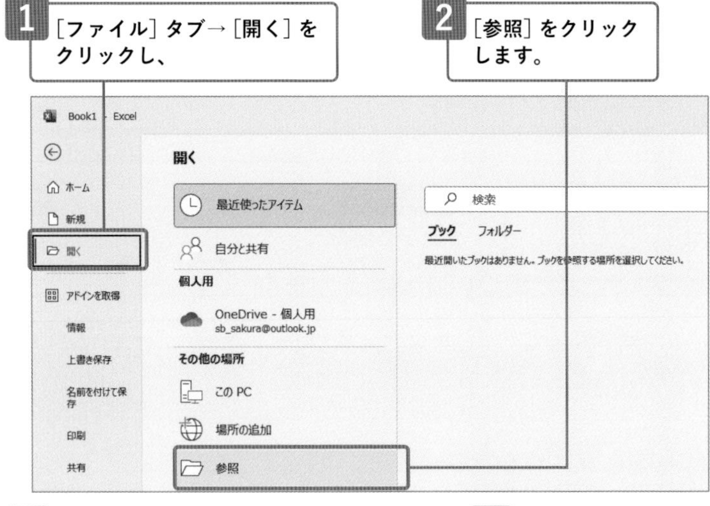

3 [ファイルを開く] ダイアログが表示されます。

4 ファイルの保存先を選択し、

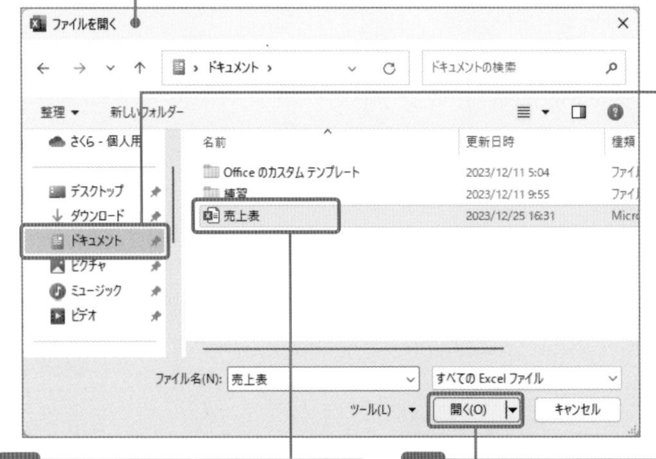

5 対象のファイルをクリックします。

6 [開く]をクリックすると、

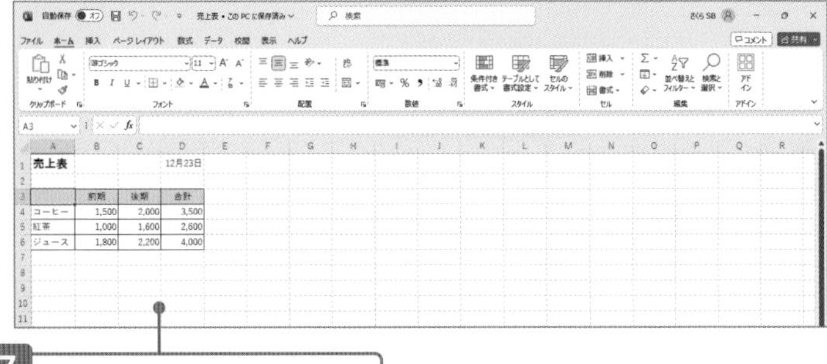

7 選択したファイルが開きます。

レッスン 24-2 エクスプローラーから開く

24-売上表.xlsx

操作 エクスプローラーから開く

エクスプローラーを開き、開きたいブックをダブルクリックすると、ブックが開きます。

Memo Enter キーでブックを開く

エクスプローラーで開きたいブックを選択し、Enter キーを押しても同様にブックを開くことができます。

コラム Excelも自動的に起動する

エクスプローラーでファイルをダブルクリックしたときにExcelが起動していない場合は、Excelが起動すると同時にブックが開きます。

ドキュメントフォルダに、24-売上表.xlsxをコピーしておくと以下の画面と同じになります。ファイルのコピー方法は、p.37参照

1 エクスプローラーで保存場所のフォルダを開き、

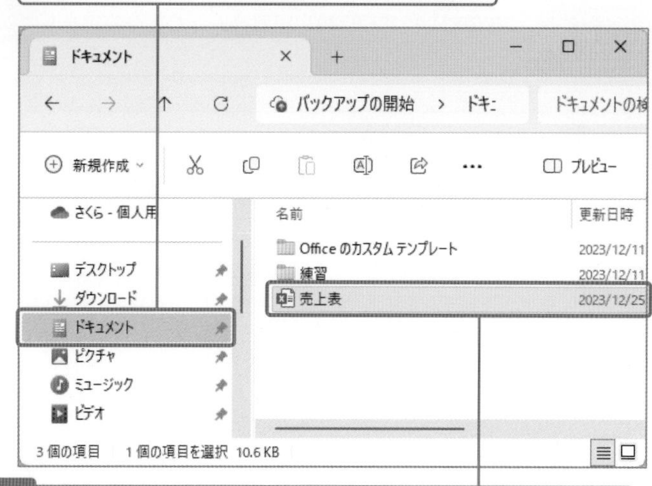

2 開きたいブックをダブルクリックすると、ファイルが開きます。

コラム Section18の［成績表］の解説

Section18の成績表では、本書では解説していない関数を使っています。詳細は解説しませんが、どのような数式や関数が設定されているかを紹介します。興味があれば、ご活用ください。

	A	B	C	D	E	F	G	H
1	テスト結果成績表						標準偏差	31.36702
2								
3	NO	学生名	英語	数学	国語	合計	順位	偏差値
4	1	山本　慎二	82	73	88	243	5	51.94
5	2	大野　朋美	61	86	73	220	7	44.61
6	3	田辺　久美	100	96	93	289	1	66.61
7	4	近藤　健治	70	79	66	215	8	43.02
8	5	藤田　凛子	68	63	54	185	10	33.45
9	6	吉田　桃子	82	100	83	265	3	58.96
10	7	飯田　明美	69	83	71	223	6	45.57
11	8	坂下　裕子	90	81	75	246	4	52.90
12	9	斉藤　剛	88	96	93	277	2	62.78
13	10	新庄　努	52	74	80	206	9	40.15
14		平均点	76.2	83.1	77.6	236.9		
15		最高点	100	100	93	289		
16		最低点	52	63	54	185		
17								

=STDEV.P(F4:F13)
書式：=STDEV.P(セル範囲)
説明：セル範囲の数値をもとに標準偏差を求める

=(F4-$F$14)/$H$1*10+50
説明：偏差値を求める数式
偏差値=（個人の得点－平均点）÷標準偏差×10+50

=RANK.EQ(F4,$F$4:$F$13,0)]
書式：=RANK.EQ(数値, 範囲, ［降順/昇順］)
説明：範囲内で指定した数値が大きい順または小さい順で何番目にあるか順位を求める

=SUM(C4:E4)
書式：=SUM(セル範囲)
説明：範囲内の数値の合計を返す（Section56参照）

=AVERAGE(C4:C13)
書式：=AVERAGE(セル範囲)
説明：範囲内の数値の平均値を返す（Section57参照）

=MIN(C4:C13)
書式：=MIN(セル範囲)
説明：範囲内の数値の中で最小値を返す（Section58参照）

=MAX(C4:C13)
書式：=MAX(セル範囲)
説明：範囲内の数値の中で最大値を返す（Section58参照）

Section

25 印刷する

作成した表を印刷するには、［印刷］画面を表示します。［印刷］プレビュー画面で印刷イメージを確認し、印刷部数や印刷ページなどの設定をして印刷を実行します。

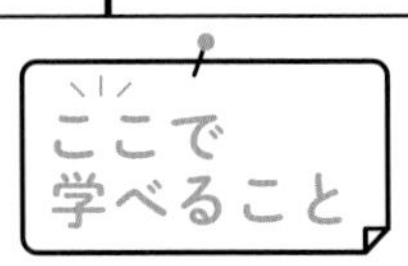

習得スキル	操作ガイド	ページ
▶印刷	レッスン25-1	p.97

まずは パッと見るだけ！

表の印刷

表を印刷するには、［印刷］画面で印刷プレビューを確認し、印刷を実行します。

●［印刷］画面

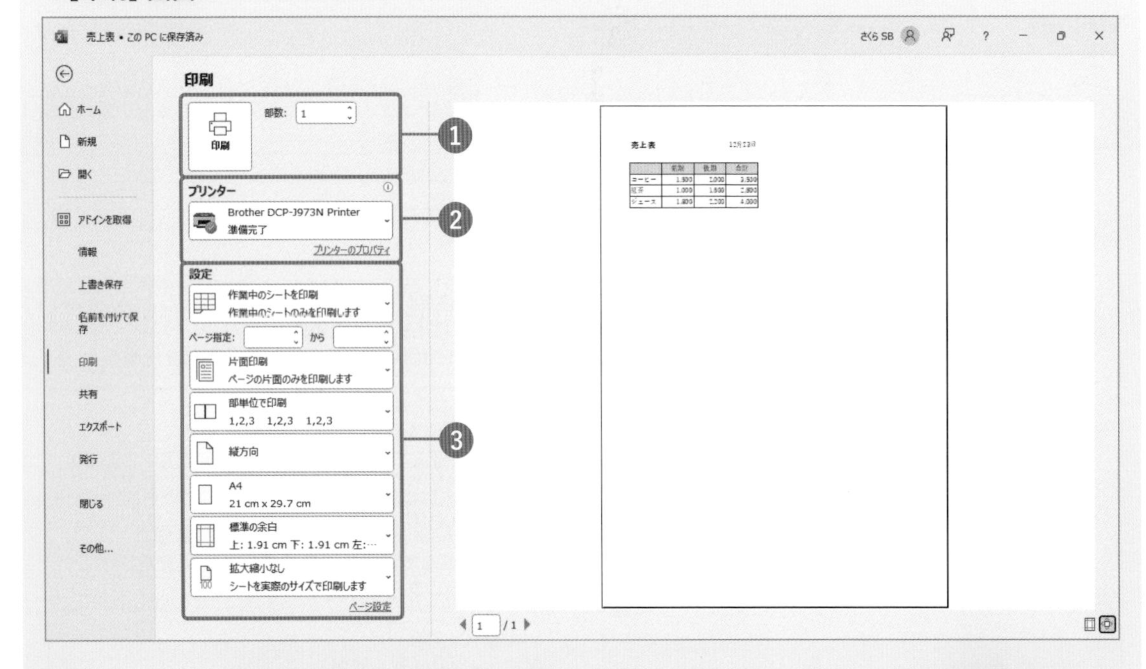

❶	印刷	印刷部数の指定と印刷を実行する
❷	プリンター	印刷するプリンターの選択と詳細設定の確認と変更をする
❸	設定	印刷範囲や用紙のサイズ、用紙の向きなど印刷設定をする。詳細はp.349を参照

印刷プレビューと
同じものが紙に
印刷されるよ〜

レッスン 25-1 印刷イメージを確認し、印刷を実行する

25-売上表.xlsx

操作 印刷イメージの確認と印刷の実行

表を印刷するには、[印刷] 画面で印刷プレビューを確認し、部数を指定して、[印刷] をクリックします。印刷する前に、プリンターを接続し、用紙をセットしておきましょう。

ショートカットキー

- [印刷] 画面を表示する
  Ctrl + P

Memo 印刷プレビューが表示されない場合

ワークシートに何も入力されていない場合は、印刷プレビューは表示されません。

Point 1ページに収まらない場合

印刷プレビューで確認したときに1ページに収まらない場合は、余白を狭くしたり、印刷の倍率を変更したりして1ページに収まるように調整できます（p.356参照）。

Memo プリンターについて

プリンターの⌄をクリックすると、プリンターの一覧が表示されます。印刷に使用するプリンターには、緑のチェックマークが付いています。[プリンターのプロパティ] をクリックすると使用するプリンターの設定画面が表示されますが、プリンターによって設定内容が異なるため、本書ではプリンターの設定については解説していません。

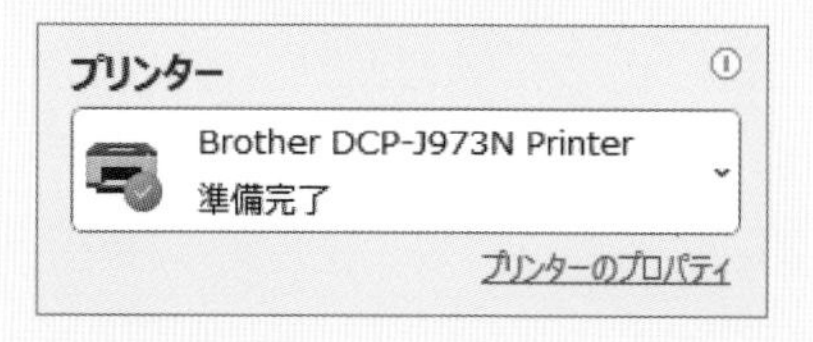

1 [ファイル] タブ→ [印刷] をクリックすると、

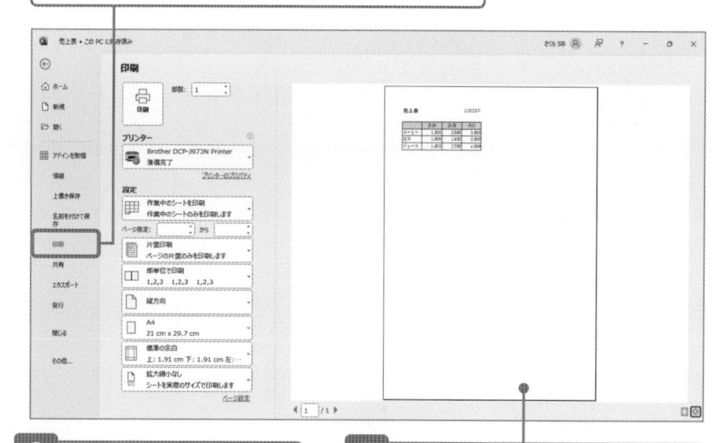

2 [印刷] 画面が表示され、

3 印刷プレビューが表示されます。

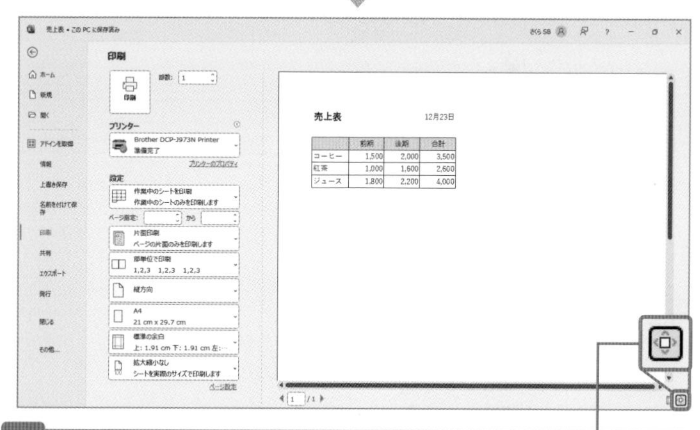

4 [ページに合わせる] をクリックして印刷イメージサイズを縮小／拡大して確認します。

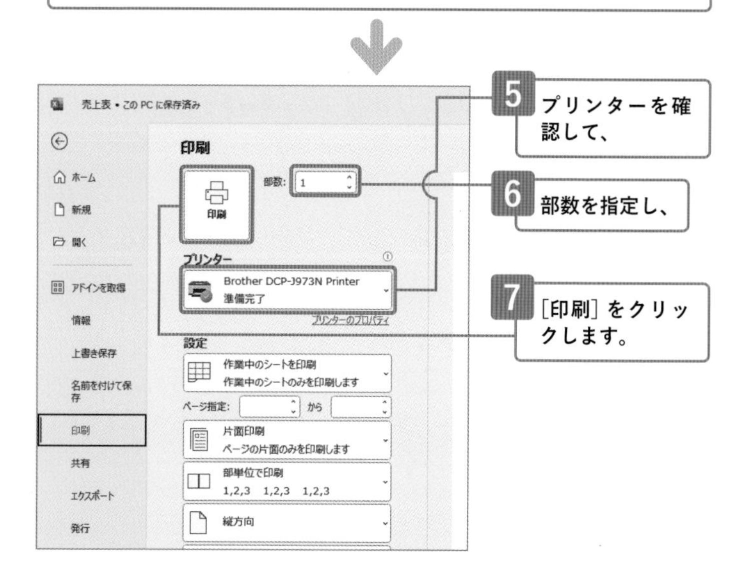

5 プリンターを確認して、

6 部数を指定し、

7 [印刷] をクリックします。

コラム　印刷プレビューで余白を表示するには

印刷プレビューの右下にある［余白の表示］をクリックすると❶、余白のラインが表示されます❷。クリックするごとに表示／非表示が切り替わります。表示された余白のラインにマウスポインターを合わせての形になったらドラッグすると❸、余白を変更できます。なお、上下に横のラインが2本ありますが、内側のラインが余白ライン、外側のラインがヘッダー、フッター領域のラインです（Section102）。また、上端に表示されるは列の境界でドラッグすると列幅を変更することができます。

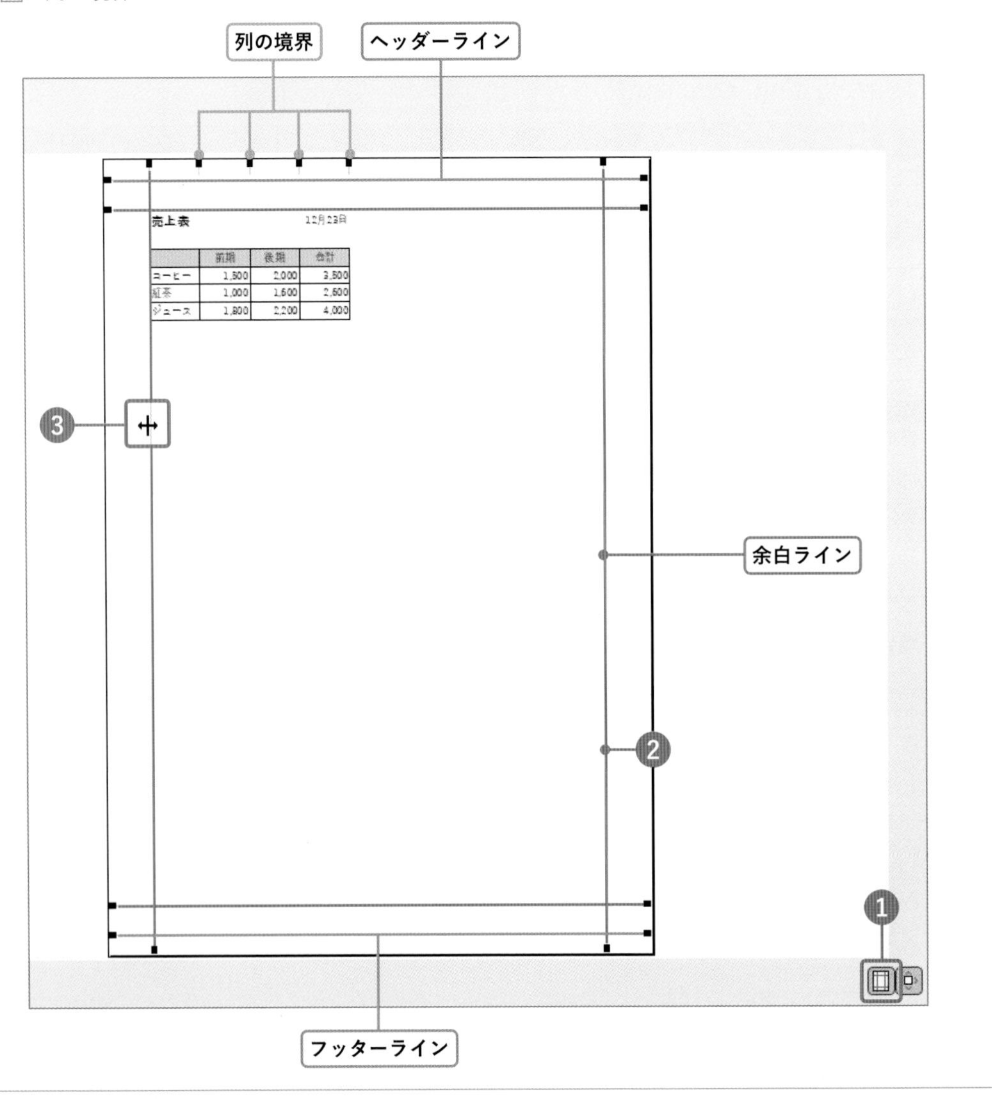

練習問題 簡単な表を作ってみよう

完成見本を参考に、以下の手順で表を作成してみましょう。

1 セルA1に「商品在庫」、セルA4～A6にそれぞれ「緑茶」「紅茶」「烏龍茶」（うーろんちゃ）、セルB3～D3にそれぞれ「店舗A」「店舗B」「合計数」と入力する
2 セルB4～C6に完成図を参照して数値を入力する
3 セルD1に日付「2024/3/5」を入力する
4 セルA1の文字のサイズを「12pt」、太字を設定する
5 セル範囲B3～D3を中央揃えにする
6 セル範囲D4～D6に桁区切りカンマを設定する
7 セル範囲A3～D6に格子の罫線を設定する
8 セル範囲A3～D4にセルの色を任意の色に設定する
9 ［ドキュメント］フォルダに「商品在庫」と名前を付けて保存する

▼**完成見本**

	A	B	C	D	E	F
1	**商品在庫**			2024/3/5		
2						
3		店舗A	店舗B	合計数		
4	緑茶	450	550	1,000		
5	紅茶	600	450	1,050		
6	烏龍茶	550	600	1,150		
7						
8						

パソコン仕事で気をつけたいこと

パソコンやExcelは、普通に使っていれば簡単には壊れることはありませんが、パソコンを安全に使用するために、覚えておきたい3つの注意点があります。

● 1. 強い衝撃を与えない。キーボードに飲み物をこぼさない

パソコンは、精密機械です。そのため、強い衝撃によって壊れることがあります。特に、ノートパソコンのような持ち運びができるものは、慎重に扱いましょう。また、キーボードに飲み物をこぼさないように気をつけてください。キーボードに飲み物をこぼすと、キーボードの交換が必要になったり、パソコン自体が動作しなくなったりすることがあります。意外とよくあることなので、注意しましょう。

● 2. 自分が保存したファイル以外は削除しない

0章でも紹介していますが、パソコンのハードディスクの中には、パソコンを動かすためのファイルが保存されています。それらのファイルを削除すると、パソコン自体が正常に動かなくなってしまうことがあります。原則的に、自分で作成したり、保存したりしたファイル以外は削除しないと決めておくといいでしょう。

● 3. 席を離れるときは、パソコンをロックする

席を離れるときは、他人に勝手にデータを見られたり、操作されたりしないように以下の手順でパソコンをロックしておきましょう。作業中のアプリを終了することなく席を離れることができるので、短時間席を離れる場合に便利です。パソコンをロックすると、再度パソコンを使う場合、パスワードかPIN(暗証番号)の入力が必要になります。なお、帰宅する場合は、すべてのアプリを終了し、[スタート] メニューで [電源] をクリックして、[シャットダウン] をクリックしてパソコンを終了してください。

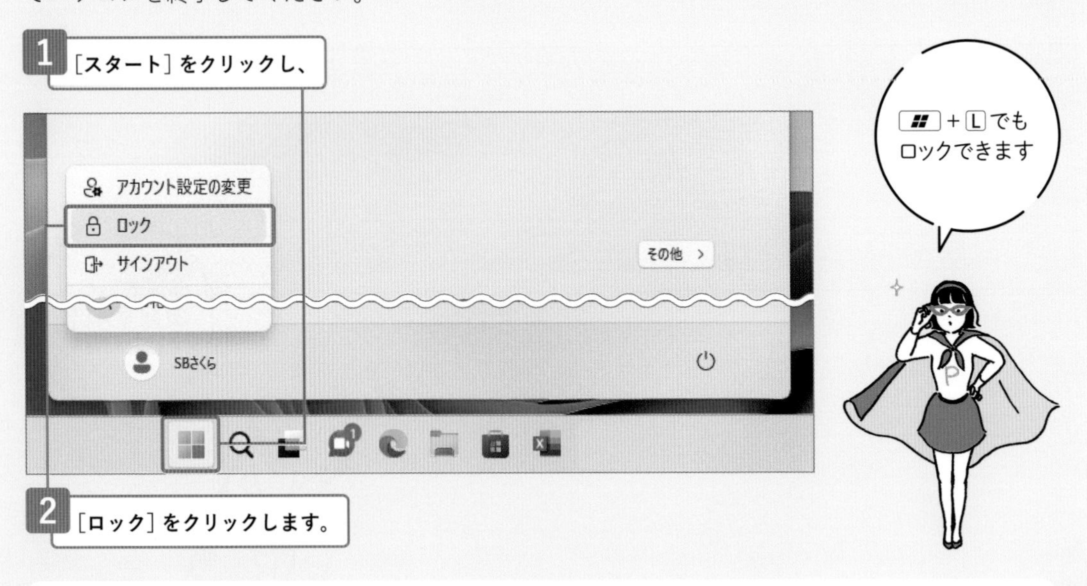

Point パソコンにやさしい習慣を身につけよう

第 3 章

セル／行／列を自在に操作する

Excelで表を作成する際に、対象となるセルやセル範囲を選択したり、列の幅や行の高さを調整したりすることがよくあります。そのため、セル／行／列の操作は必須です。ここでは、基本操作をマスターしましょう。

自在に操作できれば仕事もスムーズ！

Section

26 セル範囲を選択する

Excelでは、表を作成する際はまず対象となるセルやセル範囲を選択してから文字を入力したり、機能を実行したりします。ここでは、基本的なセル選択の方法に加えて、便利な選択方法をあわせて紹介します。

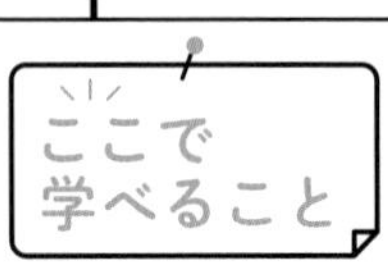

習得スキル	操作ガイド	ページ
▶連続するセル範囲の選択	レッスン26-1	p.103
▶離れたセル範囲の選択	レッスン26-2	p.104
▶行や列の選択	レッスン26-3	p.104

まずは パッと見るだけ！

セル範囲の選択

セル範囲を選択する場合は、マウスポインターの形に注目してください。選択したいセル上にマウスポインターを合わせて、✥のときにセル範囲を選択できます。また、行番号上で➡、列番号上で⬇のときに行や列を選択できます。

●連続範囲の選択

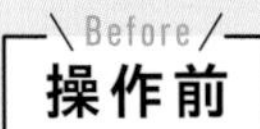

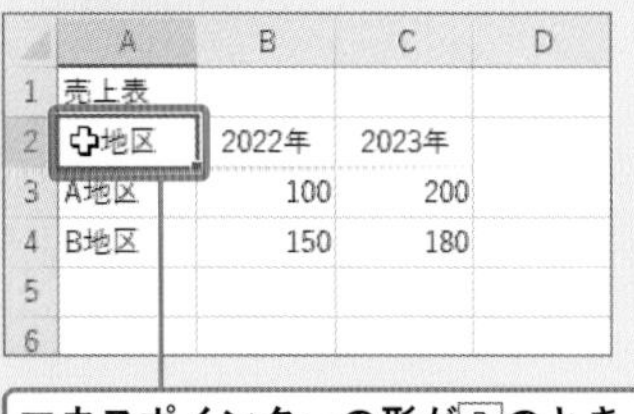

マウスポインターの形が✥のとき、

	A	B	C	D
1	売上表			
2	地区	2022年	2023年	
3	A地区	100	200	
4	B地区	150	180	
5				
6				

セル上をドラッグして連続した範囲を選択します。

●離れた範囲の選択

1つ目のセル範囲を選択後、Ctrl キーを押しながらドラッグすると、続けて別のセル範囲を選択できます。

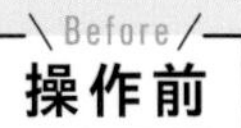

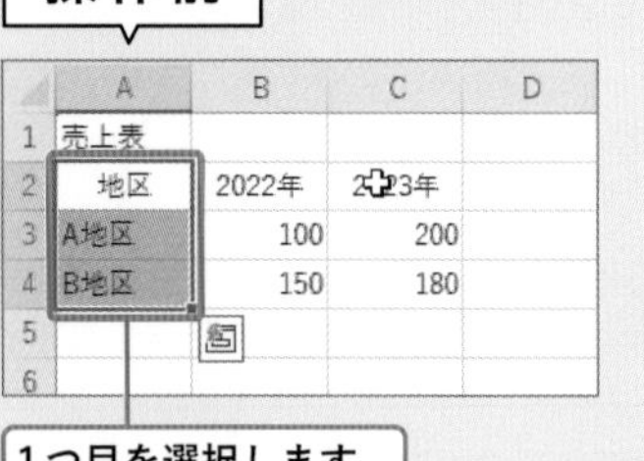

1つ目を選択します。

After

操作後

	A	B	C	D
1	売上表			
2	地区	2022年	2023年	
3	A地区	100	200	
4	B地区	150	180	
5				
6				

2つ目以降は、Ctrl キーを押しながらドラッグすると、離れたセル範囲を選択できます。

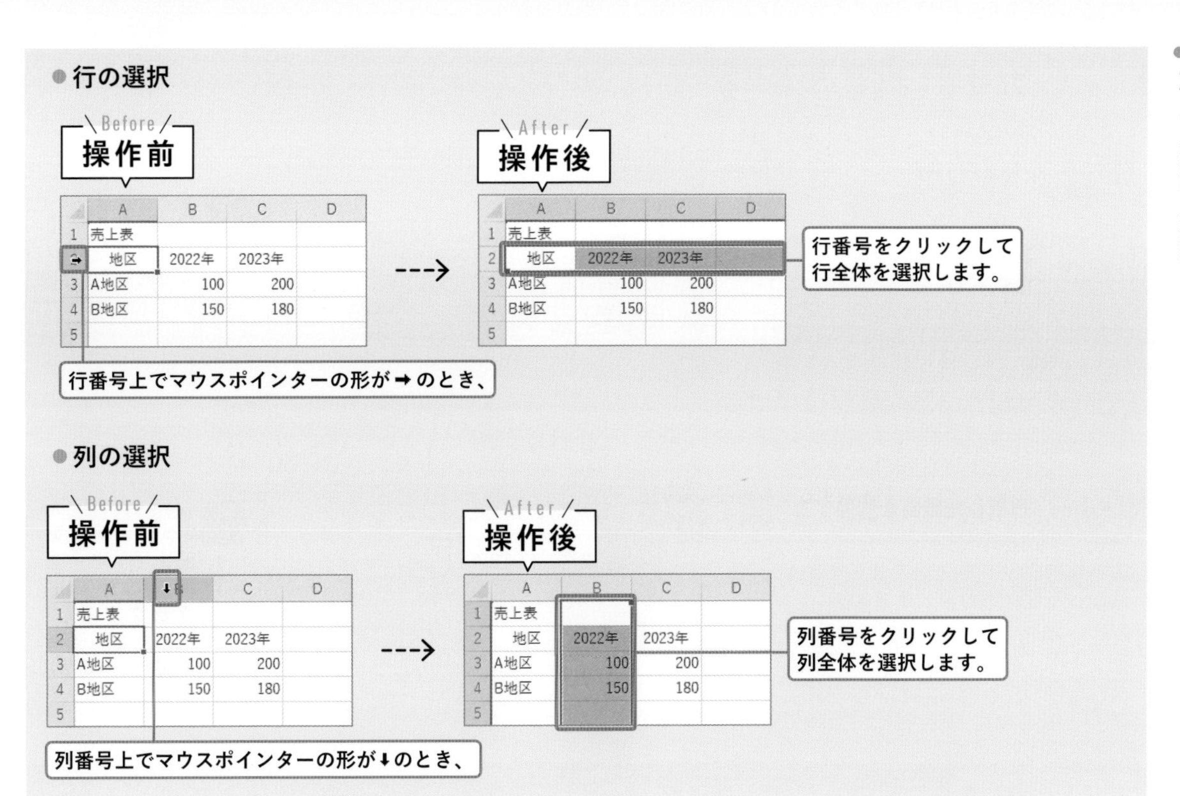

レッスン 26-1 連続するセル範囲を選択する

練習用ファイル 26-売上表.xlsx

操作 連続するセル範囲を選択する

セルを選択する場合、ワークシート上でマウスポインターの形が✚になったらクリックします。連続するセル範囲を選択するには、✚の形でドラッグします。

Memo クリックで範囲を選択する

選択したいセル範囲の始点のセルをクリックし❶、終点のセルを Shift キーを押しながらクリックします❷。

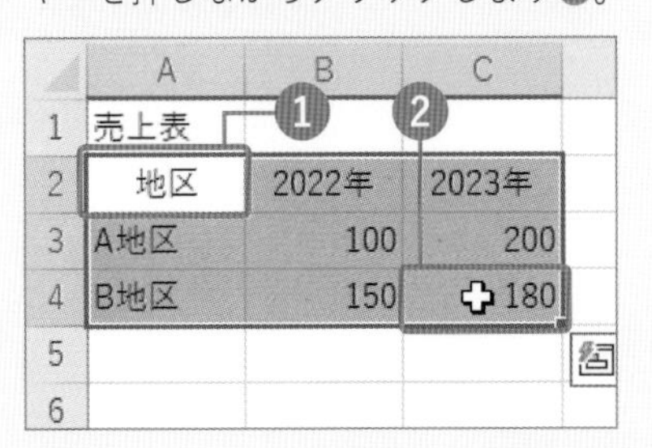

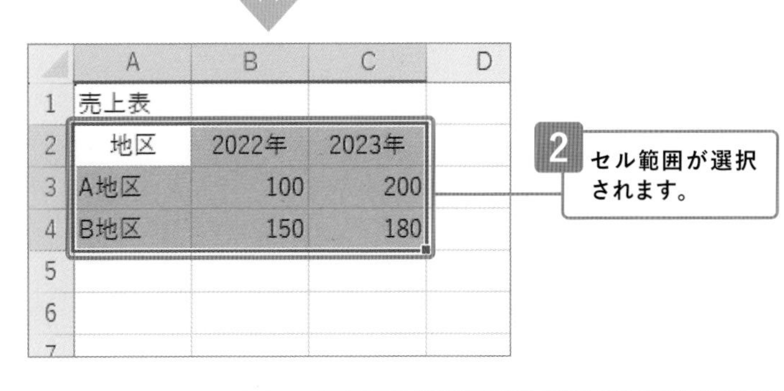

時短ワザ キーボードでセル範囲を拡大／縮小する

現在選択しているセル範囲を拡大／縮小するには、Shift キーを押しながら、↓→↑← キーを押します。

レッスン 26-2 離れたセル範囲を選択する

練習用ファイル 26-売上表.xlsx

操作 離れたセル範囲を選択する

離れた位置にあるセルを同時に選択したい場合、2つ目以降のセル範囲を選択するときに Ctrl キーを押しながらドラッグします。

	A	B	C	D
1	売上表			
2	地区	2022年	2023年	
3	A地区	100	200	
4	B地区	150	180	
5				

1 1つ目のセル範囲はドラッグして選択します。

2 2つ目のセル範囲を Ctrl キーを押しながらドラッグすると、離れたセル範囲が選択されます。

Point 選択した範囲を解除する

選択範囲外のセルをクリックすると、選択した範囲を解除できます。
また、選択されたセル範囲内で Ctrl キーを押しながらドラッグすると、その部分だけ解除できます。

レッスン 26-3 行や列を選択する

練習用ファイル 26-売上表.xlsx

操作 行や列を選択する

行を選択する場合は、行番号上にマウスポインターを合わせ、➡の形になったらクリックします。同様に列を選択する場合は、列番号上にマウスポインターを合わせ、⬇の形になったらクリックします。なお、行番号上や列番号上をドラッグすると複数行、複数列を選択できます。

Memo 全セルを選択する

ワークシート全体を選択したい場合、行番号と列番号が交差する位置にある［全セル選択］ボタンをクリックします。

［全セル選択］ボタン

	A	B	C	D
1	売上表			
2	地区	2022年	2023年	
3	A地区	100	200	
4	B地区	150	180	

行選択

	A	B	C	D
1	売上表			
2	地区	2022年	2023年	
3	A地区	100	200	
4	B地区	150	180	
5				

1 選択したい行の行番号にマウスポインターを合わせて、➡の形になったらクリックすると、

2 行が選択されます。

行番号上をドラッグすると複数行が選択されます。

列選択

	A	B	C	D
1	売上表			
2	地区	2022年	2023年	
3	A地区	100	200	
4	B地区	150	180	
5				

1 選択したい列の列番号にマウスポインターを合わせて、⬇の形になったらクリックすると、

2 列が選択されます。

列番号上をドラッグすると複数列が選択されます。

時短ワザ 表を選択するときに便利なキー操作

ショートカットキーを使うと、すばやく表全体を選択したり、表の行や列を選択したりできます。

● **表全体を選択 Ctrl+Shift+:（コロン）キー**

表内をクリックしてアクティブセルが表内にある状態で、Ctrl+Shift+:キーを押すと、表全体が選択されます。このキー操作で選択できる範囲を「アクティブセル領域」といいます。アクティブセル領域は、空白行、空白列で囲まれたデータ範囲の領域です。そのため、表に隣接したセルにタイトルなどデータが入力されていると、タイトルも含めて選択されます。

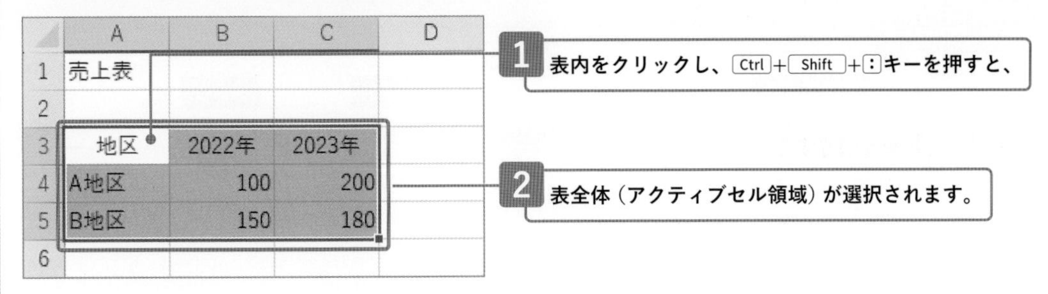

● **表の行や列を選択 Ctrl+Shift+→／↓キー**

表の行を選択するには、行の左端のセルをクリックし、Ctrl+Shift+→キーを押します。同様に表の列を選択するには、列の上端のセルをクリックし、Ctrl+Shift+↓キーを押します。このキー操作は、データの切れ目まで選択されるので、表内に空白セルがあると、その手前まで選択されます。

● **表の行選択**

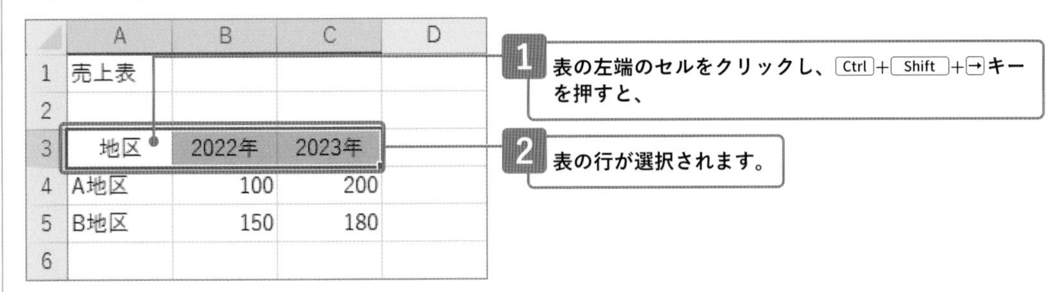

● **表の列選択**

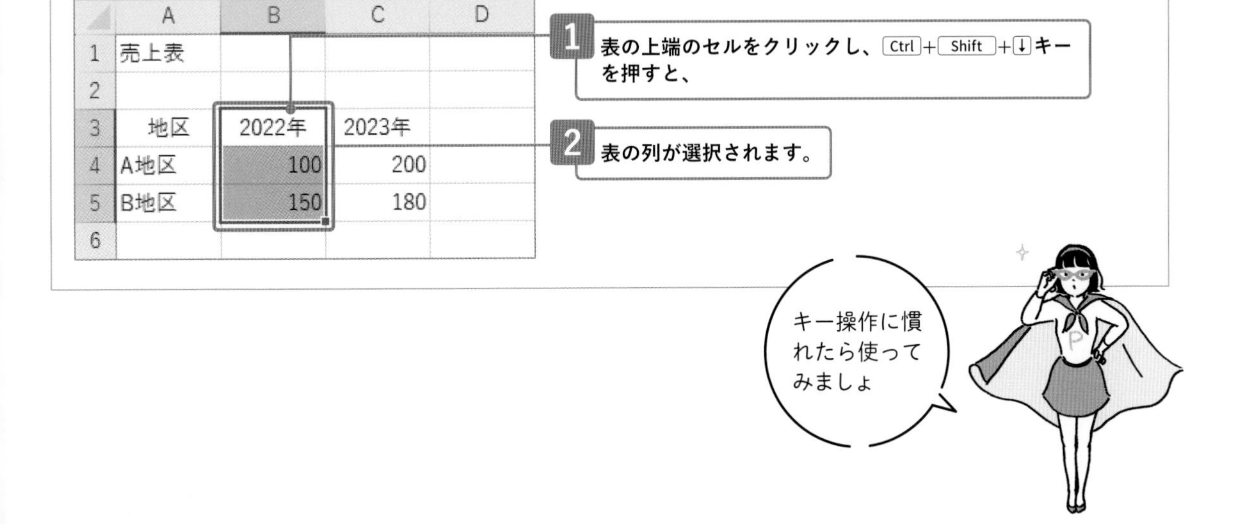

Section

27 セルを移動／コピーする

表を少し横にずらしたいとか、同じ表をもう1つ作りたいといった場合、表のセル範囲を移動したり、コピーしたりします。セルやセル範囲の移動、コピーの仕方を覚えましょう。

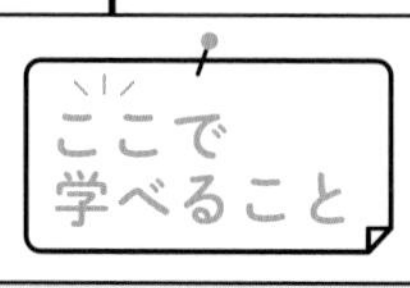

習得スキル	操作ガイド	ページ
▶セルの移動	レッスン27-1	p.107
▶セルのコピー	レッスン27-2	p.108

まずは パッと見るだけ！

セルの移動とコピー

表の位置を移動したり、同じ表を作成したりしたいときに、セルの移動やセルのコピーの機能を使います。移動する場合は［切り取り］と［貼り付け］、コピーする場合は［コピー］と［貼り付け］の操作をします。

● セルの移動

	A	B	C
1			
2	店舗	売上金額	
3	青山店	345,000	
4	目黒店	224,000	
5	原宿店	186,000	
6			

移動したい範囲を［切り取り］し、

After
操作後

	A	B	C	D	E	F
1						
2				店舗	売上金額	
3				青山店	345,000	
4				目黒店	224,000	
5				原宿店	186,000	
6						

移動先で［貼り付け］します。

● セルのコピー

Before
操作前

	A	B	C
1			
2	店舗	売上金額	
3	青山店	345,000	
4	目黒店	224,000	
5	原宿店	186,000	
6			

コピーしたい範囲を［コピー］し、

After
操作後

	A	B	C	D	E	F
1						
2	店舗	売上金額		店舗	売上金額	
3	青山店	345,000		青山店	345,000	
4	目黒店	224,000		目黒店	224,000	
5	原宿店	186,000		原宿店	186,000	
6						

コピー先で［貼り付け］します。

レッスン27-1 セルを移動する

27-1-セルの移動.xlsx

操作 セルを移動する

セルを移動するには、移動したいセル範囲を選択し、[ホーム] タブの [切り取り] をクリックし、移動先の先頭セルをクリックして [ホーム] タブの [貼り付け] を使います。

ショートカットキー

- 切り取り
  Ctrl + X
- 貼り付け
  Ctrl + V

Memo ドラッグで移動する

移動したいセル範囲を選択し❶、境界線にマウスポインターを合わせてドラッグすると❷、選択した範囲が移動します❸。近い位置に移動する場合に便利です。

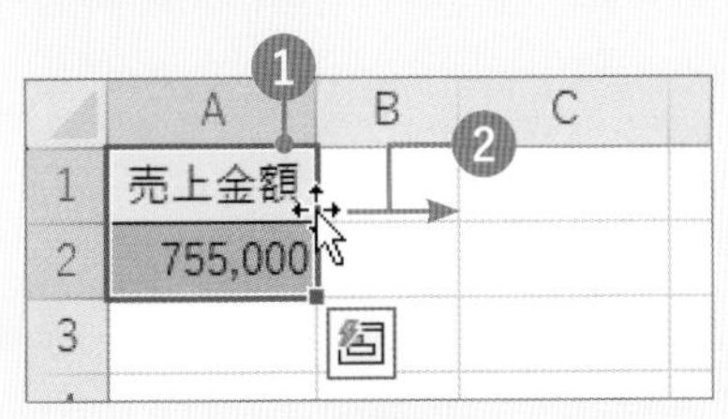

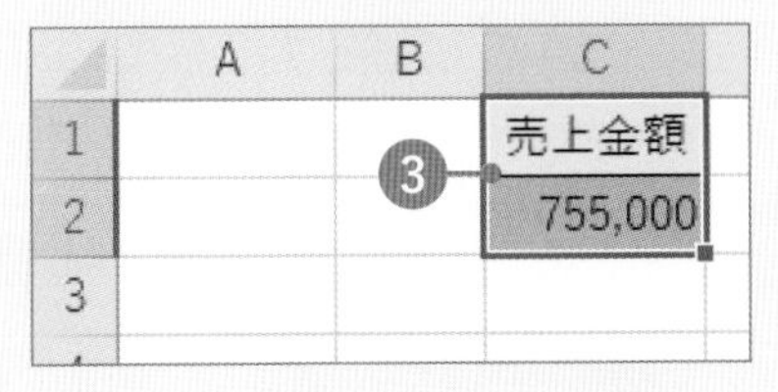

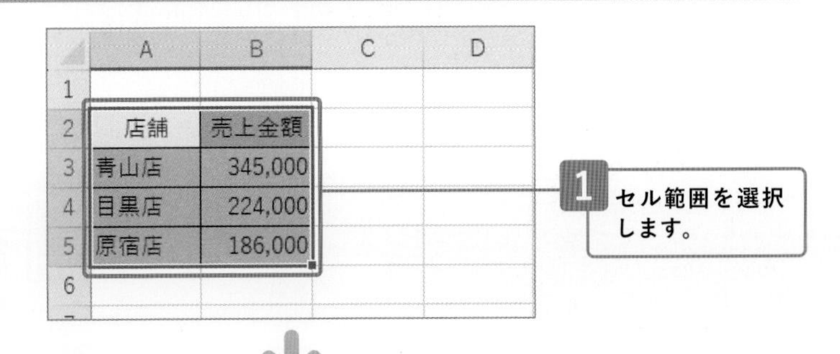

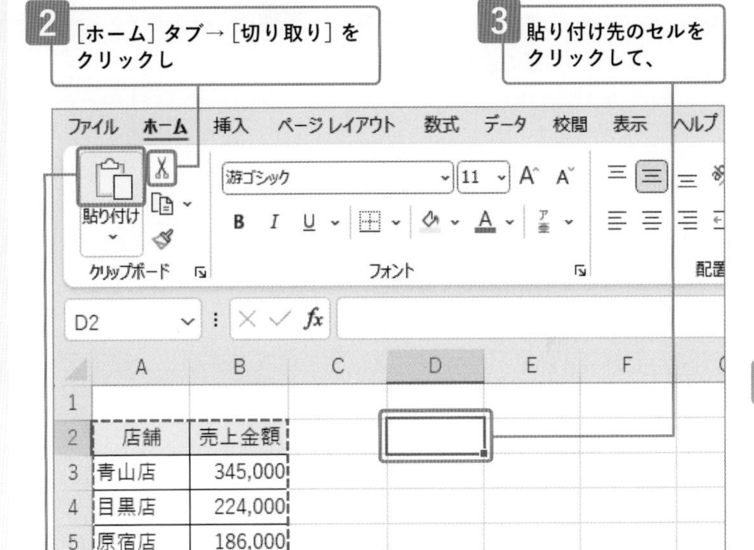

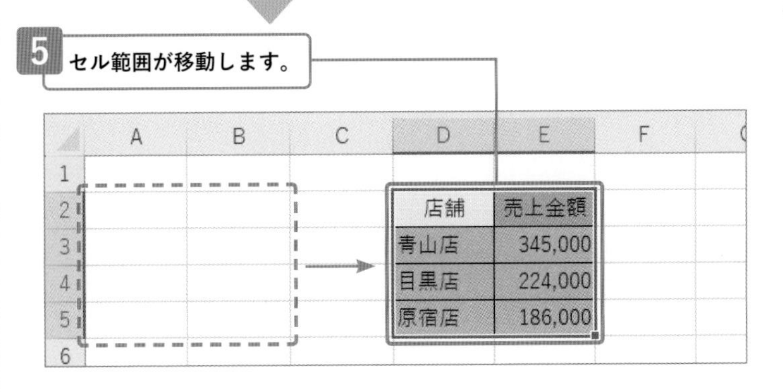

レッスン27-2 セルをコピーする

27-2-セルのコピー.xlsx

操作 セルをコピーする

セルをコピーするには、[ホーム]タブの[コピー]と[貼り付け]を使います。コピー元のセル範囲の周囲が点滅している間は、[貼り付け]で何回でも貼り付けられます。

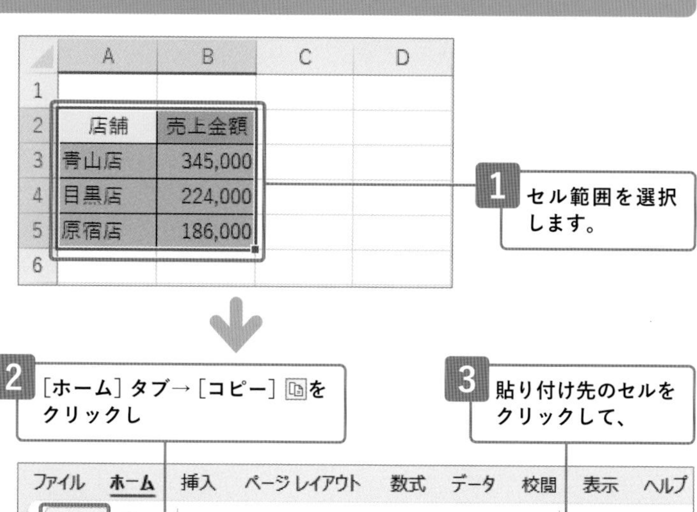

	A	B	C	D
1				
2	店舗	売上金額		
3	青山店	345,000		
4	目黒店	224,000		
5	原宿店	186,000		
6				

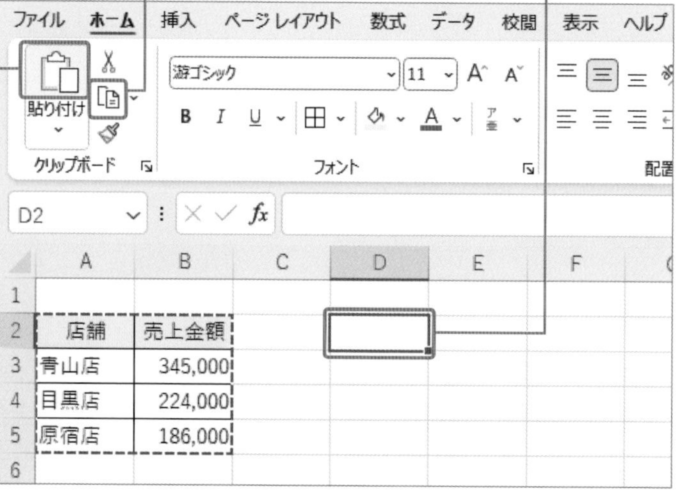

	A	B	C	D	E	F
1						
2	店舗	売上金額				
3	青山店	345,000				
4	目黒店	224,000				
5	原宿店	186,000				
6						

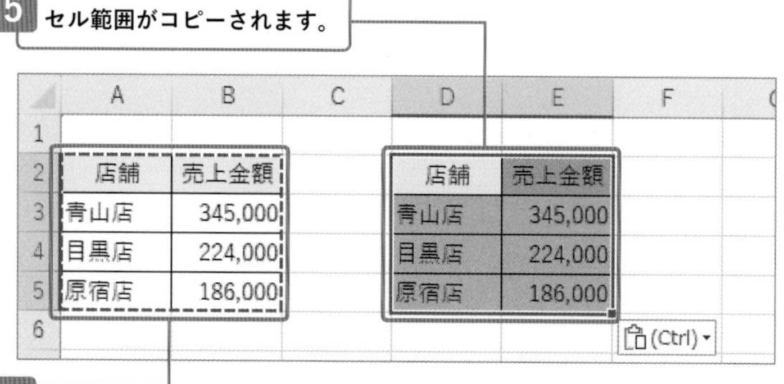

	A	B	C	D	E	F
1						
2	店舗	売上金額		店舗	売上金額	
3	青山店	345,000		青山店	345,000	
4	目黒店	224,000		目黒店	224,000	
5	原宿店	186,000		原宿店	186,000	
6						

Point セル範囲の点滅って何?

[切り取り]や[コピー]をクリックしたときにセル範囲の周囲に表示される点滅は、[クリップボード]というデータ保管場所にそのセル範囲が保管されている状態を表しています。そのときに[貼り付け]をクリックすると、コピー先にそのセル範囲が貼り付けられます。点滅している間は何回でも貼り付けることができます。escキーを押すと解除されます。

ショートカットキー

- コピー
  Ctrl + C
- 貼り付け
  Ctrl + V

Memo ドラッグでコピーする

コピーしたいセル範囲を選択し❶、境界線にマウスポインターを合わせて、Ctrlキーを押しながらドラッグすると❷、選択した範囲がコピーされます❸。近い位置にコピーする場合に便利です。

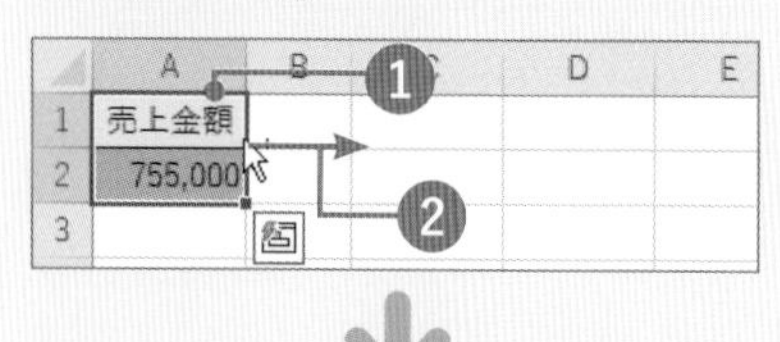

	A	B	C	D	E
1	売上金額		売上金額		
2	755,000		755,000		
3					

上級テクニック Officeクリップボードを使ってコピーしたいデータを複数保管する

以下の手順でOfficeクリップボードを表示すると、最大24個までコピーまたは切り取ったデータを保管できます。そのため、保管されたデータを必要に応じて複数回貼り付けることができます。なお、Officeクリップボードには、Excel以外にWordやPowerPointなど別のソフトのデータも保管されます。

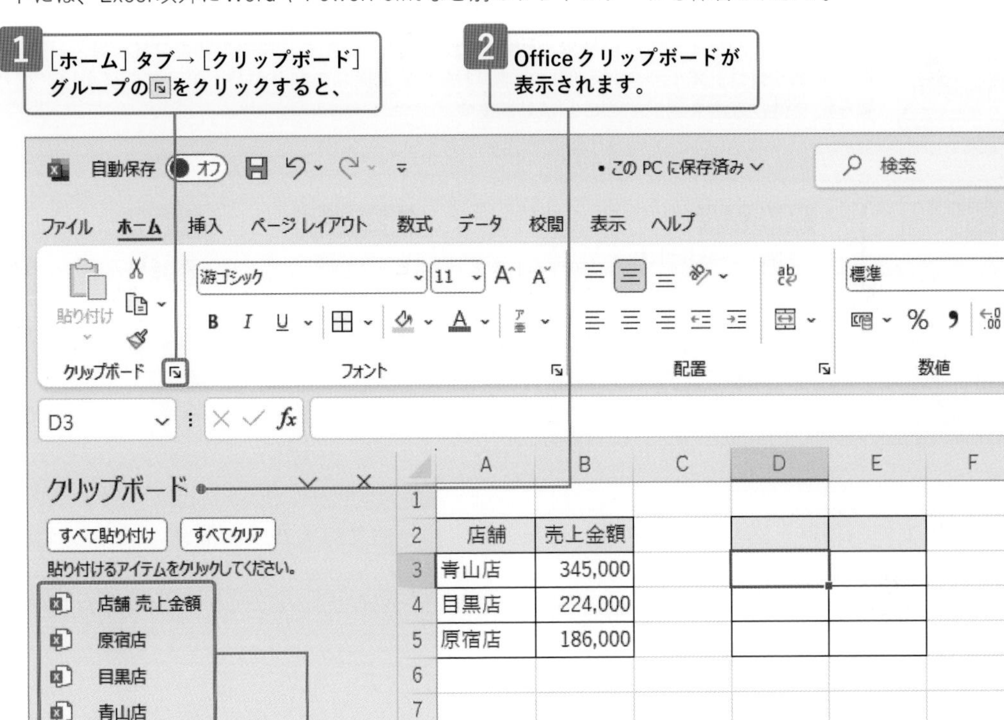

3 セルやセル範囲を選択し、［ホーム］タブの［コピー］⧉または［切り取り］✂をクリックすると、その内容がOfficeクリップボードに保管されます。

4 貼り付け先のセルを選択し、

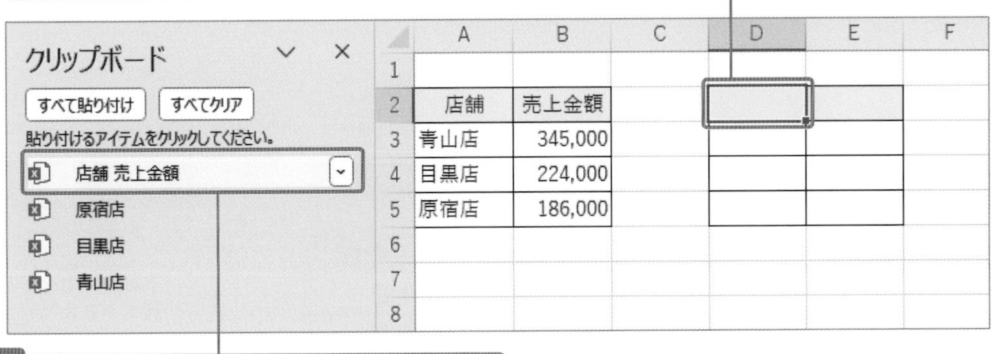

5 貼り付けたいデータをクリックして貼り付けます。

Section

28 セルの列幅だけをコピーする

横に並ぶ表の列幅を揃えたい場合、列幅だけをコピーします。列幅だけのコピーは、［形式を選択して貼り付け］ダイアログを使います。［形式を選択して貼り付け］ダイアログでは、より詳細な貼り付け方法を選択することができます。

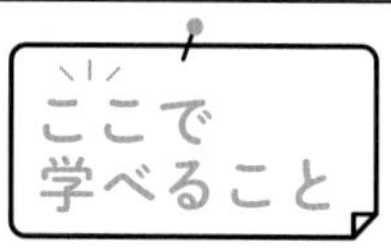

習得スキル	操作ガイド	ページ
▶列幅のみ貼り付け	レッスン28-1	p.111

まずは パッと見るだけ！

列幅のみコピー

異なる表で列幅だけを揃えたいときは、列幅のみコピーして揃えます。簡単に揃えられるので覚えておくと便利です。

Before
操作前

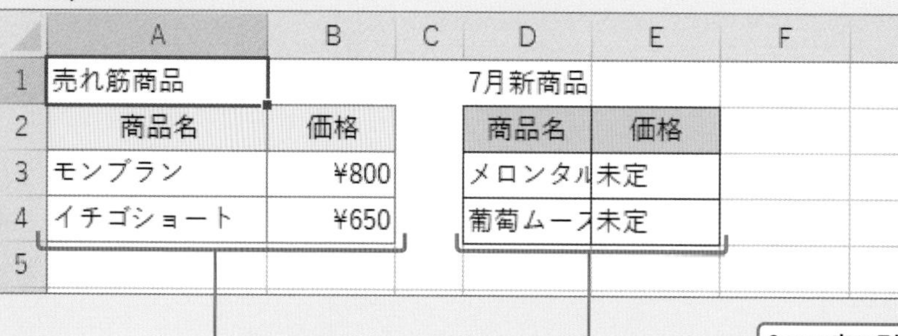

	A	B	C	D	E	F
1	売れ筋商品			7月新商品		
2	商品名	価格		商品名	価格	
3	モンブラン	¥800		メロンタル	未定	
4	イチゴショート	¥650		葡萄ムース	未定	
5						

2つの表の列幅が異なっているので揃えたい

After
操作後

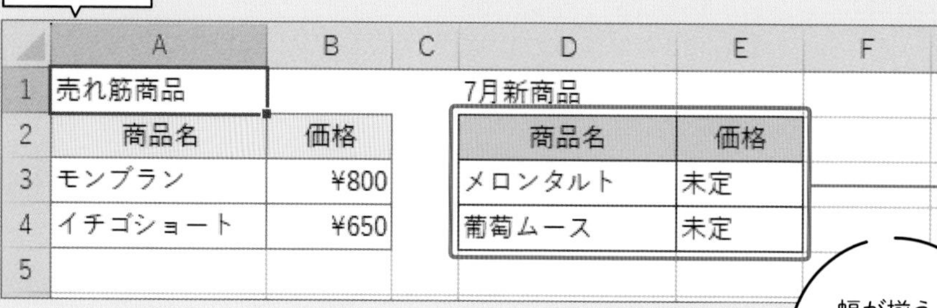

	A	B	C	D	E	F
1	売れ筋商品			7月新商品		
2	商品名	価格		商品名	価格	
3	モンブラン	¥800		メロンタルト	未定	
4	イチゴショート	¥650		葡萄ムース	未定	
5						

列幅のみコピーして揃えられた

幅が揃うときれいに見えます！

レッスン 28-1 表の列幅のみをコピーする

28-列幅のみコピー.xlsx

操作 列幅のみをコピーする

表の列幅を隣の表の列幅と揃えたい場合、[形式を選択して貼り付け] ダイアログを表示して、[列幅] を選択します。

Memo [形式を選択して貼り付け] ダイアログ

[形式を選択して貼り付け] ダイアログでは、貼り付けのオプションのメニュー (p.113) にはない、より詳細な貼り付け方を選択できます。

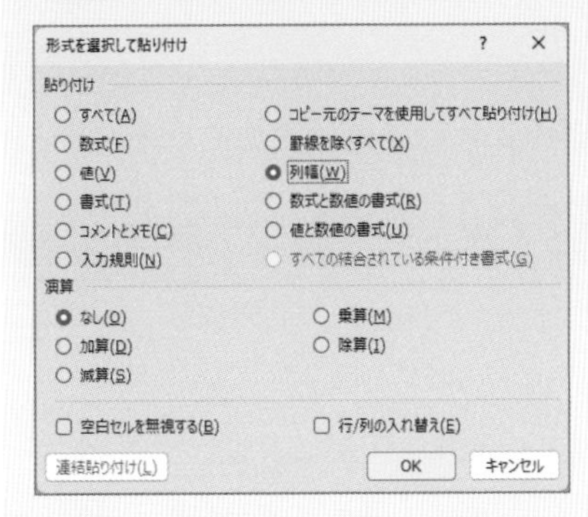

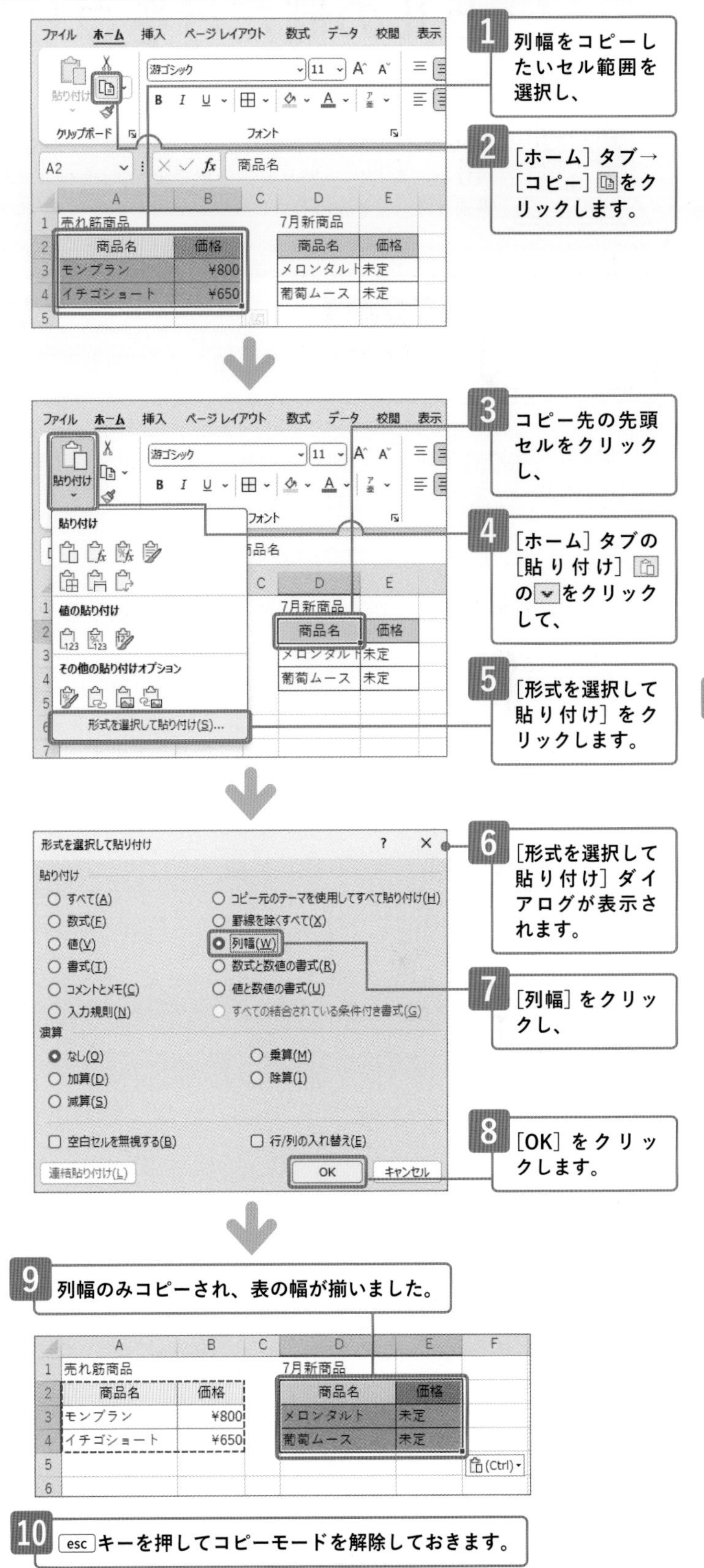

Section

29 セルの値だけをコピーする

[貼り付け] をクリックすると、セル内の文字や数値、数式、罫線、色などの書式すべてが貼り付けられますが、[貼り付けのオプション] を使うと貼り付ける内容を選択できます。例えば、書式を除いてセルに表示されている値だけをコピーしたいときに便利です。

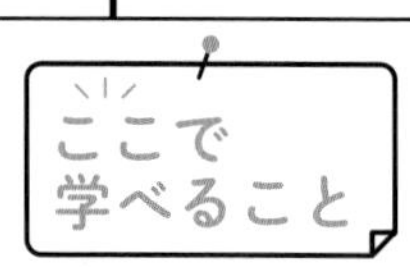

習得スキル	操作ガイド	ページ
▶値のみコピー	レッスン29-1	p.113

まずは パッと見るだけ！

値のみコピー

貼り付け先の書式をそのままにして、値だけを貼り付けたい場合は、貼り付け方法を「値のみ」にします。

Before
操作前

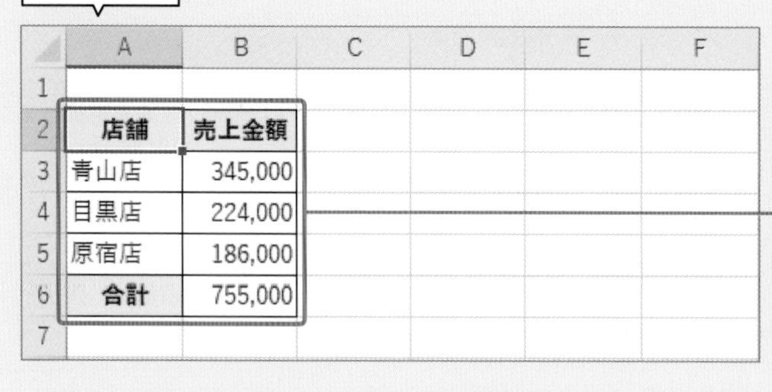

	A	B	C	D	E	F
1						
2	店舗	売上金額				
3	青山店	345,000				
4	目黒店	224,000				
5	原宿店	186,000				
6	合計	755,000				
7						

After
操作後

	A	B	C	D	E	F
1						
2	店舗	売上金額		店舗	売上金額	
3	青山店	345,000		青山店	345000	
4	目黒店	224,000		目黒店	224000	
5	原宿店	186,000		原宿店	186000	
6	合計	755,000		合計	755000	
7						

貼り付けのオプションを使用して値のみコピーできた

レッスン 29-1 値のみを貼り付ける

29-値のみコピー.xlsx

操作 値のみを貼り付ける

セルに表示されている値だけを貼り付けるには、コピーの後、[ホーム]タブの[貼り付け]の▾をクリックし、[貼り付けのオプション]のメニューで[値]をクリックします。

Memo 貼り付けの後で貼り付け方法を変更する

[貼り付け]をクリックしてコピーした直後は、貼り付け先のセル範囲の右下に[貼り付けのオプション](Ctrl)が表示されます。クリックすると、貼り付けのオプションのメニューが表示され、後から貼り付け方法を変更することができます。

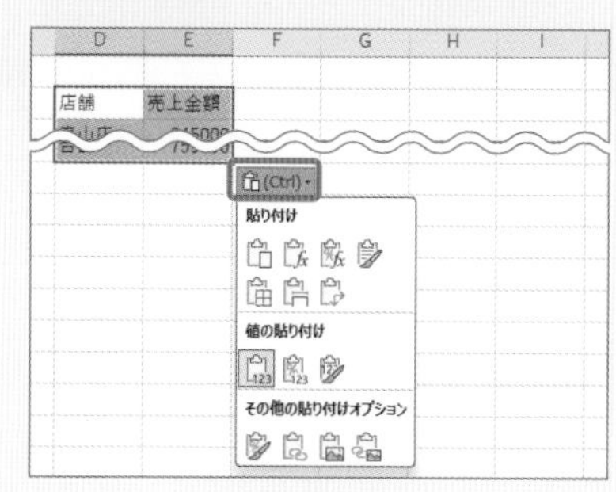

Memo 数式の結果だけがコピーされる

値のみ貼り付けると、コピー元のセルに入力されていた数式はコピーされず、数式の結果だけがコピーされます。

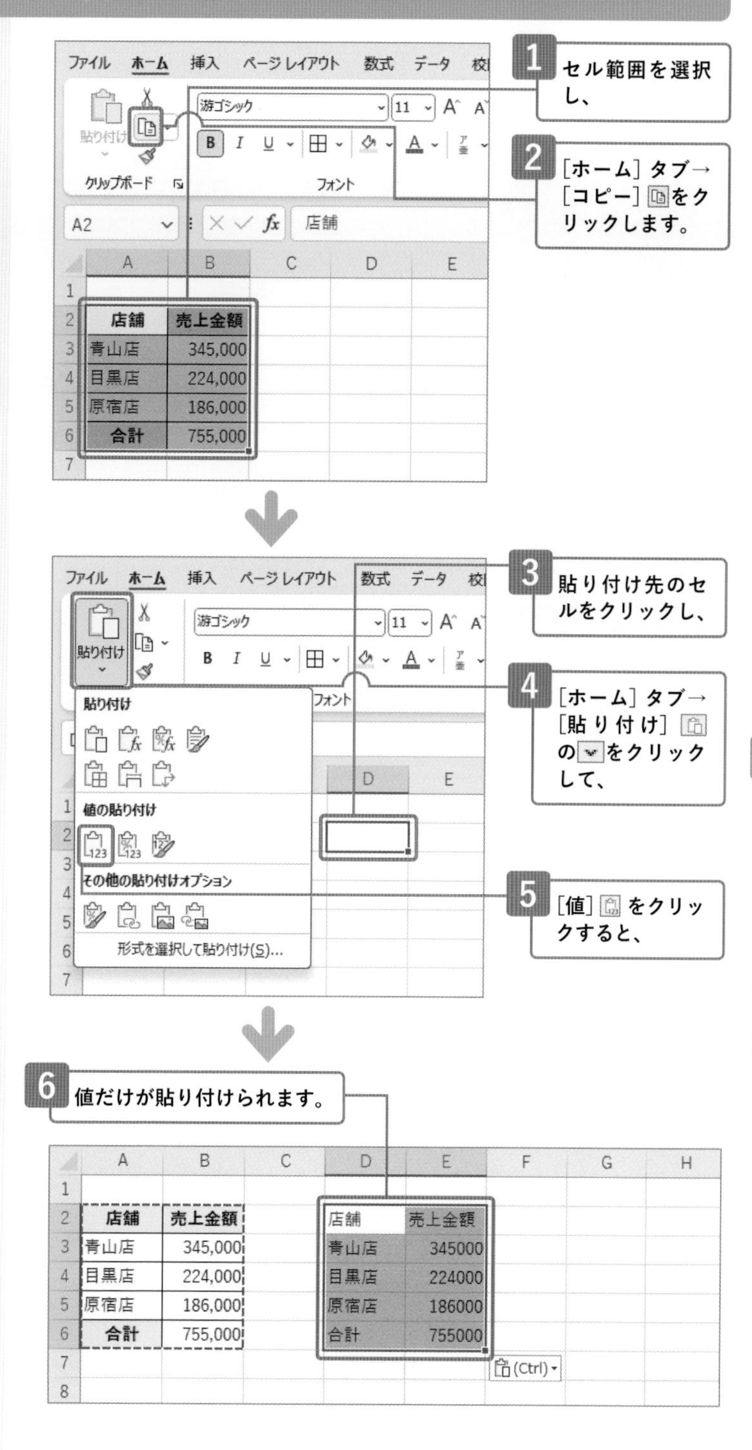

コラム 貼り付けのオプションで選択できる貼り付け方法

[ホーム] タブの [貼り付け] の をクリックしたときや貼り付け後に表示される [貼り付けのオプション] のメニューは、以下の通りです。

貼り付け		
①		貼り付け
②		数式
③		数式と数値の書式
④		元の書式を保持
⑤		罫線なし
⑥		元の列幅を保持
⑦		行/列の入れ替え

値の貼り付け		
⑧		値
⑨		値と数値の書式
⑩		値と元の書式
その他の貼り付けオプション		
⑪		書式設定
⑫		リンク貼り付け
⑬		図
⑭		リンクされた図

コラム Section18の [シフト表] の解説

Section18のシフト表では、本書では解説していない関数を使っています。詳細は解説しませんが、どのような数式や関数が設定されているかを紹介します。興味があれば、ご活用ください。

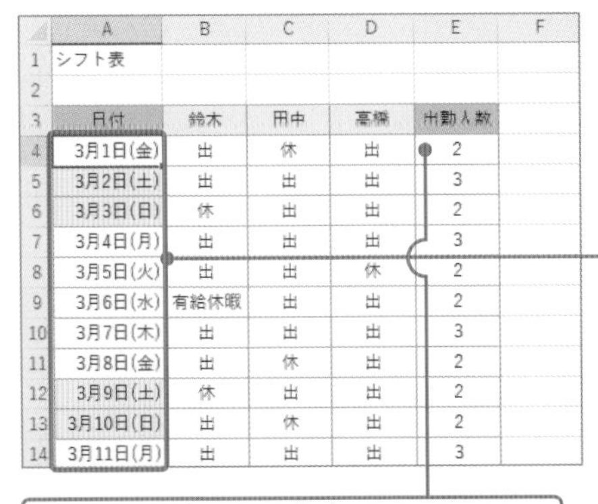

	A	B	C	D	E	F
1	シフト表					
2						
3	日付	鈴木	田中	高橋	出勤人数	
4	3月1日(金)	出	休	出	2	
5	3月2日(土)	出	出	出	3	
6	3月3日(日)	休	出	出	2	
7	3月4日(月)	出	出	出	3	
8	3月5日(火)	出	出	休	2	
9	3月6日(水)	有給休暇	出	出	2	
10	3月7日(木)	出	出	出	3	
11	3月8日(金)	出	休	出	2	
12	3月9日(土)	休	出	出	2	
13	3月10日(日)	出	休	出	2	
14	3月11日(月)	出	出	出	3	

=COUNTIF(B4:D4,"出")
書式：=COUNTIF(セル範囲, 検索条件)
説明：指定したセル範囲の中から、検索条件に一致するデータの個数を返す

● 条件付き書式（Section50）

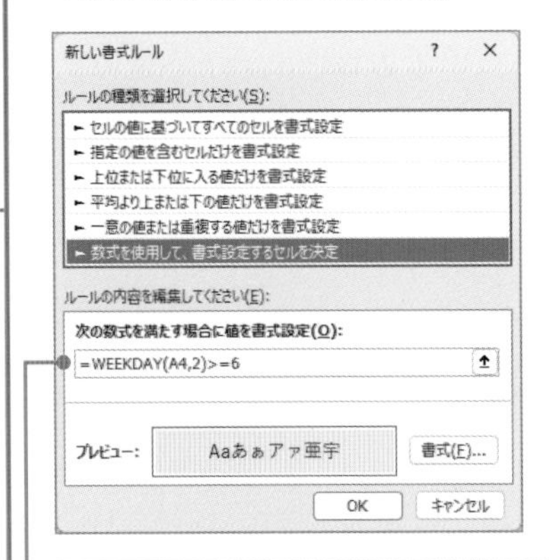

手順：日付のセル範囲を選択し、[ホーム] タブ→[条件付き書式]→[セルの強調表示ルール]→[その他のルール] をクリックして、[新しい書式ルール] ダイアログを表示し上図のように設定

=WEEKDAY(A4,2)>=6
書式：=WEEKDAY(日付,[週の基準])
説明：指定した日付に対応する日付番号を返す。週の基準が2の場合、曜日番号は1(月)～7(日)となる。上記の式は6以上なので、6(土)、7(日)の場合という意味になる

Section

30 セルを挿入／削除する

表の列や行を増やして拡張したり、削除して縮小したい場合、表の列や行の部分だけにセルを挿入したり、削除したりします。ここでは、セルの挿入と削除の方法を確認しましょう。

ここで学べること

習得スキル	操作ガイド	ページ
▶セルの挿入	レッスン30-1	p.116
▶セルの削除	レッスン30-2	p.117

まずは パッと見るだけ！

セルの挿入と削除

セルを挿入、削除すると、隣の表に影響を与えることなく表の拡張や縮小ができます。

● セルの挿入

Before 操作前

	A	B	C	D	E
1	売れ筋商品			7月新商品	
2	商品名	価格		商品名	価格
3	モンブラン	¥800		メロンタルト	未定
4	イチゴショート	¥650		葡萄ムース	未定
5					
6					

左の表だけ行を増やしたい

After 操作後

	A	B	C	D	E
1	売れ筋商品			7月新商品	
2	商品名	価格		商品名	価格
3				メロンタルト	未定
4	モンブラン	¥800		葡萄ムース	未定
5	イチゴショート	¥650			
6					

セルを挿入して表の行が増えた

● セルの削除

Before 操作前

	A	B	C	D	E
1	売れ筋商品			7月新商品	
2	商品名	価格		商品名	価格
3	モンブラン	¥800		メロンタルト	未定
4	ガトーショコラ	¥500		葡萄ムース	未定
5	イチゴショート	¥650			
6					

左の表だけ行を削除したい

After 操作後

	A	B	C	D	E
1	売れ筋商品			7月新商品	
2	商品名	価格		商品名	価格
3	モンブラン	¥800		メロンタルト	未定
4	イチゴショート	¥650		葡萄ムース	未定
5					
6					

セルを削除して表の行が減った

レッスン30-1 セルを挿入して表を拡張する

30-1-セルの挿入.xlsx

操作 セルを挿入する

セルを挿入するには、セル範囲を選択し、[挿入] ダイアログを表示して、挿入後の現在のセルのシフト方向を指定します。

Memo [挿入オプション] でセルの書式を指定する

挿入されたセルの右下に[挿入オプション] が表示されます。クリックしてメニューを表示すると、挿入したセルの上または下（あるいは右側または左側）と同じ書式を適用するか、書式をクリアするかを選択できます。

ショートカットキー

- セルの挿入
  Ctrl + +

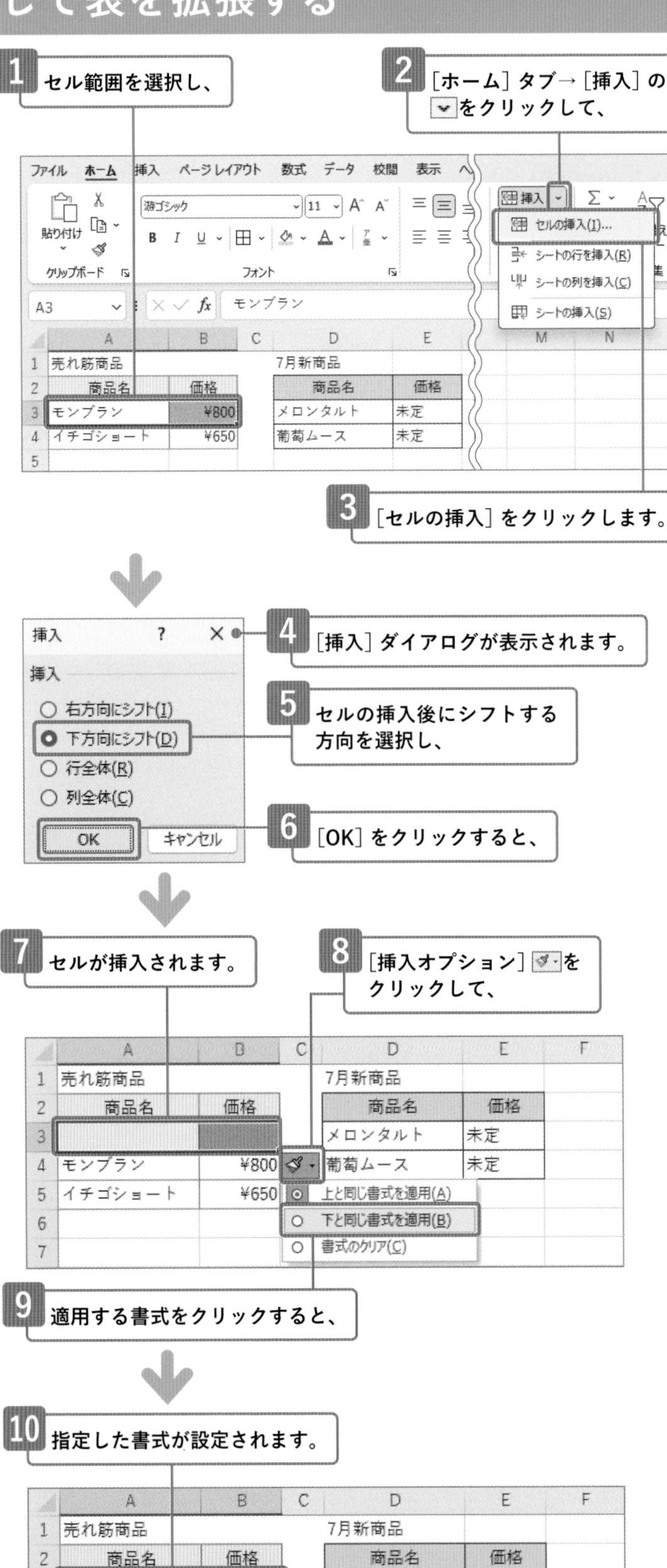

レッスン 30-2 セルを削除して表を縮小する

30-2-セルの削除.xlsx

操作 セルを削除する

セルを削除するには、削除したいセル範囲を選択し、[削除] ダイアログを表示して削除後のセルのシフト方向を指定します。

ショートカットキー

- セルの削除
  Ctrl + −

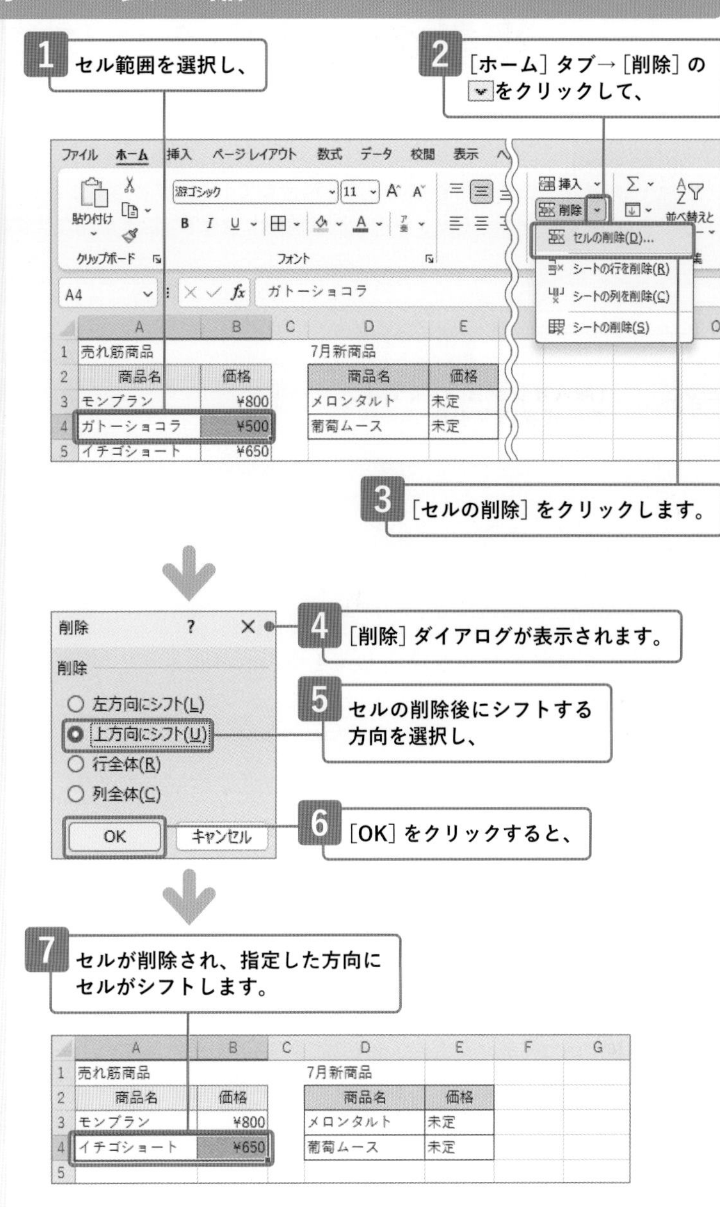

Section

31 複数のセルを1つにまとめる

連続する複数のセルを結合して1つにまとめることができます。タイトルを表の横幅の中央に配置したり、表内で同じ値のセルを1つにまとめたりと、複雑な表を作成するときに便利です。

習得スキル	操作ガイド	ページ
▶セルの結合	レッスン31-1	p.119
▶横方向の結合	レッスン31-2	p.119

まずは パッと見るだけ！

セルの結合

連続する複数のセルを結合して1つのセルにして、文字を中央に配置したり、行単位で連結したりして、表のレイアウトを整えることができます。

Before
操作前

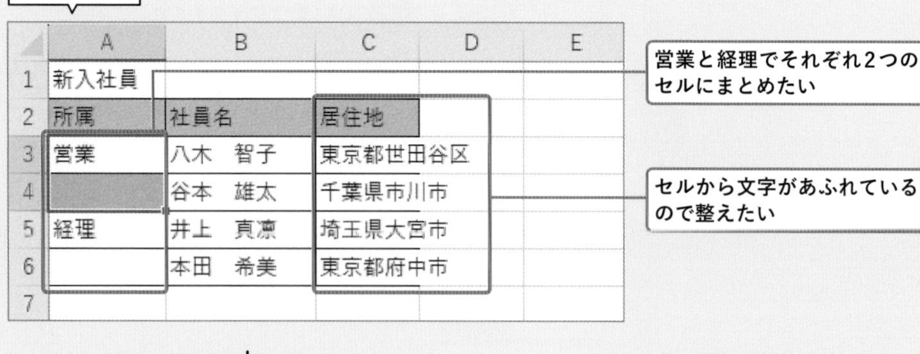

	A	B	C	D	E
1	新入社員				
2	所属	社員名	居住地		
3	営業	八木　智子	東京都世田谷区		
4		谷本　雄太	千葉県市川市		
5	経理	井上　真凛	埼玉県大宮市		
6		本田　希美	東京都府中市		
7					

After
操作後

	A	B	C	D	E
1	新入社員				
2	所属	社員名	居住地		
3	営業	八木　智子	東京都世田谷区		
4		谷本　雄太	千葉県市川市		
5	経理	井上　真凛	埼玉県大宮市		
6		本田　希美	東京都府中市		
7					

セルを結合してきれいに調整された

セルを結合すると文字がきちんと収まるよ～

レッスン 31-1 セルを結合する

31-1-新入社員.xlsx

操作 セルを結合する

連続するセルを結合して1つにまとめて、文字を中央に表示するには、[ホーム] タブの [セルを結合して中央揃え] をクリックします。
なお、セルを結合すると、左上のセルの文字だけ残り、他のセルの文字は削除されます。

Memo 複数のセル範囲でまとめてセル連結する

例えば、手順3～4のように、セルA3～A4、A5～A6の2か所をそれぞれセル結合する場合、1か所目を選択し、続けて2か所目を [Ctrl] キーを押しながらドラッグして、複数範囲の選択をした後、[ホーム] タブの [セルを結合して中央揃え] をクリックすると、2か所を一気にセル結合できます。

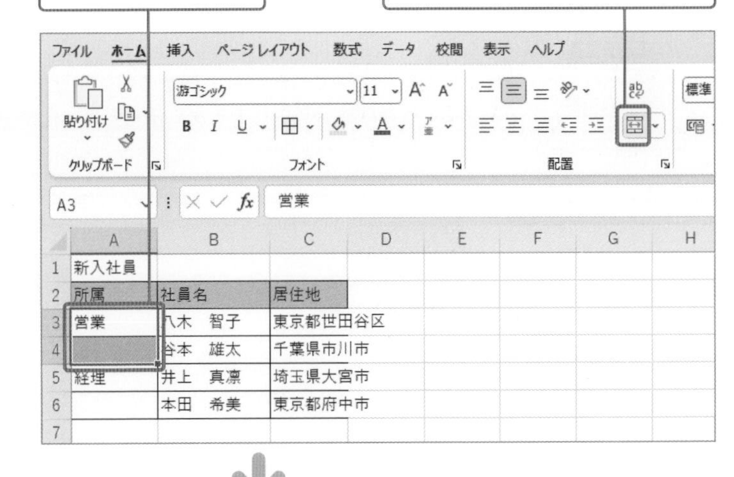

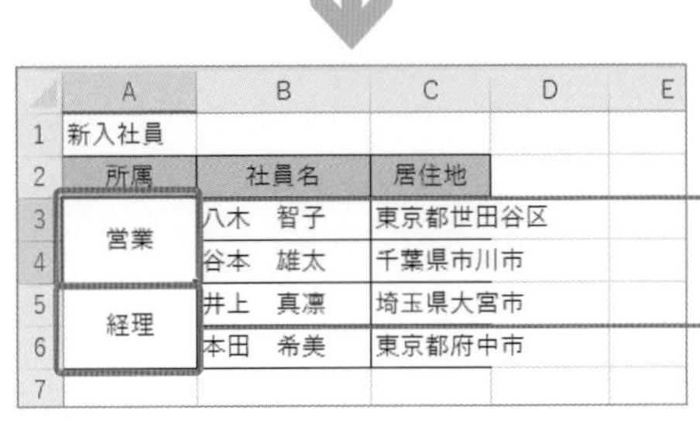

レッスン 31-2 セルを横方向に結合する

31-2-新入社員.xlsx

操作 セルを横方向に結合する

[横方向に結合] を実行すると、横方向に連続するセルを1行ずつ別々に結合します。複数行のセル範囲に対して行えば、各行ごとに一気に結合できます。[ホーム] タブ→ [セルを結合して中央揃え] の をクリックし、メニューから [横方向に結合] をクリックします。

Point 結合を解除する

結合したセルを解除するには、結合を解除したいセルを選択し、[ホーム] タブ→ [セルを結合して中央揃え] を再度クリックしてボタンをオフにします。

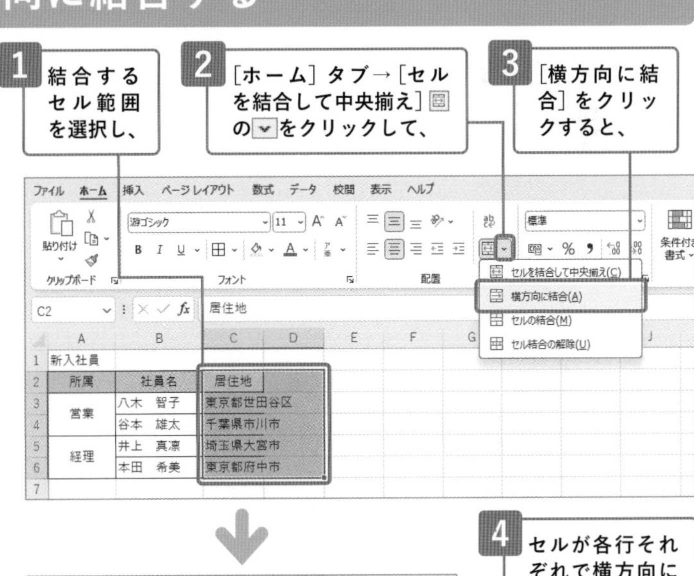

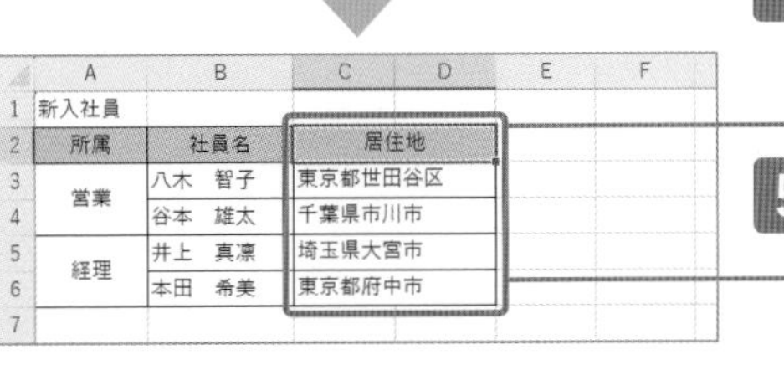

Section

32 列の幅や行の高さを変更する

列幅を広げたり、狭くしたりして任意の幅に変更することができます。行の高さは、文字サイズを変更すると自動調整されますが、任意の高さに変更することもできます。

ここで学べること

習得スキル	操作ガイド	ページ
▶列の幅の変更	レッスン32-1	p.121
▶行の高さの変更	レッスン32-1	p.121

まずは パッと見るだけ！

列幅や行高の変更

セル幅に対して、文字数が長すぎたりした場合、列幅を広げてすべての文字を表示できます。また、行の高さを変更して、行の間隔を広げて行間にゆとりを持たせることができます。

● 列の幅を変更

Before 操作前

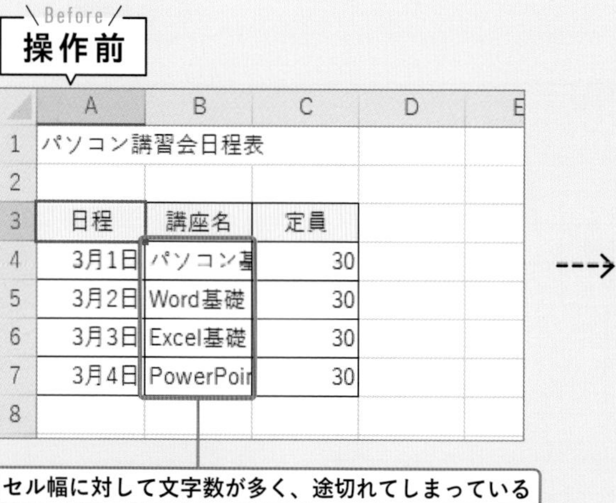

セル幅に対して文字数が多く、途切れてしまっている

After 操作後

	A	B	C	D
1	パソコン講習会日程表			
2				
3	日程	講座名	定員	
4	3月1日	パソコン基礎	30	
5	3月2日	Word基礎	30	
6	3月3日	Excel基礎	30	
7	3月4日	PowerPoint基礎	30	
8				

列幅を広げてきれいに収まった

● 行の高さを変更

Before 操作前

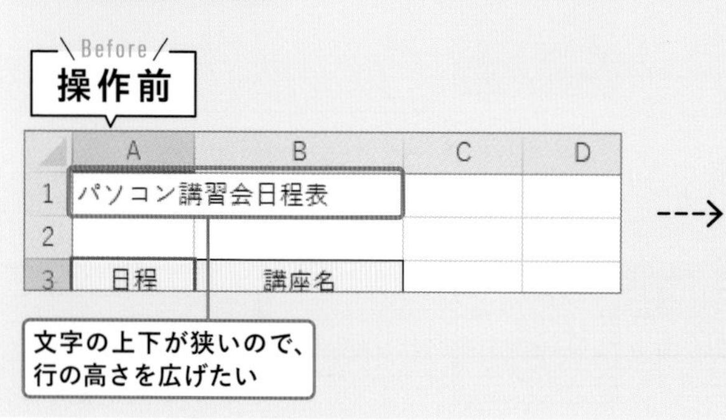

文字の上下が狭いので、行の高さを広げたい

After 操作後

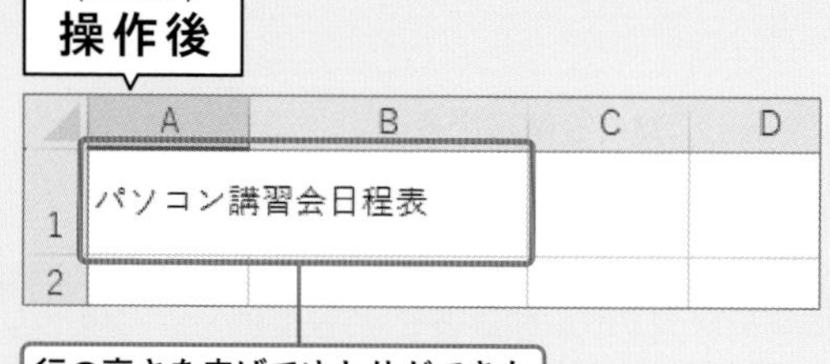

行の高さを広げてゆとりができた

レッスン 32-1 列の幅や行の高さを変更する

32-パソコン講習会日程表.xlsx

操作 列の幅や行の高さを変更する

列幅は、変更したい列の列番号の右境界線にマウスポインターを合わせ、⊞の形になったらドラッグします。
行の高さは、文字サイズに合わせて自動調整されますが、変更したい行番号の下境界線にマウスポインターを合わせ、⊞の形になったらドラッグすると任意の高さに変更できます。
なお、複数列や複数行を選択してドラッグすると、選択した列や行が同じサイズに変更されます。
また、マウスポインターの形が⊞や⊞のときにダブルクリックすると、列の場合は列内に入力された一番長い文字長に合わせて自動調整されます。

Point 数値、日付や文字がセルより長い場合

セルに入力した文字がセル幅より長いと、右のセルが空の場合は表示されますが、入力されていると途中までしか表示されません。
また、日付、数字、数式の場合は「####」や「1.23E+10」のような記号が表示されますが、列幅を変更することで解決できます。

Memo 列の幅や行の高さを数値で正確に指定する

列を選択し、列内で右クリックして[列の幅]をクリックすると表示される[セルの幅]ダイアログで半角文字の文字数を指定して列幅を調整できます。同様に、行を選択し、行内で右クリックして[行の高さ]をクリックすると表示される[セルの高さ]ダイアログでポイント(1ポイント:約0.35mm)を指定して行の高さを調整できます。

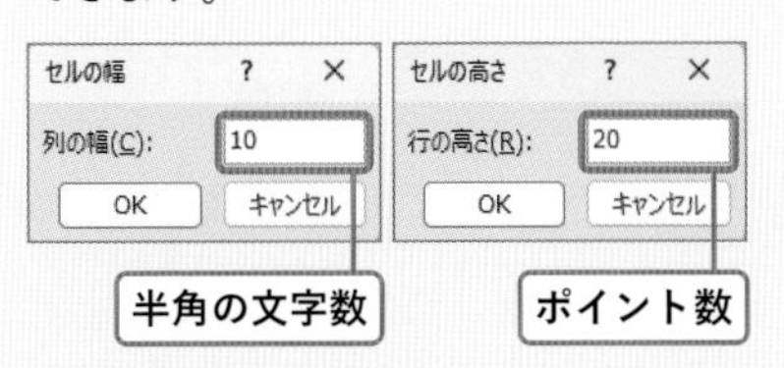

列幅の変更

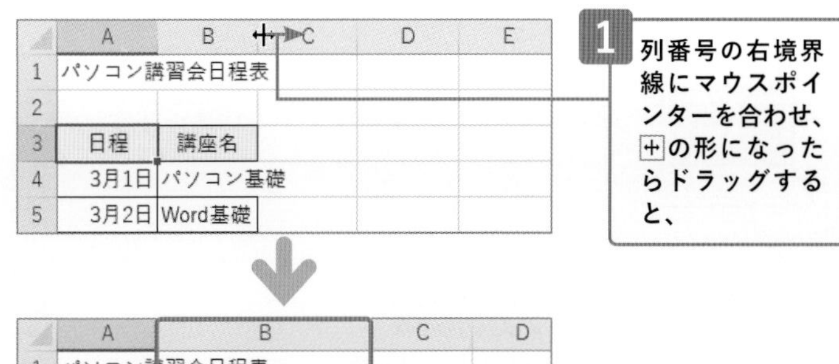

行の高さを変更

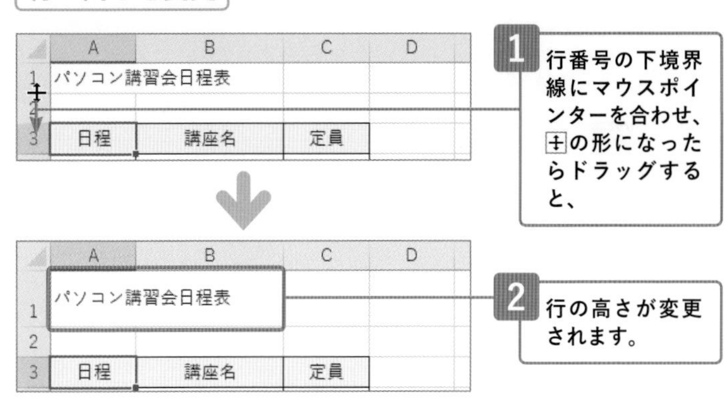

コラム 表内の文字長に合わせて列幅を調整する

列幅を調整したい表を選択し❶、[ホーム]タブの[書式]をクリックし、[列の幅の自動調整]をクリックすると❷、表に入力されている文字長に合わせて列幅が調整されます。

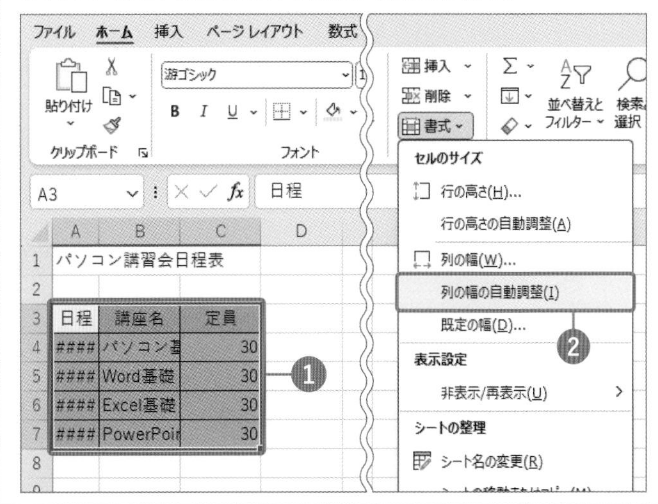

Section

33 列や行を非表示にする

列や行を一時的に表示したくない場合は、列や行を非表示にします。例えば、印刷する必要のない行や列を一時的に非表示にしたいといった場合に使えます。

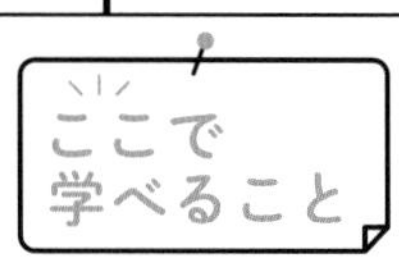

習得スキル	操作ガイド	ページ
▶列や行の非表示	レッスン33-1	p.123
▶列や行の再表示	レッスン33-2	p.123

まずは パッと見るだけ！

列や行の非表示

見せたくない列や行を削除するのではなく、**非表示**にして一時的に見えなくすれば、後で再表示して使用することができます。

\ Before / **操作前**

	A	B	C	D	E
1	売上表				
2				単位：千円	
3	商品名	上期	下期	年間合計	
4	商品A	245,000	268,000	513,000	
5	商品B	189,000	213,000	402,000	
6					

一時的に列を表示したくない

\ After / **操作後**

	A	D	E	F	G
1	売上表				
2		単位：千円			
3	商品名	年間合計			
4	商品A	513,000			
5	商品B	402,000			
6					

列を非表示にすれば、あとで再表示できる

必要なデータだけ見せて説明したいときに便利よ

レッスン 33-1 列や行を非表示にする

33-1-売上表.xlsx

操作　列や行を非表示にする

非表示にしたい列または行を選択し、選択範囲内で右クリックして［非表示］をクリックします。

Memo　ドラッグで非表示にする

非表示にしたい列の右境界線、行の下境界線にマウスポインターを合わせ、列や行が見えなくなるまで左または上にドラッグします。

1 非表示にしたい列（ここではB～C列）を選択し、

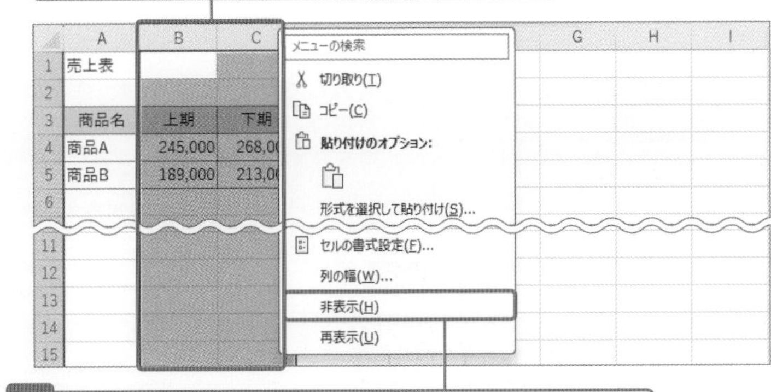

2 選択範囲内で右クリックして［非表示］をクリックすると、

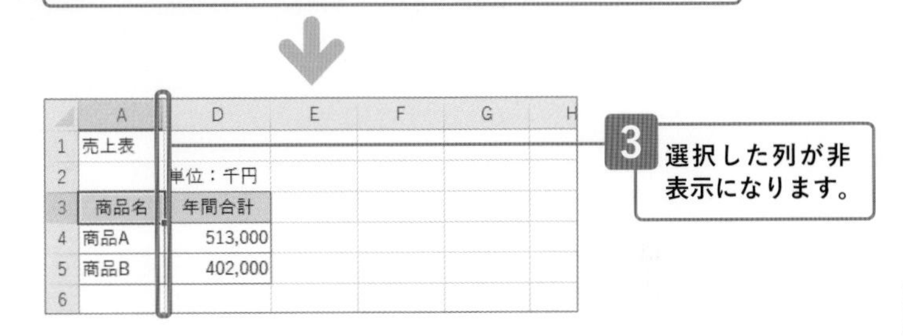

レッスン 33-2 列や行を再表示する

33-2-売上表.xlsx

操作　列や行を再表示する

非表示の列や行を挟むように列番号や行番号上をドラッグして選択し、選択範囲内を右クリックして［再表示］をクリックします。

Point　非表示のA列や1行を再表示するには

A列を再表示するには、B列の列番号から全セル選択ボタンまでドラッグして選択します。1行目を再表示するには、2行目の行番号から全セル選択ボタンまでドラッグして選択します。その後、選択範囲内で右クリックし［再表示］をクリックします。

1 非表示になっている列を挟むように列を選択し（ここではA～D列）

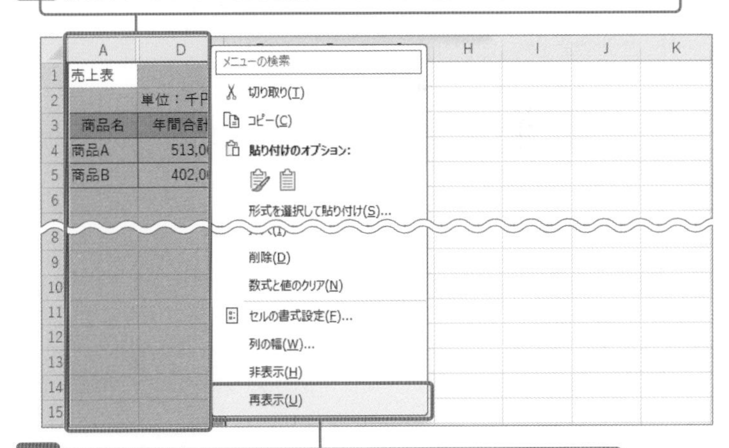

2 選択範囲内で右クリックして、［再表示］をクリックすると、

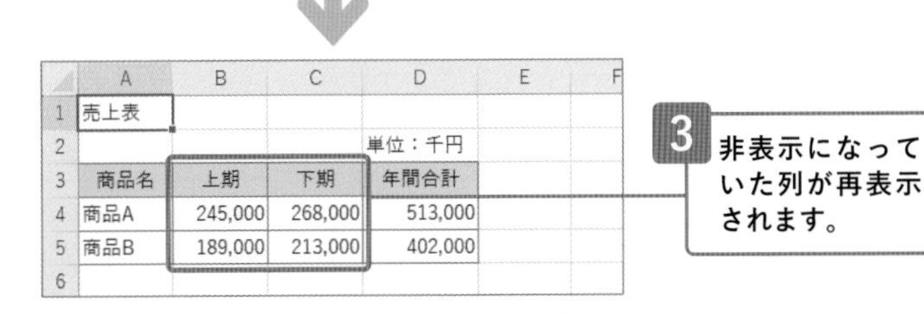

Section

34 列や行を挿入／削除する

表と表の間に行を挿入して間隔をあけたり、余分な列や行を削除したりして調整することができます。列単位、行単位で行うので、ワークシート全体で調整されます。表単位で調整したい場合は、レッスン30を参照してください。

ここで学べること

習得スキル	操作ガイド	ページ
▶列や行の挿入	レッスン34-1	p.125
▶列や行の削除	レッスン34-1	p.125

まずは パッと見るだけ！

列や行の挿入と削除

表とタイトルの間に行を挿入して間隔をあけたり、不要な列を削除したりしてレイアウトを調整することができます。

Before
操作前

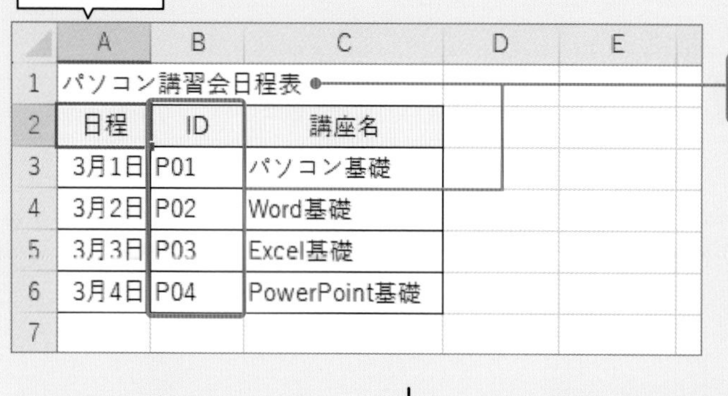

	A	B	C	D	E
1	パソコン講習会日程表				
2	日程	ID	講座名		
3	3月1日	P01	パソコン基礎		
4	3月2日	P02	Word基礎		
5	3月3日	P03	Excel基礎		
6	3月4日	P04	PowerPoint基礎		
7					

↓

After
操作後

	A	B	C	D	E
1	パソコン講習会日程表				
2					
3	日程	講座名			
4	3月1日	パソコン基礎			
5	3月2日	Word基礎			
6	3月3日	Excel基礎			
7	3月4日	PowerPoint基礎			
8					

行を挿入し、列を削除して調整できた

レッスン 34-1 列や行を挿入／削除する

34-パソコン講習会日程表.xlsx

操作 列や行を挿入／削除する

列または行を選択し、選択範囲内で右クリックして［削除］をクリックすると削除し、［挿入］をクリックすると挿入されます。

コラム 列や行を入れ替える

列や行の順番を入れ替えたい場合は、移動したい列または行を選択し❶、境界線にマウスポインターを合わせて⊹の形になったら、Shift キーを押しながらドラッグします❷。移動先に緑のラインが表示されたときにドラッグを終了すると❸、列または行が移動します❹。Shift キーを押しながらドラッグすることで、挿入しながら移動します。Shift キーを押さずに、単にドラッグするだけの場合は、移動先の列または行を上書きして移動します。

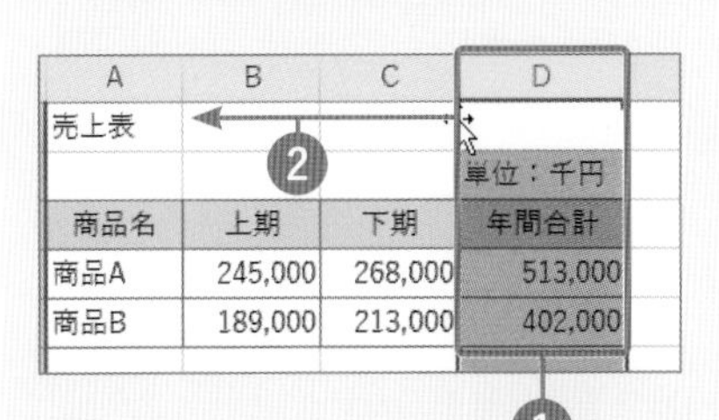

A	B:B	C	D
売上表			
			単位：千円
商品名	上期	下期	年間合計
商品A	245,000	268,000	513,000
商品B	189,000	213,000	402,000

A	B	C	D
売上表			
	単位：千円		
商品名	年間合計	上期	下期
商品A	513,000	245,000	268,000
商品B	402,000	189,000	213,000

行の挿入

ここでは2行目に行を挿入します。

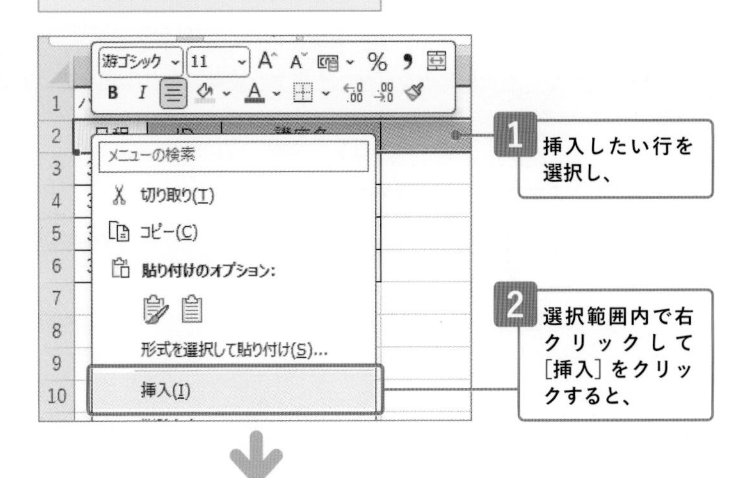

1 挿入したい行を選択し、

2 選択範囲内で右クリックして［挿入］をクリックすると、

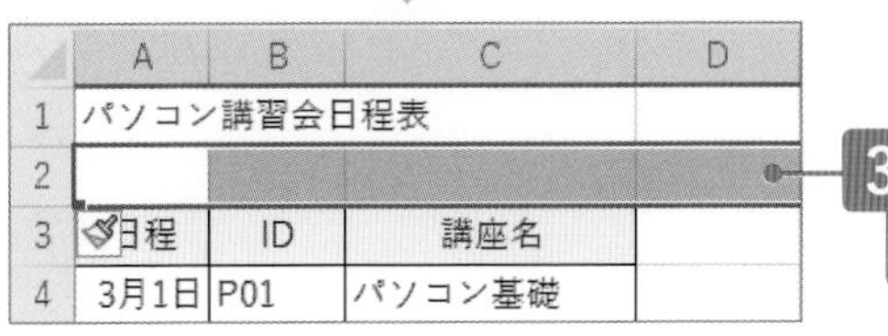

3 行が挿入されます。

列の削除

ここではB列を削除します。

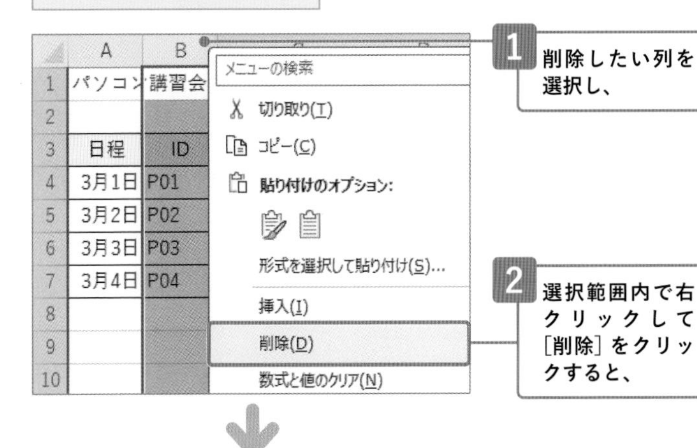

1 削除したい列を選択し、

2 選択範囲内で右クリックして［削除］をクリックすると、

	A	B	C	D
1	パソコン講習会日程表			
2				
3	日程	講座名		
4	3月1日	パソコン基礎		
5	3月2日	Word基礎		
6	3月3日	Excel基礎		
7	3月4日	PowerPoint基礎		

3 列が削除されます。

35 セル範囲に名前を付ける

セルやセル範囲に名前を付けることができます。名前を付けておくと、数式の中でセル参照のときに使用したり、すばやく移動したりできます。名前を付ける方法を覚えましょう。

ここで学べること

習得スキル	操作ガイド	ページ
▶セル範囲に名前を付ける	レッスン35-1	p.127

まずは パッと見るだけ！

セルに名前を付けて使う

　セルやセル範囲に名前を付けると、［名前ボックス］で名前をクリックするだけで、セル範囲を簡単に選択できます。

Before 操作前

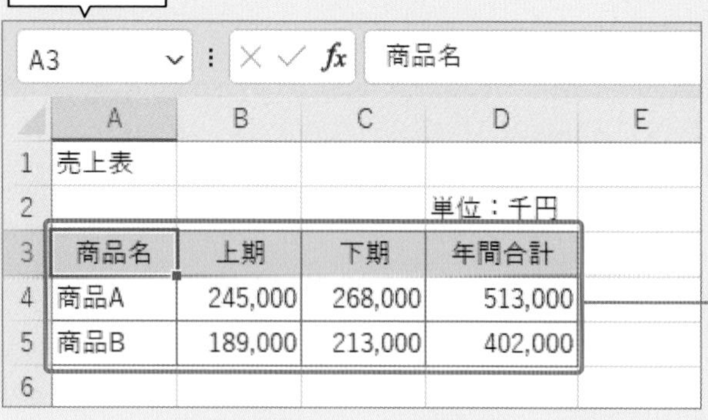

After 操作後

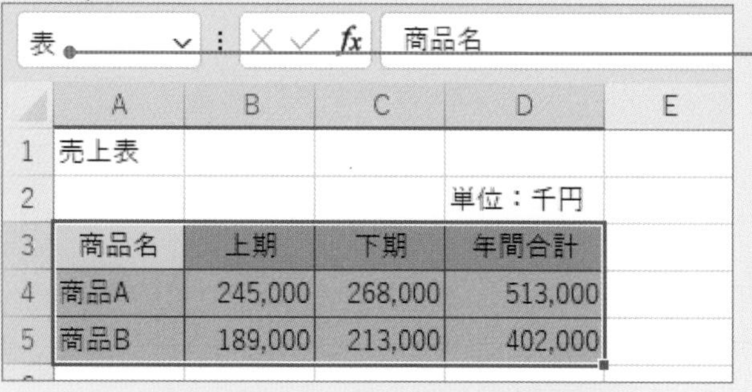

セル範囲に［表］と名前を付けたら簡単に選択できるようになった

レッスン35-1 セル範囲に名前を付ける

35-売上表.xlsx

操作 セルに名前を定義する

名前を付けたいセルまたはセル範囲を選択し、名前ボックスに定義したい名前を入力します。
名前を定義後、名前ボックスの⌄をクリックし、一覧から名前をクリックすると定義された名前のセル範囲を選択できます。

Point 名前の付いたセル範囲を選択する

名前ボックスの⌄をクリックし❶、一覧から名前をクリックすると❷、名前の付いたセル範囲が選択されます。

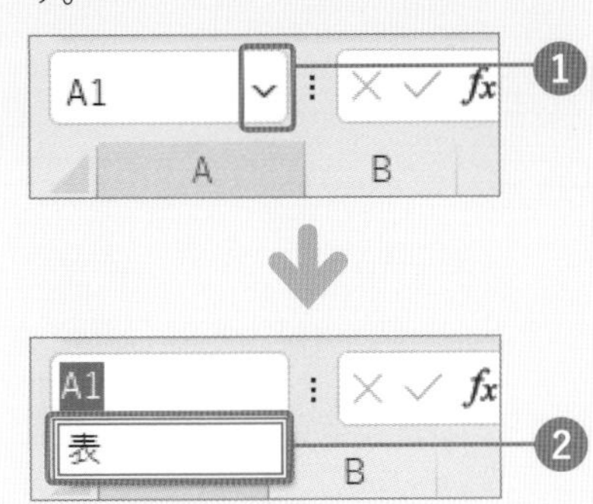

Memo 名前を削除する

定義した名前を削除するには、[数式] タブの [名前の管理] をクリックし、[名前の管理] ダイアログで削除したい名前を選択して❶、[削除] をクリックします❷。

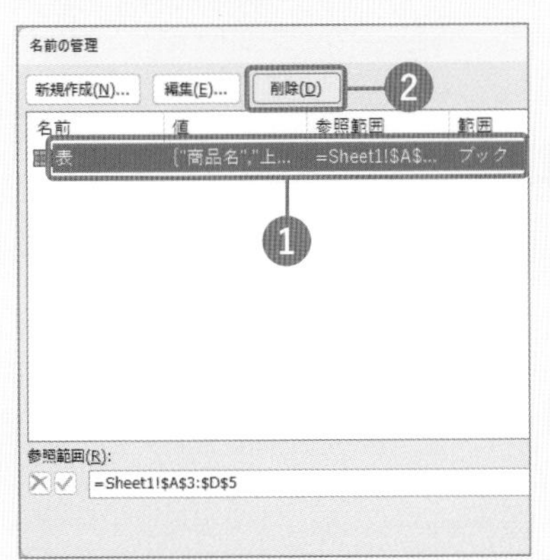

ここではセル範囲A3～D5に「表」と名前を付けます。

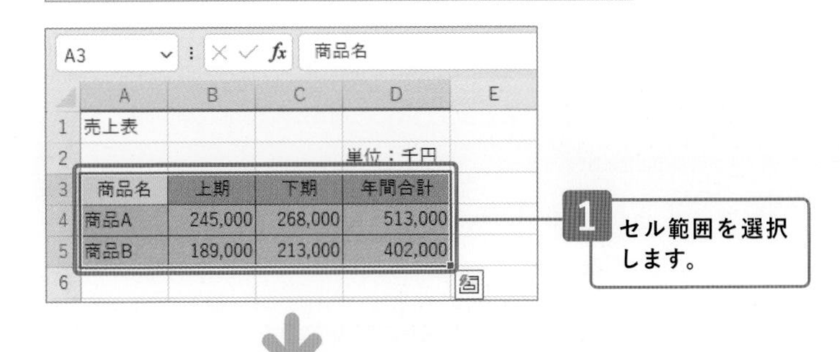

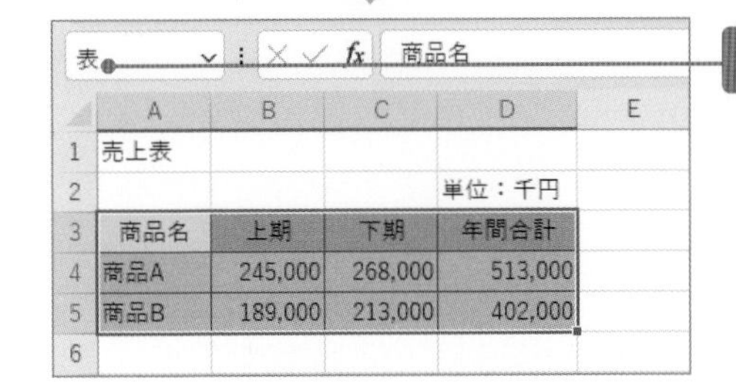

コラム 見出しを使ってまとめて名前を定義する

表を選択し❶、[数式] タブの [選択範囲から作成] をクリックして❷、表示される [選択範囲から名前を作成] ダイアログで❸、表の上端行や左端行のどれを名前にするか選択し❹、[OK] をクリックすると❺、指定した位置の文字列を名前とし、それに続くデータ部分が名前に定義されます❻。

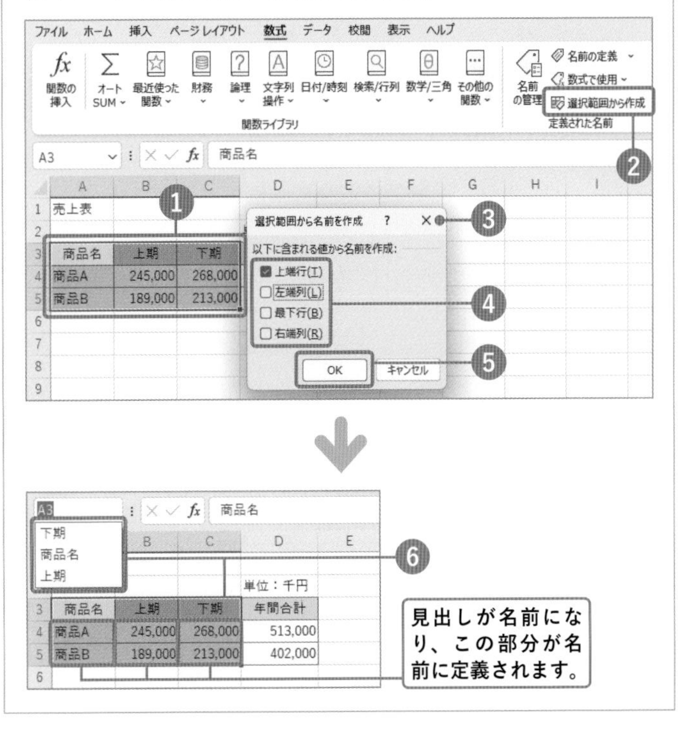

練習問題 セルの操作を練習してみよう

練習用ファイル 演習3-売上表.xlsx

完成見本を参考に、以下の手順でセルを操作してください。

1 セル範囲A3～A5をコピーし、セル範囲A8～A10に値のみ貼り付ける
2 A列の列幅を文字長に合わせて自動調整する
3 E列を削除する
4 セル範囲A7～D10を、セルF 2を先頭に移動する
5 A列の列幅をF列にコピーする
6 2行目に空白行を1行挿入する
7 1行目の行の高さを「25ポイント」に変更する

▼元の表

	A	B	C	D	E	F	G	H	I
1	売上表								
2	第1四半	1月	2月	3月	4月				
3	関東営業	65,000	89,000	98,000	100,000				
4	中部営業	53,000	82,000	88,000	80,000				
5	関西営業	85,000	96,000	75,000	75,000				
6									
7	第2四半	4月	5月	6月	7月				
8		100,000	150,000	85,000	45,000				
9		80,000	38,000	55,000	76,000				
10		75,000	90,000	70,000	120,000				
11									

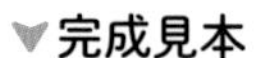

▼完成見本

	A	B	C	D	E	F	G	H	I
1	売上表								
2									
3	第1四半期	1月	2月	3月		第2四半期	4月	5月	6月
4	関東営業所	65,000	89,000	98,000		関東営業所	100,000	150,000	85,000
5	中部営業所	53,000	82,000	88,000		中部営業所	80,000	38,000	55,000
6	関西営業所	85,000	96,000	75,000		関西営業所	75,000	90,000	70,000
7									

第 4 章

データを速く、正確に入力する

セルにデータを入力する際、データ件数が多いと入力ミスがあったり、時間がかかったりします。Excelには、データを正確に、すばやく、効率的に入力する機能が用意されています。ここでは、正確性と時短につながる便利な入力機能を紹介します。

速く正確な
入力で
効率アップ！

Section

36 データの修正／削除の仕方を確認する

データ入力の作業には、入力ミスなど修正作業は必ず起こります。ここでは、セルに入力したデータを修正したり、削除したりする方法をまとめて紹介します。

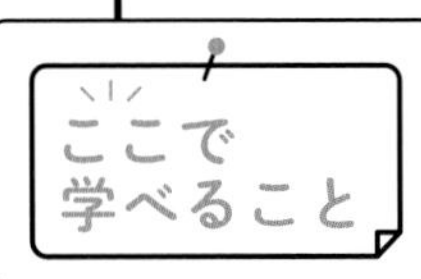

習得スキル	操作ガイド	ページ
▶データの修正と削除	レッスン36-1	p.131

まずは パッと見るだけ！

データの修正と削除

データを修正／削除する方法は、以下の3通りあります。

●データの削除

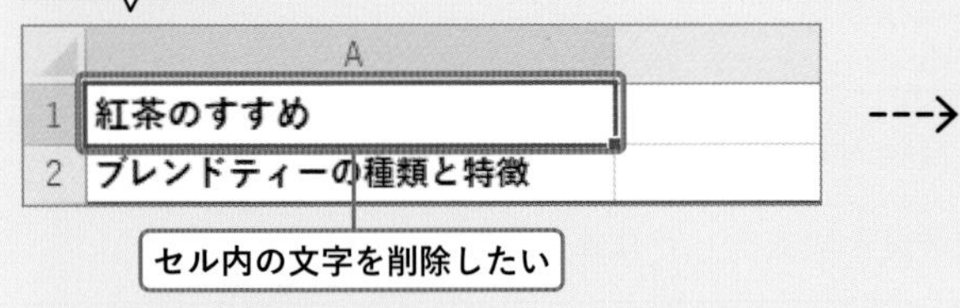

--->

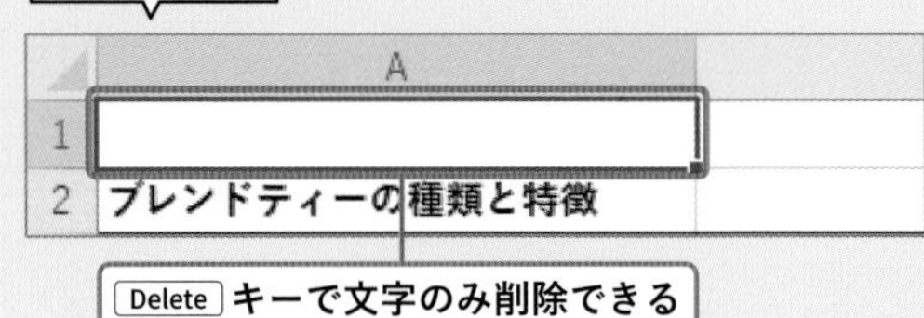

●データの置換

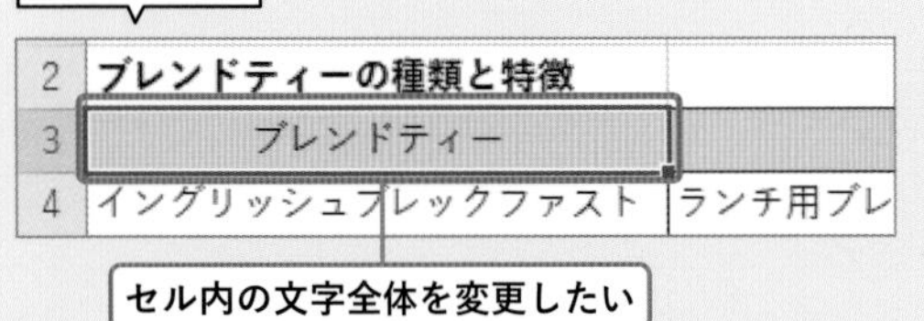

--->

After 操作後

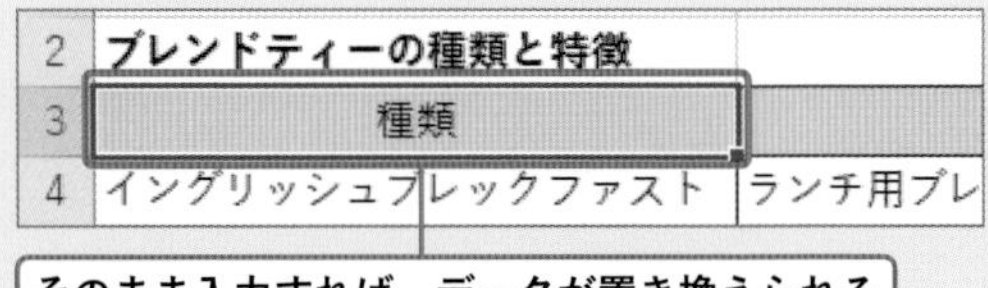

●データの部分修正

Before 操作前

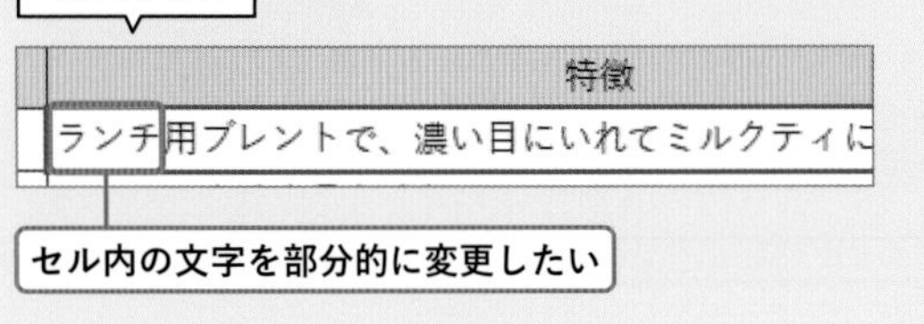

--->

After 操作後

特徴
朝食用ブレンドで、濃い目にいれてミルクティにす

セル内で文字を削除して別の文字を入力できる

レッスン 36-1 データを修正／削除する

36-文字の修正削除.xlsx

操作 データを修正／削除する

セルに入力された文字を別の文字に置き換えるには、セルを選択し、修正する文字を入力すれば置き換わります。セル内の文字を部分的に修正するには、セルをダブルクリックしてカーソルを表示し、不要な文字を削除後、修正する文字を入力します。

Memo データだけでなく書式も削除する

データだけでなく書式も含めてすべて削除するには、[ホーム] タブ→[クリア]→[すべてクリア] をクリックします。

Point Back space と Delete キーの使い分け

カーソルより前（左）の文字を削除する場合は Back space キーを押し、カーソルより後ろ（右）の文字を削除する場合は Delete キーを押します。

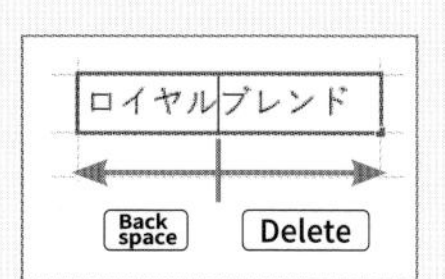

時短ワザ F2 キーを押して編集する

修正したいセルを選択し、F2 キーを押すとセルが編集状態になり、カーソルが表示されます。マウスを持つことなくキーボードだけで編集できるので覚えておくと便利です。

Memo 数式バーで編集する

修正したいセルを選択すると、セルの内容が数式バーに表示されます。数式バーをクリックするとカーソルが表示されるので、必要な修正をしたら、Enter キーで確定します。

データの削除

ここでは、セルA1の「紅茶のすすめ」を削除します。

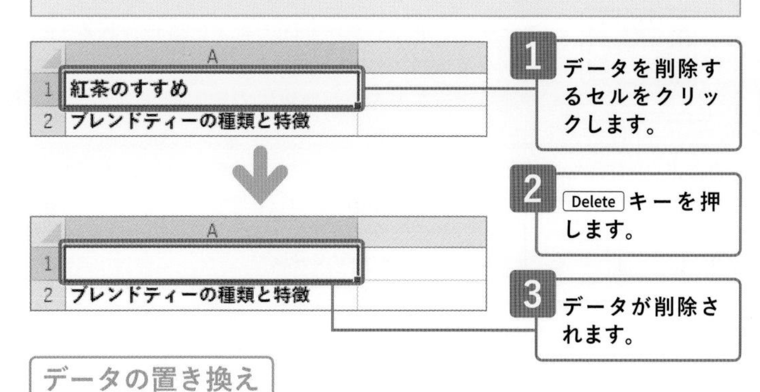

1 データを削除するセルをクリックします。

2 Delete キーを押します。

3 データが削除されます。

データの置き換え

ここでは、セルA3の「ブレンドティー」を「種類」に変更します。

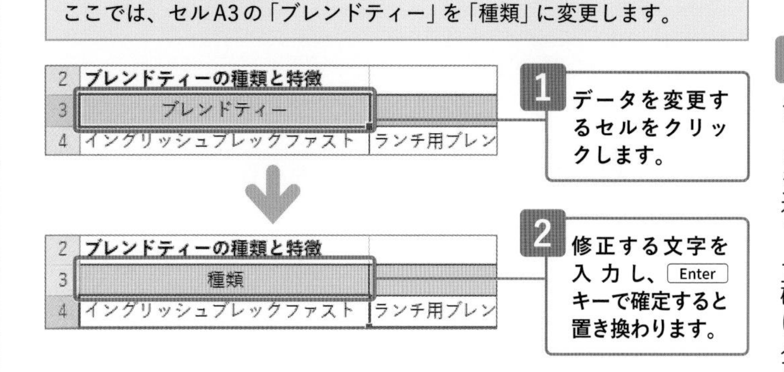

1 データを変更するセルをクリックします。

2 修正する文字を入力し、Enter キーで確定すると置き換わります。

データの部分修正

ここでは、セルB4の「ランチ」を「朝食」に修正します。

1 修正したいセルをダブルクリックしてカーソルを表示し、← または → キーを押して修正したい文字の後ろにカーソルを移動します。

2 Back space キーを押して文字を削除し、

3 修正する文字を入力したら、Enter キーを押して確定します。

Section

37 連続するセルにデータを入力する

アクティブセルや選択範囲の右下に表示される「■」（フィルハンドル）を使って連続するセルにデータを自動入力する機能を［オートフィル］といいます。オートフィルでは、データのコピーや連続データの入力が簡単にできます。

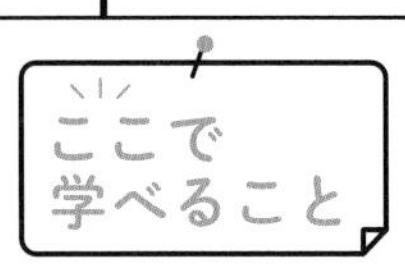

まずは パッと見るだけ！

オートフィルで連続データを入力する

オートフィルの機能を使うと、連続するセルにデータのコピー、連続データの入力ができます。

●オートフィルでデータのコピー

Before 操作前

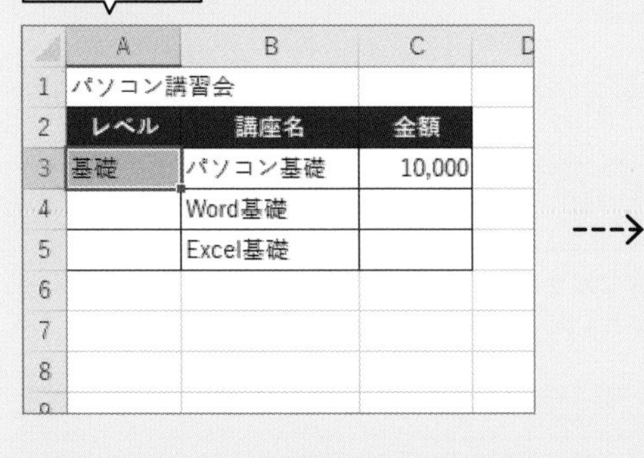

--->

After 操作後

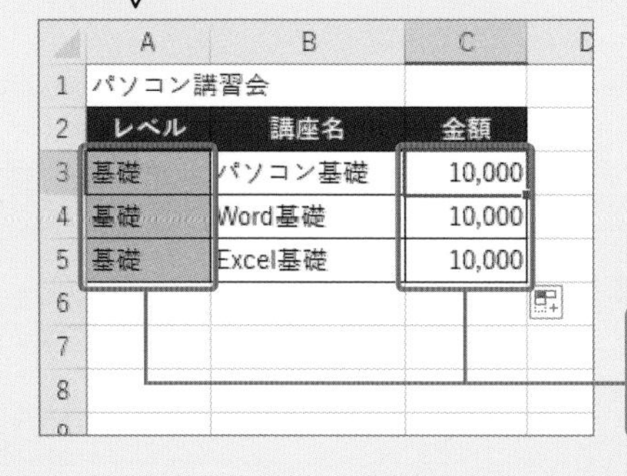

●オートフィルで連続データの入力

Before 操作前

	A	B	C	D
1	集客人数			
2	日付	支店1		
3	3月1日			
4				
5				
6				
7				
8				
9				

--->

After 操作後

	A	B	C	D
1	集客人数			
2	日付	支店1	支店2	支店3
3	3月1日			
4	3月2日			
5	3月3日			
6	3月4日			
7				
8				
9				

連続したセルに連続データを入力できる

レッスン37-1 オートフィルでコピーする

37-1-パソコン講習会.xlsx

操作 オートフィルでコピーする

オートフィルを使うと、同じ文字列や数値をコピーしたり、数式をコピーしたりできます。
コピーしたいセルを選択し、[■]（フィルハンドル）にマウスポインターを合わせ+の形になったらドラッグします。ドラッグした方向に同じ値がコピーされます。セルに罫線などの書式が設定されている場合は、書式もコピーされます。

時短ワザ ダブルクリックでオートフィルを実行する

手順4のように、フィルハンドルをダブルクリックすると、表内のデータが入力されている最終行まで自動的にオートフィルが実行されます。

Memo オートフィルで数式をコピーする

数式もオートフィルでコピーすることができます。詳細はレッスン21-2を参照してください。

上級テクニック オートフィルでデータを削除する

データが入力されているセル範囲を選択し、フィルハンドルを上または左方向にドラッグすると❶、データを削除できます❷。この場合は、データのみ削除され書式は残ります。

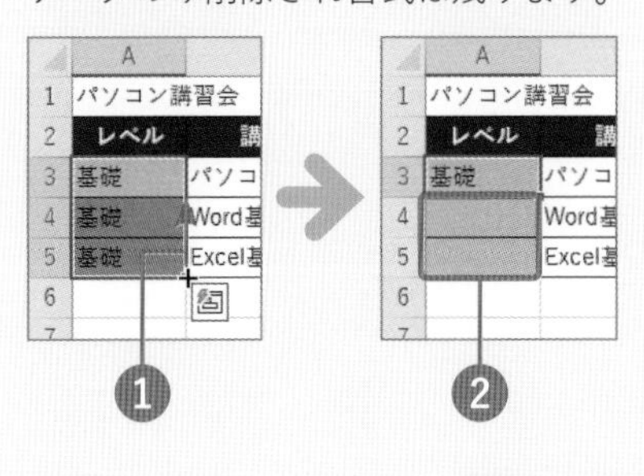

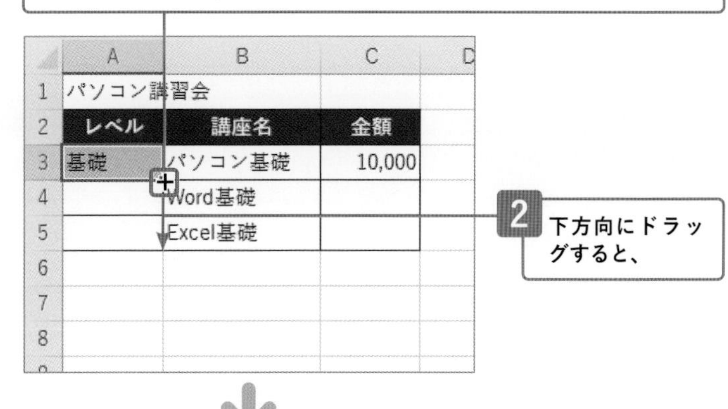

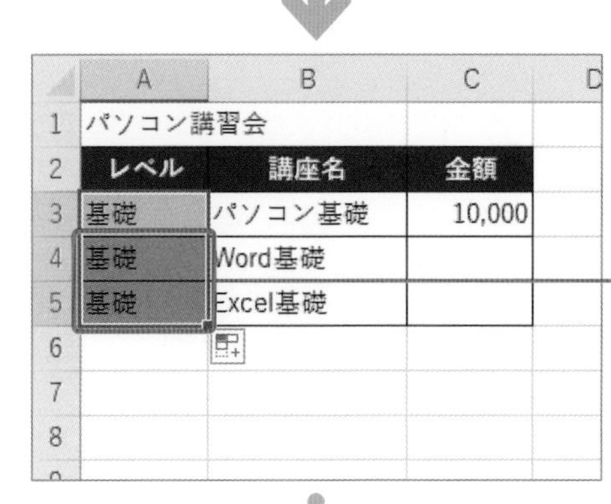

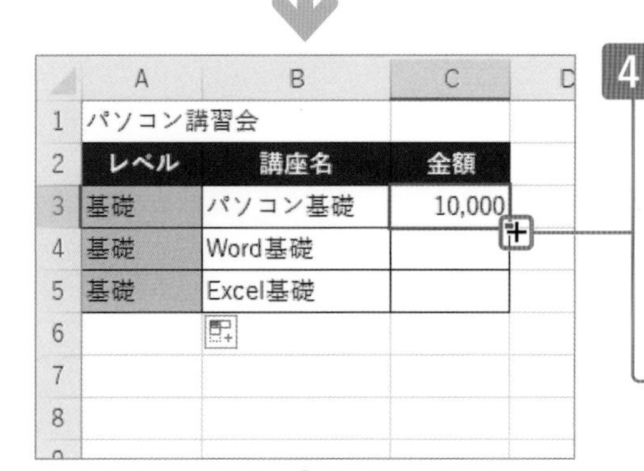

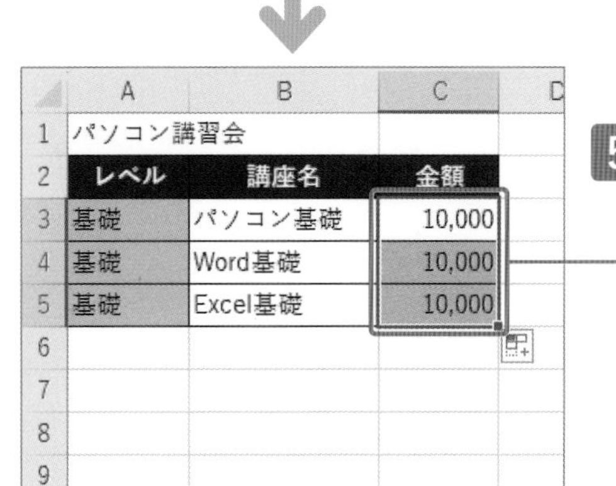

レッスン 37-2 オートフィルで連続データを入力する

37-2-集客人数.xlsx

操作 オートフィルで連続データを入力する

「3月1日」のような日付や、「第1位」「1組」のような算術数字を含む文字列は、オートフィルをすると連続データとして入力されます。漢数字の場合は、連続データにはなりません。

Point Ctrl キーを押しながらオートフィルを実行した場合

日付の場合は、フィルハンドルをドラッグすると連続データが入力されますが、Ctrl キーを押しながらドラッグするとコピーになります。
また「100」のような数値は、普通にフィルハンドルをドラッグするコピーになりますが、Ctrl キーを押しながらドラッグすると「101」「102」のように連続データが入力できます。

コラム 増減値を指定して連続データを入力する

数値を2つのセルに入力して範囲選択し、オートフィルを実行すると❶、2つの数値の差分をもとに連続データが入力されます❷。

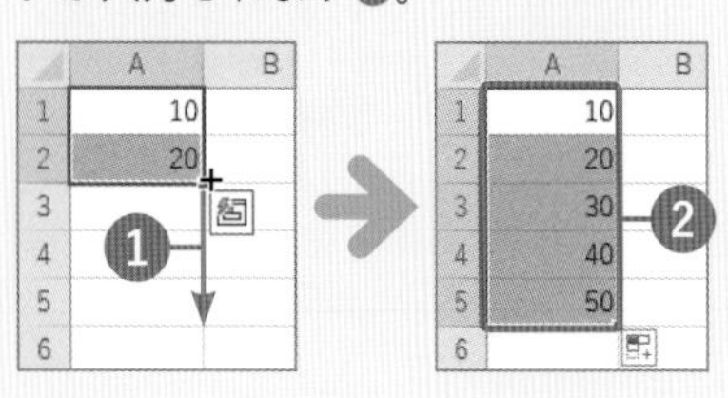

1 日付が入力されたセルを選択し、[■]（フィルハンドル）にマウスポインターを合わせ、+の形になったら下方向にドラッグすると、

	A	B	C	D	E	F	G
1	集客人数						
2	日付	支店1					
3	3月1日						
4							
5							
6							
7							
8							

2 連続した日付が入力されます。

	A	B	C	D	E	F	G
1	集客人数						
2	日付	支店1					
3	3月1日						
4	3月2日						
5	3月3日						
6	3月4日						
7							
8							

3 算術数字と文字を組み合わせた文字が入力されたセルを選択し、[■]（フィルハンドル）にマウスポインターを合わせ、+の形になったら右方向にドラッグすると、

	A	B	C	D	E	F	G
1	集客人数						
2	日付	支店1					
3	3月1日						
4	3月2日						
5	3月3日						
6	3月4日						
7							
8							

4 数値が1ずつ増加する連続データが入力されます。

	A	B	C	D	E	F	G
1	集客人数						
2	日付	支店1	支店2	支店3			
3	3月1日						
4	3月2日						
5	3月3日						
6	3月4日						
7							

レッスン 37-3 オートフィルオプションで入力方法を選択する

37-3-売上集計.xlsx

操作 オートフィルオプションで入力方法を選択する

オートフィル実行後にセル範囲の右下に表示される[オートフィルオプション]をクリックして表示されるメニューで入力方法を変更することができます。

Memo 月単位でオートフィルする

コピー元が日付の場合は、[オートフィルオプション]で月単位で連続データを入力することができます。日付のセルでオートフィルを実行後❶、[オートフィルオプション]をクリックし、[連続データ(月単位)]をクリックします❷。

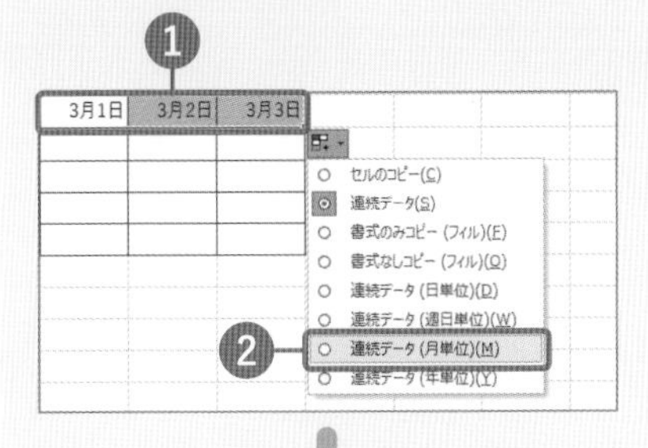

3月1日	4月1日	5月1日

Memo 右ドラッグでオートフィル実行後にコピー方法を選択する

オートフィルを実行するとき、マウスの右ボタンを押しながらドラッグすると、オートフィル実行後に、メニューが表示されるので、コピーしたい内容をクリックして選択します。

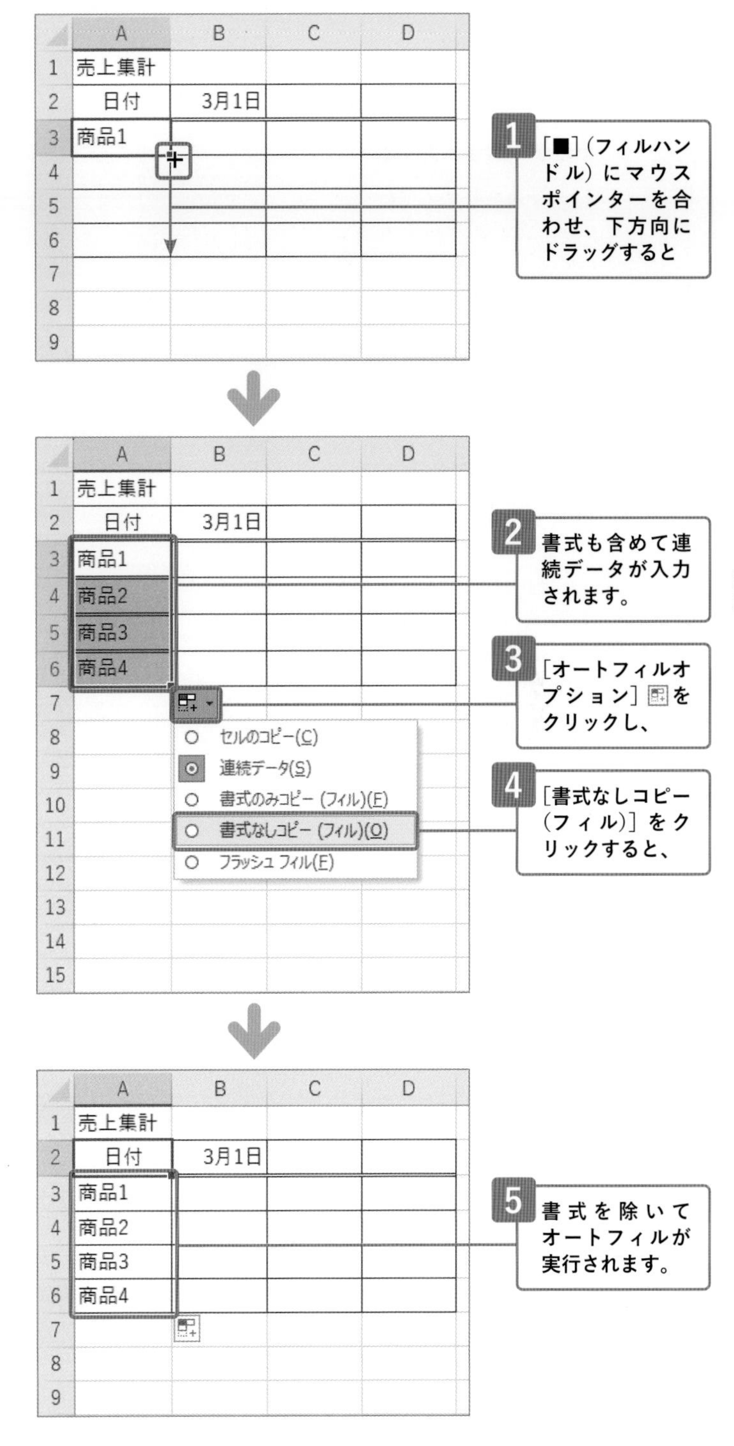

レッスン 37-4 オリジナルの順番で連続データを入力する

練習用ファイル 37-4-売上表.xlsx

操作 オリジナルの順番で連続データを入力する

[ユーザー設定リスト] ダイアログにオートフィルで連続データを入力したい内容を登録することで会社の部署順や支店順などオリジナルの順番でオートフィルを実行して連続データを入力できます。登録した内容は、Excelの他のブックでも使用できます。

Point [リストの項目] ダイアログに直接入力して登録する

セルに連続データのリストを作成していない場合は、手順5で [リストの項目] に直接入力します。1つずつ改行しながら入力後、右の [追加] をクリックします。

オリジナルの順番を登録する

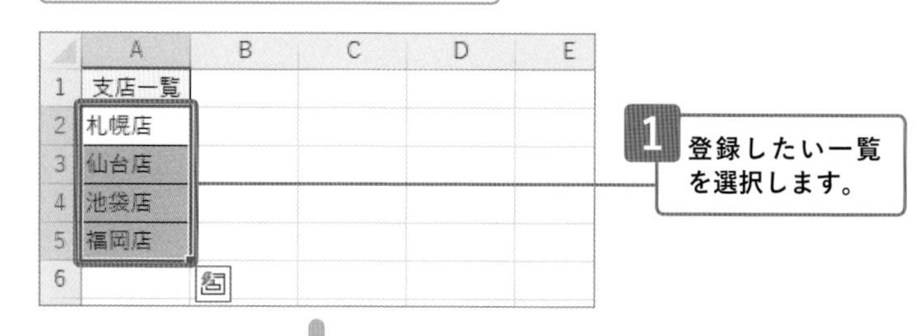

1 登録したい一覧を選択します。

2 p.73の手順で [Excelのオプション] ダイアログを表示します。

3 [詳細設定] をクリックし

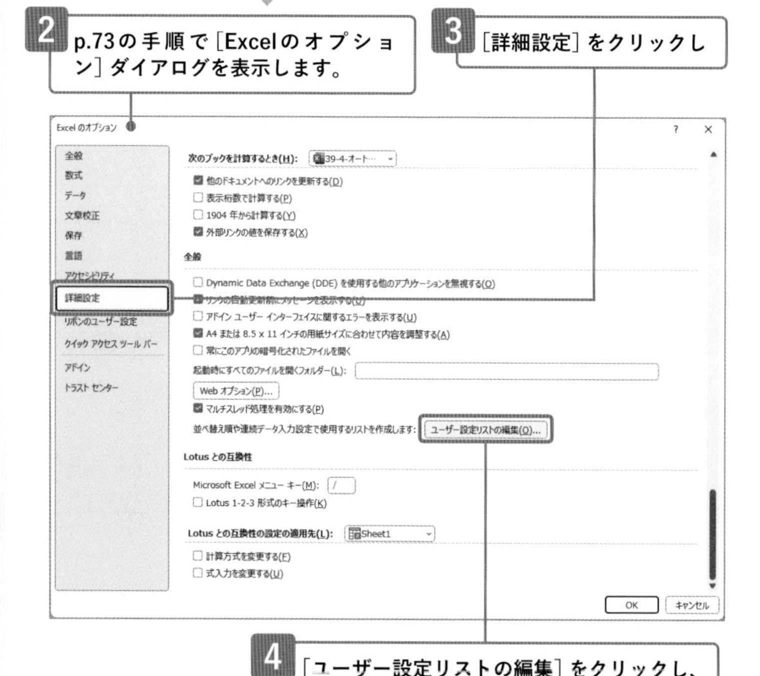

4 [ユーザー設定リストの編集] をクリックし、

5 セル範囲を確認し、[インポート] をクリックします。

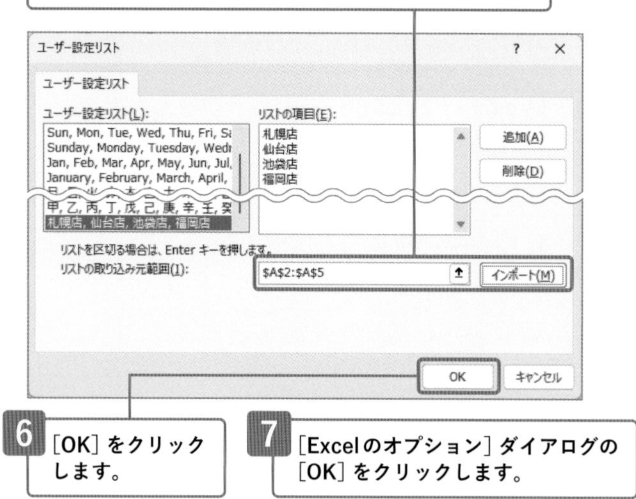

6 [OK] をクリックします。

7 [Excelのオプション] ダイアログの [OK] をクリックします。

Memo 登録したリストを削除する

[ユーザー設定リスト] ダイアログで [ユーザー設定リスト] から削除したいリストをクリックし❶、[削除] をクリックします❷。

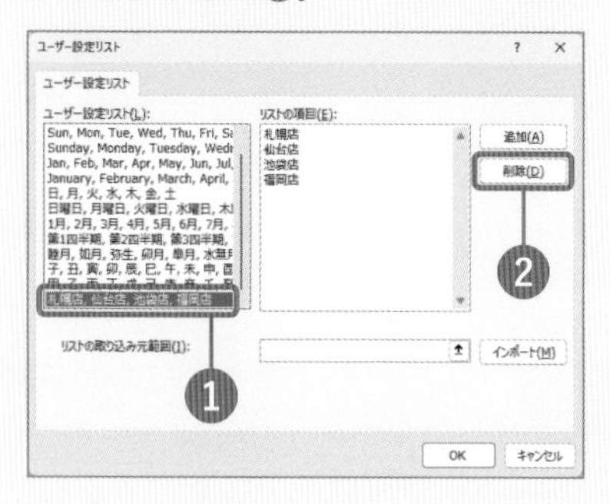

連続データを確認する

ここでは、[Sheet2] シートの売上表でオリジナルの順番で連続データが入力されることを確認します。

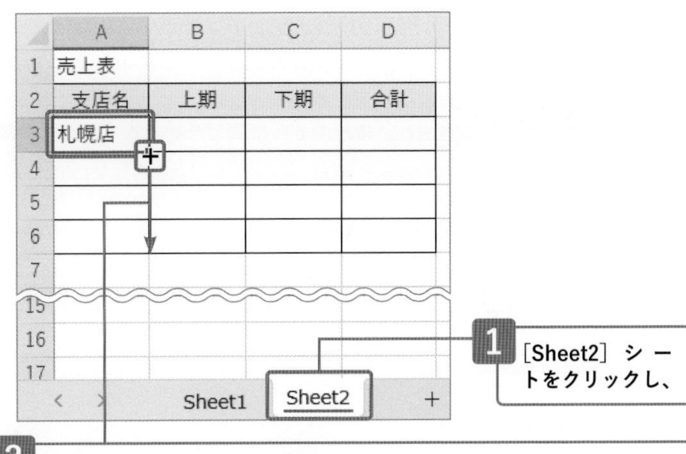

1 [Sheet2] シートをクリックし、

2 セルA3をクリックして、[■] (フィルハンドル) にマウスポインターを合わせ、オートフィルを実行すると、

3 登録した順番で支店名が入力されます。

登録しとくと楽ちんね！

コラム　あらかじめ登録されている連続データとして入力されるデータ

曜日や月名、干支、十干、四半期は、あらかじめ連続入力されるデータとして登録されています。例えば「月曜日」をオートフィルすると、「月曜日」から「日曜日」までの連続データが繰り返し入力されます。

●登録されているデータ一覧

	A	B	C	D	E	F	G	H	I	J	K
1	曜日				月名				干支	十干	四半期
2	Mon	Monday	月	月曜日	Jan	January	1月	睦月	子	甲	第1四半期
3	Tue	Tuesday	火	火曜日	Feb	February	2月	如月	丑	乙	第2四半期
4	Wed	Wednesday	水	水曜日	Mar	March	3月	弥生	寅	丙	第3四半期
5	Thu	Thursday	木	木曜日	Apr	April	4月	卯月	卯	丁	第4四半期
6	Fri	Friday	金	金曜日	May	May	5月	皐月	辰	戊	
7	Sat	Saturday	土	土曜日	Jun	June	6月	水無月	巳	己	
8	Sun	Sunday	日	日曜日	Jul	July	7月	文月	午	庚	
9					Aug	August	8月	葉月	未	辛	
10					Sep	September	9月	長月	申	壬	
11					Oct	October	10月	神無月	酉	癸	
12					Nov	November	11月	霜月	戌		
13					Dec	December	12月	師走	亥		

Section

38 同じ文字を簡単に入力する

表の中に、同じデータを繰り返し入力する場合に、1つ1つ入力するのは手間がかかります。ここでは、同じデータを簡単に入力する方法として、入力済みのデータをそのまま利用して入力する方法と、複数のセルに同じデータを一気に入力する方法を紹介します。

ここで学べること

習得スキル	操作ガイド	ページ
▶オートコンプリートで入力	レッスン38-1	p.139
▶選択肢を表示して入力	レッスン38-2	p.139
▶複数セルにまとめて入力	レッスン38-3	p.140

まずは パッと見るだけ！

同じデータを簡単に入力する

同じデータを簡単に入力する方法として、オートコンプリートを使って自動入力する方法、選択肢を表示して入力する方法があります。また、複数のセルを選択し、選択したセルに一気に同じデータを入力する方法もあります。

● オートコンプリートで入力

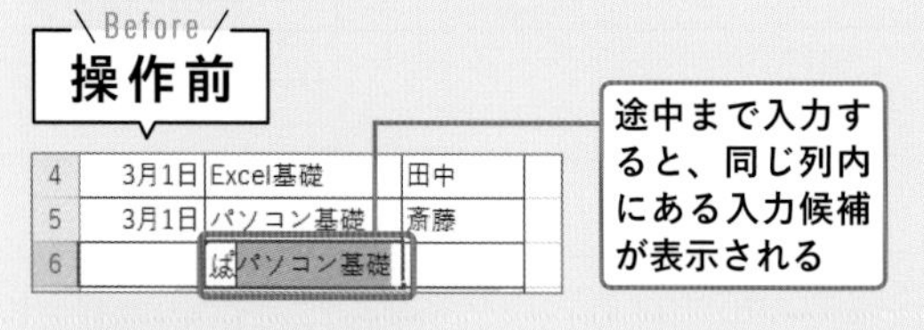

4 3月1日 Excel基礎 田中
5 3月1日 パソコン基礎 斎藤
6 パソコン基礎
Enter キーで簡単に入力できる

● 選択肢を使って入力

	日付	講座名	担当
3	3月1日	Word基礎	鈴木
4	3月1日	Excel基礎	田中
5	3月1日	パソコン基礎	斎藤
6		パソコン基礎	斎藤 / 鈴木 / 田中 / 担当

選択肢を表示する

After 操作後

	日付	講座名	担当
3	3月1日	Word基礎	鈴木
4	3月1日	Excel基礎	田中
5	3月1日	パソコン基礎	斎藤
6		パソコン基礎	斎藤

選択だけで入力できる

● 複数セルにまとめて入力

Before 操作前

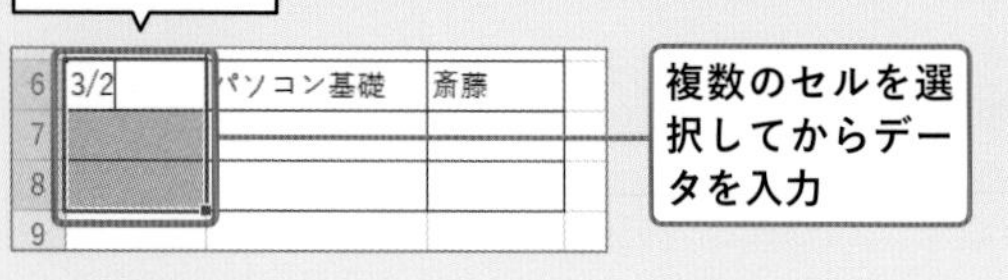

複数のセルを選択してからデータを入力

After 操作後

6	3月2日	パソコン基礎	斎藤
7	3月2日		
8	3月2日		

同じ日付が一気に入力できる

レッスン38-1 オートコンプリートで入力する

練習用ファイル 38-1-パソコン講習会.xlsx

操作 オートコンプリートで入力する

オートコンプリートとは、セルに先頭の数文字を入力したときに、同じ列内に入力されている同じ読みの文字列が表示される機能です。入力したい文字が自動で表示されたら、Enter キーを押すだけで入力できます。

Memo 自動で表示された文字を削除する

オートコンプリートにより自動で表示された文字を削除するには、入力した文字が変換前（下に波線が表示されている状態）のときに❶、Delete キーを押すと削除できます❷。

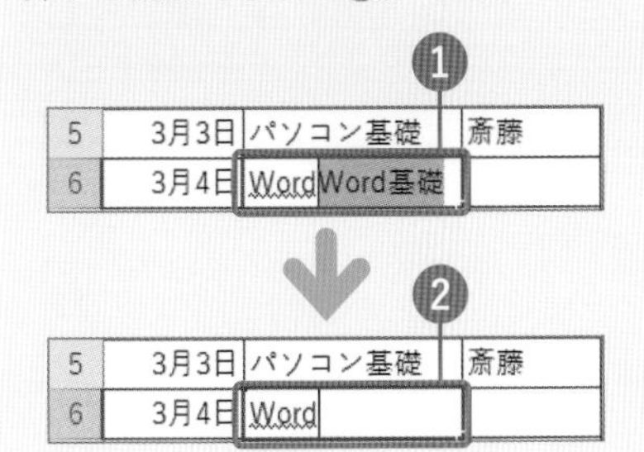

1 文字を入力し、同じ列内にある同じ読みの文字列が自動で表示されたら、

2 Enter キーを押すと、表示された文字列が入力されます。

コラム オートコンプリートを使いたくない場合

オートコンプリートで自動入力したくない場合は、p.73の手順で［Excelのオプション］ダイアログを表示し❶、［詳細設定］にある［オートコンプリートを使用する］をクリックしてチェックを外し❷、［OK］をクリックします。

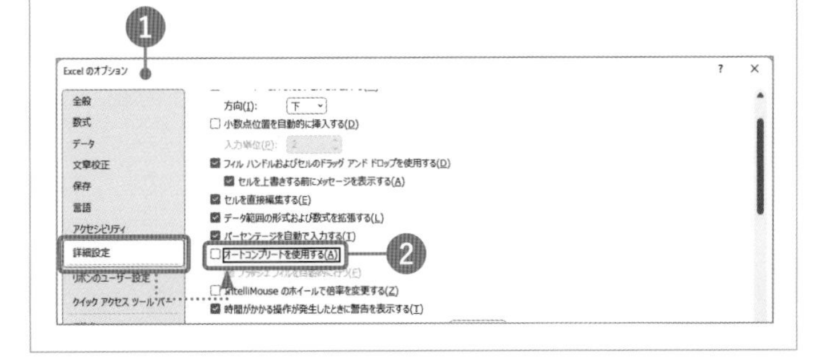

レッスン38-2 選択肢を使って入力する

練習用ファイル 38-2-パソコン講習会.xlsx

操作 ドロップダウンリストから入力する

セルを選択し、Alt+↓キーを押すと、同じ列内にあるデータを一覧で表示し、選択するだけで入力できます。

1 データを入力したいセルを選択し、Alt+↓キーを押すと、

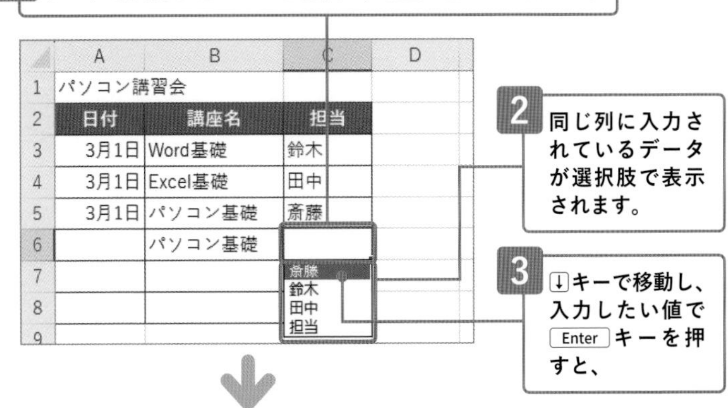

2 同じ列に入力されているデータが選択肢で表示されます。

3 ↓キーで移動し、入力したい値で Enter キーを押すと、

数値や日付は選択できない

一覧で選択できるのは、文字のみで、数値、数式、日付は選択できません。

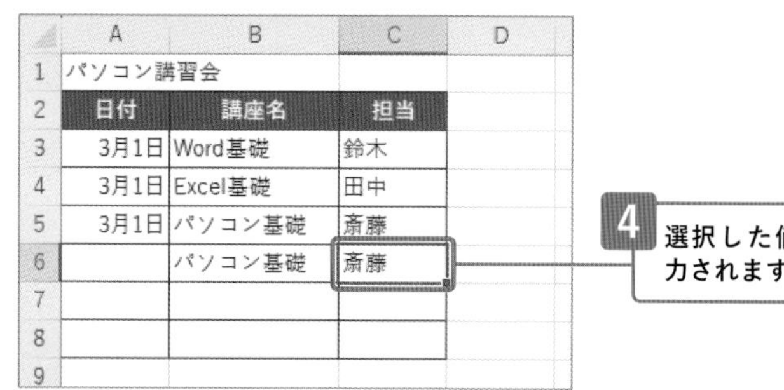

レッスン 38-3 複数セルにまとめて入力する

練習用ファイル 38-3-パソコン講習会.xlsx

操作 複数セルにまとめて入力する

同じデータを複数のセルに入力する場合、先に同じデータを入力するセルをまとめて選択しておき、データを入力して、確定するときにキーを押すと、選択されたすべてのセルに同じデータが入力されます。

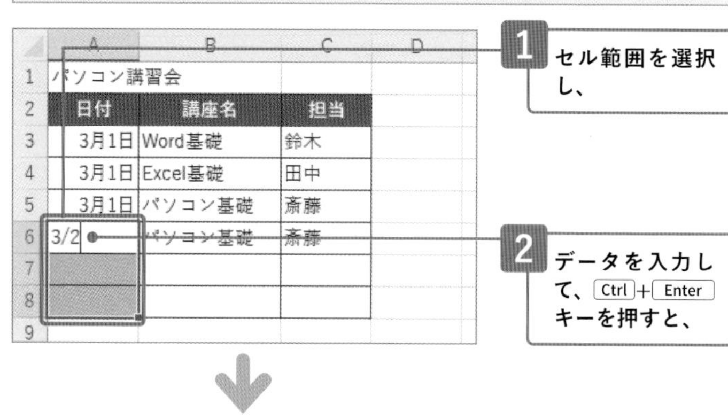

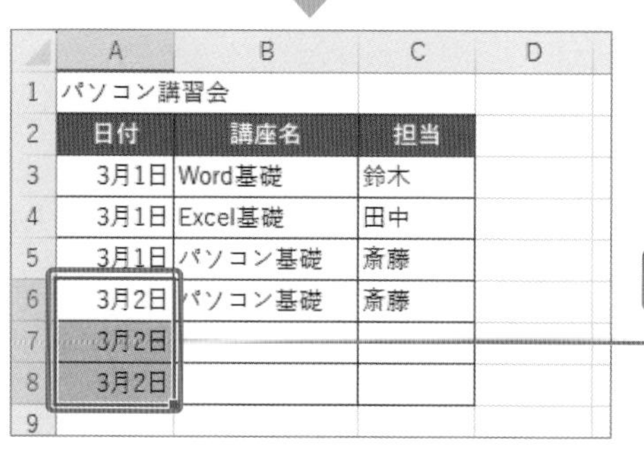

3 同じデータが一気に入力されます。

時短ワザ 表に効率的に入力する方法

セル範囲を選択している場合、Enterキーを押すとアクティブセルは下方向に順番に移動します。また、Tabキーを押すと右方向に順番に移動します。これを利用し、入力するセル範囲を先に選択し、Enterキーまたは、Tabキーを使って順番にセル移動しながらデータを入力できます。

	A	B	C	D	E
1	売上表				
2		前期	後期	合計	
3	A地区	1,500	1,800	3,300	
4	B地区	2,300	2,000	4,300	
5	C地区	2,200	2,400	4,600	

Enterキーで上下に列単位でセル移動しながら入力できます。

	A	B	C	D	E
1	売上表				
2		前期	後期	合計	
3	A地区	1,500	1,800	3,300	
4	B地区	2,300	2,000	4,300	
5	C地区	2,200	2,400	4,600	

Tabキーで左右に行単位でセル移動しながら入力できます。

Section

39 入力のパターンを使って自動入力する

入力済みのデータから入力パターンを分析し、残りのセルに自動的にデータを入力する機能を［フラッシュフィル］といいます。フラッシュフィルの機能を使うと、2つの列のデータを連結したり、セル内のデータの一部分を取り出したりできます。

ここで学べること

習得スキル	操作ガイド	ページ
▶2つの列を連結する	レッスン39-1	p.142
▶データの一部分を取り出す	レッスン39-2	p.143

まずは パッと見るだけ！

フラッシュフィルで自動入力する

フラッシュフィルを使うと、表内の列の値を連結したり、一部分を取り出したりすることができます。例えば、［姓］と［名］を連結して［氏名］列を作成したり、日付から月のデータだけを取り出したりできます。

●フラッシュフィルで2つの列を連結する

Before 操作前

	A	B	C	D	E
1	申込者				
2	姓	名	氏名	生年月日	誕生月
3	高橋	里美	高橋　里美	1996/11/5	
4	清水	慎吾		2012/1/4	
5	岡崎	光弘		1997/8/22	
6	工藤	夏美		2003/4/29	
7					

姓と名を入力したデータ

--->

After 操作後

	A	B	C	D	E
1	申込者				
2	姓	名	氏名	生年月日	誕生月
3	高橋	里美	高橋　里美	1996/11/5	
4	清水	慎吾	清水　慎吾	2012/1/4	
5	岡崎	光弘	岡崎　光弘	1997/8/22	
6	工藤	夏美	工藤　夏美	2003/4/29	
7					

［姓］列と［名］列の値を結合した値が自動で入力できる

●フラッシュフィルでデータの一部分を取り出す

Before 操作前

D	E	F	G
生年月日	誕生月		
1996/11/5	11月		
2012/1/4			
1997/8/22			
2003/4/29			

生年月日を入力したデータ

--->

After 操作後

D	E	F	G
生年月日	誕生月		
1996/11/5	11月		
2012/1/4	1月		
1997/8/22	8月		
2003/4/29	4月		

［生年月日］列の月数だけを取り出して誕生月を入力できる

レッスン 39-1 ［姓］と［名］を連結して［氏名］列を作成する

39-1-申込者.xlsx

操作 ［姓］と［名］を連結した［氏名］列を作成する

先頭のセルに「姓」と「名」を組み合わせた値を入力し、フラッシュフィルを実行すると、同じ入力パターンで残りのセルに自動的に入力され、その結果、氏名の列を作成できます。フラッシュフィルは［データ］タブの［フラッシュフィル］をクリックします。

1 1つ目のセルに［姓］の値、スペース、［名］の値を入力します。

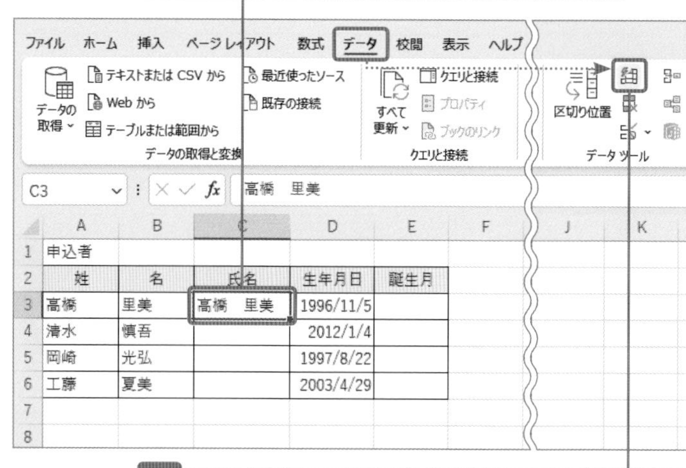

2 ［データ］タブ→［フラッシュフィル］をクリックすると、

	A	B	C	D	E	F	G
1	申込者						
2	姓	名	氏名	生年月日	誕生月		
3	高橋	里美	高橋 里美	1996/11/5			
4	清水	慎吾	清水 慎吾	2012/1/4			
5	岡崎	光弘	岡崎 光弘	1997/8/22			
6	工藤	夏美	工藤 夏美	2003/4/29			
7							
8							

3 残りのセルに同じ規則でデータが自動で入力されます。

コラム セルのデータと別の文字列を組み合わせる

フラッシュフィルでは、セルのデータと別の文字を組み合わせて別の文字列を作成できます。以下のように、ハイフンなしの携帯電話番号の列の隣のセルの先頭にハイフンを付けた携帯電話番号を入力し❶、［データ］タブ→［フラッシュフィル］をクリックすると❷、残りのセルに同じ規則でデータが自動入力されます。

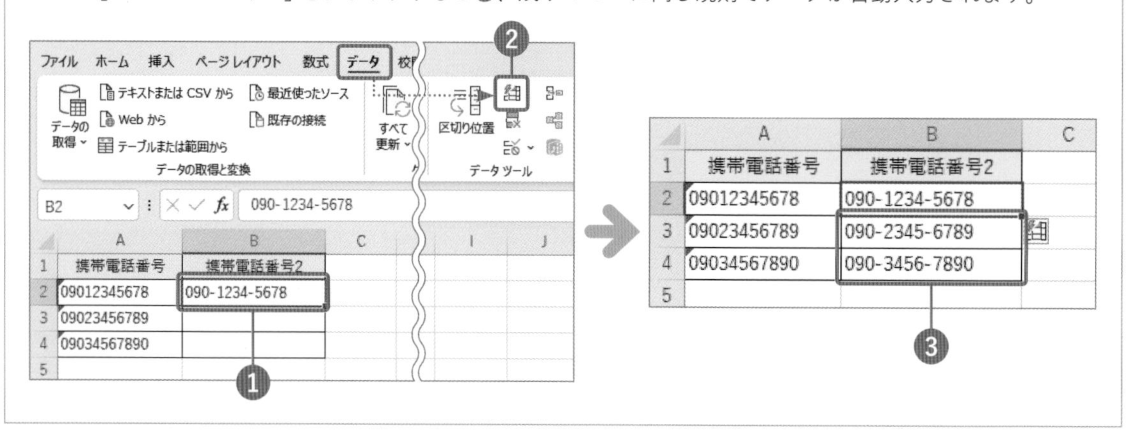

レッスン 39-2 日付から月のみを取り出す

 39-2-申込者.xlsx

操作 日付から月のみを取り出す

フラッシュフィルを使って、セル内のデータの一部分を取り出すこともできます。ここでは、[生年月日] 列の先頭にある日付から月の部分「11」を取り出し、文字「月」と連結して誕生月の列にデータを自動入力してみましょう。

Memo 月データの取り出され方

ここでは、[生年月日] 列の先頭のセルの「11」の位置が月の位置にあるため、同じ位置にある数値が取り出され、「月」と組み合わせ、同じ規則で「1月」「8月」「4月」と入力されます。

Point [氏名] を [姓] 列と [名] 列に分割する

セル内のデータの一部分を取り出すことができるため、[氏名] 列から「姓」のみ、「名」のみをそれぞれ取り出して、[姓] 列と [名] 列に分割することが可能です。

1 1つ目のセルに [日付] の月の部分、「月」を入力します。

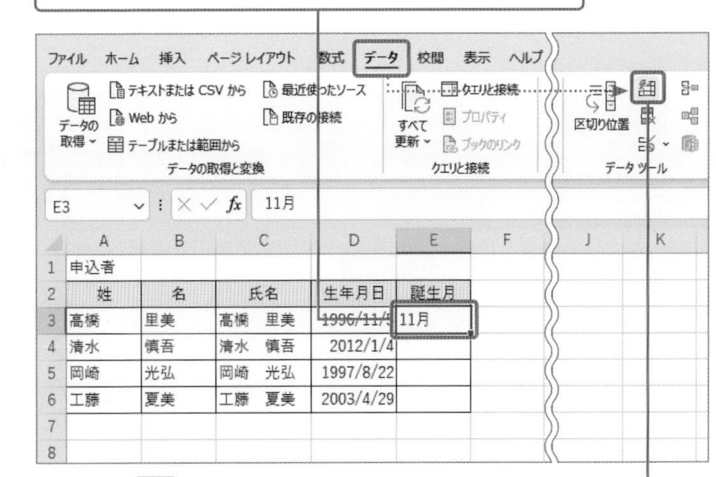

2 [データ] タブ→ [フラッシュフィル] をクリックすると、

	A	B	C	D	E	F	G
1	申込者						
2	姓	名	氏名	生年月日	誕生月		
3	高橋	里美	高橋　里美	1996/11/5	11月		
4	清水	慎吾	清水　慎吾	2012/1/4	1月		
5	岡崎	光弘	岡崎　光弘	1997/8/22	8月		
6	工藤	夏美	工藤　夏美	2003/4/29	4月		
7							
8							
9							

3 残りのセルに同じ規則でデータが自動で入力されます。

コラム データ入力時の困ったことに対処する①

Q セル内で改行して2行で表示したい

A Alt + Enter キーを押します。

セル内の文字列の任意の位置で改行して2行にしたい場合は、Alt + Enter キーを押します。改行すると行の高さは自動調整されて広がります。

	A	B	C
1	商品	単価	
2	リンゴジュース	1,000	
3	白桃ジュース	1,200	
4			
5			

改行位置にカーソルを表示し、Alt + Enter キーを押します。

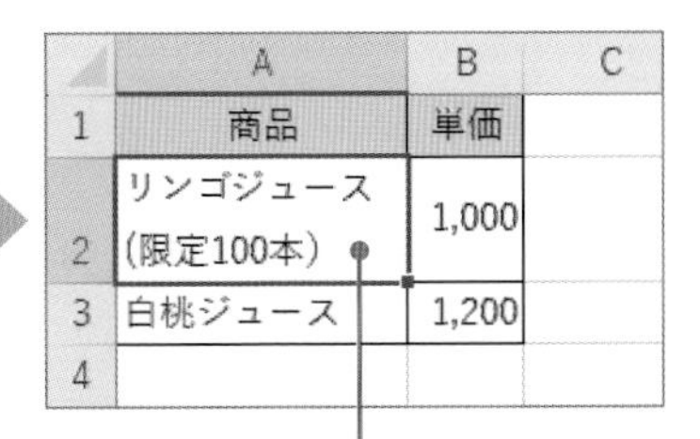

	A	B	C
1	商品	単価	
2	リンゴジュース （限定100本）	1,000	
3	白桃ジュース	1,200	
4			

改行され、2行目に文字を入力できます。

Section

40 文字種を指定したり、選択肢から入力したりする

Excelで作った表に、いろいろな人にデータを入力してもらう場合、このセルには日付、このセルには数字を入力してもらうなど、入力できるデータを制限できます。これを［データの入力規則］といいます。ここではデータの入力規則の設定方法を学びましょう。

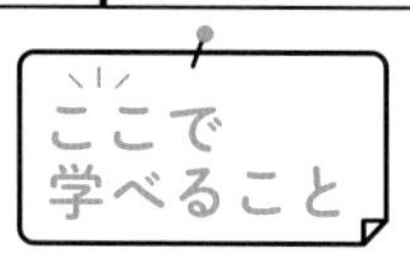

習得スキル	操作ガイド	ページ
▶入力する選択肢を表示する	レッスン40-1	p.145
▶入力できるデータを指定する	レッスン40-2	p.146
▶独自のエラーメッセージを表示する	レッスン40-3	p.147
▶日本語入力モードの自動切替	レッスン40-4	p.148

まずは パッと見るだけ！

データの入力規則を設定する

データの入力規則では、セルに入力するデータを選択肢にして表示したり、入力できるデータの種類や範囲を制限したりできます。また、オリジナルのエラーメッセージの表示や日本語入力モードの自動切り替えも設定できます。

● 入力データを選択肢にして表示する

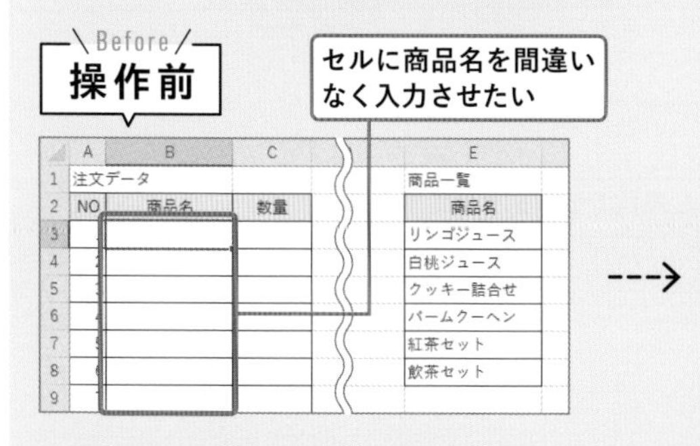

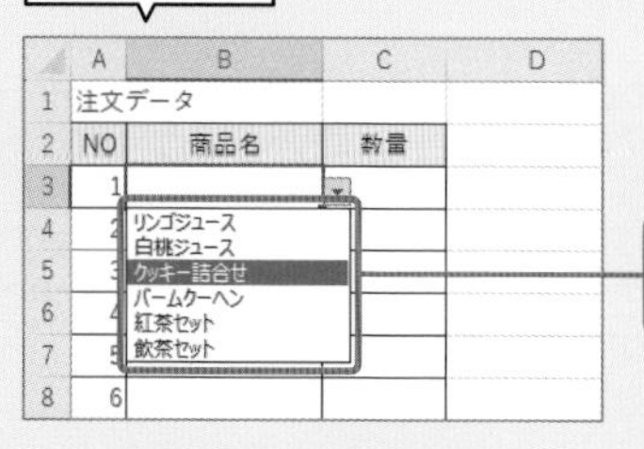

● 入力する値の範囲を指定する

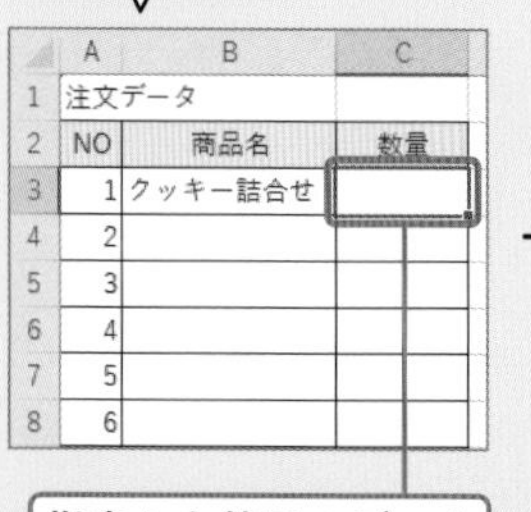

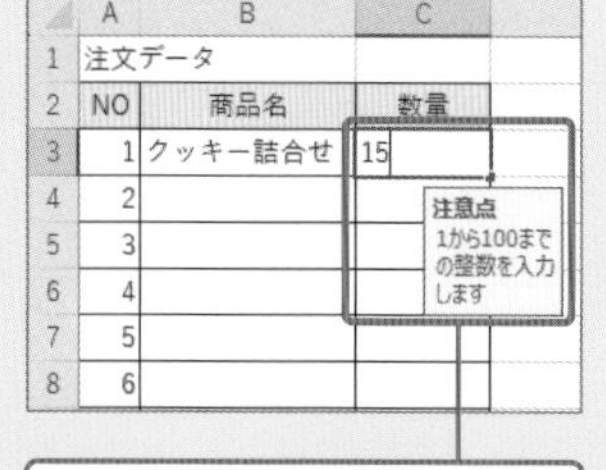

● 独自のエラーメッセージを表示する

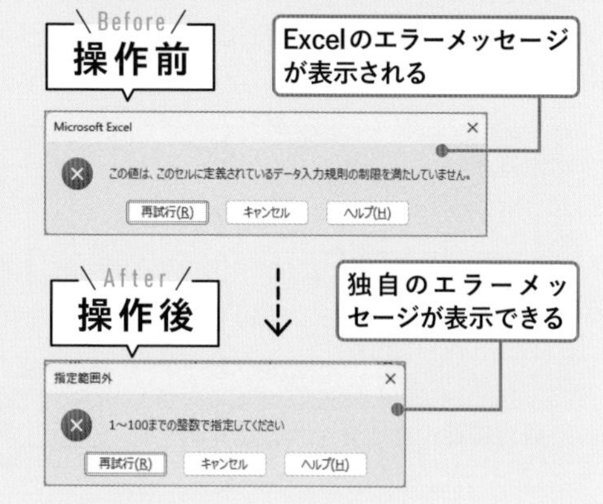

レッスン 40-1 セルに入力するデータを選択肢にする

40-1-注文データ.xlsx

操作 入力データを選択肢にする

入力するデータを選択肢から選択して入力できるようにするには、[データの入力規則] ダイアログの [入力値の種類] を [リスト] にします。[元の値] に選択肢となる項目をセル範囲で指定することができます。

Point [元の値] で選択肢を直接指定する

[元の値] に直接選択肢を登録することもできます。例えば、選択肢を「ジュース」「クッキー」にしたい場合は、「ジュース,クッキー」のように半角の「,」(カンマ) で区切って指定します。

データの入力規則 ? ×
設定 入力時メッセージ エラー メッセージ 日本語入力
条件の設定
入力値の種類(A):
リスト
空白を無視する(B)
ドロップダウン リストから選択する(I)
データ(D):
次の値の間
元の値(S):
ジュース,クッキー
同じ入力規則が設定されたすべてのセルに変更を適用する(P)
すべてクリア(C) OK キャンセル

コラム 入力値の種類

[入力値の種類] で選択できる種類は以下の通りです。

入力値の種類	内容
すべての値	制限なし
整数	指定範囲の整数
小数点数	指定範囲の小数点数
リスト	指定した選択肢
日付	指定範囲の日付
時刻	指定範囲の時刻
文字列(長さ指定)	指定の長さの文字列
ユーザー設定	指定した数式に合致する値

ここでは、商品名にセル範囲E3～E8の一覧が選択肢になるように設定します。

1 入力規則を設定するセル範囲を選択し、

2 [データ] タブ→ [データの入力規則] をクリックします。

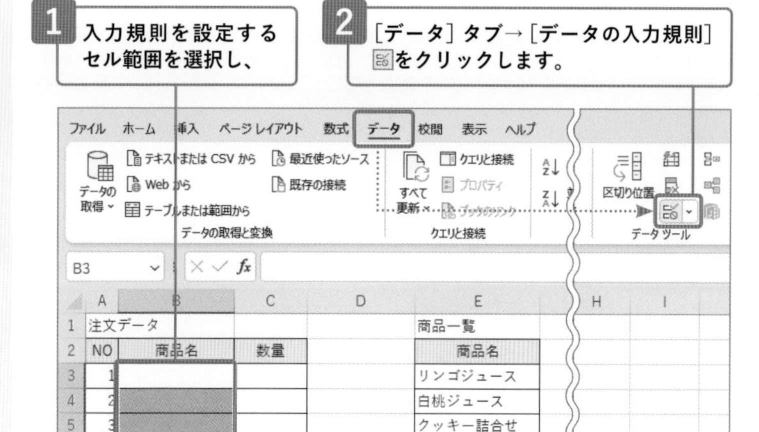

3 [入力値の種類] で [リスト] を選択し、

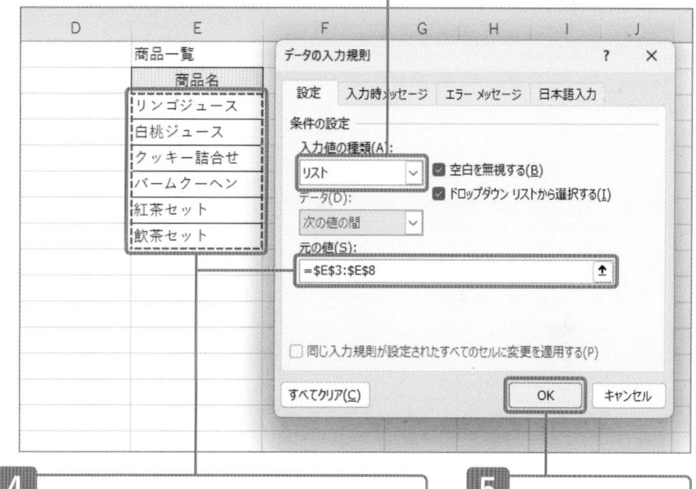

4 [元の値] をクリックし、選択肢が入力されているセル範囲をドラッグします。

5 [OK] をクリックします。

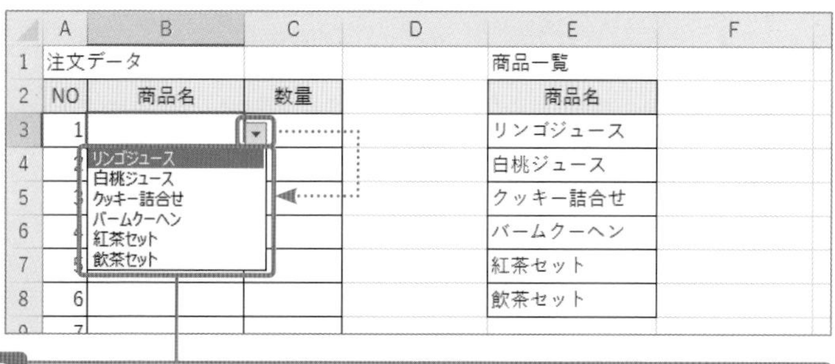

6 セルに表示される をクリックすると、指定した選択肢が表示されます。

レッスン 40-2 セルに入力できるデータを指定する

40-2-注文データ.xlsx

操作 セルに入力できるデータを指定する

データの入力規則では、リストを表示する以外に、入力するデータの種類や範囲を指定することができます。[データの入力規則] ダイアログの [入力値の種類] でデータの種類を選択し、データの範囲を指定します。

Memo 設定した入力規則を削除する

入力規則が設定されているセル範囲を選択し、[データ] タブ→ [データの入力規則] をクリックして [データの入力規則] ダイアログを表示し、[すべてクリア] をクリックします。

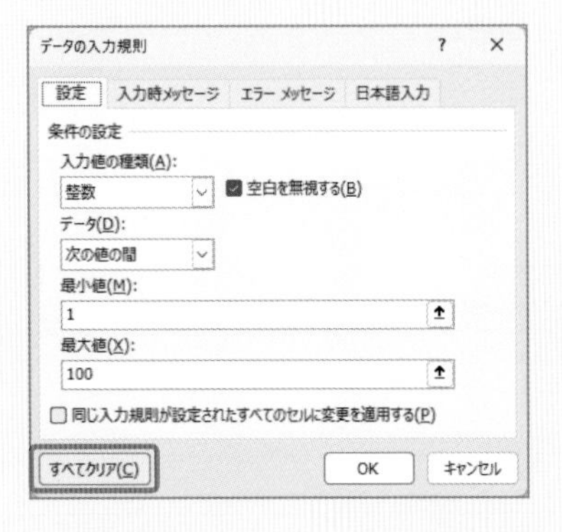

ここでは、指定した範囲の整数（1～100）が入力されるように設定します。

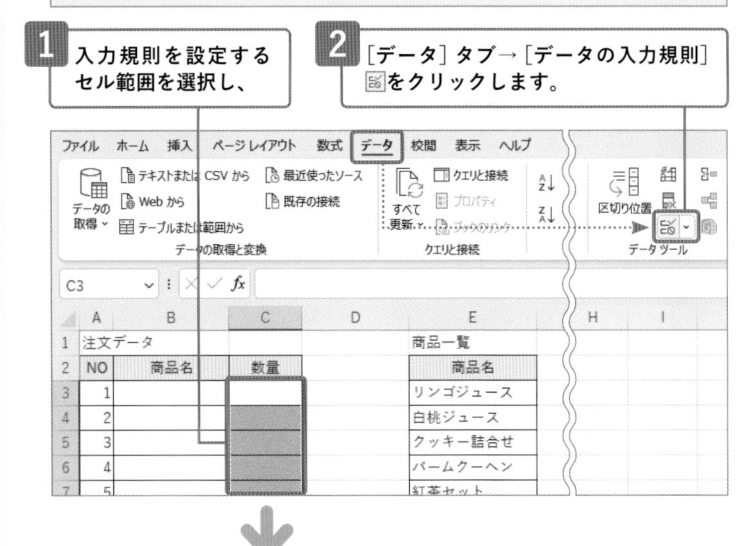

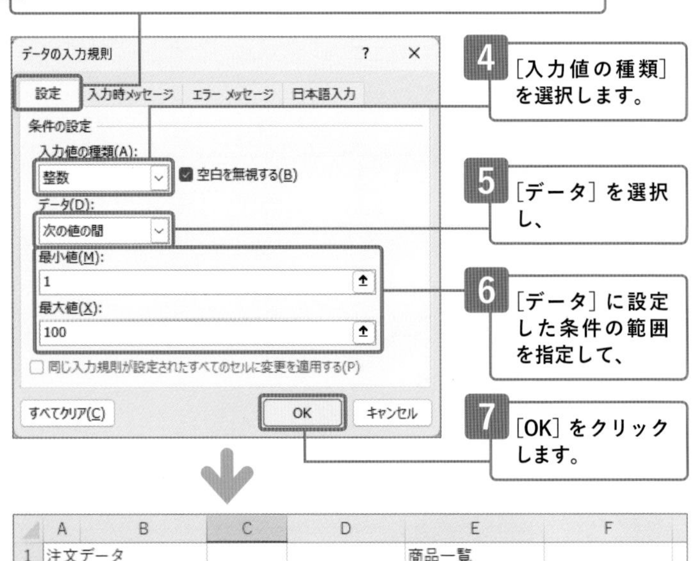

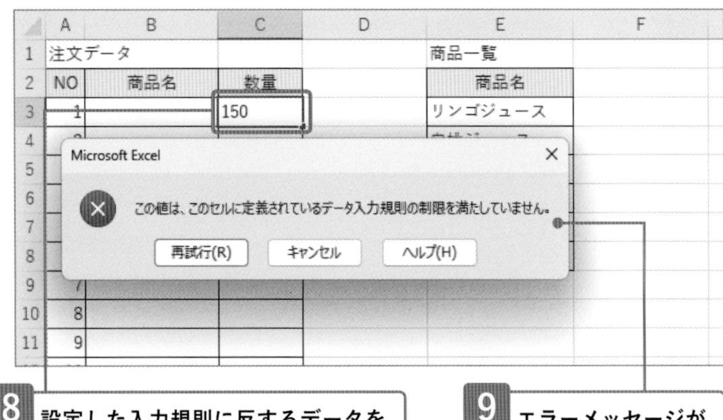

コラム 入力時に注意点をヒントとしてメッセージで表示する

入力規則が設定されているセルにデータを入力する際に、入力する際の注意点を示すメッセージを設定できます。手順6のあと、[データの入力規則] ダイアログの [入力時メッセージ] タブを表示し❶、タイトルとメッセージを指定します❷。入力規則を設定したセルを選択すると、設定したメッセージが表示されます❸。
なお、表示されたメッセージは Esc キーを押して非表示にできます。

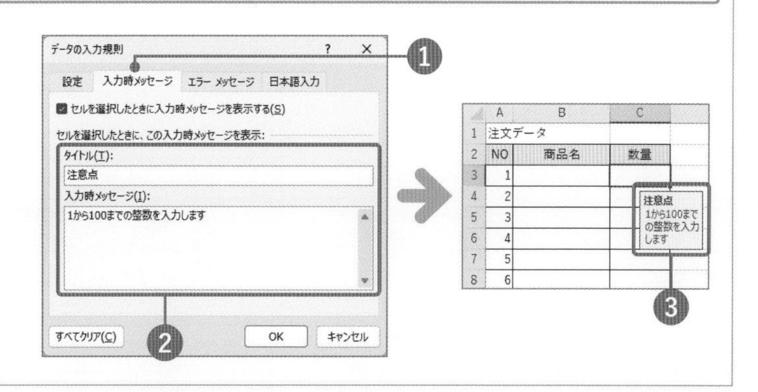

レッスン 40-3 独自のエラーメッセージを表示する

練習用ファイル 40-3-注文データ.xlsx

操作 独自のエラーメッセージを表示する

設定した入力規則に反するデータを入力すると、レッスン40-2の手順9のようにExcelのエラーメッセージが表示されます。独自のメッセージを設定することでエラー内容をよりわかりやすく伝えることができます。エラーメッセージは [データの入力規則] ダイアログの [エラーメッセージ] タブで設定します。

Memo エラーメッセージの [スタイル] の種類

エラーメッセージに表示するスタイルには以下の3種類があります。

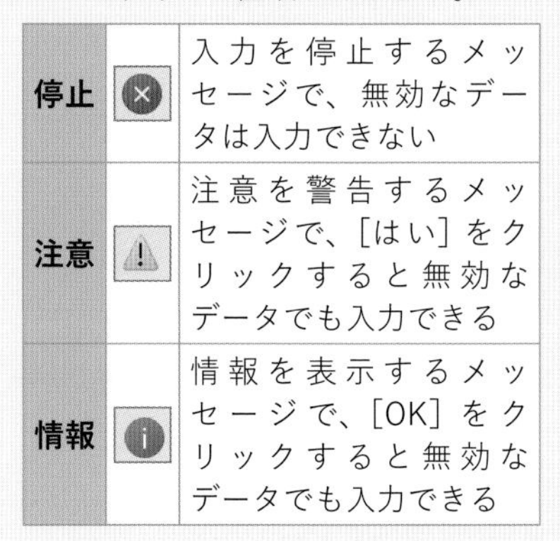

停止	✖	入力を停止するメッセージで、無効なデータは入力できない
注意	⚠	注意を警告するメッセージで、[はい] をクリックすると無効なデータでも入力できる
情報	ℹ	情報を表示するメッセージで、[OK] をクリックすると無効なデータでも入力できる

ここでは、レッスン40-2で設定した入力規則に反した場合に表示するエラーメッセージを設定します。

1 入力規則を設定するセル範囲を選択し、

2 [データ] タブ→ [データの入力規則] をクリックします。

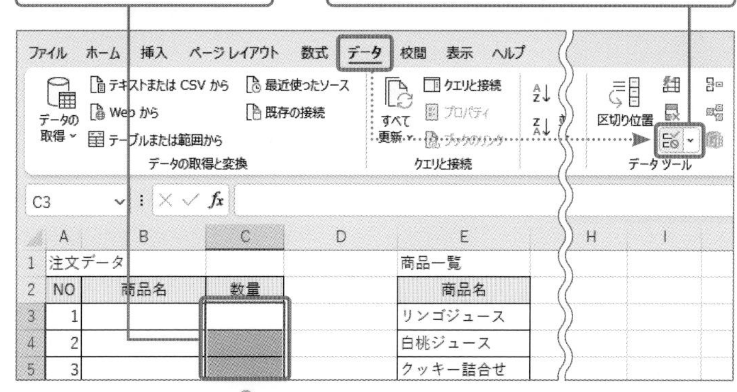

3 [データの入力規則] ダイアログで [エラーメッセージ] タブをクリックし、

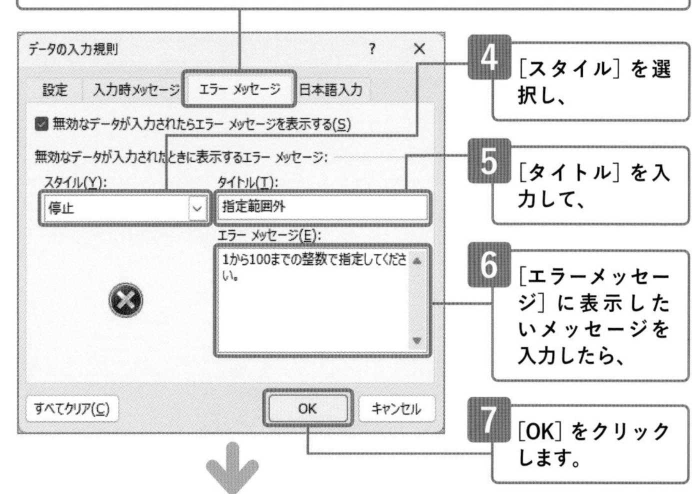

4 [スタイル] を選択し、

5 [タイトル] を入力して、

6 [エラーメッセージ] に表示したいメッセージを入力したら、

7 [OK] をクリックします。

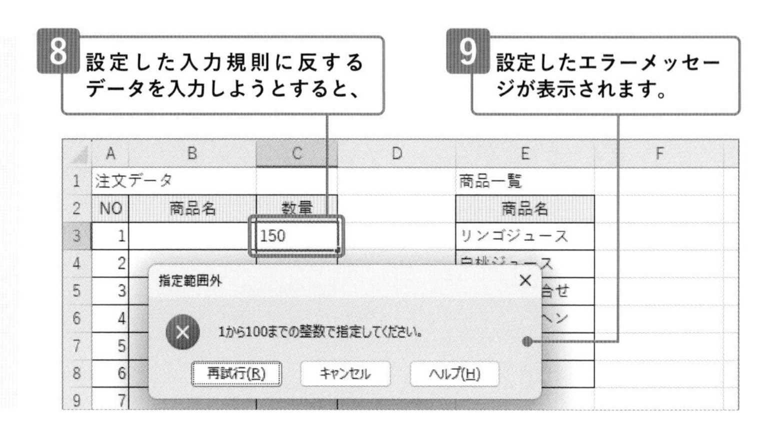

レッスン 40-4 日本語入力のモードを自動で切り替える

40-4-注文データ.xlsx

ここでは、[商品名] 列を日本語入力モードをオン (ひらがな)、[数量] 列をオフ (半角英数字) に設定します。

操作 日本語入力のモードを自動で切り替える

表にデータを入力する際に、入力するデータの種類に合わせて日本語入力モードが自動的に変更されるように設定することができます。[データの入力規則] ダイアログの [日本語入力] タブで設定します。

1 入力規則を設定するセル範囲を選択し、

2 [データ] タブ→ [データの入力規則] をクリックします。

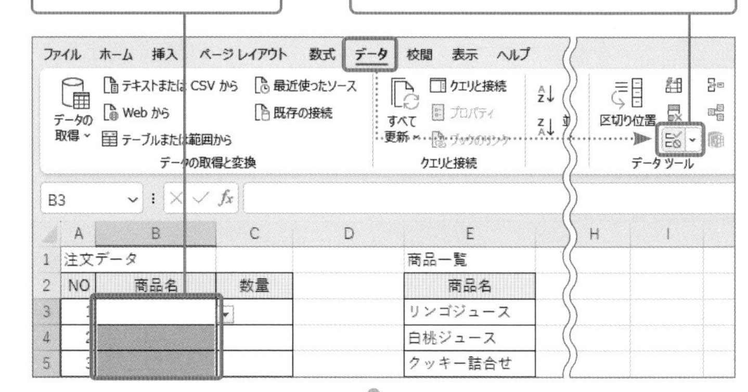

Memo 無効とオフ (英語モード) の違い

[無効] と [オフ (英語モード)] は、「半角英数字」が入力できる状態で、どちらも同じ文字が入力できますが、[無効] の場合は [半角/全角] キーを押しても入力モードをオンに切り替えることができません。
[オフ (英語モード)] の場合は [半角/全角] キーを押してオンに切り替えることができます。

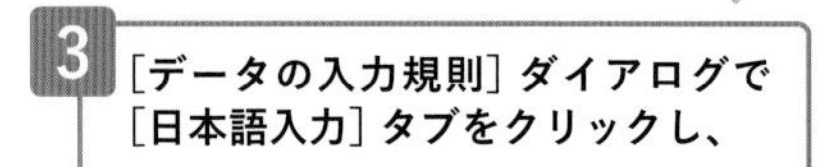
3 [データの入力規則] ダイアログで [日本語入力] タブをクリックし、

4 [日本語入力] で [オン] を選択して、

5 [OK] をクリックします。

6 同様にして [数量] 列 (セルC3～C12) を日本語入力モードをオフに設定しておきます。

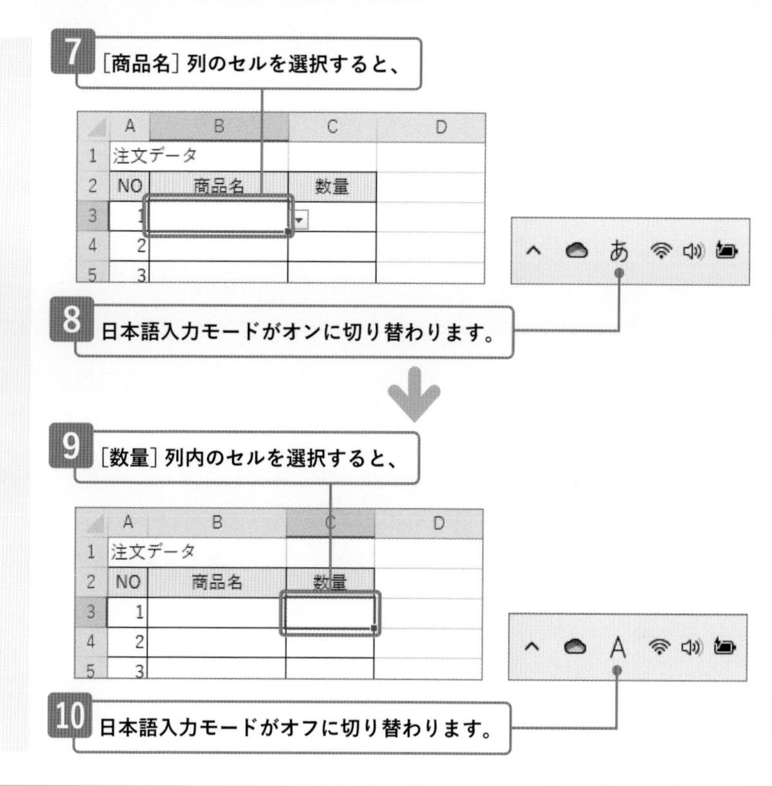

コラム データ入力時の困ったことに対処する②

Q 「2/5」を分数として表示したい

A 「0 2/5」と入力します。

「2/5」と入力すると、日付と判断されて「2月5日」と表示されてしまいます。「2/5」を分数として表示したいときは「0 2/5」のように「0 分子/分母」の形式で入力すると、分数として認識され、表示形式が[分数]に設定されます。入力された値は数値として扱われます。

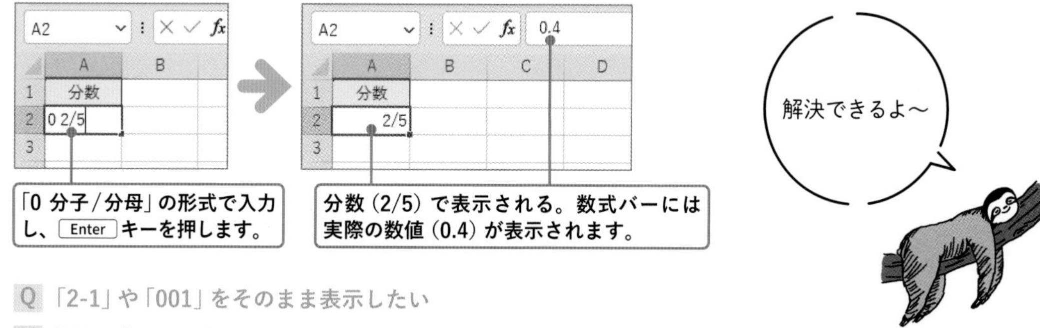

Q 「2-1」や「001」をそのまま表示したい

A 先頭に「'」を入力します。

「2-1」と入力すると日付と判断し「2月1日」と表示されます。また、「001」と入力すると、数値と判断し「1」が入力されます。入力した通りの文字列として表示したい場合は、先頭に半角の「'」(アポストロフィー) を入力してから文字を入力します。あるいは、表示形式を[文字列]にする方法もあります (p.180参照)。

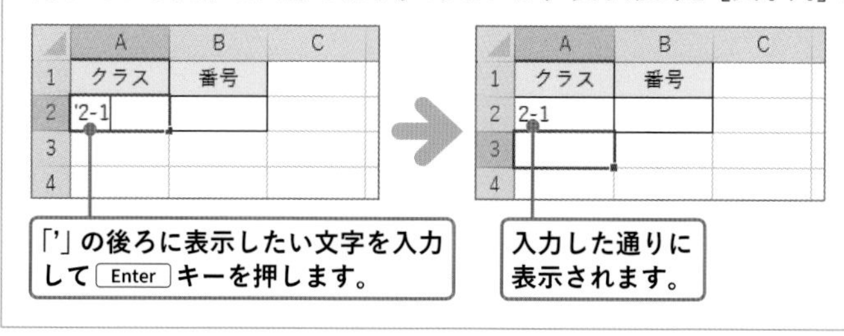

練習問題 いろいろな入力方法を練習してみよう

演習4-担当表.xlsx

完成見本を参考に、以下の手順でデータを入力してください。

1 セルA1の「受付スケジュール」を「受付担当スケジュール」に修正する

2 セル範囲A4～A9、セルA4の日付を元にオートフィルを使って連続データを入力する

3 セルG4の値を元に、担当氏名の姓のみをフラッシュフィルを使ってセルG6まで取り出す

4 セル範囲B4～B9に入力するデータを、データの入力規則を使ってセル範囲G4～G6を選択肢として設定する

5 セルC7に「はじめての投資」、セルC8に「NISAで資産形成」、セルC9に「株式投資入門」を、オートコンプリートを使って入力する

6 セル範囲D4～D9に「50」を一気に入力する

▼元の表

	A	B	C	D	E	F	G	H	I	J	K	L
1	受付スケジュール											
2												
3	日付	担当	セミナー名	定員		担当氏名	担当					
4	4月1日		はじめての投資			鈴木　早苗	鈴木					
5			NISAで資産形成			田村　真凜						
6			株式投資入門			吉川　聖子						
7												
8												
9												
10												
11												
12												
13												
14												

▼完成見本

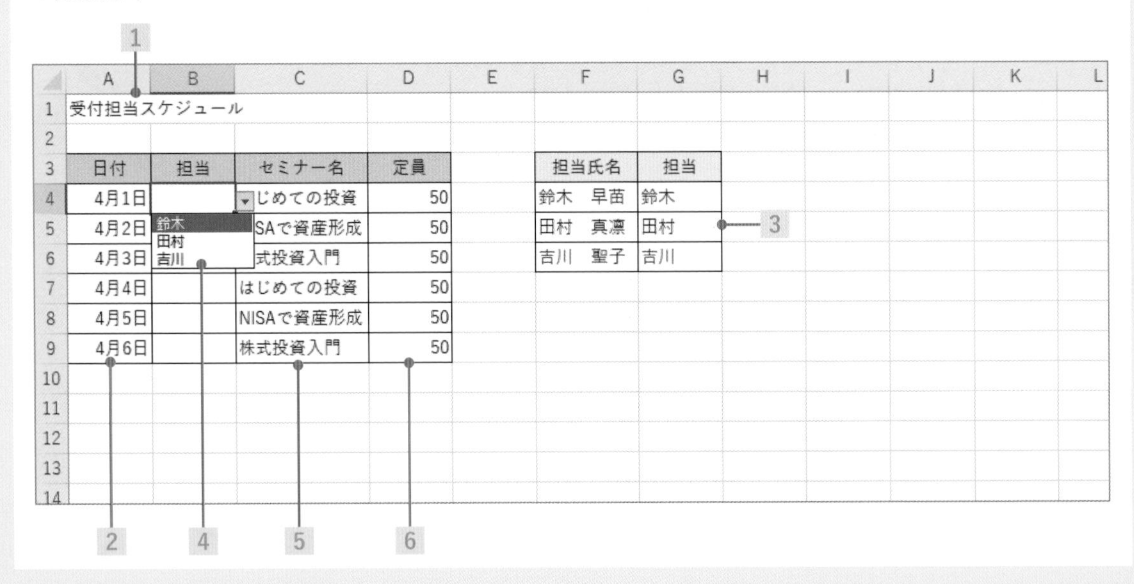

	A	B	C	D	E	F	G
1	受付担当スケジュール						
2							
3	日付	担当	セミナー名	定員		担当氏名	担当
4	4月1日		じめての投資	50		鈴木　早苗	鈴木
5	4月2日	鈴木	SAで資産形成	50		田村　真凜	田村
6	4月3日	田村 吉川	式投資入門	50		吉川　聖子	吉川
7	4月4日		はじめての投資	50			
8	4月5日		NISAで資産形成	50			
9	4月6日		株式投資入門	50			

第 5 章

表のレイアウトをきれいに整える

本章では、文字に太字を設定したり、サイズを変更したりして文字に飾りを付けたり、罫線を引いて表にしたりします。さらに、セルの値によって自動的に書式を設定する「条件付き書式」の設定方法も紹介します。セルに入力した文字やセルを修飾し、表を見栄えよくきれいに整える方法をマスターしましょう。

きれいな
表に仕上げ
ましょう

Section 41

見た目が整っている表の条件を知ろう

見た目が整っている表とは、タイトルを大きくしたり、表に罫線を引いたり、項目名に色を付けたりと、見栄えよくしたものです。ただ見やすいだけでなく、見た目を整えることによって、情報を相手に正確に伝えることができます。

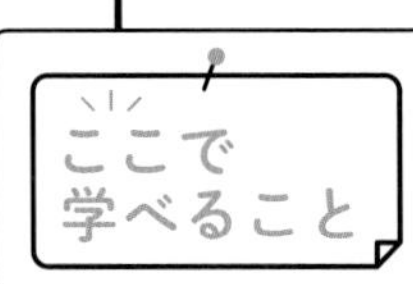

習得スキル	操作ガイド	ページ
▶整った表を知る	なし	p.152

まずは パッと見るだけ！

文字やセルに書式を設定する

書式とは、文字に対して太字、サイズ、配置などを変更したり、セルに対して罫線を引いたり色を付けたりして、表の見栄えを整えるものです。

Before 操作前

	A	B	C
1	生活家電商品（2024年春）		エスピー家電
2			2024/3/1
3	商品NO	商品名	価格
4	2023年製		
5	H1001	空気清浄機	35000
6	H1002	サーキュレーター	25000
7	H1003	掃除機	30000
8	2024年製		
9	H1004	洗濯機	55000
10	H1005	冷蔵庫	40000
11	H1006	布団乾燥機	15000
12	H1007	マッサージ器	25000
13			
14			
15			

セルにデータを入力しただけの状態

After 操作後

	A	B	C
1	生活家電商品(2024年春)		エスピー家電
2			令和6年3月1日
3	商品NO	商品名	価格
4	2023年製		
5	H1001	空気清浄機	¥35,000
6	H1002	サーキュレーター	¥25,000
7	H1003	掃除機	¥30,000
8	2024年製		
9	H1004	洗濯機	¥55,000
10	H1005	冷蔵庫	¥40,000
11	H1006	布団乾燥機	¥15,000
12	H1007	マッサージ器	¥25,000
13			
14			
15			

文字のサイズ、色、配置、罫線などを設定して表を整えると見やすく、伝わりやすい

書式を設定するリボンとダイアログ

Point 書式を設定するリボンとダイアログ

書式は、主に［ホーム］タブの［フォント］、［配置］、［数値］、［スタイル］グループに機能ごとにボタンがまとめられています。グループの右端にある⧉をクリックして、［セルの書式設定］ダイアログを表示し、より詳細な書式設定を行うことができます。

ショートカットキー

- ［セルの書式設定］ダイアログの表示
  Ctrl + 1

書式を設定するリボン

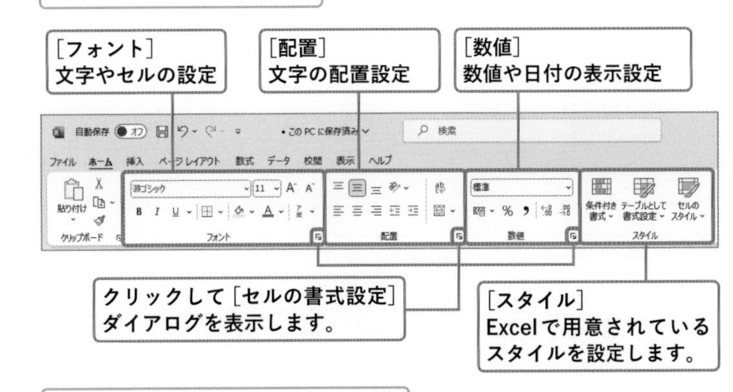

［セルの書式設定］ダイアログ

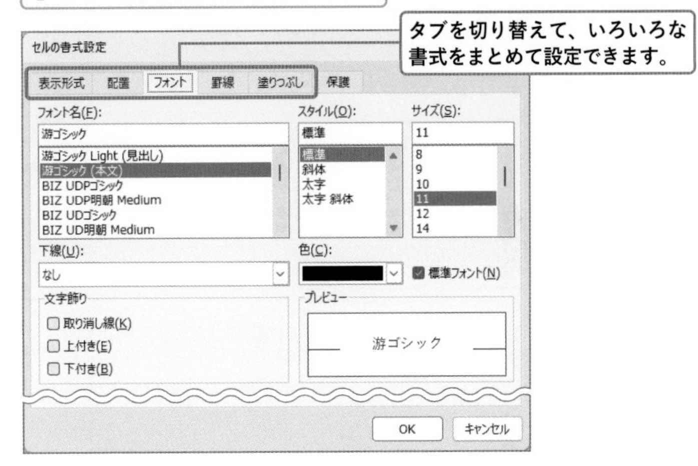

書式の設定例

さまざまな書式を組み合わせて表の見栄えを整えます。

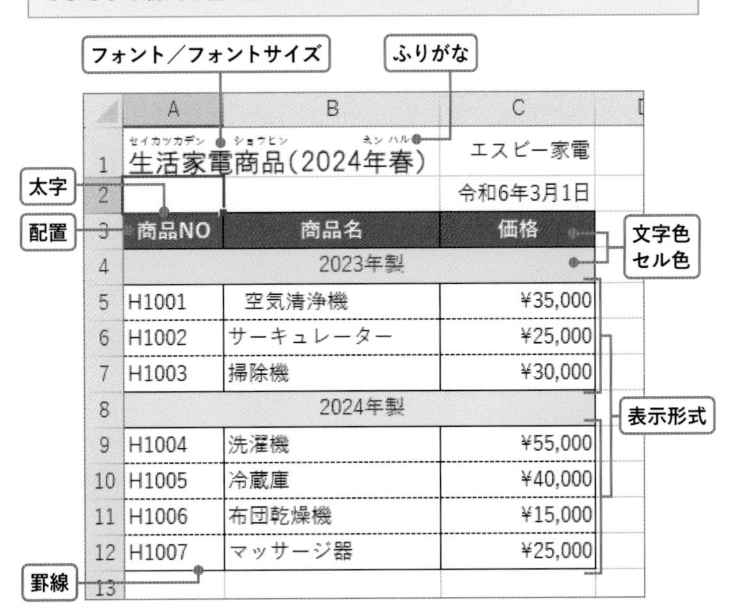

Section

42 文字にいろいろな書式を設定する

文字サイズを大きくしたり、太字にしたりと、文字に対して書式を設定して見た目を変更することで、強調し、読みやすくすることができます。文字に設定する書式について覚えましょう。

ここで学べること

習得スキル	操作ガイド	ページ
▶文字サイズ／書体の変更	レッスン42-1	p.155

まずは パッと見るだけ！

文字に書式を設定する

表のタイトルは、サイズや書体（フォント）を変更して強調して目立たせると、表の内容を一瞬で伝えられます。また、表の項目名にデータと異なる書式を設定するとメリハリがつき、見やすくなります。

Before 操作前

	A	B	C	D
1	生活家電商品（2024年春）		エスピー家電	
2			2024/3/1	
3	商品NO	商品名	価格	
4	2023年製			
5	H1001	空気清浄機	35000	

タイトルや表の項目を強調したい

After 操作後

	A	B	C	D
1	生活家電商品(2024年春)		エスピー家電	
2			2024/3/1	
3	**商品NO**	**商品名**	**価格**	
4	2023年製			
5	H1001	空気清浄機	35000	

タイトルの文字サイズやフォントを変更し、項目を太字にして見やすくなった

表では「タイトル」「見出しの項目」を優先して書式を設定しましょう

レッスン 42-1 フォント、フォントサイズなどの書式を変更する

42-生活家電商品.xlsx

操作 文字に書式を設定する

セルに入力された文字の書体は[ホーム]タブの[フォント]で設定し、文字サイズは[フォントサイズ]で設定します。また太字、斜体、下線は、[太字] B、[斜体] I、[下線] Uをクリックして設定します。先に設定するセルを選択してから、それぞれのボタンをクリックしましょう。

Memo フォント

フォントとは、書体のことです。Excelでは、「游ゴシック」が既定のフォントとして設定されています。

Point フォントサイズについて

フォントサイズはポイント単位で変更します。1ポイントは、約0.35mmです。
既定のフォントサイズは、「11ポイント」です。フォントサイズの一覧にないサイズにしたい場合は、フォントサイズのボックスに直接数値を入力して Enter キーを押してください。
また、[ホーム]タブの[フォントサイズの拡大] A^、[フォントサイズの縮小] Aˇをクリックすると、少しずつ大きくしたり、小さくしたりできます。

フォントとフォントサイズの変更

ここでは、セルA1のフォントを「HGPゴシックM」、文字サイズを「14ポイント」、セル範囲A3～C3を「太字」に設定します。

1 セルをクリックします。

2 [ホーム]タブ→[フォント]の⌄をクリックし、一覧からフォントをクリックすると、

3 フォントが変更されます。

4 続けて、[ホーム]タブ→[フォントサイズ]の⌄をクリックし、

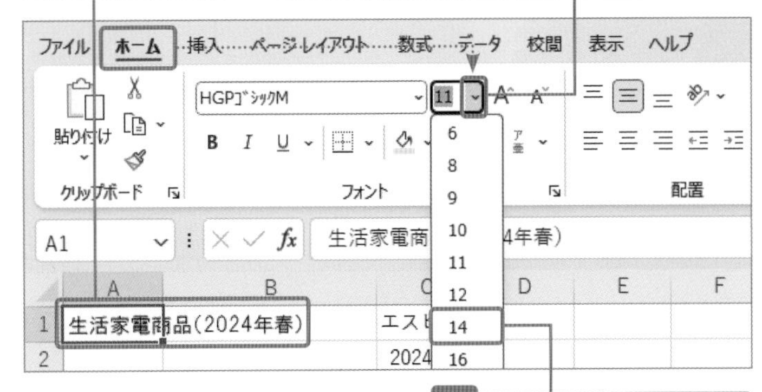

5 サイズをクリックすると、

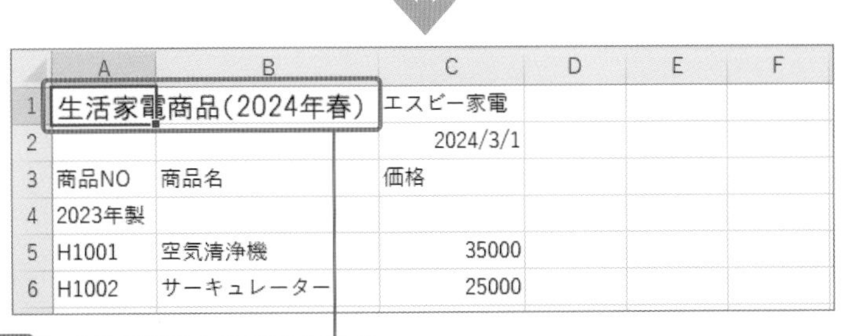

	A	B	C	D	E	F
1	生活家電商品(2024年春)		エスピー家電			
2			2024/3/1			
3	商品NO	商品名	価格			
4	2023年製					
5	H1001	空気清浄機	35000			
6	H1002	サーキュレーター	25000			

6 文字サイズが変更されます。

操作 太字／斜体／下線を設定する

セルを選択し、Bで太字、Iで斜体、[下線] Uで下線を設定できます。いずれもクリックするごとに設定と解除を切り替えられます。また、同じ文字に重ねて設定することもできます。また、[下線] Uの⌄をクリックし、一覧から設定する下線の種類を指定できます。

Memo セル内の文字列の一部分だけ変更する

セルをダブルクリックして、カーソルを表示し、変更したい文字列を選択してから❶、書式を変更します❷。

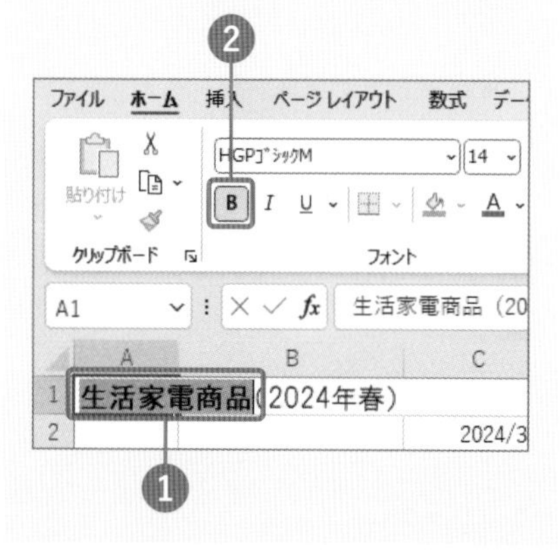

太字の設定

1 セル範囲を選択します。

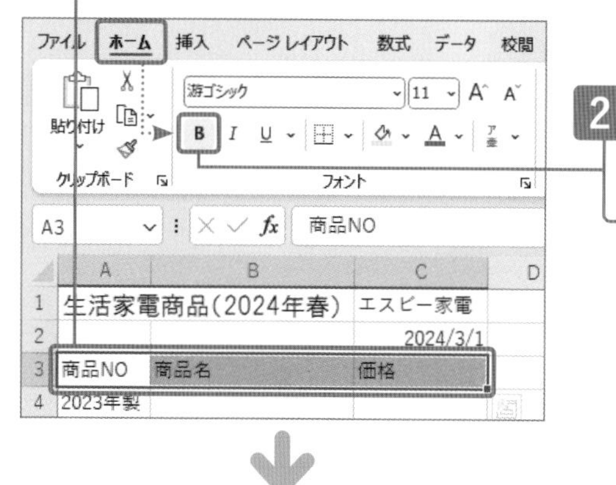

2 [ホーム] タブ→[太字] Bをクリックすると、

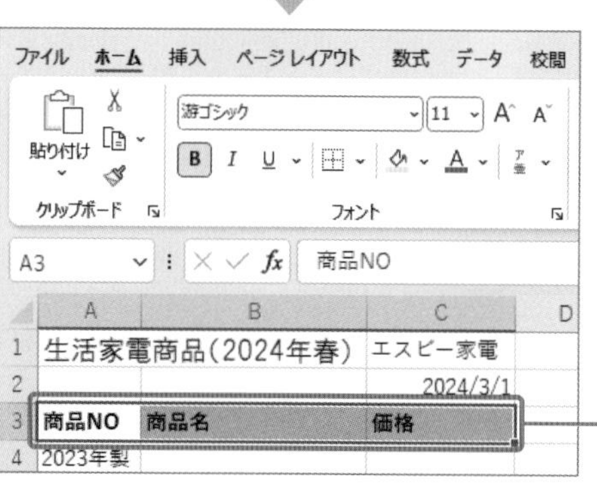

3 太字に設定されます。

コラム 上付き文字／下付き文字／取り消し線を設定する

[ホーム] タブの「フォント」グループにある⧉をクリックすると表示される [セルの書式設定] ダイアログの [フォント] タブにある [文字飾り] で、[取り消し線]、[上付き]、[下付き] の設定ができます。

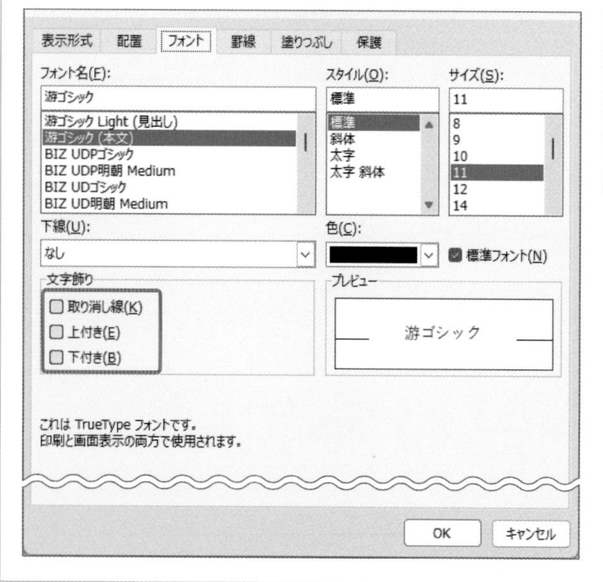

取り消し線	~~1000~~
上付き	10^2
下付き	H_2O

コラム　Section18の［納品書］の解説

Section18の納品書では、本書では解説していない関数を使っています。詳細は解説しませんが、どのような数式や関数が設定されているかを紹介します。興味があれば、ご活用ください。

=VLOOKUP($B11,$H$2:$L$7,2,FALSE)
意味： セルB11の値をセル範囲H2～L7の1列目で完全一致（FALSE）で検索し、見つかった行の2列目の値を表示する
書式： =VLOOKUP(検索値, 範囲, 列番号, [検索の型])
説明： 検索値を範囲の1列目で検索し、見つかった行の指定した列にある値を返す。検索の型をFALSEにすると完全一致で検索する

=IF(B11="","",D11*E11)
意味： セルB11の値が空白の場合は何も表示しない、そうでない場合は「D11 × E11」の結果を表示する
書式： IF(論理式, 真の場合, [偽の場合])
説明： 論理式で指定した条件が成立する場合は真の場合、成立しない場合は偽の場合を返す（Section60参照）

	A	B	C	D	E	F	G	H	I	J	K	L
1		納品書						商品NO	商品	分類	単価	税込価格
2								A1001	リンゴジュース	飲料	1,000	1,080
3					受注NO	1001		A1002	白桃ジュース	飲料	1,200	1,296
4					受注日	2024年02月10日		B2001	クッキー詰合せ	菓子	1,200	1,296
5		山本　花子		様				B2002	バームクーヘン	菓子	1,400	1,512
6						株式会社　SB製菓		C3001	紅茶セット	セット	1,300	1,404
7				〒106-0032　東京都港区六本木ｘ－ｘ－ｘ				C3002	飲茶セット	セット	1,500	1,620
8					ＴＥＬ：03-ｘｘｘ-ｘｘｘｘ							
9												
10	NO	商品NO	商品名	税込価格	数量	税込金額						
11	1	A1001	リンゴジュース	1,080	2	¥2,160						
12	2	B2002	バームクーヘン	1,512	1	¥1,512						
13	3	C3001	紅茶セット	1,404	1	¥1,404						
14	4											
15	5											
16					合計	¥5,076						
17												
18												

=VLOOKUP($B11,$H$2:$L$7,5,FALSE)
意味： セルB11の値をセル範囲H2～L7の1列目で完全一致（FALSE）で検索し、見つかった行の5列目の値を表示する

=SUM(F11:F15)
意味： セル範囲F11～F15を合計する
書式： =SUM(セル範囲)
説明： セル範囲内の数値の合計を返す（Section56参照）

Section

43 文字とセルに色を付ける

文字やセルに色を付けると、表をよりきれいに見栄えよくすることができます。文字とセルの両方に色を付ける場合は、文字が読みづらくならないように色の選択に注意しましょう。

ここで学べること

習得スキル	操作ガイド	ページ
▶文字とセルに色を付ける	レッスン43-1	p.159
▶セルにスタイルを適用する	レッスン43-2	p.161

まずは パッと見るだけ！

文字とセルの色を設定する

表の見出しなど、他のセルと区別したい行や列の文字／セルに色を設定すると、表が華やぎ、注目度を上げることができます。

● 文字とセルに色を付ける

Before 操作前

2			2024/3/1
3	商品NO	商品名	価格
4	2023年製		

表の項目名を強調したい

After 操作後

2			2024/3/1
3	商品NO	商品名	価格
4	2023年製		

文字とセルに色を付けたため、表の区切りが明確になり、項目が見やすくなった

● スタイルを使って複数の書式をまとめて設定する

Before 操作前

	A	B	C
1	生活家電商品(2024年春)		エスピー家電
2			2024/3/1
3	商品NO	商品名	価格
4	2023年製		
5	H1001	空気清浄機	35000
6	H1002	サーキュレーター	25000
7	H1003	掃除機	30000
8	2024年製		
9	H1004	洗濯機	55000
10	H1005	冷蔵庫	40000

同じ書式が続いて読みづらい

After 操作後

	A	B	C
1	生活家電商品(2024年春)		エスピー家電
2			2024/3/1
3	商品NO	商品名	価格
4	2023年製		
5	H1001	空気清浄機	35000
6	H1002	サーキュレーター	25000
7	H1003	掃除機	30000
8	2024年製		
9	H1004	洗濯機	55000
10	H1005	冷蔵庫	40000

スタイルを使うと文字とセルの色の組み合わせで一気に書式が設定できる

レッスン 43-1 文字とセルに色を設定する

43-1-生活家電商品.xlsx

操作 文字とセルに色を設定する

文字に色を設定するには、[ホーム]タブの[フォントの色]を使います。
セルに色を設定するには、[ホーム]タブの[塗りつぶしの色]を使います。
どちらもをクリックしてカラーパレットを表示し、設定したい色をクリックします。

Point 直前に設定した同じ色を設定する

セルや文字の色を変えると、[塗りつぶしの色]や[フォントの色]には、やのように、直前に設定した色が表示されます。
手順の後に続けて同じ色を設定したい場合は、直接やをクリックして設定できます。

Memo 色の設定を解除するには

文字の色を解除するには、カラーパレットで[自動]を選択します。
セルの色を解除するには、カラーパレットで[塗りつぶしなし]を選択します。

Memo カラーパレットの色を確認するには

カラーパレットの色にマウスポインターを合わせると、色の名前や内容がポップヒントで表示されます。

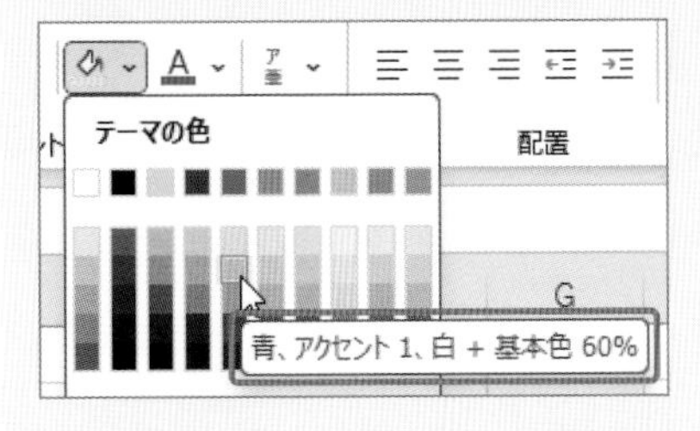

セルに色を設定する

ここでは、セル範囲A3～C3のセルを濃い緑、文字を白に設定します。

1 セル範囲を選択します。

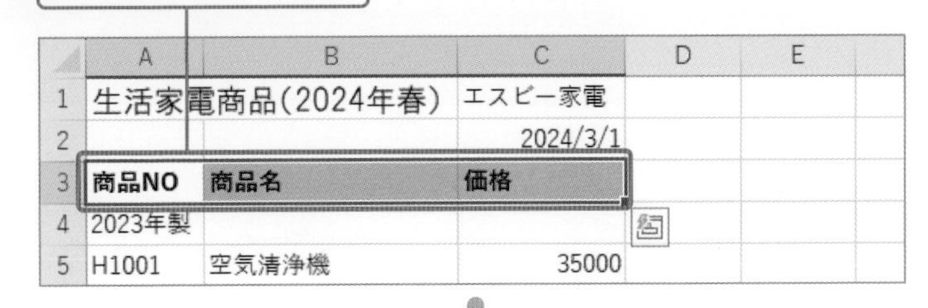

2 [ホーム]タブ→[塗りつぶしの色]のをクリックし、

3 カラーパレットで色をクリックすると、

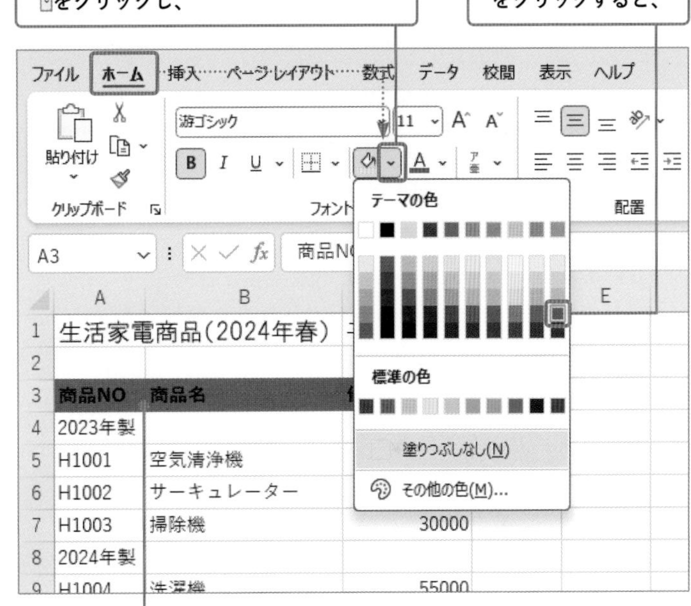

4 セルに色が設定されます。

文字に色を設定する

1 セル範囲が選択されていることを確認し、

	A	B	C	D	E
1	生活家電商品(2024年春)		エスピー家電		
2			2024/3/1		
3	商品NO	商品名	価格		
4	2023年製				
5	H1001	空気清浄機	35000		

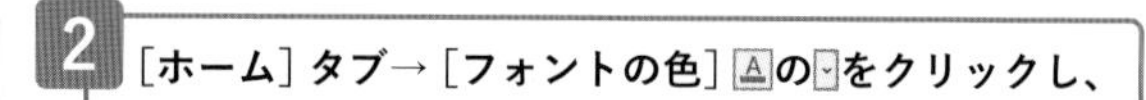

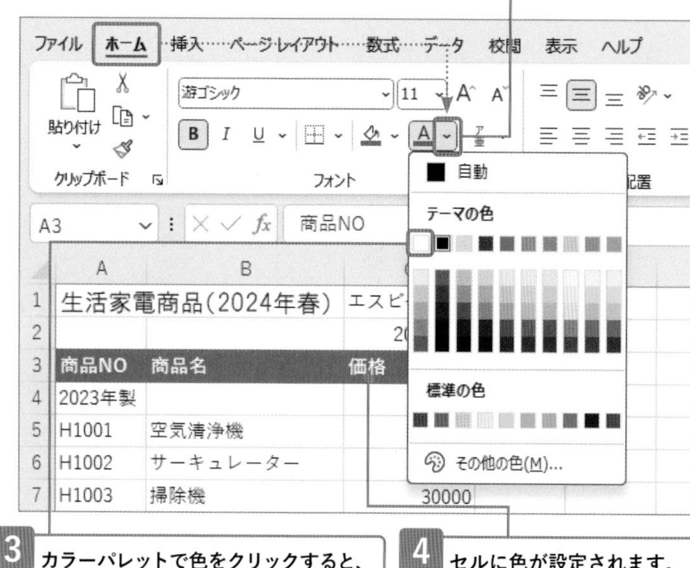

コラム カラーパレットについて

セルの色や文字の色を設定するときに表示されるカラーパレットには以下のように色の一覧が表示されます。
[テーマの色] には、現在ブックに適用されているテーマの色が表示されています。テーマとは、ブック全体に適用されるフォント、配色、効果の組み合わせです (Section51 参照)。テーマを変えると、[テーマの色] にある配色が変更されます。[標準の色] には、テーマに関わらず常に設定できる色が配置されています。
また、[その他の色] をクリックすると、[色の設定] ダイアログが表示されます。[標準] タブでは、色見本をクリックして設定でき、[ユーザー設定] タブでは、色と明度を指定して独自の色を設定できます。

● その他の色 ([色の設定] ダイアログ)

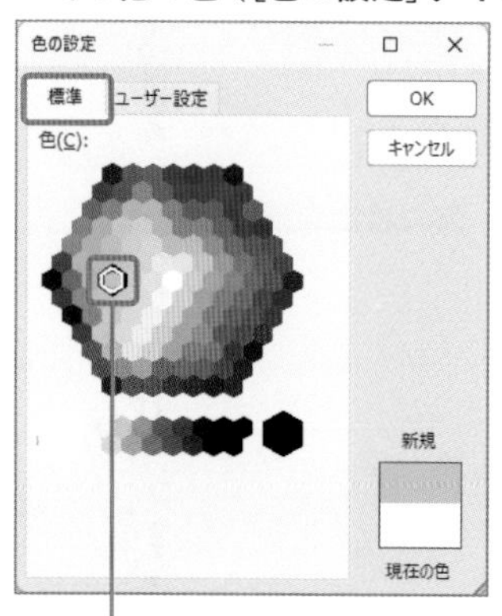

● セルの色 (塗りつぶしの色)　● 文字の色 (フォントの色)

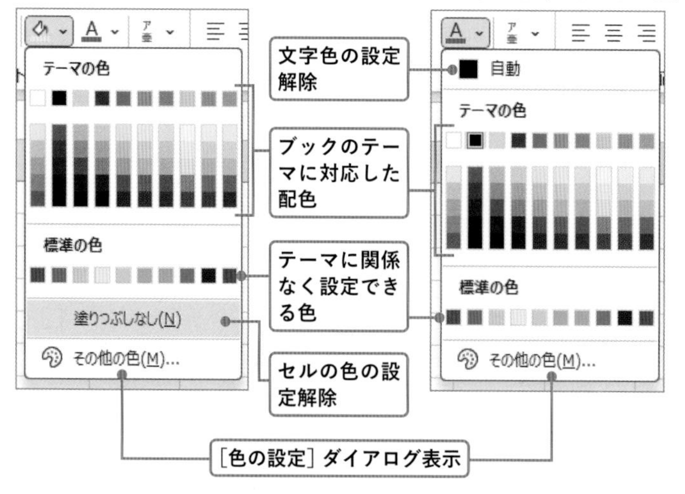

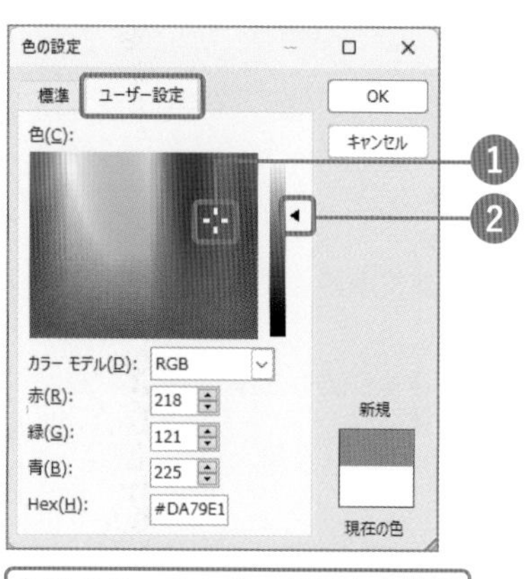

レッスン 43-2 スタイルを適用して文字やセルに色や書式を設定する

43-2-生活家電商品.xlsx

操作 スタイルを適用する

スタイルとは、文字やセルにいろいろな書式を組み合わせて登録したものです。スタイルを使うとセルにすばやく複数の書式を設定することができます。
スタイルは、[ホーム] タブの [セルのスタイル] で選択できます。

Memo スタイルを解除する

スタイルを解除するには、手順2で [標準] をクリックします。

ここでは、セル範囲A4～C4とA8～C8にスタイル [良い] を設定します。

1 セル範囲（ここではセルA4～C4とA8～C8）を選択します。

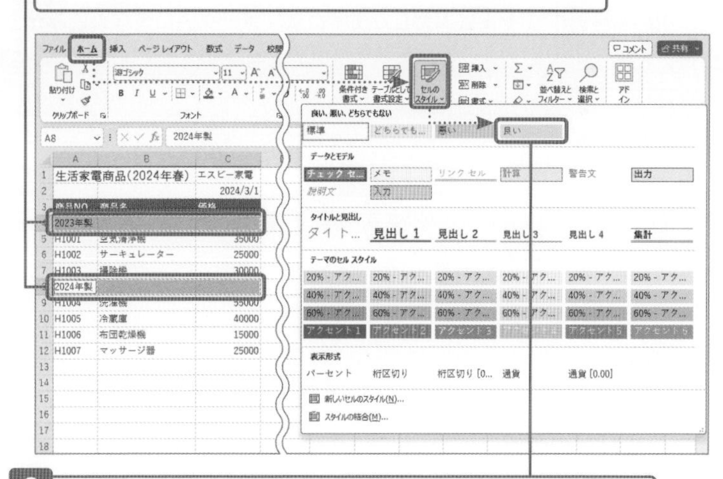

2 [ホーム] タブ→ [セルのスタイル] → [良い] をクリックすると、

	A	B	C	D	E	F	G
1	生活家電商品(2024年春)		エスピー家電				
2			2024/3/1				
3	商品NO	商品名	価格				
4	2023年製						
5	H1001	空気清浄機	35000				
6	H1002	サーキュレーター	25000				
7	H1003	掃除機	30000				
8	2024年製						
9	H1004	洗濯機	55000				
10	H1005	冷蔵庫	40000				
11	H1006	布団乾燥機	15000				
12	H1007	マッサージ器	25000				
13							
14							
15							

3 選択したセル範囲に [良い] のスタイルが設定されます。

Section 44

ふりがなを表示する

セルに入力した漢字には、ブック内に漢字の読みがふりがな情報として保存されています。そのふりがな情報を、漢字の上部にふりがなとして表示することができます。

習得スキル	操作ガイド	ページ
▶ふりがなの表示	レッスン44-1	p.163

まずは パッと見るだけ！

ふりがなの表示

セルに入力された漢字の読みをふりがなとして表示します。

Before 操作前

	A	B	C	D
1	生活家電商品(2024年春)		エスピー家電	
2			2024/3/1	
3	商品NO	商品名	価格	
4	2023年製			
5	H1001	空気清浄機	35000	
6	H1002	サーキュレーター	25000	

ふりがなを表示したい

After 操作後

	A	B	C	D
1	セイカツカデン ショウヒン ネン ハル 生活家電商品(2024年春)		エスピー家電	
2			2024/3/1	
3	商品NO	商品名	価格	
4	2023年製			
5	H1001	空気清浄機	35000	
6	H1002	サーキュレーター	25000	

漢字の上部にふりがなが表示された

レッスン44-1 ふりがなを表示する

練習用ファイル 44-生活家電商品の表示.xlsx

ここでは、セルA1のタイトルにふりがなを表示します。

操作 ふりがなを表示する

ふりがなを表示するには、[ホーム] タブ→[ふりがなの表示/非表示] をクリックします。クリックするごとに表示/非表示が切り替わります。

Memo ふりがなが表示されない場合

他アプリのデータをコピーしたり、読み込んだりした場合は、漢字に読みの情報が含まれていないため、ふりがなは表示されません。
なお、下のMemoの「ふりがなを修正する」の手順でふりがなを編集状態にすると、自動的にふりがなが作成されます。

Memo ふりがなを修正する

ふりがなを修正するには、セルを選択し、ふりがなが表示されている状態で、Shift + Alt + ↑ キーを押します。ふりがなが編集状態になりカーソルが表示されます。
ふりがなを修正したら、Enter キーを押して確定します。
なお、[ホーム] タブの [ふりがなの表示/非表示] の をクリックし、[ふりがなの編集] をクリックしても同様に編集状態にすることができます。

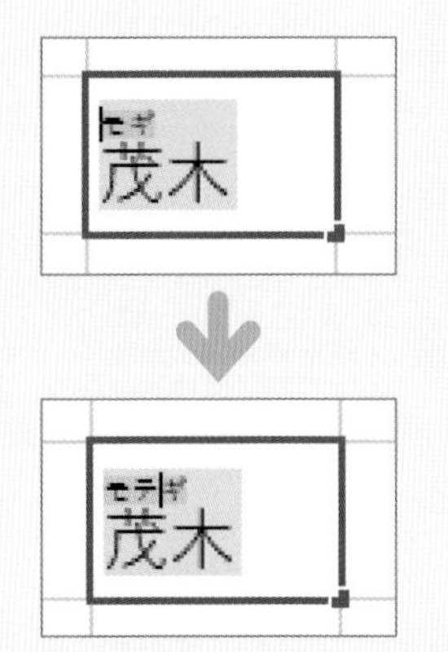

1 セルを選択します。

2 [ホーム] タブ→ [ふりがなの表示/非表示] をクリックすると、

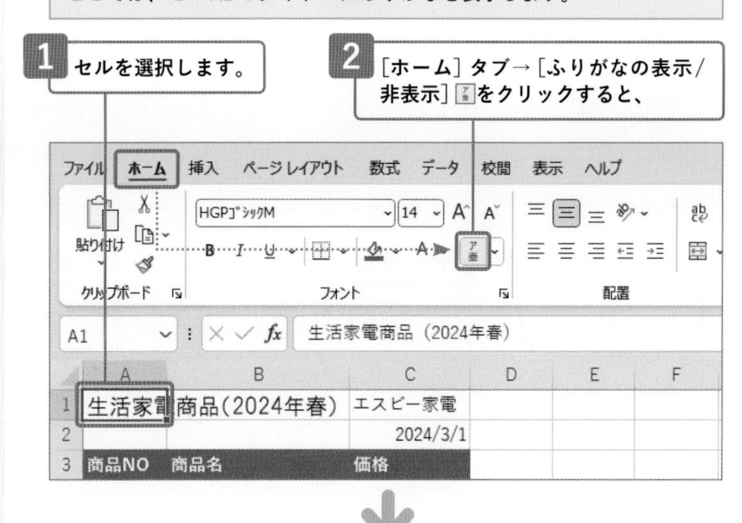

3 漢字の上部にふりがなが表示されます。

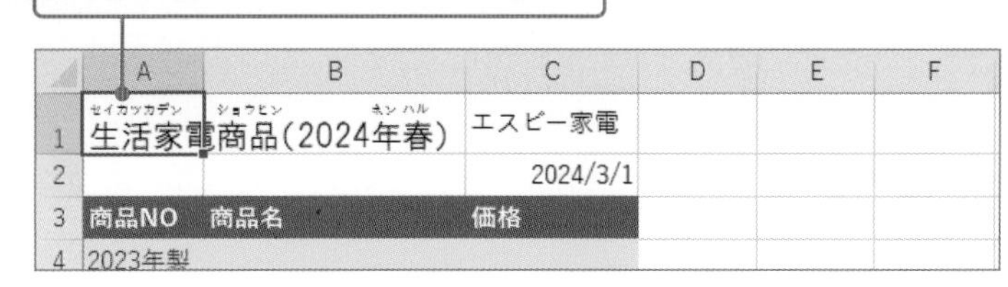

コラム ふりがなの設定を変更する

既定では、カタカナのふりがなが表示されます。ひらがなで表示したいとか、フォントを変えるとか、文字サイズを少し大きくしたいなどの変更を加えたい場合は、[ホーム] タブの [ふりがなの表示/非表示] の をクリックし、[ふりがなの設定] をクリックし、表示される [ふりがなの設定] ダイアログの [ふりがな] タブでふりがなの種類や配置、[フォント] タブでふりがなのフォントやサイズなどの書式が設定できます。

文字種や配置を指定できる。

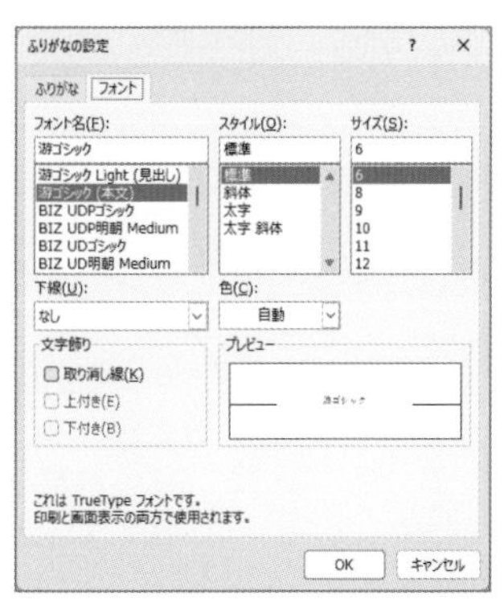

フォントやサイズなどの書式を設定できる。

Section

45 セルに罫線を引く

セルに罫線を引くと、指定したセル範囲を表組みに整えることができます。線の太さや、種類、色、位置など細かく設定できるので、単純な表から、複雑な表まで作成できます。

ここで学べること

習得スキル	操作ガイド	ページ
すばやく表組みに整える	レッスン45-1	p.165
線種などを指定して罫線を引く	レッスン45-2	p.167

まずは パッと見るだけ！

罫線を設定する

セルに文字やデータが表形式で入力された状態でも、罫線を引くことで表として完成します。印刷が必要な場合でも、罫線が引かれていれば見やすい表になります。

Before 操作前

	A	B	C
1	生活家電商品（2024年春）		エスピー家電
2			2024/3/1
3	商品NO	商品名	価格
4	2023年製		
5	H1001	空気清浄機	35000
6	H1002	サーキュレーター	25000
7	H1003	掃除機	30000
8	2024年製		
9	H1004	洗濯機	55000
10	H1005	冷蔵庫	40000
11	H1006	布団乾燥機	15000
12	H1007	マッサージ器	25000
13			
14			

After 操作後

	A	B	C
1	生活家電商品（2024年春）		エスピー家電
2			2024/3/1
3	商品NO	商品名	価格
4	2023年製		
5	H1001	空気清浄機	35000
6	H1002	サーキュレーター	25000
7	H1003	掃除機	30000
8	2024年製		
9	H1004	洗濯機	55000
10	H1005	冷蔵庫	40000
11	H1006	布団乾燥機	15000
12	H1007	マッサージ器	25000
13			
14			

罫線を引いて表組みが完成した

レッスン 45-1 すばやく表組みに整える

練習用ファイル 45-1-生活家電商品.xlsx

操作 [罫線] メニューから罫線を引く

表全体を選択し、[ホーム] タブの[罫線] の⌄をクリックして、一覧から [格子] をクリックすると、選択したセル範囲の上下左右に罫線が引かれ、短時間で簡単に表組みに整えられます。
また、不要な部分の罫線を削除するには、[罫線の削除] をクリックして、マウスポインターが✐の形になったら、削除したい罫線をドラッグすると簡単です。

罫線を設定する

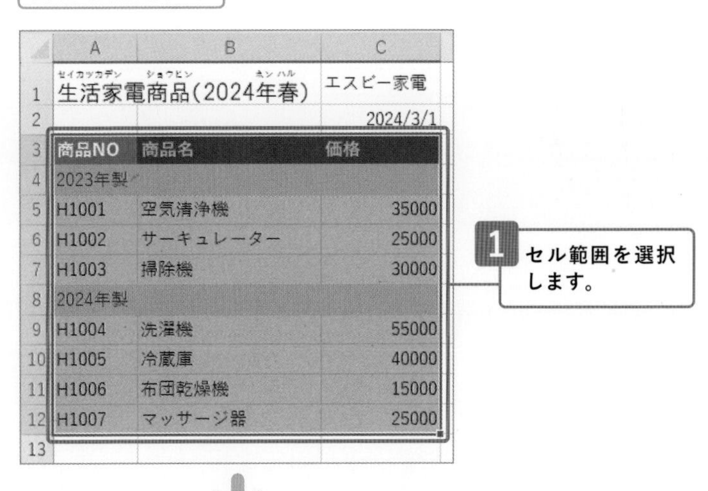

1 セル範囲を選択します。

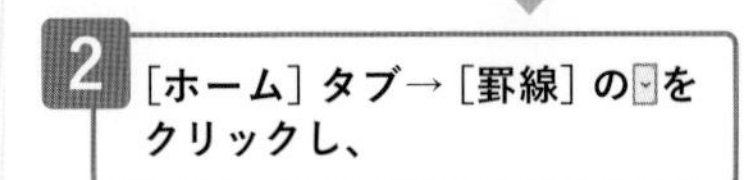

2 [ホーム] タブ→ [罫線] の⌄をクリックし、

3 設定したい罫線 (ここでは [格子]) をクリックします。

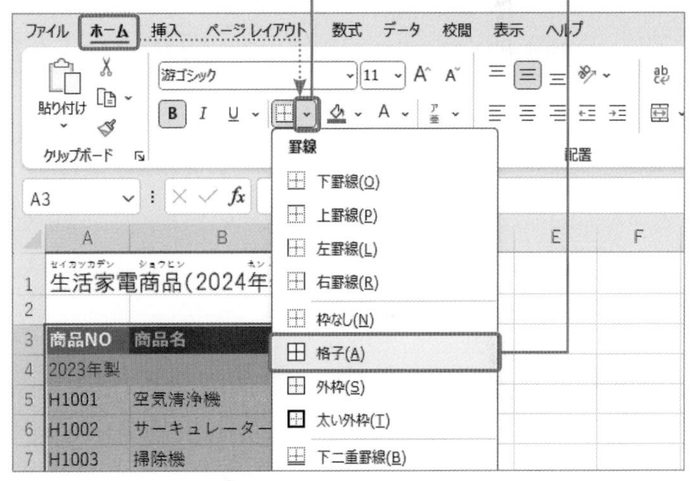

4 セル範囲に罫線が設定されます。

不要な罫線を削除する

1 ［ホーム］タブ→［罫線］の⌄をクリックし、

2 ［罫線の削除］をクリックします。

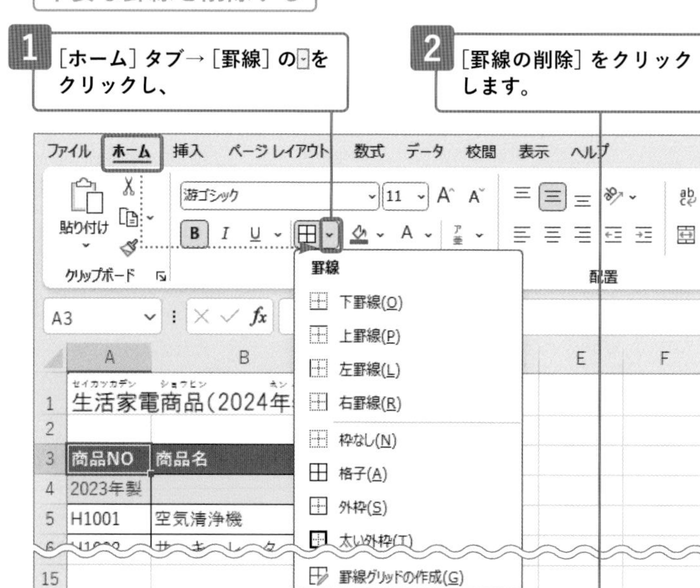

3 マウスポインターの形が⌫になったら、削除したい罫線上をクリックまたはドラッグすると、

	A	B	C	D	E	F
1	生活家電商品(2024年春)		エスピー家電			
2			2024/3/1			
3	商品NO	商品名	価格			
4	2023年製					
5	H1001	空気清浄機	35000			
6	H1002	サーキュレーター	25000			

4 罫線が削除されます。

5 他の罫線も同様に削除します。

	A	B	C	D	E	F
1	生活家電商品(2024年春)		エスピー家電			
2			2024/3/1			
3	商品NO	商品名	価格			
4	2023年製					
5	H1001	空気清浄機	35000			
6	H1002	サーキュレーター	25000			
7	H1003	掃除機	30000			
8	2024年製					
9	H1004	洗濯機	55000			
10	H1005	冷蔵庫	40000			
11	H1006	布団乾燥機	15000			
12	H1007	マッサージ器	25000			

6 esc キーを押して罫線削除のモードを解除します。

Point 間違えて削除した場合

ドラッグする位置を間違えて削除した場合は、直後であればクイックアクセスツールバーの［元に戻す］をクリックするか、Ctrl + Z キーを押して、直前の操作を取り消します。

時短ワザ 罫線をまとめて削除する

セルに設定した罫線をまとめてすべて削除するには、手順3で［枠なし］をクリックします。

コラム　ドラッグで罫線をすばやく設定する

[ホーム] タブの [罫線] の⌄をクリックし、[罫線グリッドの作成] をクリックすると❶、マウスポインターの形が✎田になり❷、ドラッグで格子罫線を引くことができます❸。また、[罫線の作成] をクリックするとマウスポインターの形が✎になり、ドラッグで外枠、垂直、水平線を引くことができます。
いずれも罫線モードを解除するには、esc キーを押します。また、[線の色] で色、[線のスタイル] で線種を選ぶこともできます。この場合、先に色や線種を選択してから罫線を引きます。

❷

	A	B	C	D	E	F
1	売上表					
2		前期	後期	合計		
3	A地区	1,500	1,800	3,300		
4	B地区	2,300	2,000	4,300		
5	C地区	2,200	2,400	4,600		
6						
7						

	A	B	C	D	E	F
1	売上表					
2		前期	後期	合計		
3	A地区	1,500	1,800	3,300		
4	B地区	2,300	2,000	4,300		
5	C地区	2,200	2,400	4,600		
6						
7						

❸

レッスン 45-2 線種／色／位置を指定して罫線を引く

45-2-生活家電商品.xlsx

操作 [セルの書式設定] ダイアログから罫線を引く

[セルの書式設定] ダイアログの [罫線] タブでは、選択しているセル範囲に対して、線種、色、位置を指定して罫線を設定できます。

ここでは選択範囲の内側の横線を点線に変更します。

1 セル範囲を選択します。

	A	B	C	D	E	F
1	生活家電商品(2024年春)		エスピー家電			
2			2024/3/1			
3	商品NO	商品名	価格			
4	2023年製					
5	H1001	空気清浄機	35000			
6	H1002	サーキュレーター	25000			
7	H1003	掃除機	30000			
8	2024年製					
9	H1004	洗濯機	55000			
10	H1005	冷蔵庫	40000			
11	H1006	布団乾燥機	15000			
12	H1007	マッサージ器	25000			
13						
14						
15						

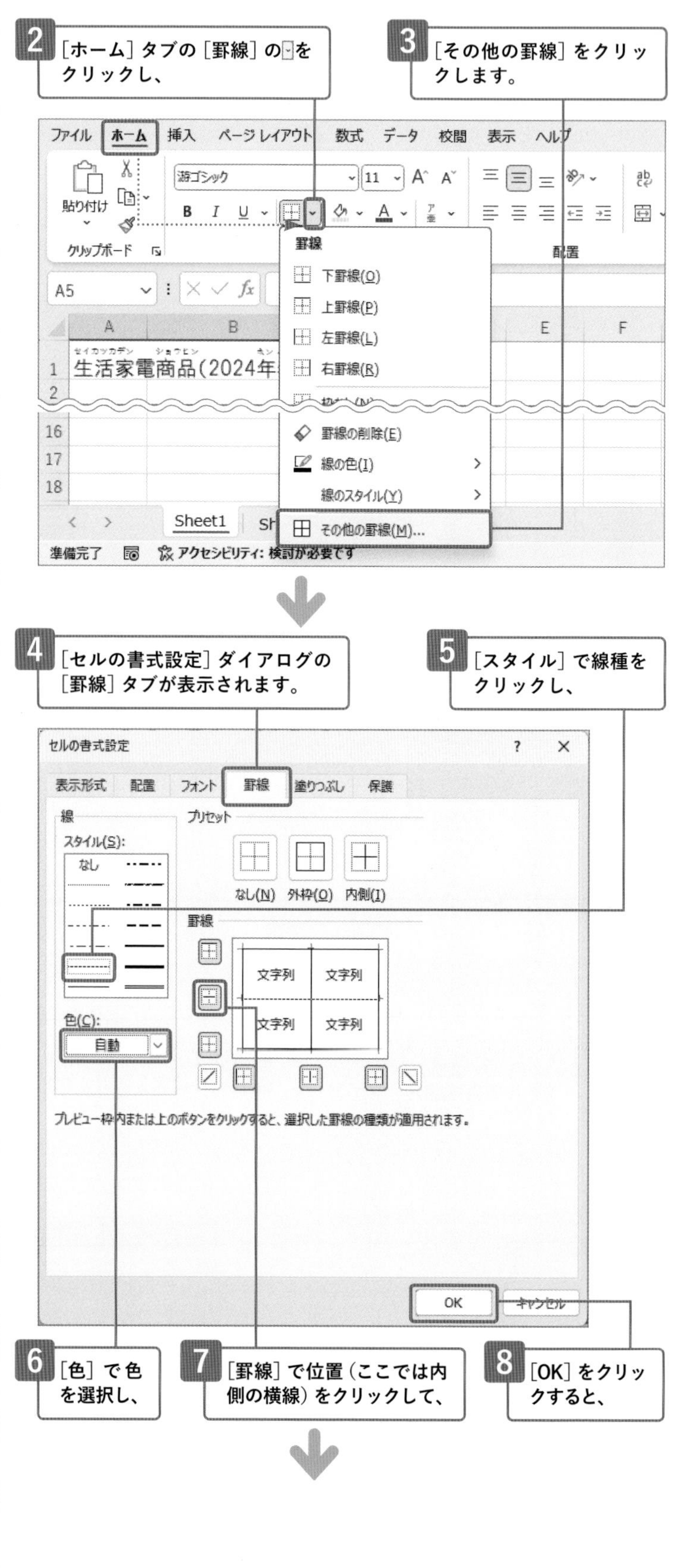

Memo セルに斜線を引く

手順7で、下図の位置をクリックすると、斜めの線を引くことができます。ただし、セル単位に引かれるので、セル範囲全体で1本の斜線を引きたい場合は、図形で直線を引いた方がいいでしょう (p.169のコラム参照)。

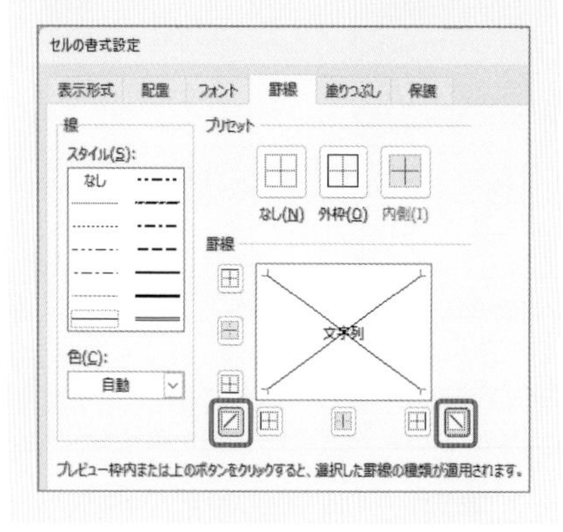

9 選択範囲の内側の横線が点線に変更されます。

	A	B	C	D	E	F
1	生活家電商品(2024年春)		エスピー家電			
2			2024/3/1			
3	商品NO	商品名	価格			
4	2023年製					
5	H1001	空気清浄機	35000			
6	H1002	サーキュレーター	25000			
7	H1003	掃除機	30000			
8	2024年製					
9	H1004	洗濯機	55000			
10	H1005	冷蔵庫	40000			
11	H1006	布団乾燥機	15000			
12	H1007	マッサージ器	25000			
13						
14						
15						

10 セル範囲A9～C12も同様に内側の横線を点線に変更しておきます。

時短ワザ F4 キーで直前の設定を繰り返す

F4 キーを押すと、直前に行った同じ設定を実行することができます。例えば、手順⑩で範囲選択したら、F4 キーを押すだけで内側の横線に点線を引くことができます。効率的に操作できるので覚えておきましょう。

コラム 表に直線を引く

表内に斜めに直線を引いたり、表の中に矢印を引いたりしたい場合は、図形の直線を引きます。
図形の直線は［挿入］タブの［図］をクリックし、［図形］をクリックして引きたい直線の種類を選択し❶、マウスポインターが［+］の形になったらドラッグします❷。斜め線を引いたり、矢印を引いたり、いろいろな線を引くことができます。水平、垂直に引きたい場合は、Shift キーを押しながらドラッグします。
線の色や太さなどを変更するには、直線上をクリックして選択し❸、コンテキストタブの［図形の書式］タブの［図形の枠線］をクリックして表示されるメニューを使います❹。

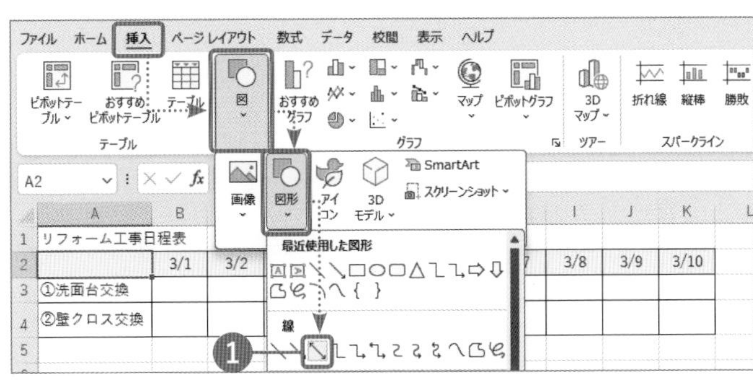

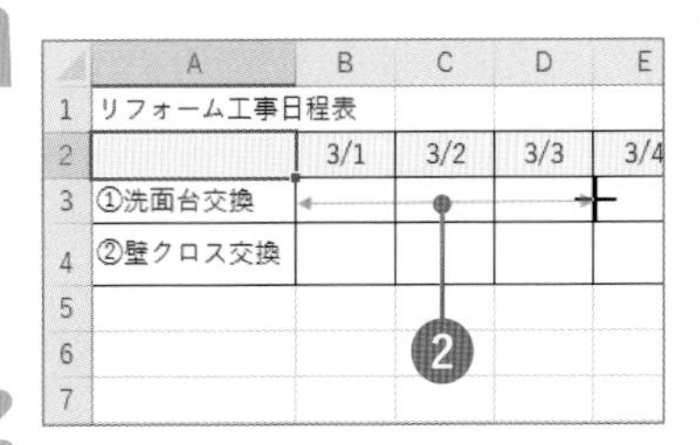

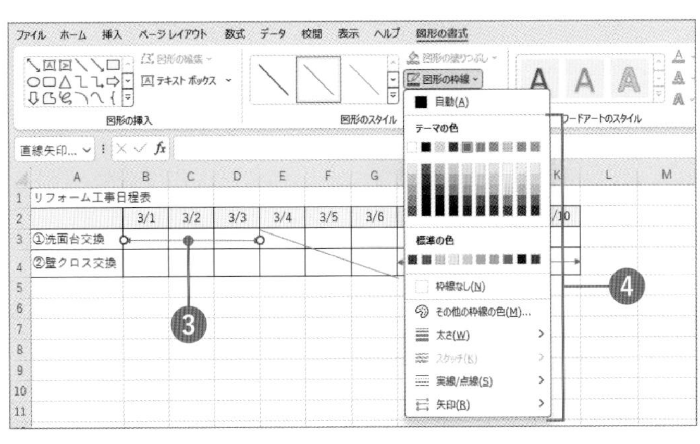

Section

46 文字の配置を変更する

セル内では、文字は左寄せ、数値や日付は右寄せで表示されますが、任意の位置に配置を変更することができます。例えば、項目名を中央揃えにするなど、文字の配置を変更することで、表として見栄えがより整います。

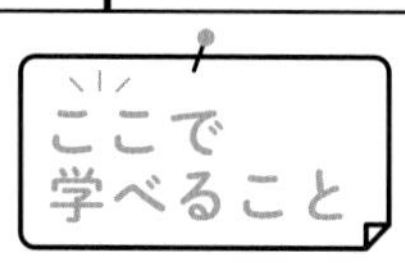

習得スキル	操作ガイド	ページ
▶文字の配置変更	レッスン46-1	p.171

まずは パッと見るだけ！

セル内の文字の配置を変える

表内の**文字の配置**は重要です。特に、見出しとなる行や列内にあるデータは、中央揃えにするときれいに整います。

Before **操作前**

	A	B	C
1	生活家電商品（2024年春）		エスピー家電
2			2024/3/1
3	商品NO	商品名	価格
4	2023年製		
5	H1001	空気清浄機	35000
6	H1002	サーキュレーター	25000
7	H1003	掃除機	30000
8	2024年製		
9	H1004	洗濯機	55000
10	H1005	冷蔵庫	40000
11	H1006	布団乾燥機	15000
12	H1007	マッサージ器	25000
13			

文字の配置が既定の状態で左に揃っている

After **操作後**

	A	B	C
1	生活家電商品（2024年春）		エスピー家電
2			2024/3/1
3	商品NO	商品名	価格
4		2023年製	
5	H1001	空気清浄機	35000
6	H1002	サーキュレーター	25000
7	H1003	掃除機	30000
8		2024年製	
9	H1004	洗濯機	55000
10	H1005	冷蔵庫	40000
11	H1006	布団乾燥機	15000
12	H1007	マッサージ器	25000
13			

セルやセル範囲内で文字を中央に配置したらバランスがよくなった

レッスン 46-1 文字の配置を変更する

46-生活家電商品.xlsx

操作 文字の配置を変更する

文字の配置を変更するには、[ホーム] タブの [配置] グループにあるボタンを使います。
垂直方向は [上揃え]、[上下中央揃え]、[下揃え] の3種類があり、水平方向は [左揃え]、[中央揃え]、[右揃え] の3種類があります。
また、[方向] では、斜めにしたり、縦書きにしたりできます。

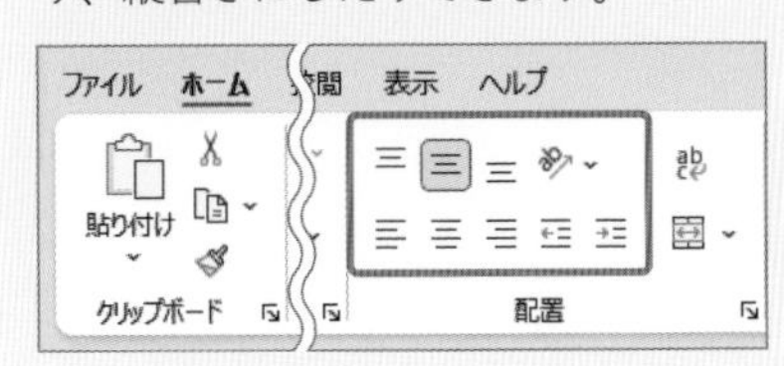

セル内で中央に揃える

ここでは、表の1行目の項目名を水平方向に中央揃えに設定します。

1 セル範囲を選択し、

2 [ホーム] タブ→ [中央揃え] をクリックすると、

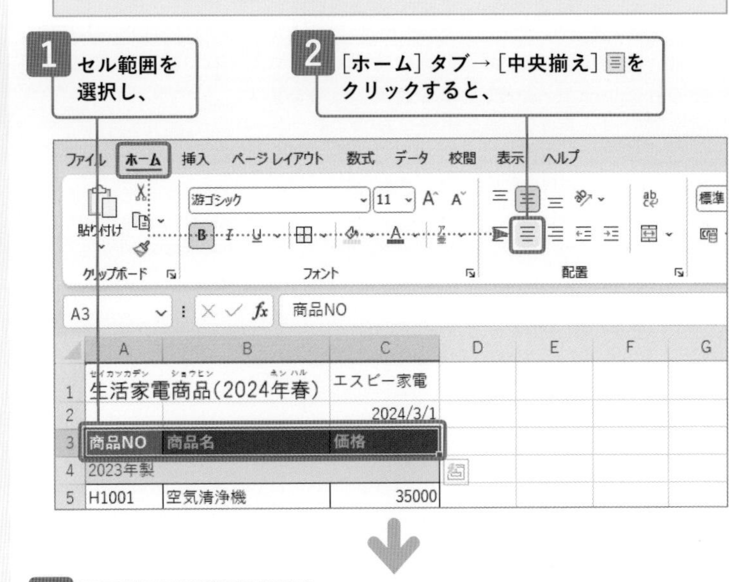

3 文字が中央に揃います。

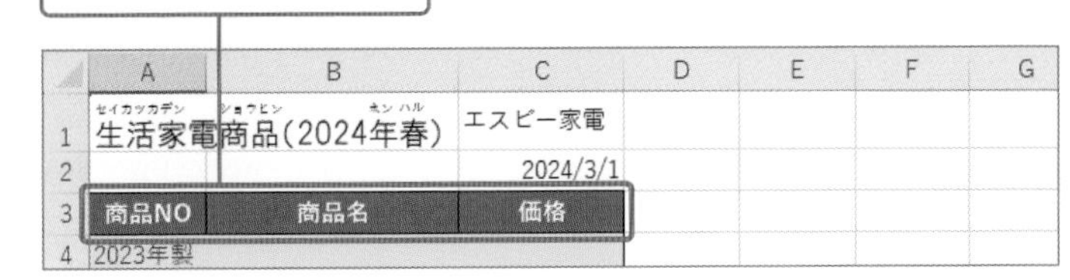

セル範囲内で中央に揃える

ここでは、セル範囲A4～C4の範囲内で文字を中央に配置します。

1 セル範囲を選択し、

2 [ホーム] タブの [配置] グループにあるをクリックします。

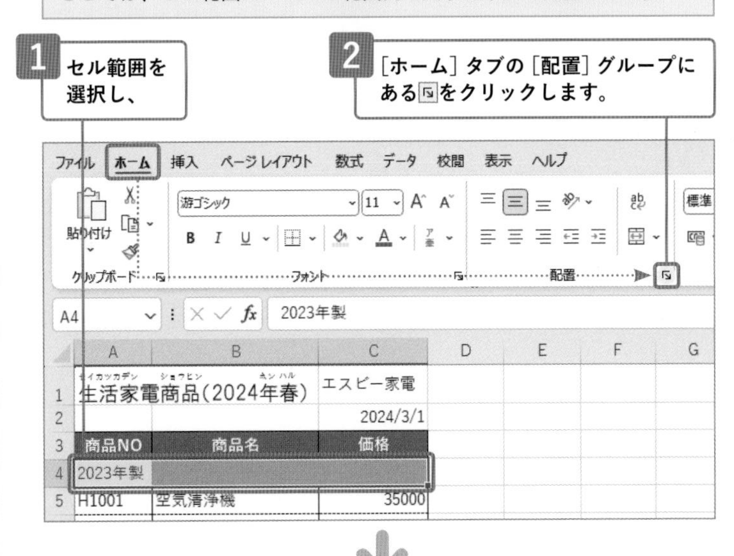

Memo 範囲内で中央揃えについて

[横位置] の [選択範囲で中央] は、横方向に選択された複数のセル内で文字を中央に揃えます。セルを結合することなく配置することができます。
なお、[縦位置] には同じ選択肢は用意されていません。縦方向に選択した複数のセル内で文字を中央に配置したい場合は、[ホーム] タブの [セルを結合して中央揃え] をクリックしてセルを結合してください。

Memo インデントを設定する

インデントとは、字下げのことで、セルと文字との間隔を広げます。
セルを選択し❶、[ホーム] タブの [インデントを増やす] をクリックするとセルと文字の間隔が広がり❷、[インデントを減らす] をクリックするとセルと文字の間隔が狭まります。

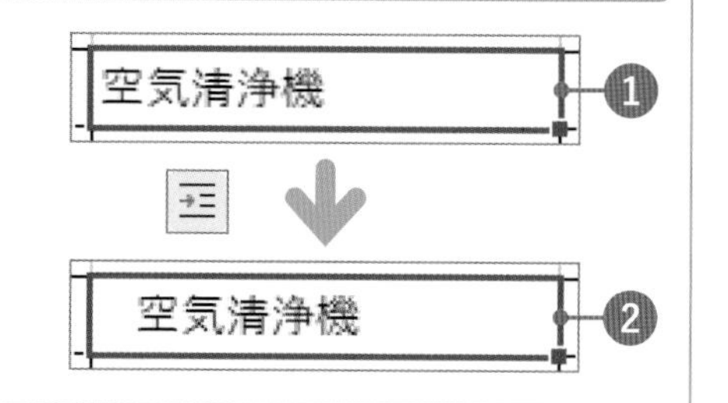

コラム 文字を縦書きにする

セルを選択し❶、[ホーム] タブの [方向] をクリックし、[縦書き] をクリックすると❷、縦書きになります❸。

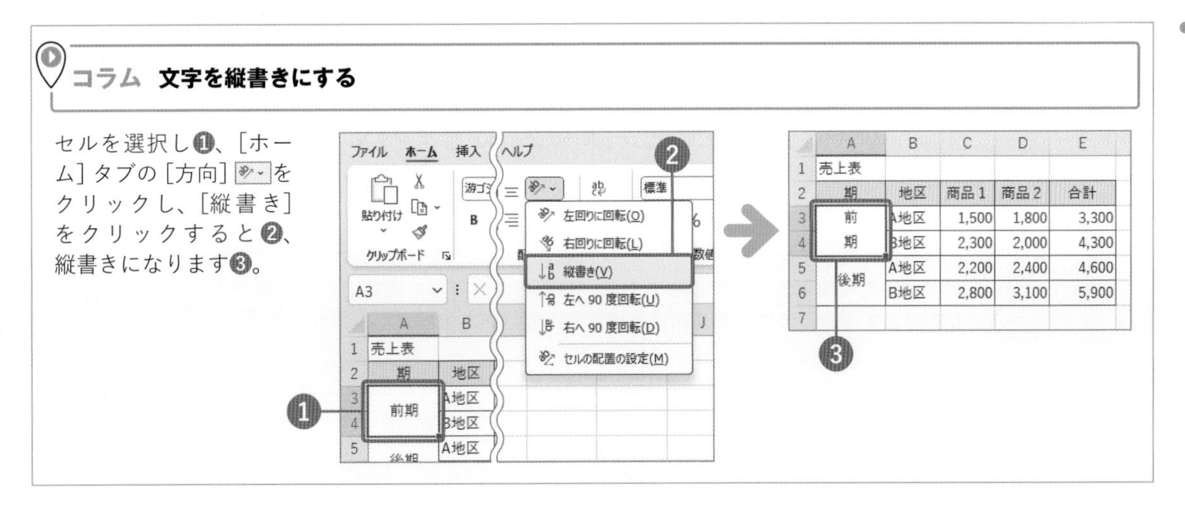

コラム [セルの書式設定] ダイアログで配置を指定する

セル範囲を選択し、[ホーム] タブの [配置] グループの右端にあるをクリックして表示される [セルの書式設定] ダイアログの [配置] タブで、文字の配置や方向を詳細に設定できます。

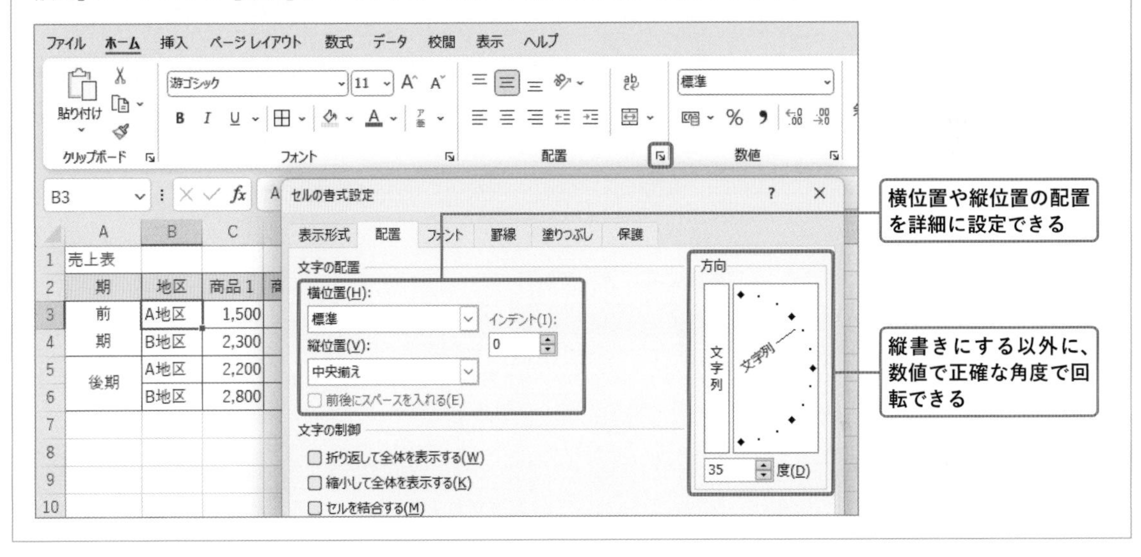

Section

47 セルに文字を収めて表示する

セルの幅に対して文字数が多く、セル内に収まらない場合、列幅を広げて調整する以外に、文字がセル内の収まるように縮小したり、自動的に改行して複数行にして表示させたりすることができます。ここでは、セル内にある文字の収め方を確認しましょう。

ここで学べること

習得スキル	操作ガイド	ページ
▶セル内で折り返して表示する	レッスン47-1	p.175
▶文字を縮小して表示する	レッスン47-2	p.175

まずは パッと見るだけ！

セル内に文字を収めて表示

列幅を広げることなく、セル内に文字を収める方法は、セル内で文字を折り返して表示する方法とセル内の文字を縮小して1行で収める方法があります。

Before 操作前

	A	B	C	D	E	F	G	H
1	ブレンドティーの種類と特徴							
2	種類	特徴						
3	イングリッシュブレックファ	朝食用ブレンドで、濃い目にいれてミルクティにすることが多い						
4	ロイヤルブレンド	コクのあるインド茶とキレのあるスリランカ茶を混ぜ、バランスよく上品な味わいが特徴						
5	アフタヌーンティー	香り豊かなものが多く、午後の紅茶として楽しむのに最適						
6								

文字が見切れている

文字がセルからはみだしている

After 操作後

	A	B	C	D	E	F	G	H
1	ブレンドティーの種類と特徴							
2	種類	特徴						
3	イングリッシュブレックファスト	朝食用ブレンドで、濃い目にいれてミルクティにすることが多い						
4	ロイヤルブレンド	コクのあるインド茶とキレのあるスリランカ茶を混ぜ、バランスよく上品な味わいが特徴						
5	アフタヌーンティー	香り豊かなものが多く、午後の紅茶として楽しむのに最適						
6								

文字を縮小したり、折り返したりすることで、セル内に文字列が収まった

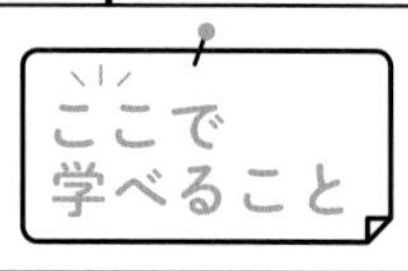

レッスン 47-1 セル内で折り返して表示する

練習用ファイル 47-1-紅茶の種類と特徴.xlsx

操作 折り返して全体を表示する

[ホーム] タブの [折り返して全体を表示する] を使うと、セルに入力された文字列がセル幅より長い場合、自動的に折り返して複数行にして表示することができます。文字が折り返されると、行の高さは自動的に広がります。

Memo 任意の位置で改行する

セル内の任意の位置で改行するには、改行したい位置で Alt + Enter キーを押します。

1 セル範囲を選択し、

2 [ホーム] タブ→ [折り返して全体を表示する] をクリックすると、

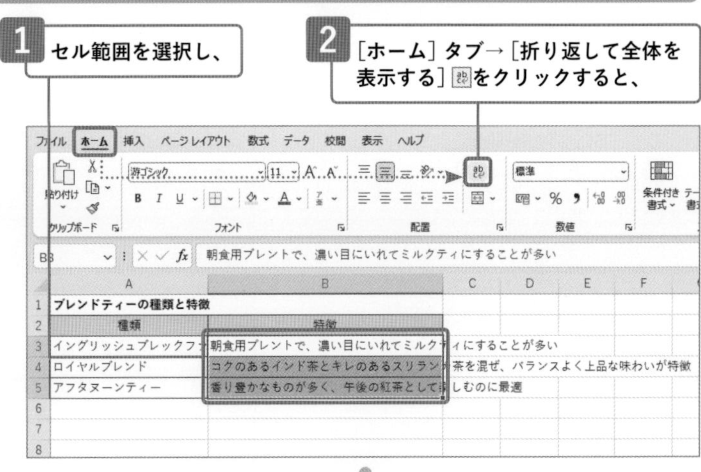

3 文字がセル内で折り返され、複数行で表示されます。

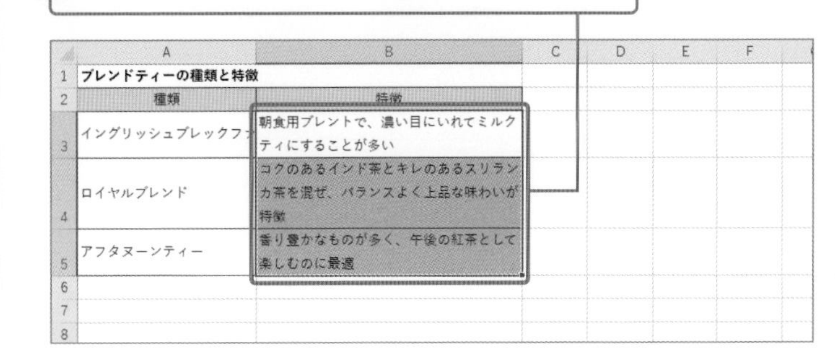

レッスン 47-2 文字を縮小して表示する

練習用ファイル 47-2-紅茶の種類と特徴.xlsx

操作 縮小して全体を表示する

セルに入力された文字列がセル幅より長い場合、セル内に文字が収まるように自動的に文字サイズを縮小することができます。セル幅より若干長いぐらいの文字を収めたいときに便利です。
[セルの書式設定] ダイアログの [配置] タブを開いて設定します。

1 セルを選択します。

2 [ホーム] タブの [配置] グループにあるをクリックます。

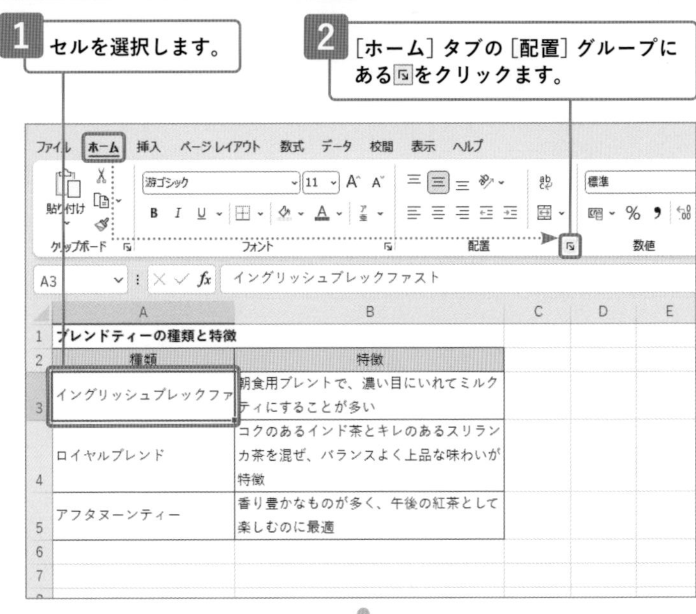

ショートカットキー

● [セルの書式設定] ダイアログ表示
Ctrl + 1 キー

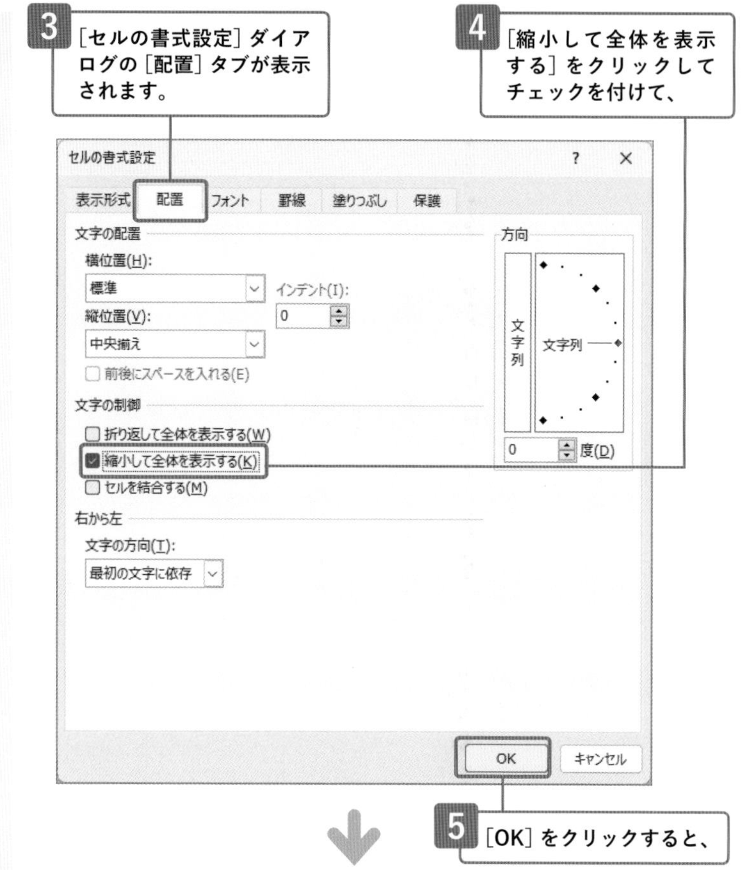

5 [OK] をクリックすると、

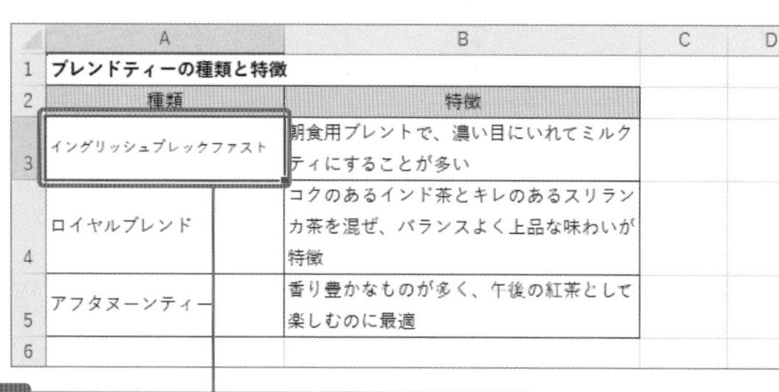

	A	B
1	ブレンドティーの種類と特徴	
2	種類	特徴
3	イングリッシュブレックファスト	朝食用ブレンドで、濃い目にいれてミルクティにすることが多い
4	ロイヤルブレンド	コクのあるインド茶とキレのあるスリランカ茶を混ぜ、バランスよく上品な味わいが特徴
5	アフタヌーンティー	香り豊かなものが多く、午後の紅茶として楽しむのに最適
6		

6 セルに収まるように文字が縮小表示されます。

コラム Section18の［集計表］の解説

Section18の集計表では、本書では解説していないピボットテーブルを作成しています。詳細は解説しませんが、ピボットテーブルがどのようなものかを紹介します。
ピボットテーブルは、データベース形式の表（p.286）を元に集計表を作成する機能です。例えば、表の［日付］列や［商品］列などのデータを行や列に配置し、［金額］列のデータを集計した表を自動で作成します。計算式を設定することなく、売上表のデータを簡単に集計することができます。集計する列は自由に変更することができるという点も特徴の一つです。

● データベース形式の表（売上表）

	A	B	C	D	E	F	G	H	I
3	No	日付	商品NO	商品	分類	単価	数量	金額	
4	1	6月1日	A1002	白桃ジュース	飲料	1,200	4	4,800	
5	2	6月2日	C3001	紅茶セット	セット	1,300	1	1,300	
6	3	6月3日	A1002	白桃ジュース	飲料	1,200	3	3,600	
7	4	6月4日	B2001	クッキー詰合せ	菓子	1,200	2	2,400	
8	5	6月5日	A1002	白桃ジュース	飲料	1,200	1	1,200	
9	6	6月6日	B2002	バームクーヘン	菓子	1,400	5	7,000	
10	7	6月7日	B2001	クッキー詰合せ	菓子	1,200	2	2,400	
11	8	6月8日	A1001	リンゴジュース	飲料	1,000	5	5,000	
12	9	6月9日	A1002	白桃ジュース	飲料	1,200	3	3,600	
13	10	6月10日	B2001	クッキー詰合せ	菓子	1,200	2	2,400	

● ピボットテーブル（集計表）

	A	B	C	D	E	F
1	売上集計					
2						
3			月			
4	分類	商品	6月	7月	8月	総計
5	セット	紅茶セット	5,200	28,600	28,600	62,400
6		飲茶セット	24,000	31,500	24,000	79,500
7	**セット 集計**		**29,200**	**60,100**	**52,600**	**141,900**
8	飲料	リンゴジュース	20,000	15,000	17,000	52,000
9		白桃ジュース	19,200	2,400	1,200	22,800
10	**飲料 集計**		**39,200**	**17,400**	**18,200**	**74,800**
11	菓子	バームクーヘン	21,000	19,600	21,000	61,600
12		クッキー詰合せ	25,200	13,200	13,200	51,600
13	**菓子 集計**		**46,200**	**32,800**	**34,200**	**113,200**
14	**総計**		**114,600**	**110,300**	**105,000**	**329,900**
15						

ここでは、［分類］と［商品］を行方向、［日付］を月でまとめて列方向に配置し、分類別、商品別の月別売上金額の集計表を作成しています。

Section

48 セルの値の表示形式を設定する

表示形式とは、セルに入力された値の見た目を変更する書式です。セルのデータそのものは変更しないで、セルに表示される形式を変更し、データを読みやすくすることができます。

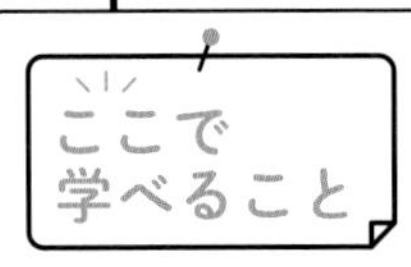

習得スキル	操作ガイド	ページ
数値や日付の表示形式の変更	レッスン48-1～2	p.179～p.182
オリジナルの表示形式の設定	レッスン48-3～4	p.183～p.186

まずは パッと見るだけ！

セルに表示形式を設定する

以下の例は、データの表示形式を設定して整えたものです。読みやすい資料は、自分だけでなく相手も短時間で理解しやすく、業務がスムーズになります。

Before
操作前

	A	B	C	D	E	F
1	売上表					3月5日
2	日付	来客数	売上金額	売上目標	達成率	実績-目標
3	3月1日	1280	4200000	3500000	1.2	700000
4	3月2日	865	4350000	5000000	0.87	-650000
5	3月3日	1860	4800000	4500000	1.066667	300000
6						

データが単調に入力されていて理解しにくい

After
操作後

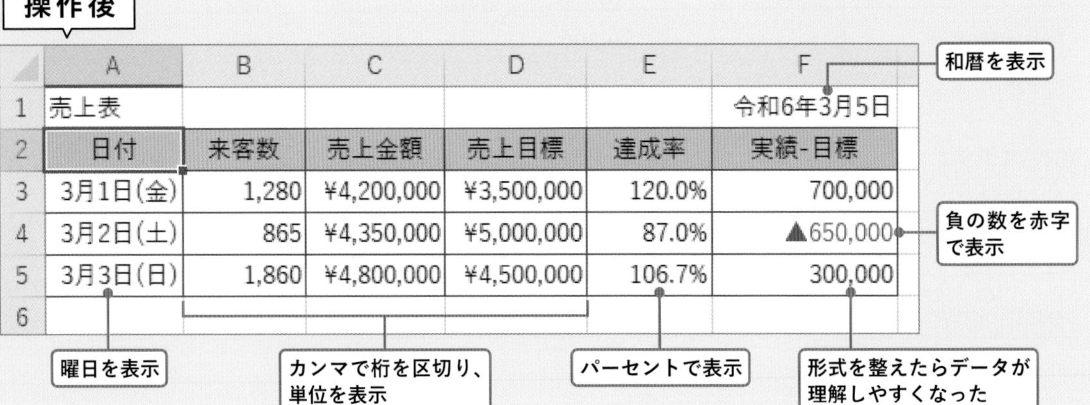

	A	B	C	D	E	F
1	売上表					令和6年3月5日
2	日付	来客数	売上金額	売上目標	達成率	実績-目標
3	3月1日(金)	1,280	¥4,200,000	¥3,500,000	120.0%	700,000
4	3月2日(土)	865	¥4,350,000	¥5,000,000	87.0%	▲650,000
5	3月3日(日)	1,860	¥4,800,000	¥4,500,000	106.7%	300,000
6						

レッスン48-1 数値や日付の表示形式を設定する

48-1-売上表.xlsx

操作 数値や日付の表示形式を設定する

数値や日付の表示形式を設定するには、[ホーム] タブの [数値] グループにあるボタンを使います。数字を適切な表示形式に設定することは、数値を正確に読むのに重要です。
また、割合を表す小数点以下の値はパーセント表示にしてわかりやすく表示を整えます。

Point 小数点以下の桁について

[小数点以下の表示桁数を増やす] や [小数点以下の表示桁数を減らす] では、セル上での小数点以下の桁数を四捨五入して表示します。実際のデータは変わらないことに注意してください。

数値の表示形式を変更する

ここでは、[来客数] 列を [桁区切りスタイル]、[売上金額] 列と [売上目標] 列を [通貨表示形式]、[達成率] 列を [パーセントスタイル] で、小数点以下1位まで表示します。

1 [来客数] 列 (セルB3～B5) を選択し、

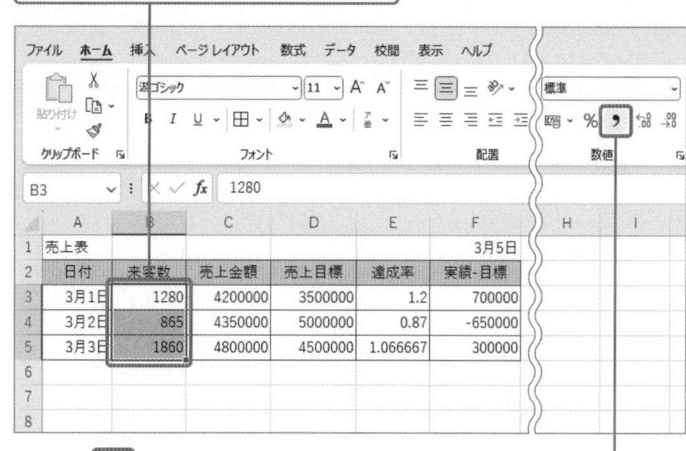

2 [ホーム] タブ→ [桁区切りスタイル] をクリックすると、

3 [来客数] 列に3桁ごとに桁区切りカンマの表示形式が設定されます。

4 同様にして、[売上金額] 列と [売上目標] 列で [通貨表示形式] をクリックして通貨の表示形式を設定し、

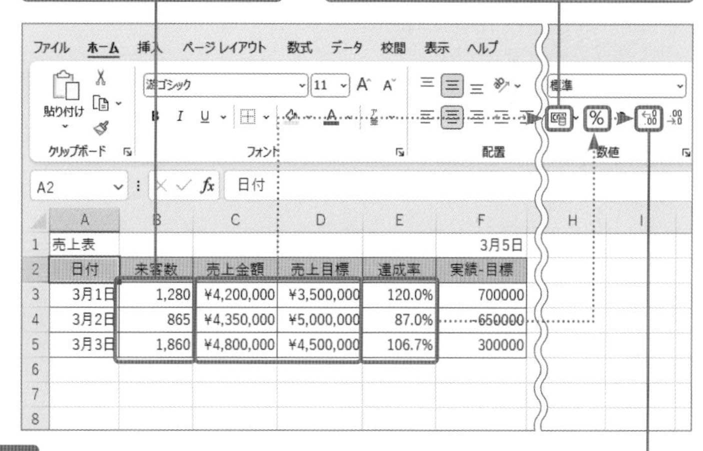

5 [達成率] 列で、[パーセントスタイル] をクリックしてパーセント表示にし、[小数点以下の表示桁数を増やす] を1回クリックして、小数点以下第1位まで表示します。

Memo 表示形式を解除する

設定した表示形式を解除するには、[ホーム] タブ→ [数値の書式] の⌄をクリックし、[標準] を選択します。なお、日付に [標準] を設定すると、数字が表示されてしまいます。Excelでは、日付時刻はシリアル値という数字で管理しているためです (p.186参照)。日付のセルが数値になった場合は、再度日付の表示形式を設定し直してください。

日付の表示形式を変更する

ここでは、日付を西暦もつけて表示されるようにしてみましょう。

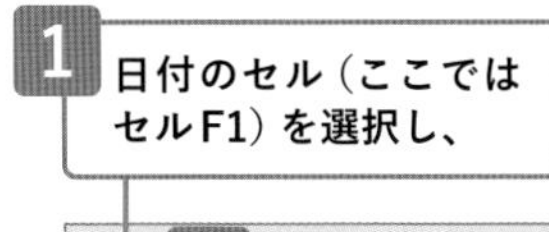

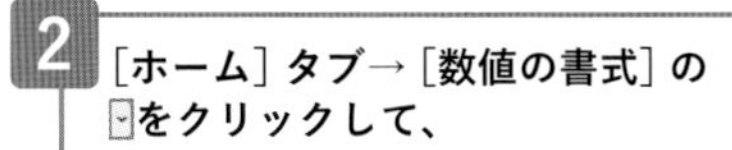

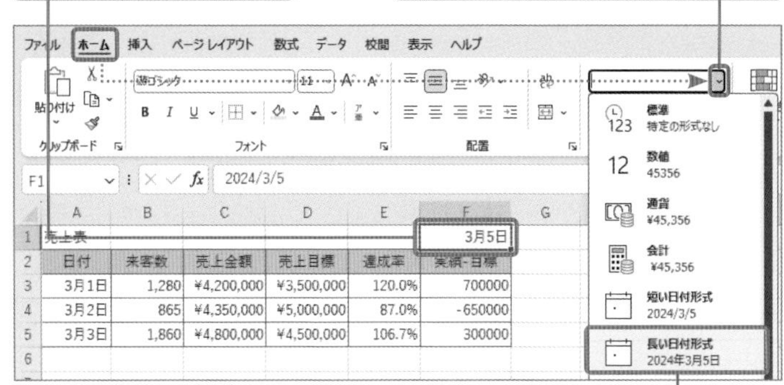

3 [長い日付形式] をクリックすると、

	A	B	C	D	E	F	G
1	売上表					2024年3月5日	
2	日付	来客数	売上金額	売上目標	達成率	実績-目標	
3	3月1日	1,280	¥4,200,000	¥3,500,000	120.0%	700000	

4 長い形式の日付の表示形式が設定され、西暦の年が表示されます。

コラム [ホーム] タブの [数値] グループで選択できる表示形式

[ホーム] タブの [数値] グループに数値や日付の表示形式を設定する主な形式が用意されています。どれもよく使うので、一通り確認しておきましょう。

▼ [数値] グループのボタン

ボタン	名称	内容
標準 ⌄	数値の書式	標準、通貨、日付、分数など数値の表示形式を設定 (下表参照)
通貨 ⌄	通貨表示形式	通貨記号と3桁ごとの桁区切りカンマを付ける
%	パーセントスタイル	パーセント表示
,	桁区切りスタイル	3桁ごとの桁区切りカンマ表示
←.0 .00	小数点以下の表示桁数を増やす	小数点以下の桁数を1桁ずつ増やす
.00 →.0	小数点以下の表示桁数を減らす	小数点以下の桁数を1桁ずつ減らす

▼ [数値の書式] で選択できる表示形式

表示形式	内容
標準	表示形式なし
数値	入力された数値をそのまま表示
通貨	「¥12,345」の形式で表示
会計	「¥」をセルの左端に揃えて「¥12,345」の形式で表示
短い日付形式	「2024/3/1」の形式で表示

表示形式	内容
長い日付形式	「2024年3月1日」の形式で表示
時刻	「13:25:40」の形式で表示
パーセンテージ	「0.25」を「25%」の形式で表示
分数	「0.5」を「1/2」の形式で表示
指数	10の4乗を「1.E+0.4」の形式で表示
文字列	数値を文字列として表示

レッスン 48-2 ［セルの書式設定］ダイアログで表示形式を設定する

48-2-売上表.xlsx

操作 ［セルの書式設定］ダイアログで表示形式を設定する

［ホーム］タブの［数値］グループにない表示形式で表示したい場合は、［セルの書式設定］ダイアログの［表示形式］タブにある［分類］から種類を選択し、用意されている表示形式を一覧から選択できます。

負の数値の表示形式を指定する

ここでは［実績-目標］列の負の数の表示を赤字で「(1,234)」の形式に設定します。

1 ［実績-目標］列を選択し、

2 ［ホーム］タブ→［数値］グループの⧉をクリックします。

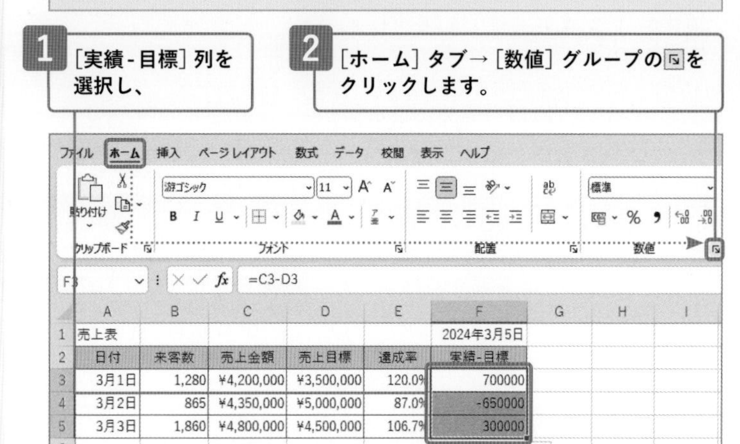

3 ［セルの書式設定］ダイアログの［表示形式］タブが表示されます。

4 ［分類］で［数値］を選択し、

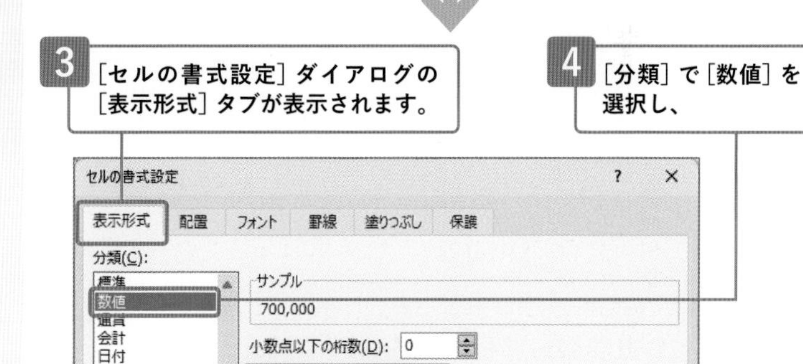

5 ［桁区切り（,）を使用する］をクリックしてチェックを付け、

6 表示形式の一覧で赤字の［(1,234)］をクリックして、

7 ［OK］をクリックすると、

	A	B	C	D	E	F
1	売上表					2024年3月5日
2	日付	来客数	売上金額	売上目標	達成率	実績-目標
3	3月1日	1,280	¥4,200,000	¥3,500,000	120.0%	700,000
4	3月2日	865	¥4,350,000	¥5,000,000	87.0%	(650,000)
5	3月3日	1,860	¥4,800,000	¥4,500,000	106.7%	300,000
6						

8 数値の表示形式が変更されます。

Point セルの表示が「####」になった場合

数値や日付が入力されているセルの表示が「####」と表示された場合は、セル幅に対してデータが収まらないためです。データを表示するには、列幅を広げてください。
または、文字を縮小してセル内に収めてもよいでしょう（レッスン47-2）。

Memo 日付を和暦で表示する

日付を和暦で表示するには、[カレンダーの種類]で[和暦]を選択します。[和暦]を選択すると、[種類]の一覧が和暦に変更されます。西暦に戻したい場合は、[カレンダーの種類]で[グレゴリオ暦]を選択します。

日付を和暦で表示する

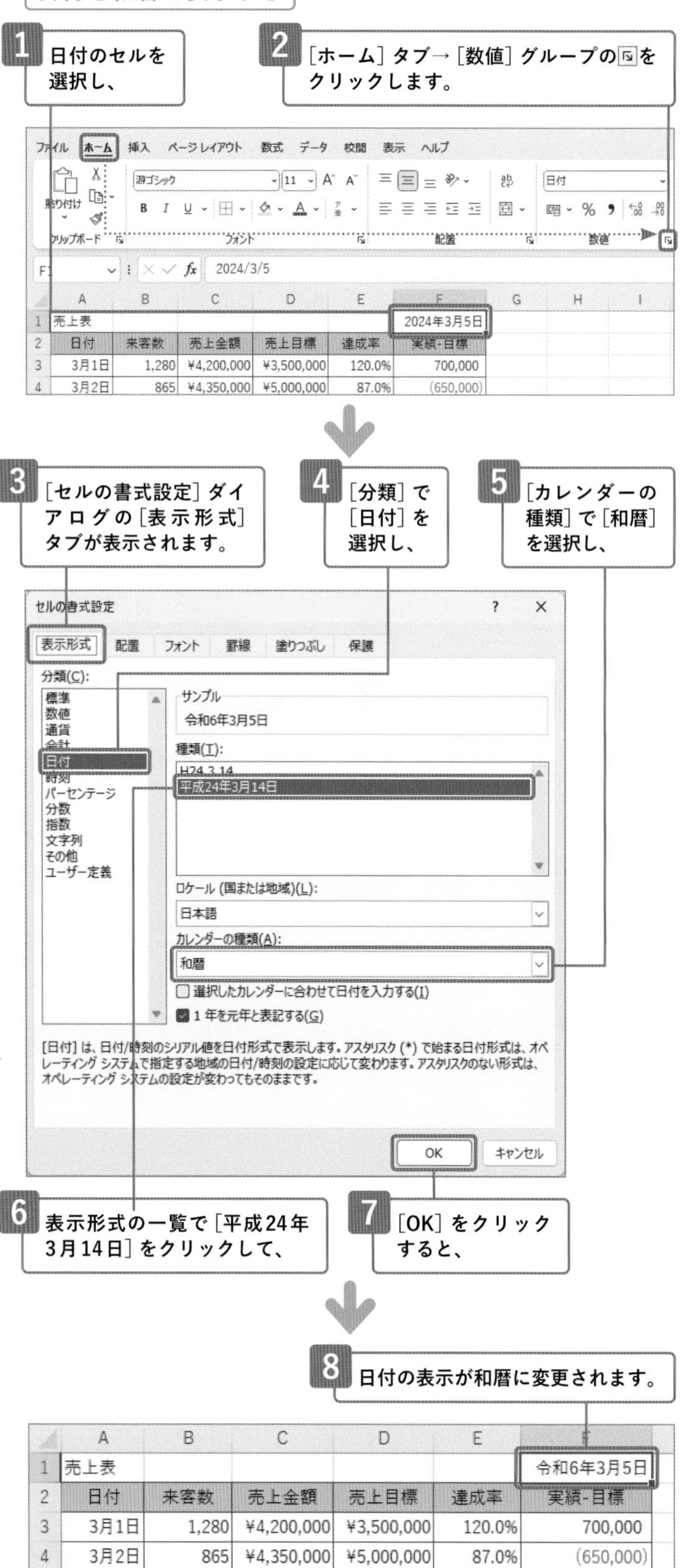

	A	B	C	D	E	F
1	売上表					令和6年3月5日
2	日付	来客数	売上金額	売上目標	達成率	実績-目標
3	3月1日	1,280	¥4,200,000	¥3,500,000	120.0%	700,000
4	3月2日	865	¥4,350,000	¥5,000,000	87.0%	(650,000)
5	3月3日	1,860	¥4,800,000	¥4,500,000	106.7%	300,000
6						

レッスン 48-3 数値にオリジナルの表示形式を設定する

48-3-売上表.xlsx

操作 数値にユーザー定義の表示形式を設定する

[セルの書式設定] ダイアログの一覧にないオリジナルの形式で表示したい場合は、[ユーザー定義] を選択し、[種類] の入力欄に書式記号を使って設定します。

Memo ここで設定する表示形式

数値の表示形式は、「#」や「0」のような書式記号を使って指定します(p.184のコラム参照)。
正の数と負の数で表示形式を分ける場合は「正の数と0の表示形式;負の数の表示形式」のように「;」(セミコロン)で区切って指定します。
また、色は「[赤]」のように色を角カッコ「[]」で囲んで指定します。3桁ごとの桁区切りカンマを付けて、正と負で表示形式を分けているので、ここでは「#,##0;[赤]▲#,##0」と指定します(詳細はp.184の上級テクニック参照)。

ここでは、負の数を赤字で「▲1,000」と表示されるように変更してみましょう。

1 セル範囲を選択し、

2 [ホーム] タブ→ [数値] グループの をクリックします。

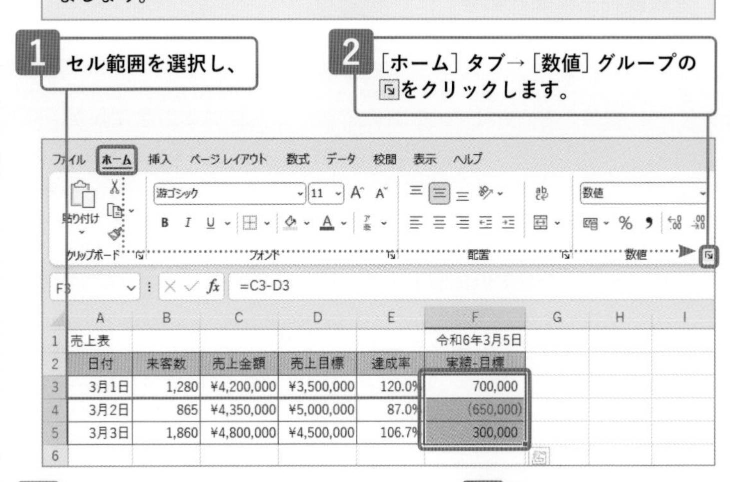

3 [セルの書式設定] ダイアログの [表示形式] タブが表示されます。

4 [分類] で [ユーザー定義] を選択し、

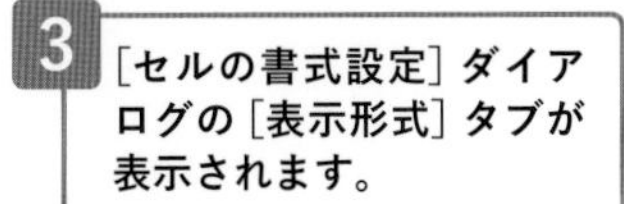

5 [種類] で「#,##0;[赤]▲#,##0」(「赤」と「▲」以外はすべて半角)と入力して、

6 [OK] をクリックすると、

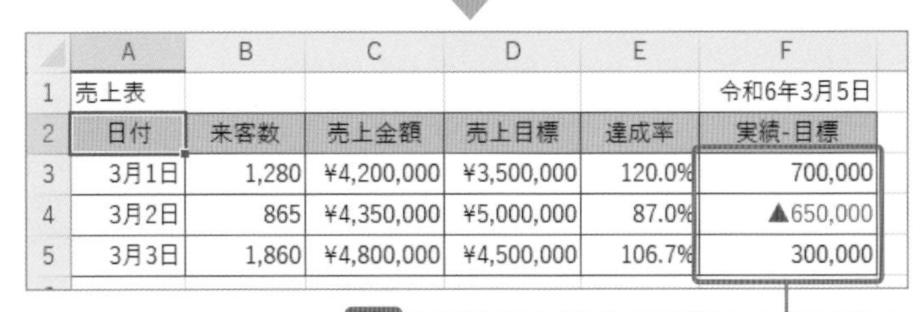

	A	B	C	D	E	F
1	売上表					令和6年3月5日
2	日付	来客数	売上金額	売上目標	達成率	実績-目標
3	3月1日	1,280	¥4,200,000	¥3,500,000	120.0%	700,000
4	3月2日	865	¥4,350,000	¥5,000,000	87.0%	▲650,000
5	3月3日	1,860	¥4,800,000	¥4,500,000	106.7%	300,000

7 負の数値が赤字で「▲」が表示されます。

コラム　数値の主な書式記号

数値の表示形式で使用する書式記号には、下表のようなものがあります。

▼数値の主な書式記号

0	数値の1桁を表す。数値の桁数が表示形式の桁数より少ない場合は、表示形式の桁まで0を補う
#	数値の1桁を表す。数値の桁数が表示形式の桁数にかかわらずそのまま表示する。1の位に「#」を指定した場合、値が「0」だと何も表示されない
?	数値の1桁を表す。数値の桁数が、表示形式の桁数より少ない場合は、表示形式の桁までスペースを補う。小数点位置や分数の位置を揃えたいときに使用
.	小数点を表示
,	3桁ごとの桁区切りを表示。千単位、百万円位の数値を表示したいときにも利用する
%	パーセント表示

▼設定例

表示形式	入力値	表示結果
000	1	001
	10	010
#,##0	0	0
	1000	1,000
#,###	0	
	1000	1,000
#,###,	150000	150
000-0000	1060032	106-0032
#,##0"円"	1000	1,000円
0.??	1.25	1.25
	0.1	0.1

上級テクニック　ユーザー定義の表示形式の指定方法

ユーザー定義で表示形式を設定する場合は、右図のように半角の「;」(セミコロン)で最大4つの区分に分けて指定できます。
なお、1つだけ指定した場合は、すべての数値に同じ表示形式が適用されます。2つ指定した場合は、「正の数値と0の表示形式；負の数値の表示形式」になります。
また、文字色を指定する場合は、「[赤]」のように色を角カッコで囲んで指定します。文字色は、黒、白、赤、緑、青、黄、紫、水色の8色が指定できます。

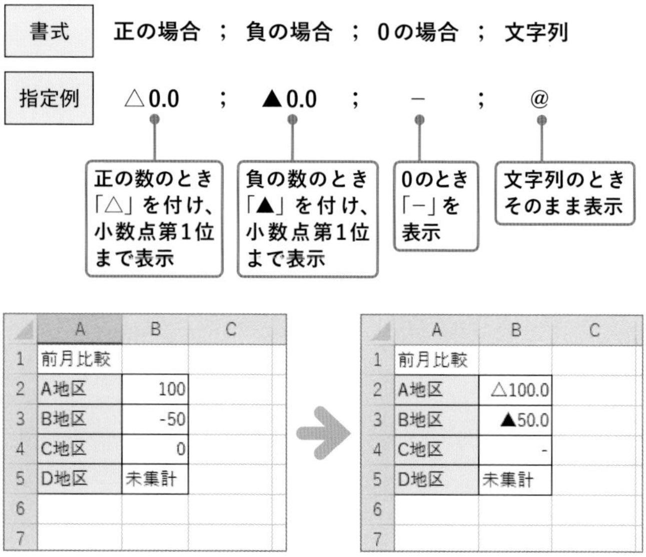

書式　正の場合 ； 負の場合 ； 0の場合 ； 文字列

指定例　△0.0 ； ▲0.0 ； - ； @

- 正の数のとき「△」を付け、小数点第1位まで表示
- 負の数のとき「▲」を付け、小数点第1位まで表示
- 0のとき「-」を表示
- 文字列のときそのまま表示

	A	B	C
1	前月比較		
2	A地区	100	
3	B地区	-50	
4	C地区	0	
5	D地区	未集計	
6			
7			

→

	A	B	C
1	前月比較		
2	A地区	△100.0	
3	B地区	▲50.0	
4	C地区	-	
5	D地区	未集計	
6			
7			

Memo　ユーザー定義の表示形式の保存状態

ユーザー定義で作成した表示形式は、ブックに保存されます。同じブック内で、他のセルに追加したユーザー定義の表示形式を設定したい場合は、[ユーザー定義] の一覧から指定したい表示形式を選択してください。また、間違えて設定した場合など、追加した表示形式を削除したい場合は、一覧から削除したい表示形式を選択し、[削除] ボタンをクリックします。表示形式を削除すると、セルに設定されていた表示形式は削除されます。

レッスン 48-4 日付にオリジナルの表示形式を設定する

48-4-売上表.xlsx

操作 日付にユーザー定義の表示形式を設定する

日付を[セルの書式設定]ダイアログの一覧にないオリジナルの形式で表示したい場合は、数値の場合と同様に[ユーザー定義]を選択し、[種類]の入力欄に書式記号を使って設定します。

ここでは、「3月1日(金)」のように曜日まで表示されるように変更してみましょう。

1 セル範囲を選択し、

2 [ホーム]タブ→[数値]グループの⧉をクリックします。

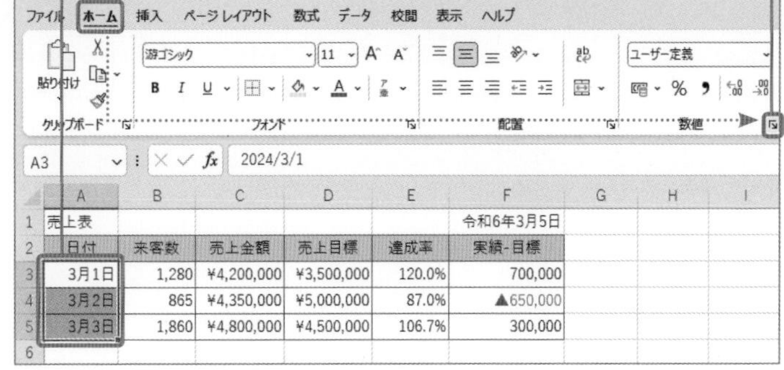

3 [セルの書式設定]ダイアログの[表示形式]タブが表示されます。

4 [分類]で[ユーザー定義]を選択し、

5 [種類]で「m"月"d"日"(aaa)」として、

6 [OK]をクリックすると、

7 日付が曜日付きで表示されます。

	A	B	C	D	E	F
1	売上表					令和6年3月5日
2	日付	来客数	売上金額	売上目標	達成率	実績-目標
3	3月1日	1,280	¥4,200,000	¥3,500,000	120.0%	700,000
4	3月2日	865	¥4,350,000	¥5,000,000	87.0%	▲650,000
5	3月3日	1,860	¥4,800,000	¥4,500,000	106.7%	300,000

Point ここでの表示形式

日付の表示形式は、月は「m」、日は「d」、曜日は「aaa」のような書式記号を使って指定します。
また、「月」のような文字列をそのまま表示する場合、正確には「"月"」のように半角の「"」(ダブルクォーテーション)で囲みます。右の使用例の場合、元の表示形式が「m"月"d"日"」であり、それに「(aaa)」を追加しています。
なお、「"」を省略してもExcelが自動的に補いますので、「m月d日(aaa)」のように指定しても問題ありません(詳細は次ページのコラム参照)。

Memo 曜日の表示形式

曜日を「火」のように漢字1文字で表示する場合は、「aaa」とします。
「Mon」のように短縮形の英語で表示する場合は、「ddd」とします(次ページのコラム参照)。

コラム　日付と時刻の主な書式記号

日付や時刻の表示形式で使用する書式記号には、下表のようなものがあります。

▼日付の書式記号

書式記号	内容
yy、yyyy	西暦の年を2桁、4桁で表示
e、ee	和暦の年を表示。eeは2桁で表示
g	元号を「S」「H」「R」の形式で表示
gg	元号を「昭」「平」「令」の形式で表示
ggg	元号を「昭和」「平成」「令和」の形式で表示
m、mm	月を表示。mmは2桁で表示
mmm	月を「Jan」「Feb」の形式で表示
mmmm	月を「January」「February」の形式で表示
d、dd	日を表示。ddは2桁で表示
ddd	曜日を「Sun」「Mon」の形式で表示
dddd	曜日を「Sunday」「Monday」の形式で表示
aaa	曜日を「日」「月」の形式で表示
aaaa	曜日を「日曜日」「月曜日」の形式で表示

▼時刻の書式記号

書式記号	内容
h、hh	時を表示。hhは2桁で表示
m、mm	分を表示。mmは2桁で表示
s、ss	秒を表示。ssは2桁で表示
[h]	時を経過時間で表示
[m]	分を経過時間で表示
[s]	秒を経過時間で表示
AM/PM	12時間表示を使用して時を表示
am/pm	
A/P	
a/p	

▼日付の設定例（入力値：2024/3/20）

表示形式	表示結果
m/d	3/20
yy/mm/dd	24/03/20
mm/dd(aaa)	03/20(水)
yyyy年mm月	2024年03月
gee.m.d(ddd)	R06.3.20(Wed)
ggge年mm月dd日	令和6年03月20日

▼時刻の設定例（入力値：19:05:30）

表示形式	表示結果
hh:mm	19:05
h:mm AM/PM	7:05 PM
h時mm分ss秒	19時05分30秒

コラム　日付や時刻を管理するシリアル値を知ろう

Excelでは、日付と時刻をシリアル値という連続した数値で管理しています。セルに日付や時刻が入力されると、自動的にシリアル値に変換し、表示形式を日付や時刻に設定します。表示形式を「標準」にすると日付や時刻の表示形式が解除されシリアル値が表示されます。
日付のシリアル値は、既定で1900年1月1日を「1」とし、1日経過するごとに1加算される整数です。2024年2月14日は、1900年1月1日から45336日経過しているので、シリアル値は45336になります。
時刻のシリアル値は、0時を「0」、24時を「1」として、24時間を0から1の間の小数で管理します。12時は「0.5」、18時は「0.75」になります。24時になると「1」となり1日繰り上がって0に戻ります。

日時　2024/2/14 18:00:00

シリアル値　45336.75

整数部：日付のシリアル値　小数部：時刻のシリアル値

Section 49

書式をコピー／削除する

セルやセル範囲に設定した文字サイズやフォント、セルの色や罫線などの書式のみを別のセルやセル範囲にコピーできます。また、設定した書式のみをまとめて削除（クリア）することもできます。ここでは、書式のコピーと削除の方法を覚えましょう。

ここで学べること

習得スキル	操作ガイド	ページ
▶セルの書式をコピー	レッスン49-1	p.188
▶書式のクリア	レッスン49-2	p.189

まずは パッと見るだけ！

書式のコピーと貼り付け／書式のクリア

1つの表に設定した書式と同じ形式で表を作りたい場合など、セルに設定した同じ書式を別のセルで設定したいときは、書式だけをコピーすると効率的です。

● 書式のコピーと貼り付け

Before 操作前

	A	B	C	D	E	F	G	H	I
1	売上表								
2	支店1	前期	後期	合計		支店2	前期	後期	合計
3	商品A	1,200	1,500	2,700		商品A	1800	2500	4300
4	商品B	1,800	2,100	3,900		商品B	2200	1800	4000
5	商品C	1,600	1,800	3,400		商品C	2400	2500	4900
6	合計	4,600	5,400	10,000		合計	6400	6800	13200
7									

After 操作後

	A	B	C	D	E	F	G	H	I
1	売上表								
2	支店1	前期	後期	合計		支店2	前期	後期	合計
3	商品A	1,200	1,500	2,700		商品A	1,800	2,500	4,300
4	商品B	1,800	2,100	3,900		商品B	2,200	1,800	4,000
5	商品C	1,600	1,800	3,400		商品C	2,400	2,500	4,900
6	合計	4,600	5,400	10,000		合計	6,400	6,800	13,200
7									

見出しのセルの書式をコピーした

左の表全体の書式をコピーした

● 書式のクリア

Before 操作前

	A	B	C	D
1	売上表			
2	支店1	前期	後期	合計
3	商品A	1,200	1,500	2,700
4	商品B	1,800	2,100	3,900
5	商品C	1,600	1,800	3,400
6	合計	4,600	5,400	10,000
7				

After 操作後

	A	B	C	D
1	売上表			
2	支店1	前期	後期	合計
3	商品A	1200	1500	2700
4	商品B	1800	2100	3900
5	商品C	1600	1800	3400
6	合計	4600	5400	10000
7				

書式だけを削除した

レッスン 49-1 セルの書式をコピーする

49-1-売上表.xlsx

操作 書式をコピーする

セルの書式をコピーするには、書式をコピーしたいセルまたはセル範囲を選択し、[ホーム] タブの [書式のコピー/貼り付け] をクリックします。マウスポインターの形が になったら、コピー先のセルをクリックします。

Point 書式を連続してコピーする

セルの書式を複数の箇所に連続してコピーしたい場合は、[ホーム] タブの [書式のコピー/貼り付け] をダブルクリックします。書式のコピーが固定されるので、貼り付け先を必要なだけクリックします。Esc キーを押したら解除します。

単一のセルの書式をコピーする

ここでは、セルA2の書式をセルA6にコピーします。

1 セルを選択します。

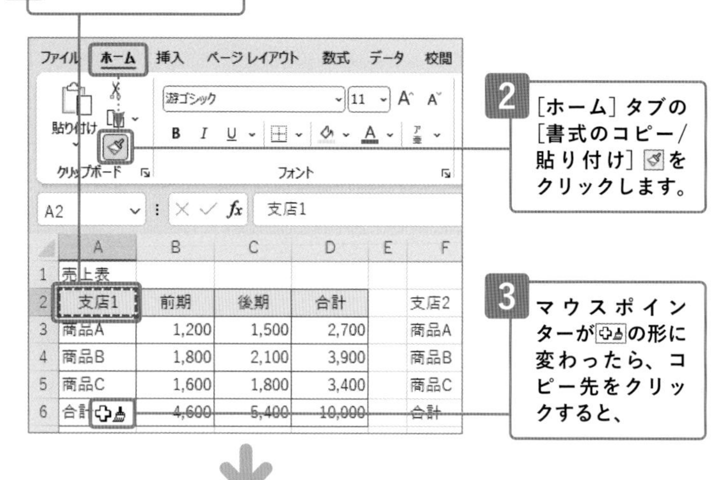

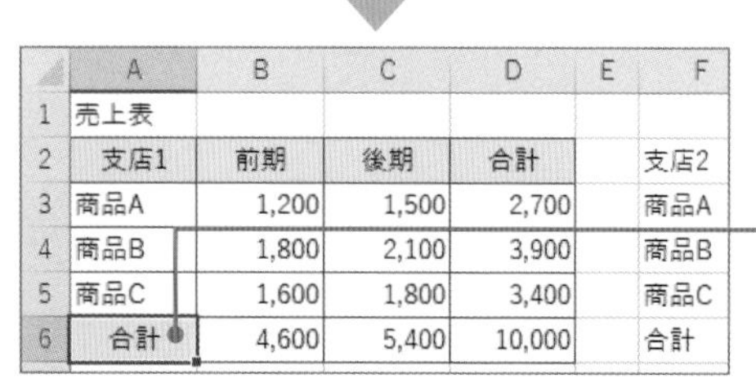

セル範囲の書式をコピーする

ここでは、セル範囲A2～D6の表の書式をセル範囲F2～I6にコピーします。

1 表のセル範囲を選択します。

2 [ホーム] タブの [書式のコピー/貼り付け] をクリックします。

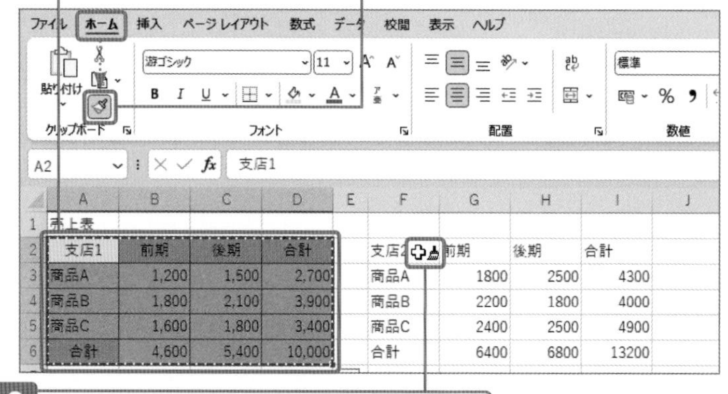

	A	B	C	D	E	F	G	H	I
1	売上表								
2	支店1	前期	後期	合計		支店2	前期	後期	合計
3	商品A	1,200	1,500	2,700		商品A	1,800	2,500	4,300
4	商品B	1,800	2,100	3,900		商品B	2,200	1,800	4,000
5	商品C	1,600	1,800	3,400		商品C	2,400	2,500	4,900
6	合計	4,600	5,400	10,000		合計	6,400	6,800	13,200
7									

4 指定した表の書式がコピーされます。

レッスン 49-2 書式をクリアする

練習用ファイル 49-2-売上表.xlsx

操作 書式をクリアする

セルに設定した書式をまとめて削除するには、［ホーム］タブの［クリア］の［書式のクリア］をクリックします。

Memo セル内のすべてを削除する

［ホーム］タブの［クリア］で、［すべてクリア］をクリックすると、セル内のデータと書式のすべてを削除できます。また、［数式と値のクリア］をクリックすると、セル内に入力されたデータのみ削除できます。これは、Delete キーを押すのと同じ動作になります。

1 セル範囲を選択します。

2 ［ホーム］タブ→［クリア］→［書式のクリア］をクリックすると、

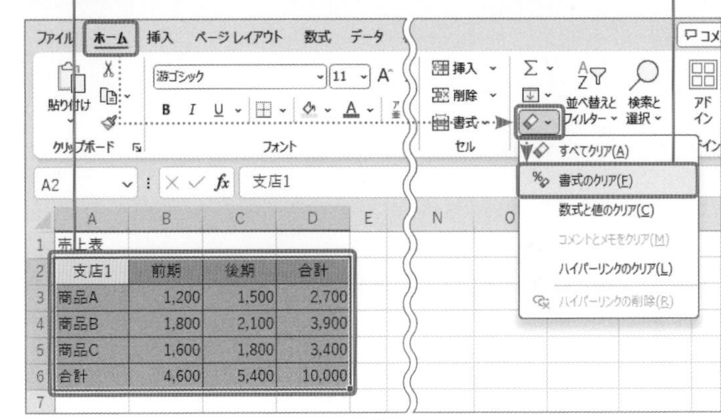

	A	B	C	D	E	F	G	H
1	売上表							
2	支店1	前期	後期	合計				
3	商品A	1200	1500	2700				
4	商品B	1800	2100	3900				
5	商品C	1600	1800	3400				
6	合計	4600	5400	10000				
7								
8								

3 選択したセル範囲に設定されていたすべての書式が削除されます。

Section
50 セルの値によって自動で書式を設定する

条件付き書式を設定すると、セルに表示する書式を自動的に切り替えることができます。例えば、条件を満たすセルに色を付けることで必要とするデータを見つけられます。また、数値の大きさを横棒の長さや色の濃淡で表現できるため、データの比較や分析に役立ちます。

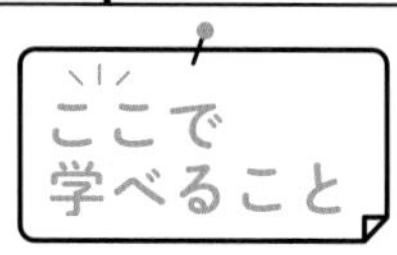

習得スキル	操作ガイド	ページ
▶条件付き書式の設定	レッスン50-1～6	p.191～p.197
▶条件付き書式の編集／削除	レッスン50-7	p.197

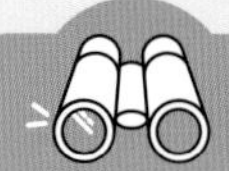

まずは パッと見るだけ！

条件付き書式を設定する

条件付き書式は、セルの値によって自動で書式を表示する機能です。そのため、データが変更されると、書式もそれに対応して自動で変更されます。数値、日付、文字列で、特定の値が含まれるセルを自動で強調できるので、重要なデータを見落とすことがなくなります。

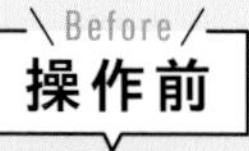

	A	B	C	D	E
1	成績表				
2	学籍NO	英語	数学	国語	合計
3	S001	68	100	87	255
4	S002	100	83	98	281
5	S003	77	84	80	241
6	S004	51	67	82	200
7	S005	83	90	77	250
8	S006	92	90	96	278
9					

--->

After
操作後

	A	B	C	D	E
1	成績表				
2	学籍NO	英語	数学	国語	合計
3	S001	68	100	87	255
4	S002	100	83	98	281
5	S003	77	84	80	241
6	S004	51	67	82	200
7	S005	83	90	77	250
8	S006	92	90	96	278
9					

値が「90」よりも大きいセルに色を設定

最高点／最低点のセルに色を設定

	A	B	C	D	E
1	講座申込状況			作成日	3月25日
2					
3	開催日	講座名	定員	申込数	申込率
4	4月1日	俳句入門	80	64	80%
5	4月5日	楽しく学ぶ英会話	80	80	100%
6	4月12日	はじめての囲碁	80	60	75%
7	4月20日	書道の楽しみ	80	45	56%
8	5月5日	絵手紙入門	80	78	98%
9	5月12日	短歌入門	80	55	69%
10	5月23日	ボールペン字基礎	80	70	88%
11					

--->

	A	B	C	D	E
1	講座申込状況			作成日	3月25日
2					
3	開催日	講座名	定員	申込数	申込率
4	4月1日	俳句入門	80	64	80%
5	4月5日	楽しく学ぶ英会話	80	80	100%
6	4月12日	はじめての囲碁	80	60	75%
7	4月20日	書道の楽しみ	80	45	56%
8	5月5日	絵手紙入門	80	78	98%
9	5月12日	短歌入門	80	55	69%
10	5月23日	ボールペン字基礎	80	70	88%
11					

「入門」を含むセルに色を設定

パーセントによって表示するアイコンを変更

	A	B	C	D	E	F
1	月別商品別売上集計					
2		4月	5月	6月	7月	合計
3	商品1	100,000	150,000	85,000	45,000	380,000
4	商品2	80,000	38,000	55,000	76,000	249,000
5	商品3	75,000	90,000	70,000	120,000	355,000
6	商品4	98,000	135,000	123,000	115,000	471,000
7	商品5	105,000	92,000	95,000	123,000	415,000
8						
9						

--->

	A	B	C	D	E	F
1	月別商品別売上集計					
2		4月	5月	6月	7月	合計
3	商品1	100,000	150,000	85,000	45,000	380,000
4	商品2	80,000	38,000	55,000	76,000	249,000
5	商品3	75,000	90,000	70,000	120,000	355,000
6	商品4	98,000	135,000	123,000	115,000	471,000
7	商品5	105,000	92,000	95,000	123,000	415,000
8						
9						

数値の大きさによって色の濃淡を変更

数値の大きさを横棒で表示する

レッスン 50-1 指定した数値より大きいセルに色を付ける

50-1-成績表.xlsx

操作 セルの強調表示ルールを設定する

条件付き書式の［セルの強調表示ルール］では、セルの数値や日付、文字の値によってセルやセルの文字に自動で書式を設定することができます。

Memo ［セルの強調表示ルール］の内容

［セルの強調表示ルール］では、指定した条件に一致するセルに書式を設定します。以下のような選択肢が用意されています。

指定の値より大きい	指定した数値より大きいセルに書式設定
指定の値より小さい	指定した数値より小さいセルに書式設定
指定の範囲内	指定した範囲内の数値のセルに書式設定
指定の値に等しい	指定した数値と一致するセルに書式設定
文字列	指定した文字列を含むセルに書式設定
日付	指定した期間内の日付を含むセルに書式設定
重複する値	選択範囲内で重複または重複しないセルに書式設定
その他のルール	［新しい書式ルール］ダイアログを表示して独自の条件を設定

指定の値以上や以下にしたい場合は、［その他のルール］をクリックし、［新しい書式ルール］ダイアログを表示して設定できます（次ページ上級テクニック参照）。

ここでは、3科目のテストの点数が90より大きいセルに色を設定します。

1 セル範囲を選択します。

2 ［ホーム］タブ→［条件付き書式］をクリックし、

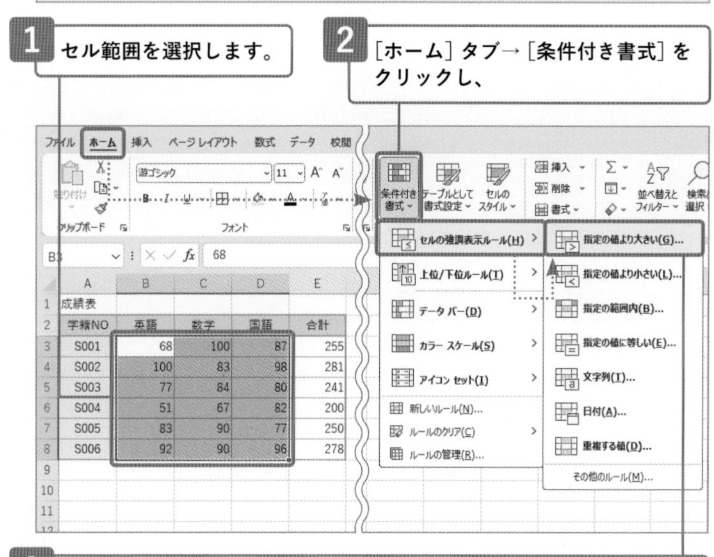

3 ［セルの強調表示ルール］→［指定の値より大きい］をクリックします。

4 数値（ここでは「90」）を入力し、

5 書式を選択して、

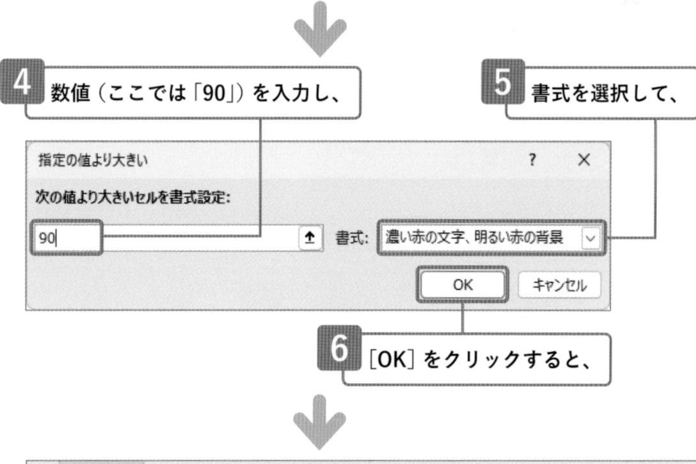

6 ［OK］をクリックすると、

	A	B	C	D	E	F	G	H
1	成績表							
2	学籍NO	英語	数学	国語	合計			
3	S001	68	100	87	255			
4	S002	100	83	98	281			
5	S003	77	84	80	241			
6	S004	51	67	82	200			
7	S005	83	90	77	250			
8	S006	92	90	96	278			
9								
10								
11								

7 指定した数値（90）より大きいセルに書式が設定されます。

上級テクニック **指定の値以上のセルに書式を設定するには**

[セルの強調表示ルール] には、「より大きい」とか「より小さい」はありますが、「以上」や「以下」はありません。この場合は、[新しい書式ルール] ダイアログで設定します。
例えば値が「90以上」のセルに書式設定したい場合は、前ページの手順❸で [その他のルール] をクリックし、[新しい書式ルール] ダイアログを表示して以下のように指定します。

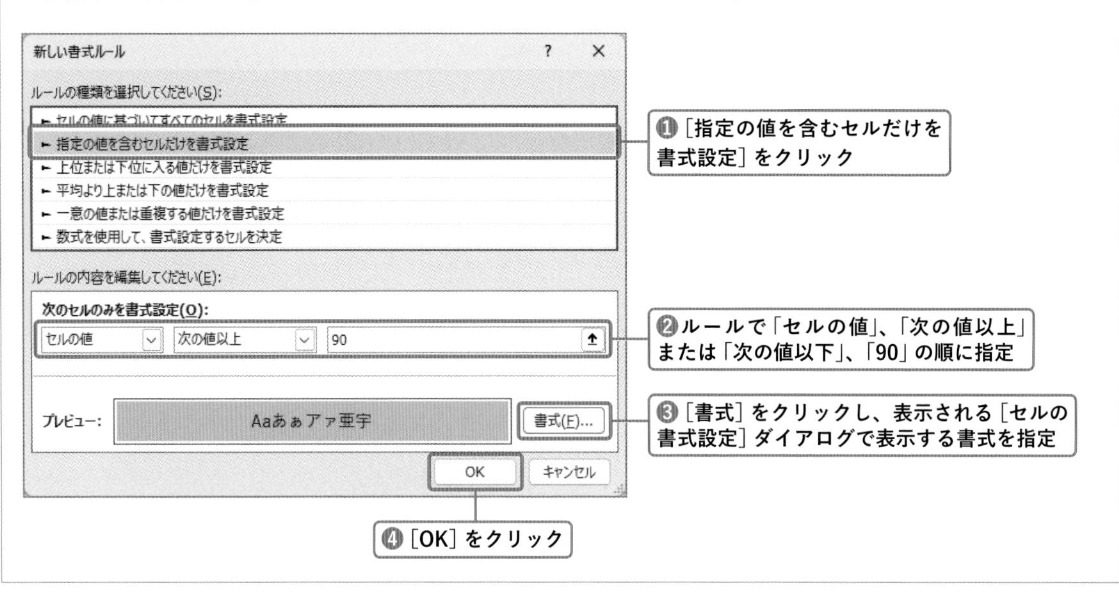

レッスン 50-2 最高点と最低点に色を設定する

練習用ファイル 50-2-成績表.xlsx

操作 上位/下位ルールを設定する

条件付き書式の [上位/下位ルール] では、指定したセル範囲の数値で大きい数 (上位) または小さい数 (下位) から指定した数またはパーセントに含まれるセルに書式を設定します。最高点や最低点のセルに自動で色を付けたり、平均より上のセルに色を付けたりできます。

Memo 条件付き書式の複数設定

条件付き書式は同じセル範囲に複数設定することができます。使用例では、最高点に色を付けるルールと最低点に色を付けるルールの2つの条件を設定しています。

ここでは、合計点が最高のセルと最低のセルにそれぞれ異なる色を設定します。

1 セル範囲を選択します。

2 [ホーム] タブ→ [条件付き書式] をクリックし、

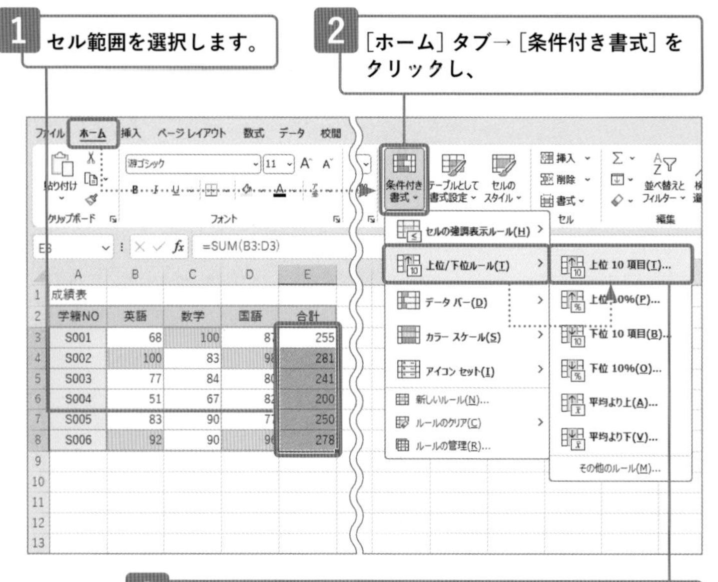

3 [上位/下位ルール] → [上位10項目] をクリックします。

Memo ［上位/下位ルール］の内容

［上位/下位ルール］では、上位や下位のセルに書式を設定します。以下のような選択肢が用意されています。

上位10項目	大きい順で指定した数のセルに書式設定
上位10%	大きい順で指定したパーセント内のセルに書式設定
下位10項目	小さい順で指定した数のセルに書式設定
下位10%	小さい順で指定したパーセント内のセルに書式設定
平均より上	平均値より上のセルに書式設定
平均より下	平均値より下のセルに書式設定
その他のルール	［新しい書式ルール］ダイアログを表示して独自の条件を設定

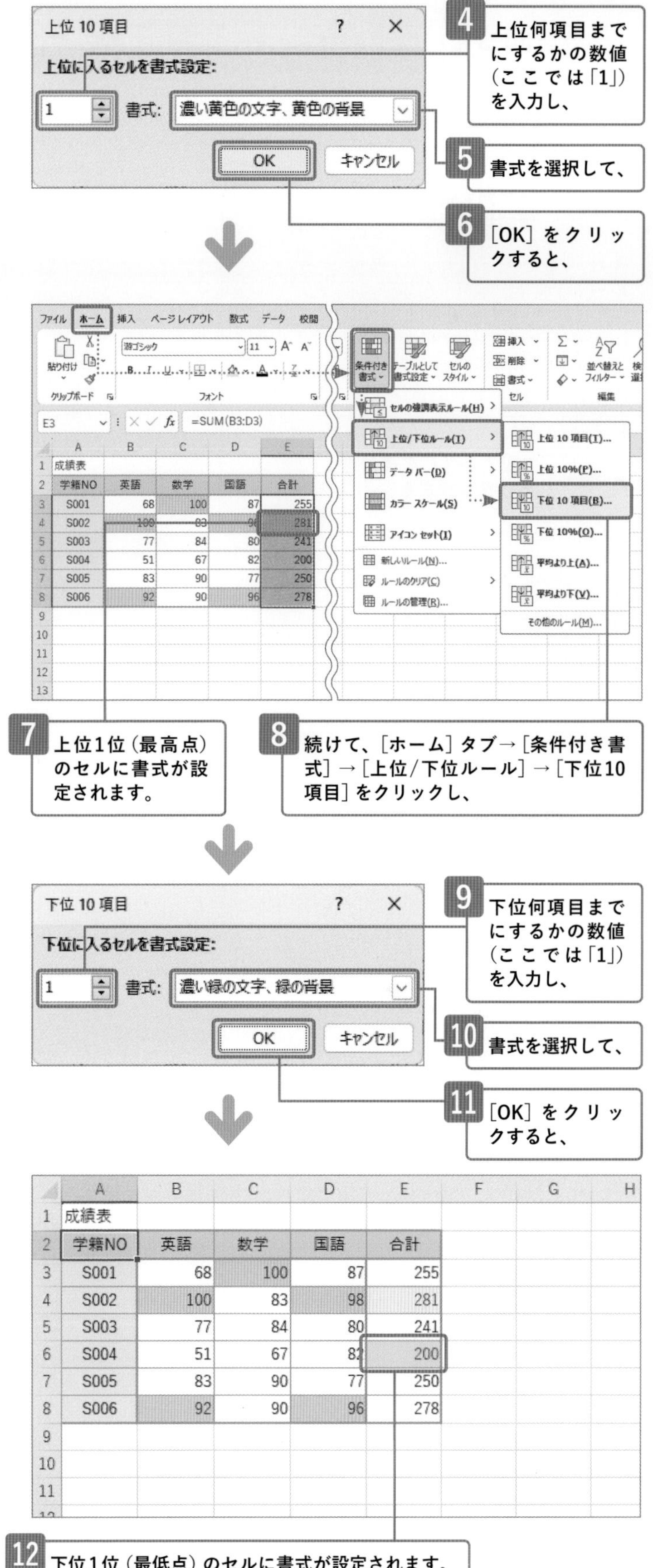

レッスン 50-3 指定した文字を含むセルの色を変更する

練習用ファイル 50-3-講座申込状況.xlsx

操作 文字列を条件に強調表示する

条件付き書式の［セルの強調表示ルール］で［文字列］を選択すると、指定した文字を含むセルに色を付けることができます。大量のデータの中から特定の値を持つセルを特定したいときに使えます。

Memo 日付のセルに条件付き書式を設定する

［セルの強調表示ルール］の［日付］をクリックすると、［日付］ダイアログが表示されます。ここには、［今日］や［来週］などの選択肢があり、セルの日付が選択した内容に該当する場合にセルに書式が設定されます。なお日付は、使用しているパソコンのシステム日付が基準になります。

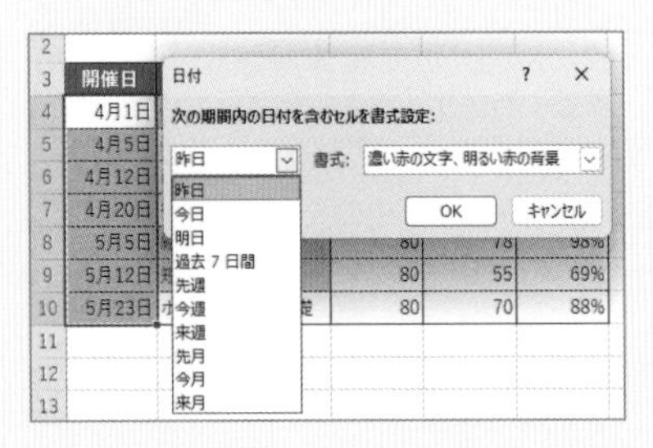

ここでは、講座名に「入門」を含むセルに色を付けます。

1 セル範囲を選択し、

2 ［ホーム］タブ→［条件付き書式］をクリックし、

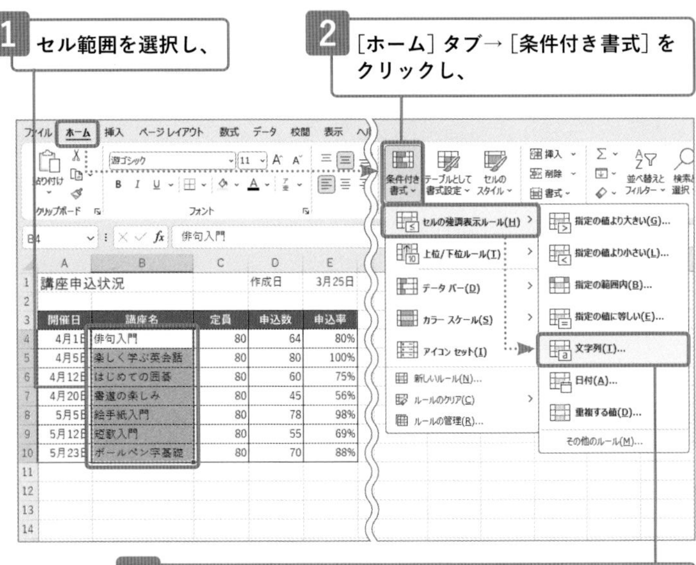

3 ［セルの強調表示ルール］→［文字列］をクリックします。

4 検索対象とする文字列（ここでは「入門」）を入力し、

5 書式を選択して、

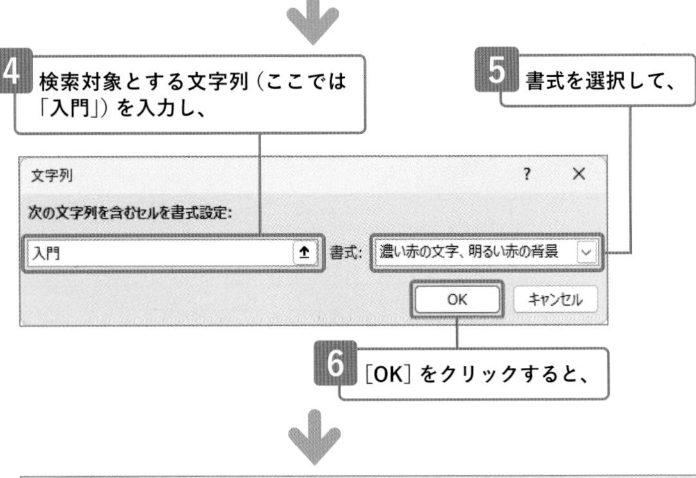

6 ［OK］をクリックすると、

	A	B	C	D	E	F	G
1	講座申込状況			作成日	3月25日		
2							
3	開催日	講座名	定員	申込数	申込率		
4	4月1日	俳句入門	80	64	80%		
5	4月5日	楽しく学ぶ英会話	80	80	100%		
6	4月12日	はじめての囲碁	80	60	75%		
7	4月20日	書道の楽しみ	80	45	56%		
8	5月5日	絵手紙入門	80	78	98%		
9	5月12日	短歌入門	80	55	69%		
10	5月23日	ボールペン字基礎	80	70	88%		
11							
12							

7 指定した文字列を含むセルに書式が設定されます。

 レッスン 50-4 数値の大小を横棒で表示する

練習用ファイル 50-4-月別商品別売上集計.xlsx

ここでは、合計のセルで数値の大小を横棒で比較するデータバーを表示します。

操作 データバーを設定する

条件付き書式の［データバー］を使うと、数値の大小を横棒で表示することができます。一目で数値の大小がわかるというメリットがあります。

1 セル範囲を選択します。

2 ［ホーム］タブ→［条件付き書式］→［データバー］をクリックし、

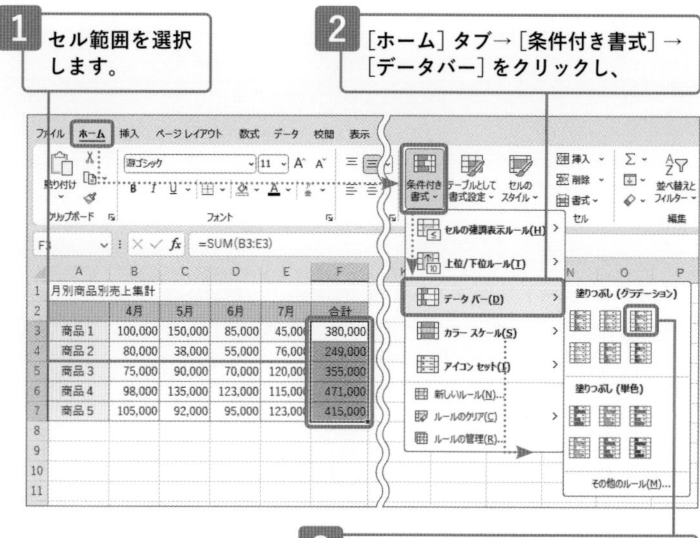

3 データバーの種類をクリックすると、

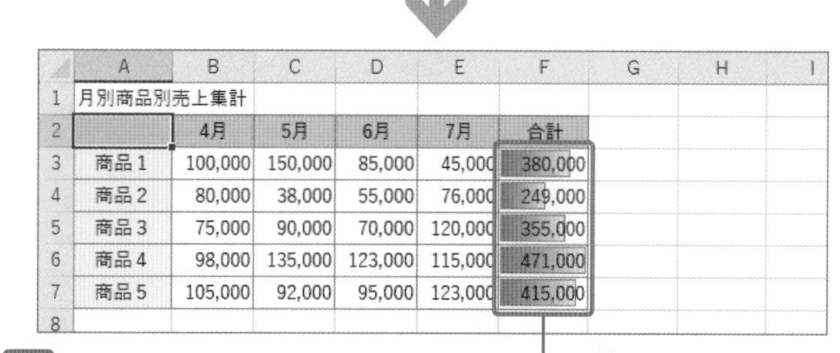

	A	B	C	D	E	F
1	月別商品別売上集計					
2		4月	5月	6月	7月	合計
3	商品1	100,000	150,000	85,000	45,000	380,000
4	商品2	80,000	38,000	55,000	76,000	249,000
5	商品3	75,000	90,000	70,000	120,000	355,000
6	商品4	98,000	135,000	123,000	115,000	471,000
7	商品5	105,000	92,000	95,000	123,000	415,000

4 セルの中に数値の大きさを比較するデータバーが表示されます。

Memo データバーだけ表示する

データバーを表示したセルで、セルの数値を非表示にしてデータバーだけを表示して横棒グラフのように表示することができます。セル範囲を選択し、［ホーム］タブ→［条件付き書式］→［条件付き書式の管理］をクリックして、［条件付き書式ルールの管理］ダイアログを表示し❶、変更したい条件付き書式をクリックして❷、［ルールの編集］をクリックします❸。［書式ルールの編集］ダイアログで［棒のみ表示］にチェック❹を付けて［OK］をクリックします。

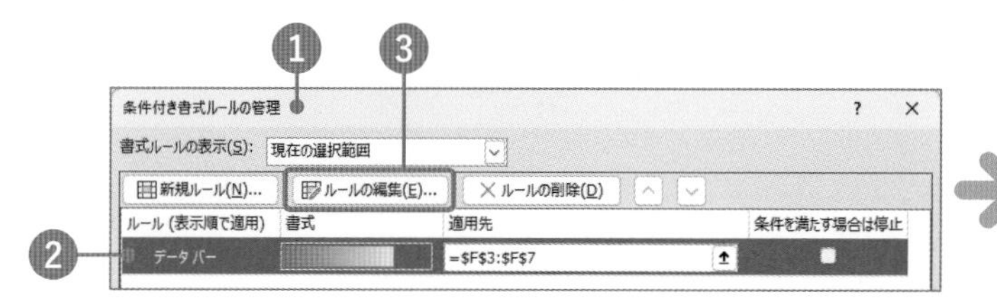

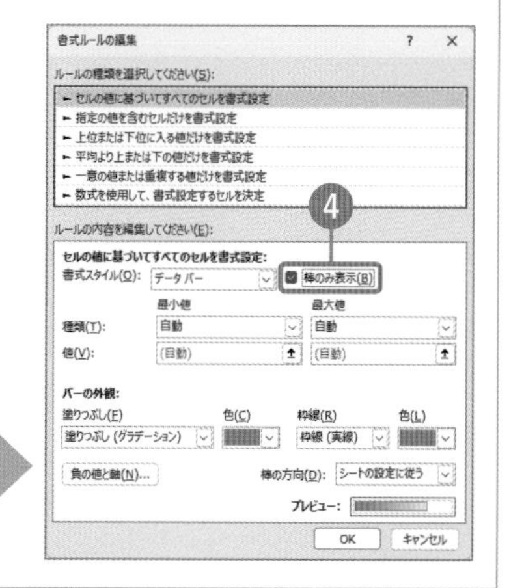

レッスン 50-5 数値の大小を色の濃淡で表現する

50-5-月別商品別売上集計.xlsx

操作 カラースケールを設定する

条件付き書式の［カラースケール］を使うと、セル範囲内にある数値の大きさによって、セルの色を段階的に変えることができるため、数値の分布を視覚的に把握できます。

Memo ヒートマップとして使う

ヒートマップとは、数値の大きさを色の濃淡で表現したグラフです。
条件付き書式の［カラースケール］を設定すると、数値の大きさによって段階的に色を変更することができるため、ヒートマップとして利用することができます。

ここでは、4月から7月のセル範囲で数値の大小でセルの色を変えるカラースケールを表示します。

1 セル範囲を選択します。

2 ［ホーム］タブ→［条件付き書式］→［カラースケール］をクリックし、

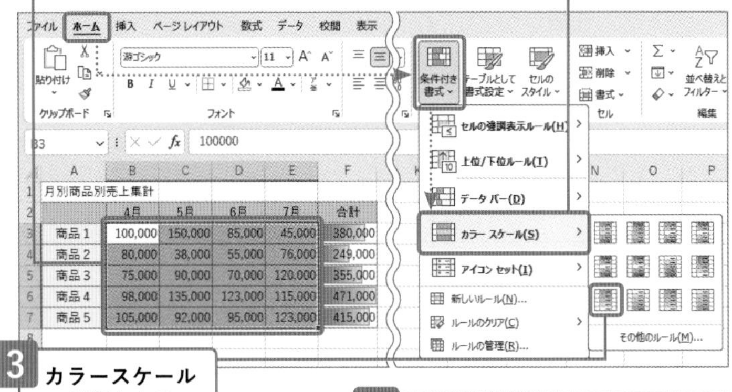

3 カラースケールの種類をクリックすると、

4 数値の大きさによってセルの色の濃淡が段階的に変更されます（ここでは緑が濃いほど数値が大きく、薄いほど小さくなっている）。

	A	B	C	D	E	F
1	月別商品別売上集計					
2		4月	5月	6月	7月	合計
3	商品 1	100,000	150,000	85,000	45,000	380,000
4	商品 2	80,000	38,000	55,000	76,000	249,000
5	商品 3	75,000	90,000	70,000	120,000	355,000
6	商品 4	98,000	135,000	123,000	115,000	471,000
7	商品 5	105,000	92,000	95,000	123,000	415,000

レッスン 50-6 数値の大きさによってアイコンを変更する

練習用ファイル 50-6-講座申込状況.xlsx

操作 アイコンセットを設定する

条件付き書式の［アイコンセット］を使うと、セル範囲内にある数値の大きさの範囲に合わせて、表示するアイコンの種類を変更することができます。数値を3～5つの範囲でグループ分けして、表示するアイコンの種類を変更できるので、どのグループに属すのか一目で確認できます。

ここでは、［申込率］列でパーセントによってアイコンを変えて表示します。

1 セル範囲を選択します。

2 ［ホーム］タブ→［条件付き書式］→［アイコンセット］をクリックし、

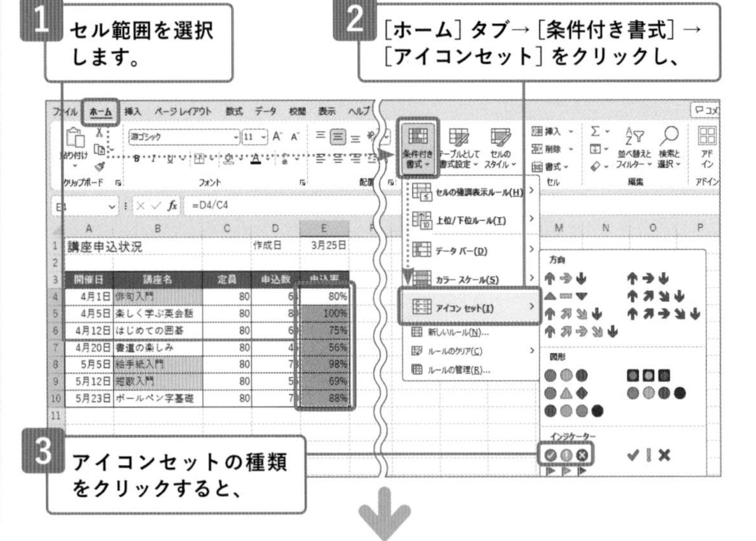

3 アイコンセットの種類をクリックすると、

Memo ［アイコンセット］の種類

アイコンセットには、［方向］、［図形］、［インジケーター］、［評価］の4つの分類に分かれて用意されています。使用するデータの内容やグループ分けしたい数によって自由に選択してください。アイコンが切り替わる境界の数字は自動で設定されますが、自分で指定することもできます(コラム参照)。

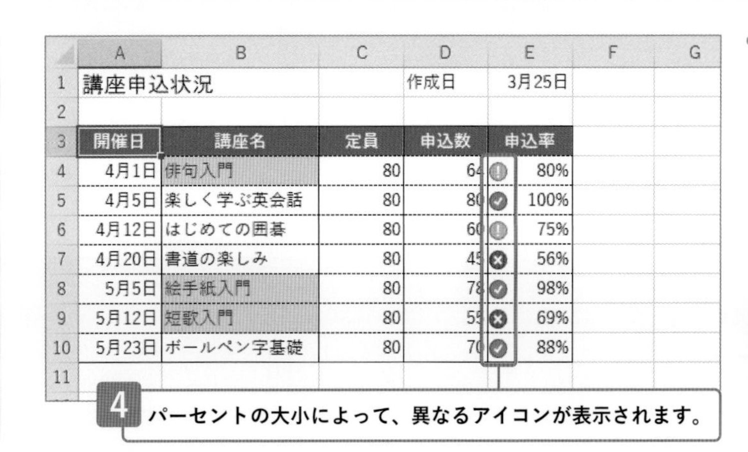

コラム アイコンのしきい値を変更する

アイコンの種類が変更される境界となる値を「しきい値」といいます。通常は自動で設定されていますが、自分で指定するには**レッスン50-7**の方法で［条件付き書式ルールの管理］ダイアログを表示し❶、ルールを選択して［ルールの編集］をクリックして❷、［書式ルールの編集］ダイアログを表示します❸。［書式ルールの編集］ダイアログで、右図のように［値］ボックスに切り替える数値、［種類］で値の種類を指定します❹。

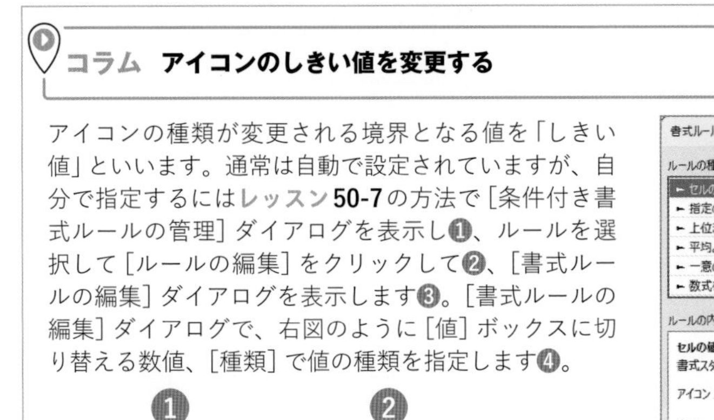

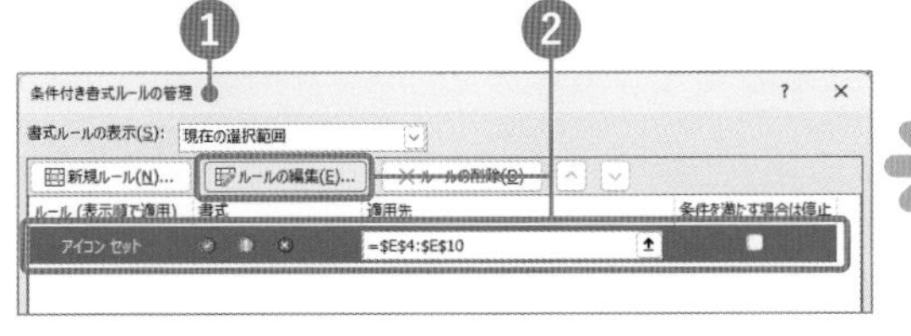

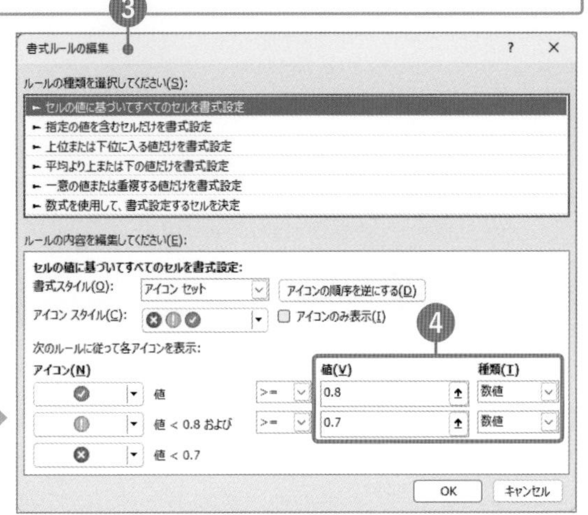

レッスン 50-7 条件付き書式を編集／削除する

練習用ファイル 50-7-成績表.xlsx

操作 条件付き書式を編集／削除する

［条件付き書式のルールの管理］ダイアログを表示すると、ルールを編集したり、不要なルールを削除したりできます。
また、メニューを使ってセルやワークシートに設定されている条件付き書式を一気に削除することができます。

ここでは、［合計］列に設定されている2つの条件付き書式で、下位1位のルールを削除し、上位1位のルールを上位3位までに変更します。

1 セル範囲を選択し、

2 ［ホーム］タブ→［条件付き書式］→［ルールの管理］をクリックします

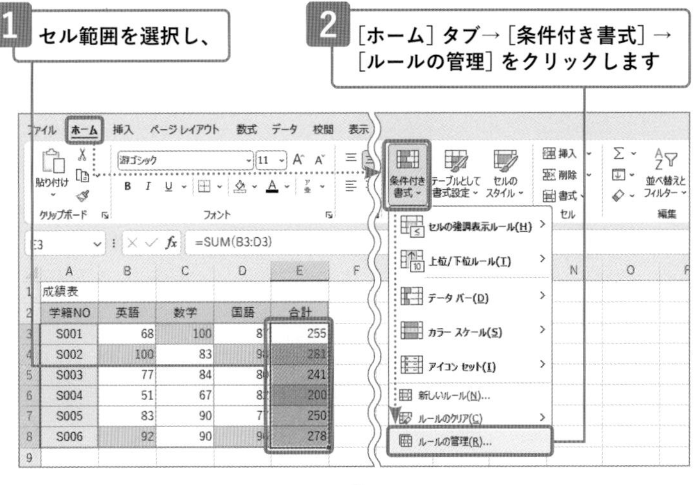

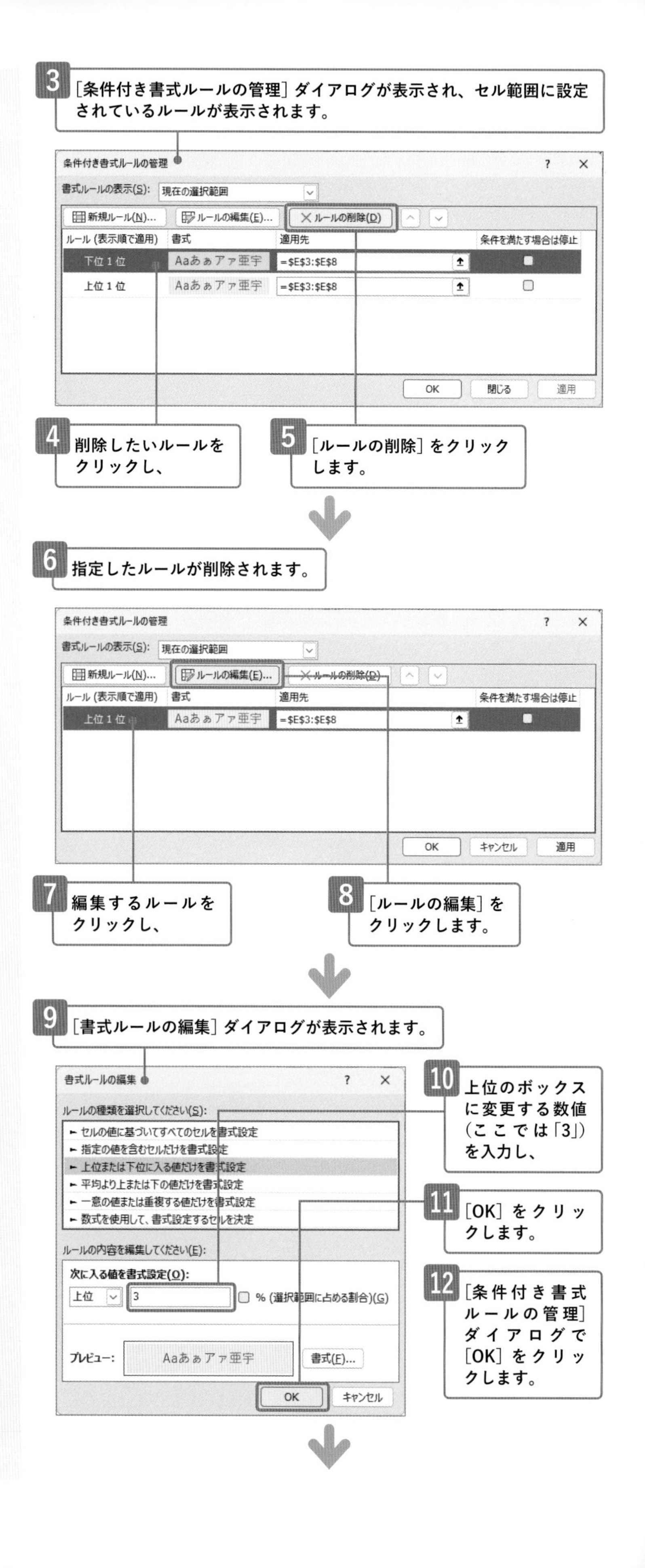

3 ［条件付き書式ルールの管理］ダイアログが表示され、セル範囲に設定されているルールが表示されます。
条件付き書式ルールの管理
書式ルールの表示(S): 現在の選択範囲
新規ルール(N)...
ルールの編集(E)...
ルールの削除(D)
ルール (表示順で適用)
書式
適用先
条件を満たす場合は停止
下位 1 位
Aaあぁアァ亜宇
=$E$3:$E$8
上位 1 位
OK
閉じる
適用
4 削除したいルールをクリックし、
5 ［ルールの削除］をクリックします。
6 指定したルールが削除されます。
キャンセル
7 編集するルールをクリックし、
8 ［ルールの編集］をクリックします。
9 ［書式ルールの編集］ダイアログが表示されます。
書式ルールの編集
ルールの種類を選択してください(S):
► セルの値に基づいてすべてのセルを書式設定
► 指定の値を含むセルだけを書式設定
► 上位または下位に入る値だけを書式設定
► 平均より上または下の値だけを書式設定
► 一意の値または重複する値だけを書式設定
► 数式を使用して、書式設定するセルを決定
ルールの内容を編集してください(E):
次に入る値を書式設定(O):
上位
3
% (選択範囲に占める割合)(G)
プレビュー:
書式(F)...
10 上位のボックスに変更する数値（ここでは「3」）を入力し、
11 ［OK］をクリックします。
12 ［条件付き書式ルールの管理］ダイアログで［OK］をクリックします。

	A	B	C	D	E	F	G	H
1	成績表							
2	学籍NO	英語	数学	国語	合計			
3	S001	68	100	87	255			
4	S002	100	83	98	281			
5	S003	77	84	80	241			
6	S004	51	67	82	200			
7	S005	83	90	77	250			
8	S006	92	90	96	278			
9								

13 ルールが変更されます（ここでは上位3位）。

Memo ワークシート内の条件付き書式を削除する

［ホーム］タブの［条件付き書式］の［ルールのクリア］で［シート全体からルールをクリア］をクリックすると、ワークシート内に設定されているすべての条件付き書式が削除されます。

条件付き書式をまとめて削除する

ここでは表内に設定されているすべての条件付き書式をまとめて削除します。

1 条件付き書式が設定されているセル範囲を選択します。

2 ［ホーム］タブ→［条件付き書式］をクリックし、

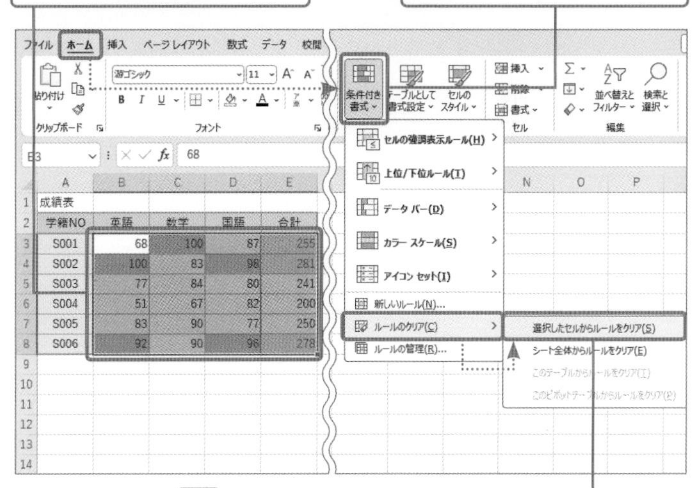

3 ［ルールのクリア］→［選択したセルからルールをクリア］をクリックすると、

	A	B	C	D	E	F	G	H
1	成績表							
2	学籍NO	英語	数学	国語	合計			
3	S001	68	100	87	255			
4	S002	100	83	98	281			
5	S003	77	84	80	241			
6	S004	51	67	82	200			
7	S005	83	90	77	250			
8	S006	92	90	96	278			
9								
10								

4 選択したセル範囲の条件付き書式がすべて削除されます。

条件付き書式は数が多いから、必要なときに見直してね～

Section

51 テーマを設定してブック全体の見た目を変更する

テーマとは、フォント、配色、効果の組み合わせです。テーマを変えるだけで、ブック全体の見た目を変更することができるため、イメージを変えるのに役立ちます。

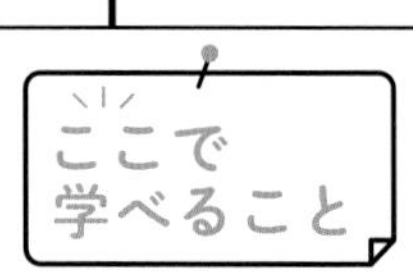

習得スキル	操作ガイド	ページ
▶テーマの変更	レッスン51-1	p.201

まずは パッと見るだけ！

ブック全体のテーマを変更する

ブックのテーマを変更して、ブック全体の見た目をすばやく変更することができます。

Before 操作前

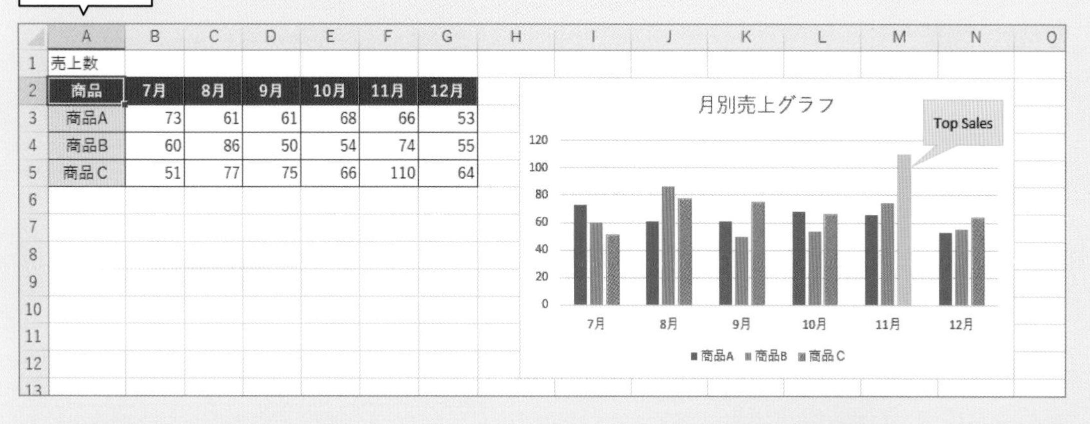

商品	7月	8月	9月	10月	11月	12月
商品A	73	61	61	68	66	53
商品B	60	86	50	54	74	55
商品C	51	77	75	66	110	64

After 操作後

テーマを変更して、ブック全体の見た目が変わった

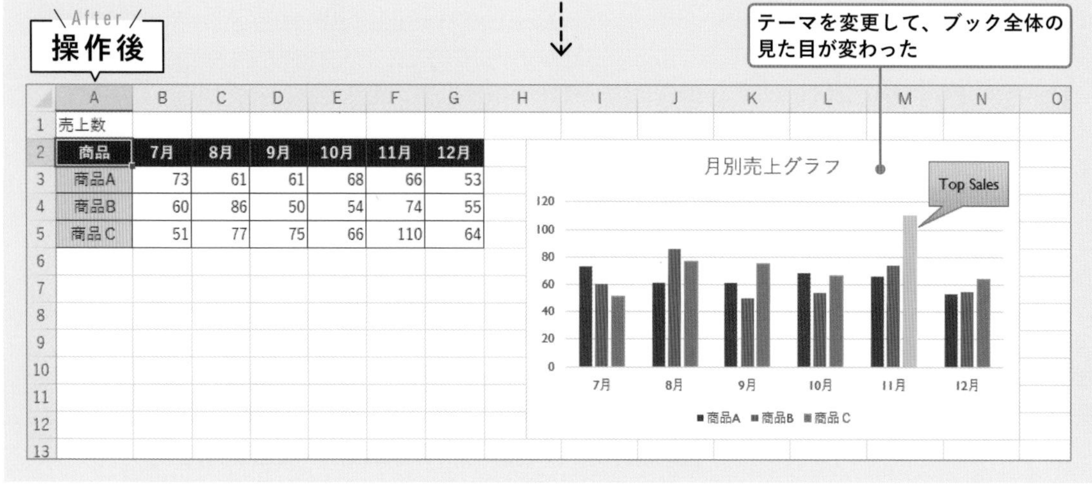

商品	7月	8月	9月	10月	11月	12月
商品A	73	61	61	68	66	53
商品B	60	86	50	54	74	55
商品C	51	77	75	66	110	64

レッスン 51-1 ブックのテーマを変更する

51-売上数.xlsx

操作 テーマを変更する

ブックのテーマを変更するには、[ページレイアウト] タブの [テーマ] をクリックします。一覧からテーマを選択するだけで、フォント、配色、効果すべてがテーマに合わせて変更されます。既定のテーマは「Office」です。
なお、テーマ以外の色やフォントを設定している場合は、テーマを変更しても変わりません。
また、最初のテーマに戻すには、テーマの一覧で [Office] を選択します。

Memo フォント／配色／効果のテーマを個別に変更する

[ページレイアウト] タブの [テーマの色]、[テーマのフォント]、[テーマの効果] をクリックすると、それぞれ個別にテーマを変更することができます。例えば、フォントはそのままにして、配色だけ変更したいといった場合に使えます。

Memo 新しいテーマについて

Microsoft 365では、既定のテーマ「Office」が新しくなっており、配色が図1のように変更になっています。従来の「Office」のテーマを使用したい場合は、図2のように [Office 2013 – 2022 テーマ] を選択してください。

●図1：新しい既定のテーマ

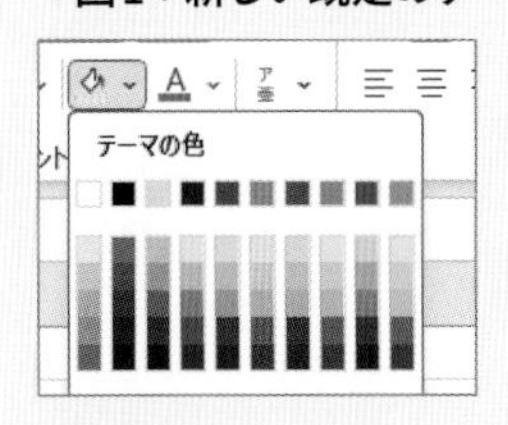

●図2

ここでは、既定のテーマ「Office」のブックを別のテーマに変更します。

1 [ページレイアウト] タブの [テーマ] をクリックします。

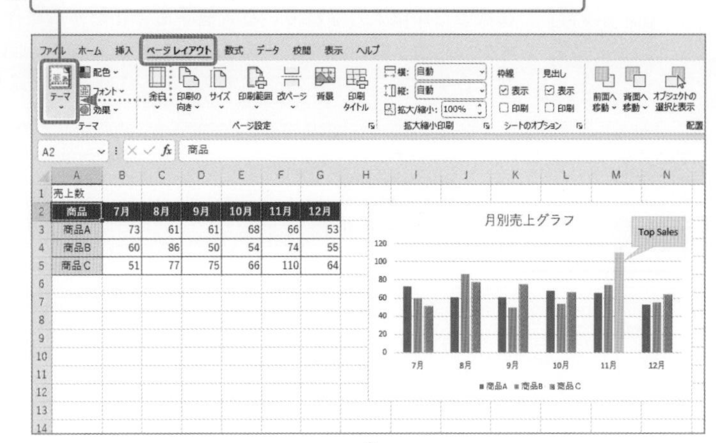

2 テーマの一覧で任意のテーマにマウスポインターを合わせると、

3 イメージがプレビューで表示されます。

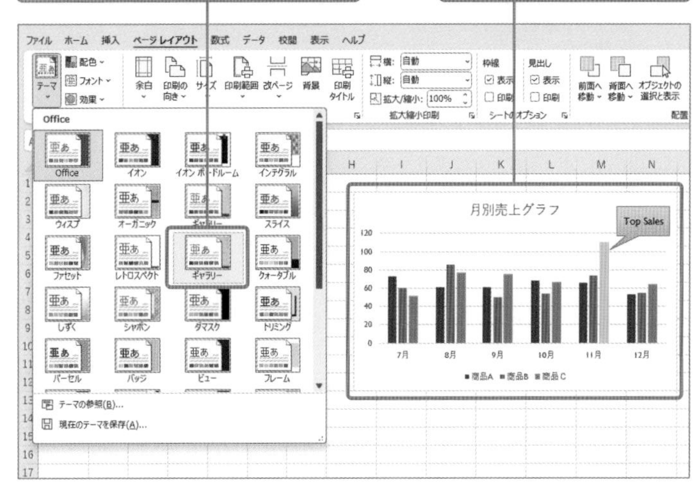

4 一覧でテーマをクリックすると、テーマが変更されます。

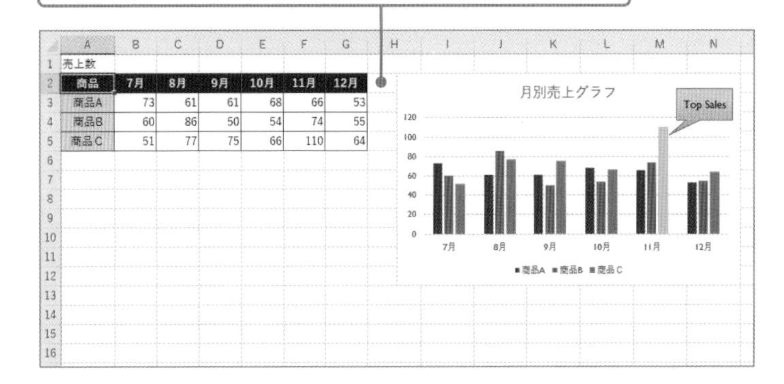

Section

52 セルの中に小さなグラフを表示する

複数のセルに入力されている数値をもとにセル内に作成されるミニグラフを「スパークライン」といいます。表内に作成することができるので、一目でデータの傾向や大小の比較を見ることができます。ここではスパークラインの作成方法を覚えましょう。

習得スキル
▶スパークラインの設定

操作ガイド
レッスン52-1〜3

ページ
p.203〜p.206

まずは パッと見るだけ！

スパークラインの挿入

スパークラインには、折れ線のスパークライン、縦棒のスパークライン、勝敗のスパークラインの3種類があります。もととするデータに合わせて適切なものを作成しましょう。

Before 操作前 → After 操作後

●**折れ線のスパークライン**

	A	B	C	D	E	M	N
1	1日の気温変化（2時間おき）						
2	〇〇市	0時	2時	4時	6時	22時	気温の変化
3	気温	5.4	6.0	6.0	7.3	6.3	
4							

--->

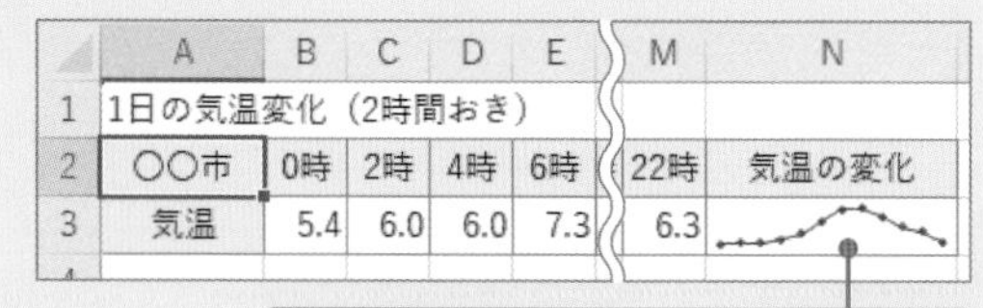

	A	B	C	D	E	M	N
1	1日の気温変化（2時間おき）						
2	〇〇市	0時	2時	4時	6時	22時	気温の変化
3	気温	5.4	6.0	6.0	7.3	6.3	
4							

時間の経過によるデータの推移を表す折れ線グラフを表示

●**縦棒のスパークライン**

	A	B	C	D	G	H
1	売上数					
2	商品	1月	2月	3月	6月	売上比較
3	商品A	56	66		65	
4	商品B	78	74		77	
5	商品C	82	75		83	
6						

--->

	A	B	C	D	G	H
1	売上数					
2	商品	1月	2月	3月	6月	売上比較
3	商品A	56	66		65	
4	商品B	78	74		77	
5	商品C	82	75		83	
6						

商品ごとの月別の売上数の縦棒グラフを表示

●**勝敗のスパークライン**

	A	B	C	G	H
1	集客数比較				
2	店舗A	1月	2月	月	結果
3	対前年差	-15	7	5	
4					

--->

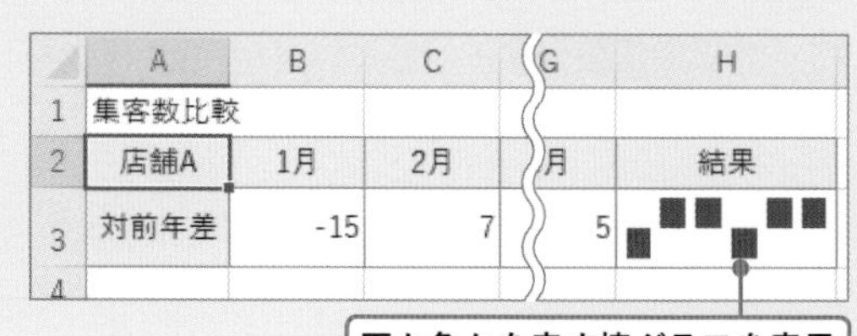

	A	B	C	G	H
1	集客数比較				
2	店舗A	1月	2月	月	結果
3	対前年差	-15	7	5	
4					

正か負かを表す棒グラフを表示

レッスン 52-1 折れ線のスパークラインを設定する

練習用ファイル 52-1-気温の変化.xlsx

操作 折れ線のスパークラインを設定する

折れ線のスパークラインは、時間の経過によるデータの推移を表したいときに使うとデータの変遷がよくわかります。[挿入] タブの [折れ線スパークライン] をクリックして作成します。

Point スパークラインのスタイルを変更する

[スパークライン] タブの [スタイル] グループにあるをクリックすると、スタイルの一覧が表示され、スタイルをクリックして変更できます。

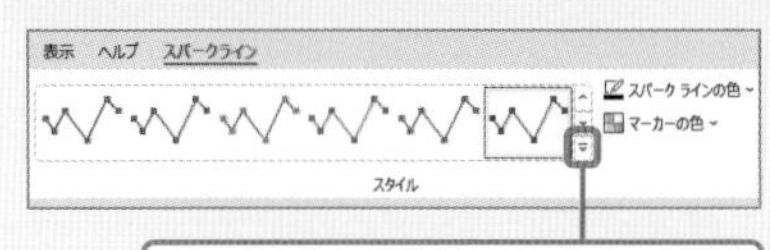

ここをクリックしてスタイルの一覧を表示する

Memo スパークラインを削除する

スパークラインが設定されているセルをクリックし、[スパークライン] タブの [選択したスパークラインのクリア] クリア をクリックします。

ここでは1日の気温の変化を折れ線スパークラインで表します。

1 スパークラインのもとになるセル範囲を選択し、

2 [挿入] タブ→ [折れ線スパークライン] をクリックします。

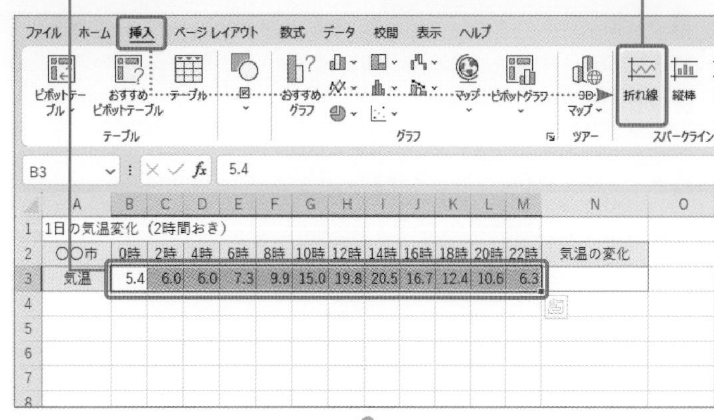

3 [スパークラインの作成] ダイアログが表示されます。

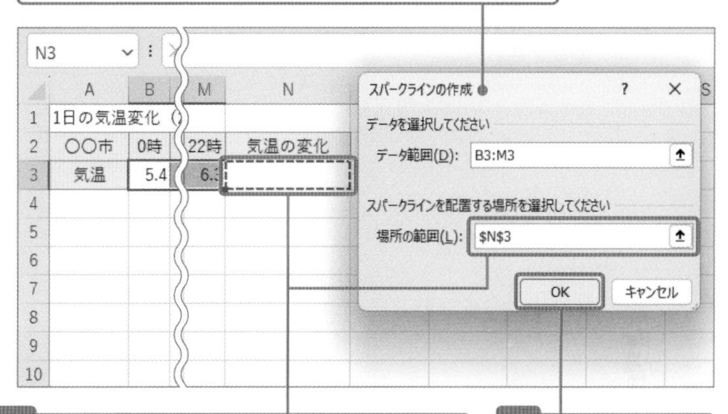

4 [場所の範囲] にカーソルを移動し、スパークラインを表示するセルをクリックし、

5 [OK] をクリックします。

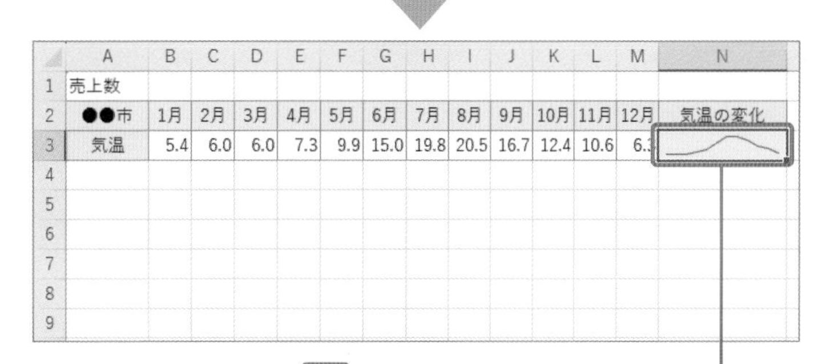

6 折れ線のスパークラインが表示されます。

コラム　[表示] グループの項目

[スパークライン] タブの [表示] グループには、スパークラインを修飾する項目が配置されています。チェックを付けるとその項目を強調する色やマーカーが表示されます。

頂点（山）	データの最大値を強調
頂点（谷）	データの最小値を強調
負のポイント	負の値を強調
始点	最初のデータを強調
終点	最後のデータを強調
マーカー	折れ線スパークラインで各値にマーカーを表示

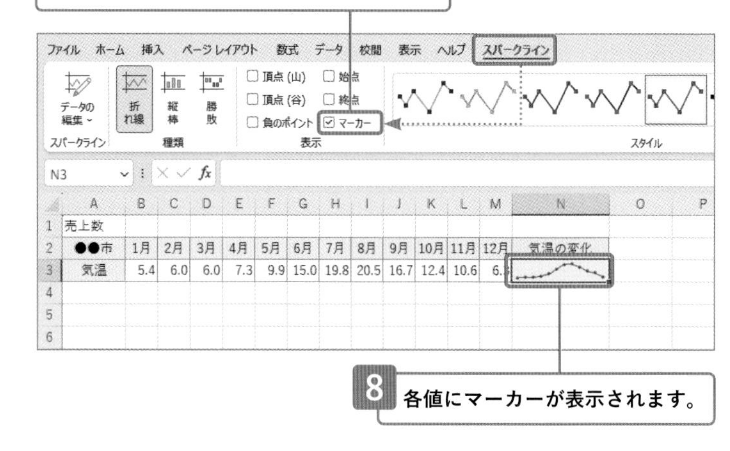

レッスン 52-2 縦棒のスパークラインを設定する

練習用ファイル 52-2-売上数.xlsx

操作　縦棒のスパークラインを設定する

縦棒のスパークラインは、売上数を比較するなど、数値の大きさを比較したいときに使います。
[挿入] タブの [縦棒スパークライン] をクリックして作成します。

Point　スパークラインのグループ化

複数のセルにスパークラインをまとめて作成すると、自動的にスパークラインがグループ化されます。
スパークラインの書式を設定したい場合、スパークラインのいずれかのセルをクリックするだけで、各スパークラインの書式設定をまとめて行えます。

ここでは3つの商品の月別の売上数を縦棒のスパークラインで表します。

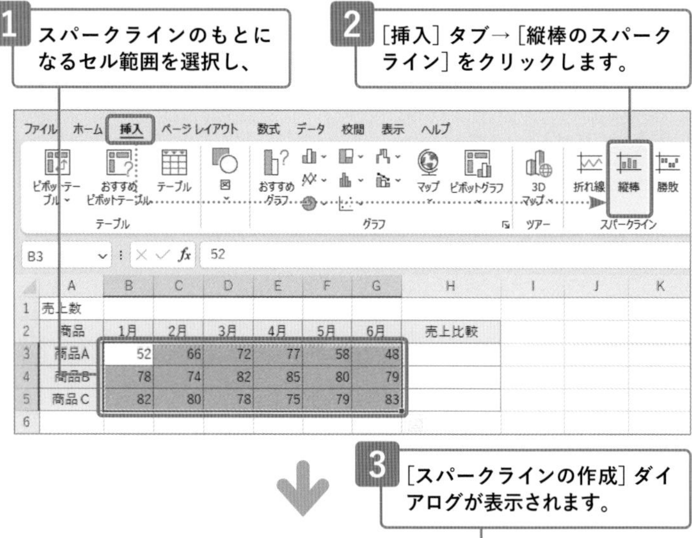

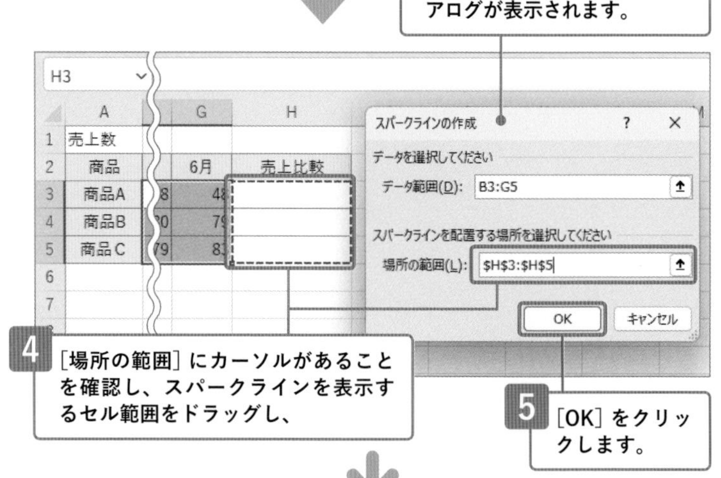

Point スパークラインの軸の設定

スパークラインの数値軸は、各行のスパークラインの値ごとに設定されます。すべてのスパークラインの軸を揃えると、すべての値の中で同じ最小値、最大値が設定され、尺度を統一することができます。

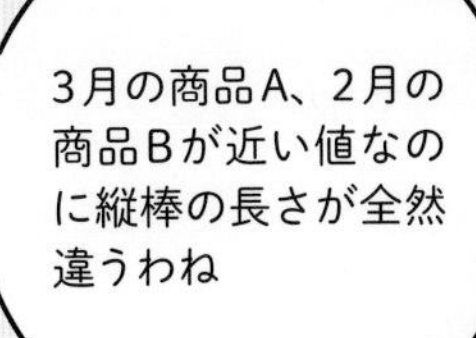

商品	1月	2月	3月	6月	売上比較
商品A	52	66	72	48	
商品B	78	74	82	79	
商品C	82	80	78	83	

Memo ユーザー設定値

スパークラインの軸は［ユーザー設定値］でも設定できます。

縦軸の最小値のオプション
- スパークラインごとに自動設定(A)
- ✓ すべてのスパークラインで同じ値(F)
- ユーザー設定値(C)...

縦軸の最大値のオプション
- ✓ スパークラインごとに自動設定(E)
- すべてのスパークラインで同じ値(M)
- ユーザー設定値(V)...

6 売上数を比較する縦棒スパークラインが表示されます。

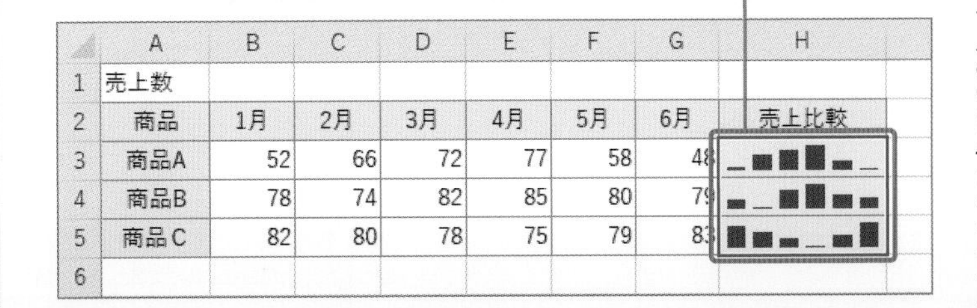

	A	B	C	D	E	F	G	H
1	売上数							
2	商品	1月	2月	3月	4月	5月	6月	売上比較
3	商品A	52	66	72	77	58	48	
4	商品B	78	74	82	85	80	79	
5	商品C	82	80	78	75	79	83	
6								

各スパークラインの軸をすべてのスパークラインで同じにする

1 スパークラインが設定されているセルを選択します。

2 ［スパークライン］タブの［スパークラインの軸］をクリックし、

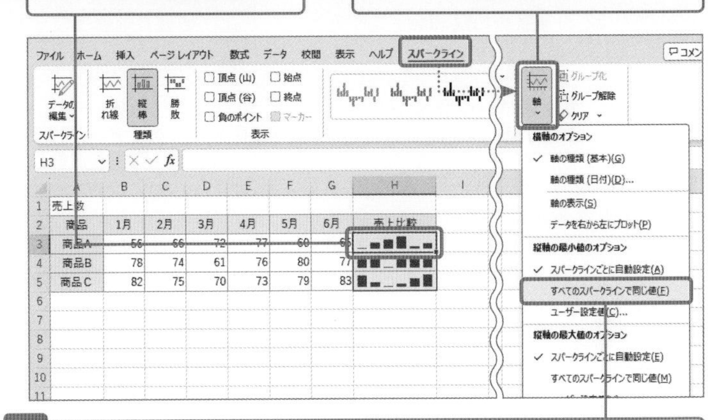

3 ［縦軸の最小値のオプション］で［すべてのスパークラインで同じ値］をクリックします。

4 縦棒の最小値が各スパークラインで同じに設定されます。

5 続けて、［スパークライン］タブの［スパークラインの軸］をクリックし、

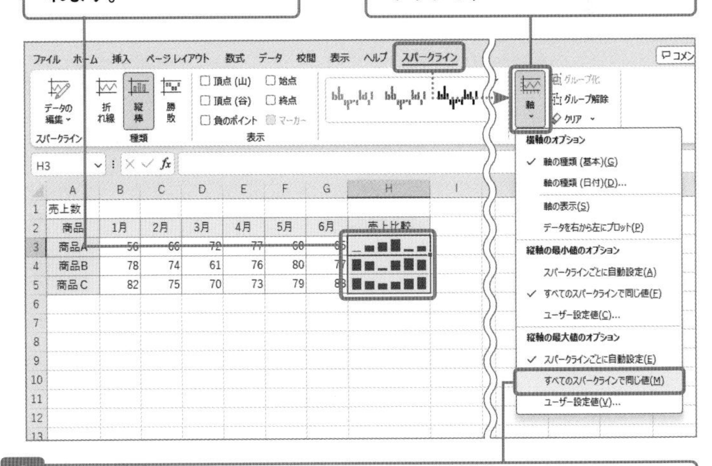

6 ［縦軸の最大値のオプション］で［すべてのスパークラインで同じ値］をクリックします。

7 最小値と最大値がすべてのスパークラインで統一され、グラフの軸が揃いました。

	A	B	C	D	E	F	G	H
1	売上数							
2	商品	1月	2月	3月	4月	5月	6月	売上比較
3	商品A	56	66	72	77	60	65	
4	商品B	78	74	61	76	80	77	
5	商品C	82	75	70	73	79	83	
6								

レッスン 52-3 勝敗のスパークラインを設定する

練習用ファイル 52-3-集客数比較.xlsx

操作 勝敗スパークラインを設定する

勝敗のスパークラインは、正の数と負の数を表すことができます。数字を比較した結果、増加したか、減少したかといった結果を見たいときに使うといいでしょう。
［挿入］タブの［勝敗スパークライン］をクリックして作成します。

Point 数値の大小の比較はできない

勝敗のスパークラインは、数値が正か負かを表すのみで、数値の大きさは表現しません。数値の大きさを表現したい場合は、縦棒のスパークラインを作成してください。

ここでは月別集客数を前年度と比較した結果を勝敗スパークラインで表します。

1 スパークラインのもとになるセル範囲を選択し、

2 ［挿入］タブ→［勝敗スパークライン］をクリックします。

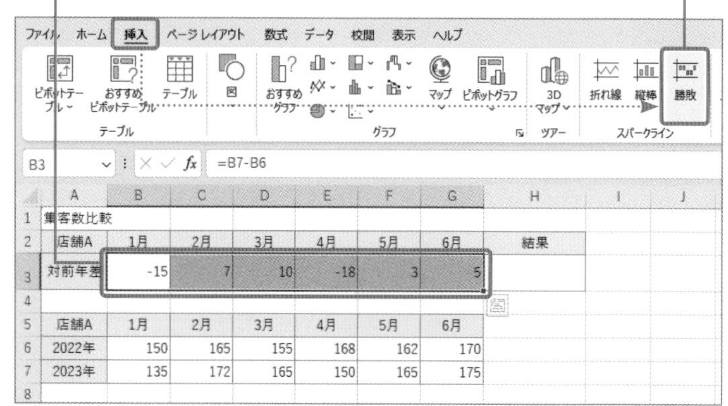

3 ［スパークラインの作成］ダイアログが表示されます。

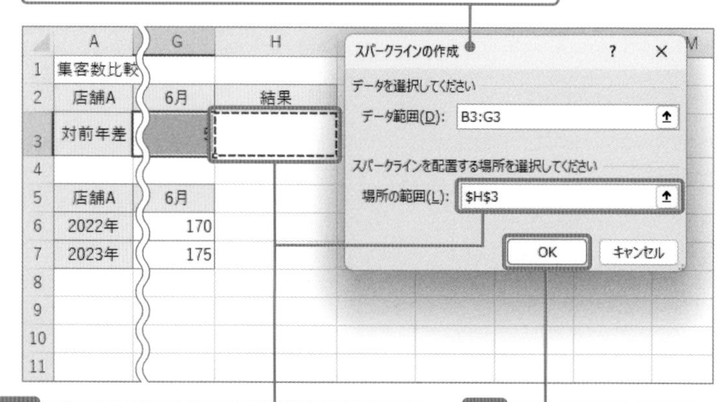

4 ［場所の範囲］にカーソルがあることを確認し、スパークラインを表示するセルをクリックして、

5 ［OK］をクリックします。

6 正か負かを表すスパークラインが表示されました。

	A	B	C	D	E	F	G	H
1	集客数比較							
2	店舗A	1月	2月	3月	4月	5月	6月	結果
3	対前年差	-15	7	10	-18	3	5	
4								
5	店舗A	1月	2月	3月	4月	5月	6月	
6	2022年	150	165	155	168	162	170	
7	2023年	135	172	165	150	165	175	
8								
9								

パソコン仕事では、1時間に10分は休憩をとりましょう

パソコン仕事は、集中するとあっという間に1～2時間経過してしまいます。パソコンの画面を見つめ、同じ姿勢を続けると目が疲れたり、肩が凝ったりします。人によっては、頭痛や腰痛になることも。こういった疲労は、蓄積するとなかなか回復しづらいので、目を休め、凝り固まった身体をほぐすためにも、1時間に10分くらいは休憩をとりましょう。あえて書類整理などパソコン以外の仕事をするのもおすすめです。

● **おすすめの10分休憩**
・窓の外の緑を眺めながら、休みの日にやりたいことを考える
・座ったまま首や肩を回し、軽くストレッチする
・コーヒーやお茶をいれて、ちょこっと甘いものを食べる

▼**ストレッチイメージ**

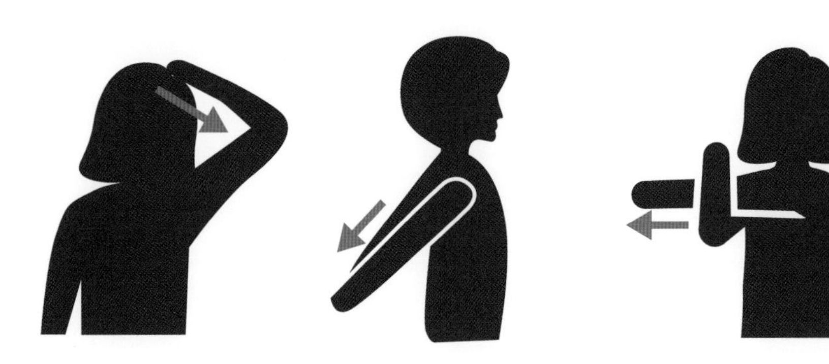

Point 自分にやさしくこまめに休憩！

練習問題 書式を設定して表のレイアウトを整えましょう

練習用ファイル 演習5-地区別当期売上実績.xlsx

完成見本を参考に、以下の手順で書式を設定してください。

1. セルA1のフォントを「BIZ UDPゴシック」、フォントサイズを「14」に変更する
2. 表の1行目のセル範囲A3〜B3とE3〜G3は、セルの色を「青 アクセント1」にし、太字、文字色を白にする。次に、セル範囲C3〜D3は、セルの色を「青 アクセント1 白+基本色60%」にし、太字にする。表の1行目全体を中央揃えにする。セルG3を［縮小して全体を表示する］にして文字をセル内に収める
3. 表の1列目のセル範囲A4〜A7のセルの色を「青 アクセント1 白+基本色60%」にし、中央揃えにする

   ヒント：「青 アクセント1」などは、p.159のMemo参照
4. 表全体のセル範囲A3〜G7に格子罫線を設定し、太い外枠を設定する。次に、セル範囲A4〜G7の内側の横線を粗い点線に変更する
5. セル範囲B4〜E7に表示形式「桁区切りスタイル」を設定する
6. セルF2を右揃えにする
7. セルG2の日付の表示形式を和暦で「令和6年3月31日」の形式に変更する
8. セル範囲F4〜F7に表示形式「パーセントスタイル」を設定し、小数点以下第1位まで表示されるようにする。次に、マイナスの値が赤字で表示されるようにユーザー定義の表示形式「0.0%;[赤]-0.0%」を設定する
9. セル範囲G4〜G7に縦棒のスパークラインを挿入する。データ範囲は、上期と下期のデータ（セル範囲C4〜D7）とする。スパークラインのスタイルを緑系の色に変更し、スパークラインの軸を最小値を「0」（ユーザー設定値で指定）、最大値を「すべてのスパークラインで同じ値」に設定する

▼**完成見本**

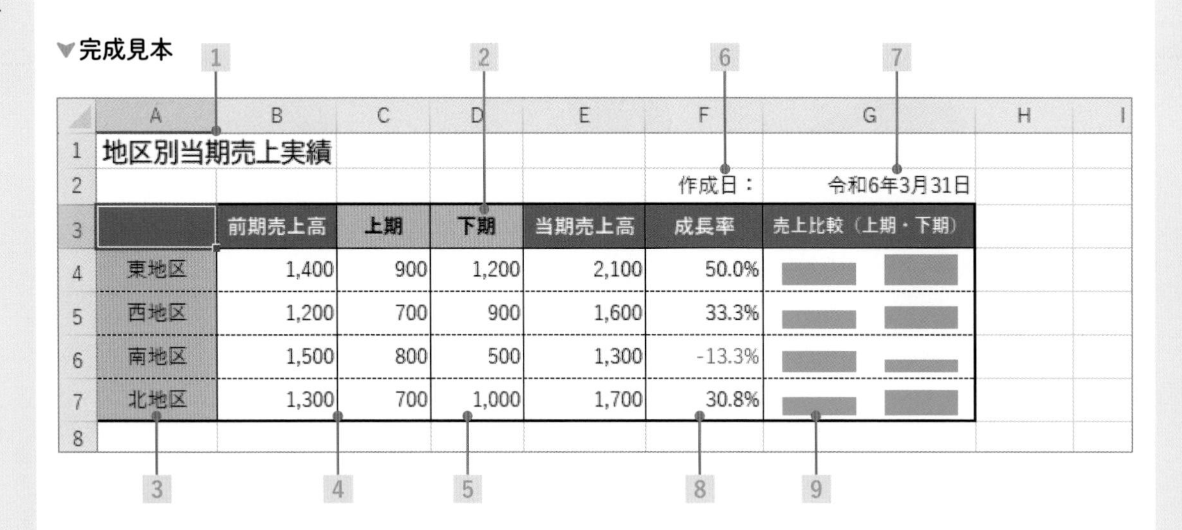

	A	B	C	D	E	F	G	H
1	地区別当期売上実績							
2						作成日：	令和6年3月31日	
3		前期売上高	上期	下期	当期売上高	成長率	売上比較（上期・下期）	
4	東地区	1,400	900	1,200	2,100	50.0%		
5	西地区	1,200	700	900	1,600	33.3%		
6	南地区	1,500	800	500	1,300	-13.3%		
7	北地区	1,300	700	1,000	1,700	30.8%		
8								

第 6 章

数式や関数で楽に計算する

Excelでは、セルに入力された数値を使って計算します。ここでは数式の入力方法、セルの参照の仕方、基本的な関数を学びます。関数については、合計や平均値などを求める基本的な計算する関数と、文字列を操作する基本的な関数を紹介します。

数式も関数も
ゆっくりやれば
大丈夫！

Section

53 数式を使おう

セルに入力された数値をもとに計算した結果を表示するには、数式を作成します。「10」のような数値を使うだけでなく、「A2」のようなセル番地を使って数式を作成することができます。

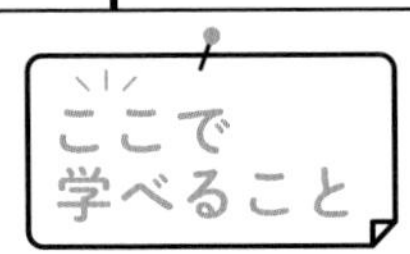

習得スキル	操作ガイド	ページ
▶数式の設定	レッスン53-1	p.211

まずは パッと見るだけ！

数式とは、セルに入力する計算式のことです。セルに数式を入力するときは、先頭に半角の「=」を入力し、数値と算術演算子を組み合わせて作成します。算術演算子とは、「+」や「−」のように足し算や引き算などで使用する記号のことです。

●数値を使って数式を入力する

数値の「20」と「30」を足し算するには算術演算子の「+」を使って、数値の結果を表示したいセルに「=20+30」と入力して数式を作成します。

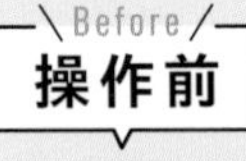

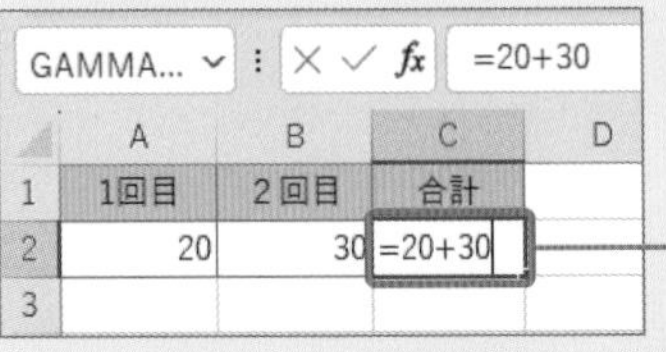

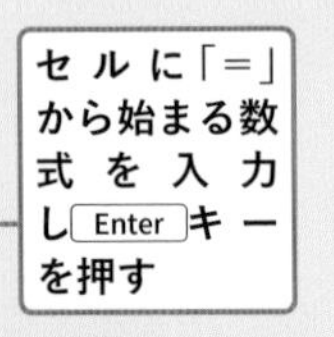

--->

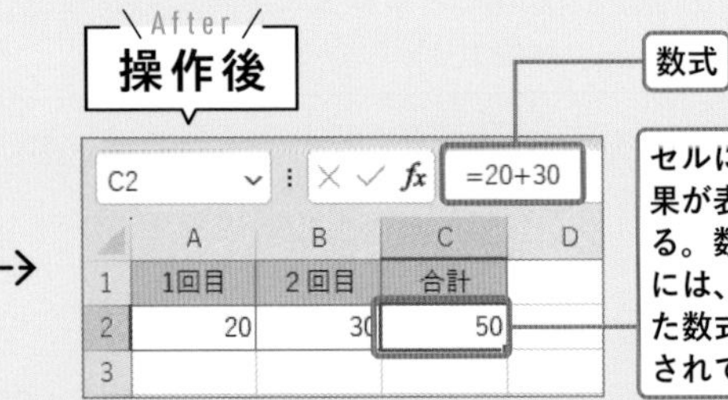

●セル参照を使って数式を入力する

数値が入力されているセルを使って数式を入力できます。セル参照を使うので、セルの数値が変われば自動的に再計算されて正しい結果を返します。例えば、セルA2とセルB2の数値を足し算するには、「=A2+B2」と記述します。

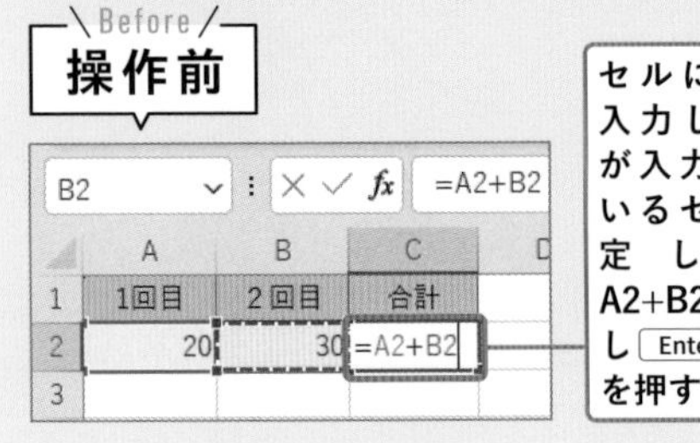

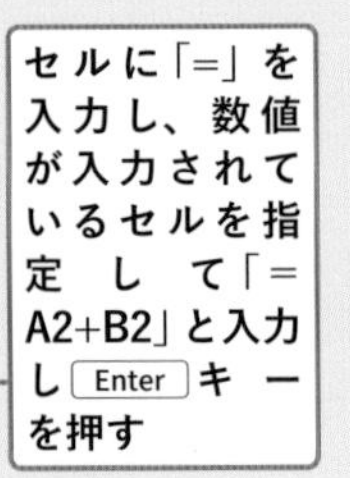

--->

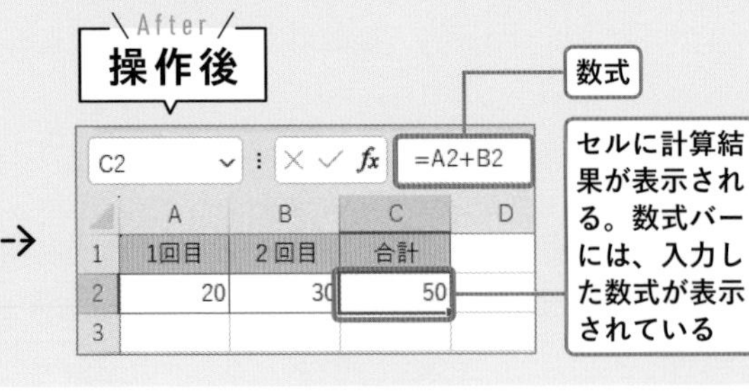

レッスン 53-1 数式を設定する

練習用ファイル 53-数式.xlsx

操作 数式を入力する

基本的な数式の入力方法を練習してみましょう。算術演算子、数値、セル番地はすべて半角で入力します。数式をコピーするには、オートフィルを使うと便利です（Section37）。数式をコピーすると、コピー先に合わせてセル参照が自動調整されます。

Memo 算術演算子の種類

算術演算子には、以下のようなものがあります。

算術演算子	計算方法	例	結果
+	足し算	=2+4	6
−	引き算	=2-4	-2
*	掛け算	=2*4	8
/	割り算	=2/4	0.5
^	べき乗	=2^4	16
%	パーセンテージ	=2%	0.02

※「=2^4」は2の4乗のことです。

Memo 算術演算子の優先順位

「*」や「/」は「+」や「−」より優先されるので、先に「+」や「−」を計算したい場合は「()」で囲みます。

順位	演算子
1	() 内の数式
2	%
3	^
4	*、/
5	+、−

数式の入力

ここでは、セルC2にセルA2とセルB2の数値を合計する数式を入力します。

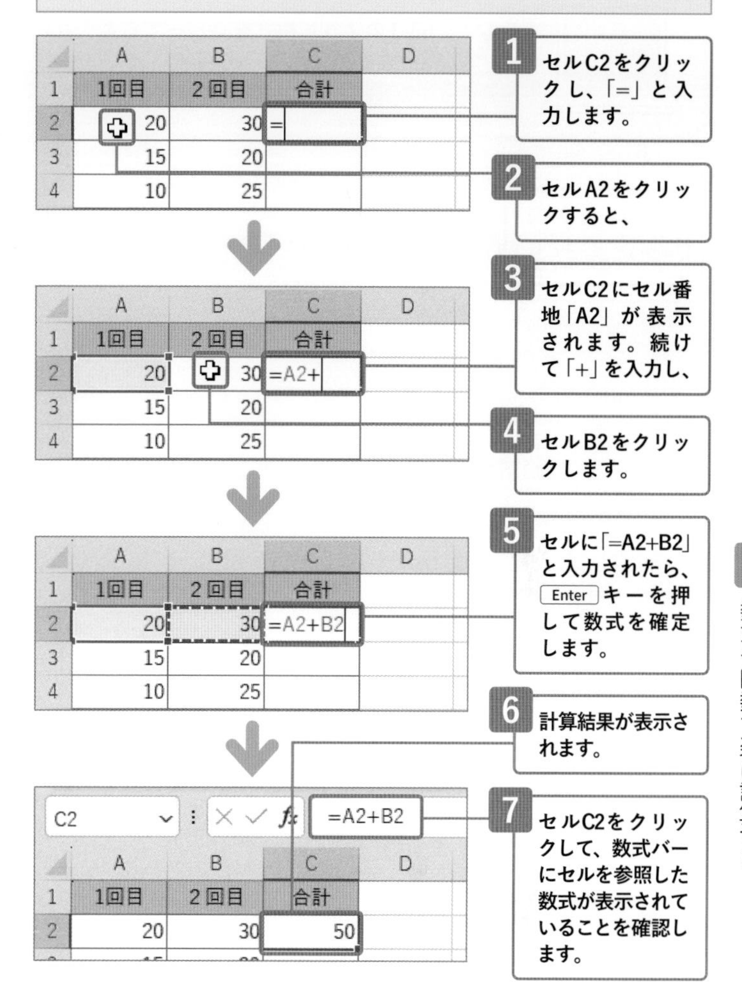

数式のコピー

1 数式が入力されているセルを選択し、右下角のフィルハンドル（■）にマウスポインターを合わせ＋の形になったら、下方向にドラッグします。

	A	B	C	D
1	1回目	2回目	合計	
2	20	30	50	
3	15	20		
4	10	25		

2 数式がコピーされ、それぞれの行のセルの合計が表示されます。

	A	B	C	D
1	1回目	2回目	合計	
2	20	30	50	
3	15	20	35	
4	10	25	35	

Section 54

相対参照と絶対参照を知ろう

レッスン53-1のように数式をコピーすると、コピー先に合わせてセル参照が自動調整されます。このような参照方式を「相対参照」といいます。数式をコピーしてもセル参照を固定したい場合はセルの参照方式を「絶対参照」に変更します。

ここで学べること

習得スキル	操作ガイド	ページ
▶絶対参照で数式を入力する	レッスン54-1	p.213

まずは パッと見るだけ！

相対参照と絶対参照

数式のコピー先に合わせて自動で参照を調整するのが「相対参照」、コピーしても参照するセルを変更したくない場合は、参照方法を「絶対参照」に変更します。絶対参照は「$C$1」のように行番号と列番号の前に「$」を付けます。

●相対参照

数式をコピーすると、コピー先のセルに合わせてセル参照が同じ位置関係（相対的）で変更されます。

	A	B	C	D
1	1回目	2回目	合計	
2	20	30	50	
3	15	20	35	
4	10	25	35	
5				

コピー元
C2: =A2+B2

コピー先
C3: =A3+B3
C4: =A4+B4

●絶対参照

以下は達成率（実績÷目標）を求める例です。目標数のセルC1は固定にするため、絶対参照「$C$1」にしてセルC4の式は、「=B4/$C$1」となります。式をコピーしてもセルC1へのセル参照は固定され、正しく達成率を求められます。

	A	B	C	D
1		目標数	130	
2				
3		実績	達成率	
4	商品A	180		
5	商品B	90		
6	商品C	120		
7	達成率：実績÷目標			

各商品の達成率を求めたい

→

After
操作後

	A	B	C	D	E	F
1		目標数	130			
2						
3		実績	達成率			
4	商品A	180	138.5%			
5	商品B	90	69.2%			
6	商品C	120	92.3%			
7	達成率：実績÷目標					

コピー元
C4: =B4/$C$1

コピー先
C5: =B5/$C$1
C6: =B6/$C$1

商品の実績のセルは相対参照、目標数のセルは絶対参照にすることでコピーしても正しい数式が設定される

レッスン 54-1 絶対参照を使って各商品の売上達成率を正確に計算する

練習用ファイル 54-絶対参照.xlsx

操作 相対参照と絶対参照を使う

数式をコピーしたときにセル参照がずれないようにするには、セルの参照方式を絶対参照にします。
絶対参照にするには、行番号と列番号の前に半角の「$」を付けて「$C$1」のように記述します。直接「$」を入力することもできますが、ファンクションキーの F4 キーを使うと便利です。

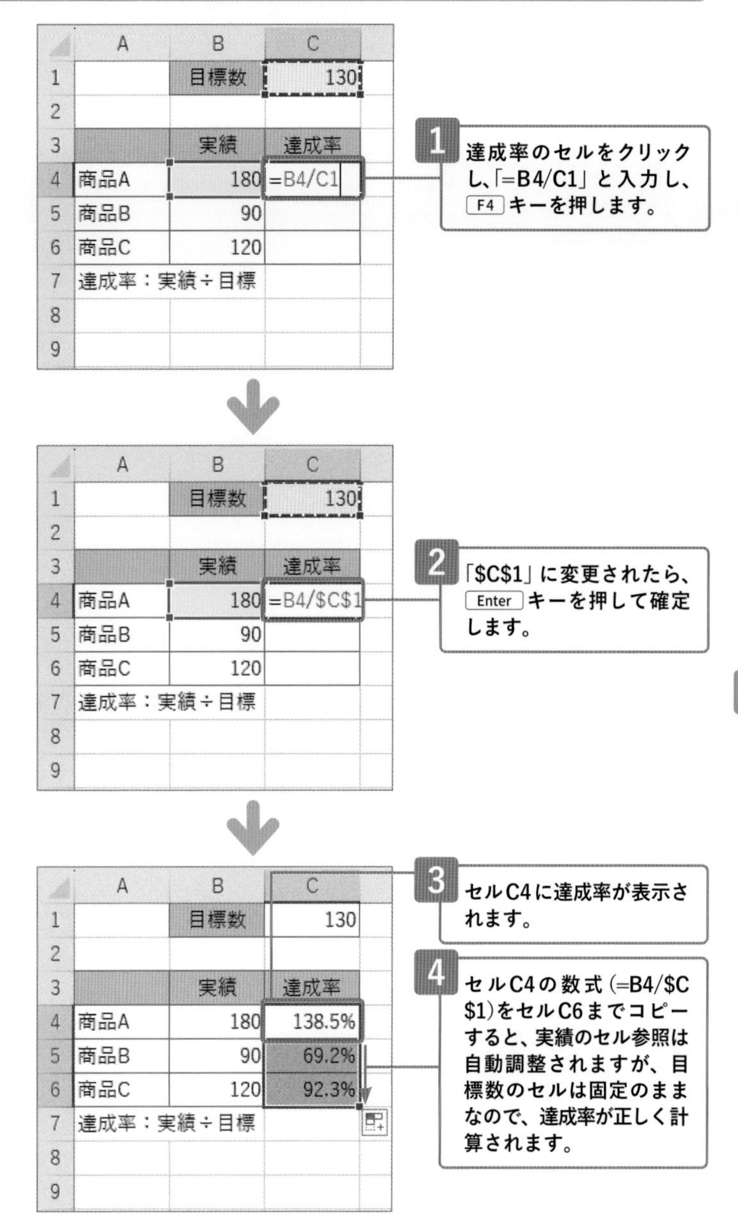

上級テクニック F4 キーで相対参照と絶対参照を切り替える

数式の中でセルを入力したときに F4 キーを押します。F4 キーを押すごとに以下のように参照方法が変わります。行だけ固定する場合は「C$1」、列だけ固定する場合は「$C1」のように指定します。行列どちらかを固定する参照方法を「複合参照」といいます。

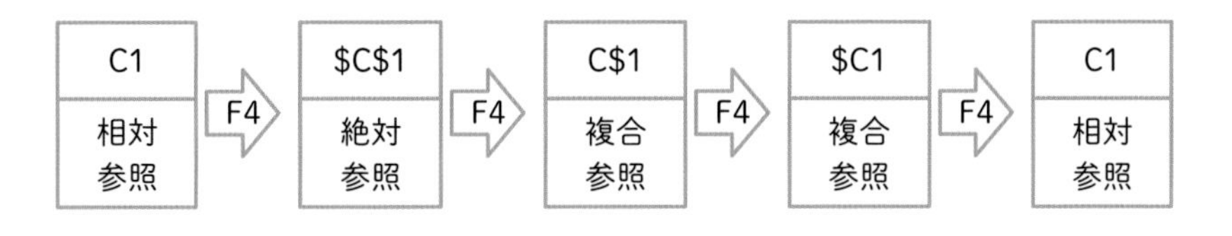

Section

55 関数を使おう

関数を使うと、複雑な計算を簡単に求めることができます。Excelには、500を超える関数が用意されており、さまざまな計算ができるようになっています。ここでは、関数の基本と入力方法を覚えましょう。

ここで学べること	習得スキル	操作ガイド	ページ
	▶関数の入力	レッスン55-1	p.215

まずは パッと見るだけ！

関数とは

関数とは、計算方法があらかじめ定義されている数式です。関数は、「引数（ひきすう）」として受け取った値を使って計算し、計算結果を返します。

● **関数の書式**

書式：=関数名（引数1, 引数2, …）
例　：=SUM（数値1, [数値2], …）

・() 内には「引数」と呼ばれる、計算をするために必要な値や式を指定します。
・関数によって必要とする引数の数は異なります。
・[] で囲まれている引数は省略できます。

● **関数を入力して計算する**

After
操作後

SUM(B2:E2)で、B2セルからE2セルまでの合計を求めています

レッスン 55-1 関数を入力する

55-関数入力.xlsx

操作 関数を入力する

関数を入力するには、数式と同様に半角の「=」を入力し、関数名と引数を指定します。

Point 関数の引数がヒント表示される

関数の引数の入力を始めると、関数の書式がポップヒントで表示され、現在設定中の引数が太字で表示されます。書式を覚えていなくても、ヒントを目安に入力できます。

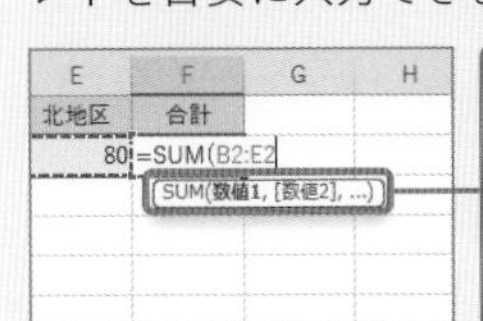

関数の書式が表示され、設定中の引数が太字で表示されます。

時短ワザ 「)」は入力を省略できる

関数の引数は「()」で囲む必要がありますが、手順5で最後に閉じるカッコ「)」の入力を省略しても自動的に補われるので、入力の手間を省くことができます。

Memo セル範囲の指定をする「参照演算子」

手順4で引数にセル範囲をドラッグで指定しています。引数でセル範囲を指定する場合は、「B2:E2」のように始点のセル番地と終点のセル番地を「:」(コロン)でつなげます。
また、離れたセル範囲を指定する場合は、セル番地とセル番地を「,」(カンマ)でつなげます。「:」や「,」を[参照演算子]といいます。

ここでは、合計を求めるSUM関数を例にセルに直接関数を入力する手順を紹介します。

1 セルに「=su」と入力すると「SU」で始まる関数の一覧が表示されます。

2 ↓キーを押して[SUM]を選択し、Tabキーを押すと、

3 関数名と「(」が入力されます。

4 合計するセル範囲(セルB2～E2)をドラッグし、

5 「)」を入力してEnterキーを押すと、

	A	B	C	D	E	F	G
1	商品名	東地区	西地区	南地区	北地区	合計	
2	商品A	150	100	200	80	=SUM(B2:E2)	
3							
4							
5							
6							
7							
8							
9							
10							

6 SUM関数が入力され、セルに計算結果(戻り値)が表示されます。数式バーには、入力した関数が表示されます。

F2 =SUM(B2:E2)

	A	B	C	D	E	F	G
1	商品名	東地区	西地区	南地区	北地区	合計	
2	商品A	150	100	200	80	530	
3							
4							
5							
6							
7							
8							

Section

56 合計を求める

合計を求めるにはSUM関数を使います。ほとんどの表で合計列や合計行を用意するので、最初に覚える関数です。例えば、月別の売上から年間合計を求めるとか、テストの合計点を求めるなど、いろいろな場面で使います。ここでSUM関数をマスターしましょう。

ここで学べること

習得スキル	操作ガイド	ページ
SUM関数で合計を求める	レッスン56-1	p.217
SUM関数で離れた範囲の合計を求める	レッスン56-2	p.218

まずは パッと見るだけ！

SUM関数

SUM関数は、各月のデータを合計するなど、指定したすべての数値の合計を求めるのに使います。連続した範囲だけでなく、離れたセルを合計することもできます。

● 連続したセル範囲の合計

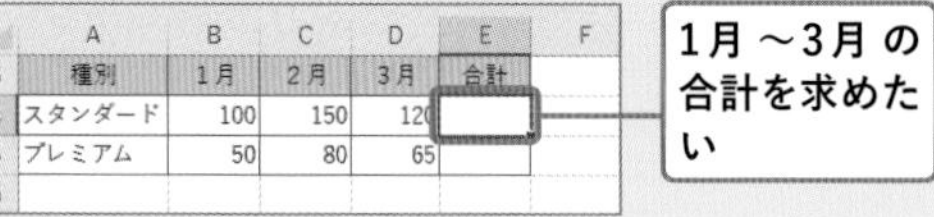

--->

After 操作後

	A	B	C	D	E
3	種別	1月	2月	3月	合計
4	スタンダード	100	150	120	370
5	プレミアム	50	80	65	195

1月～3月の合計が求められた

● 離れたセル範囲の合計

Before 操作前

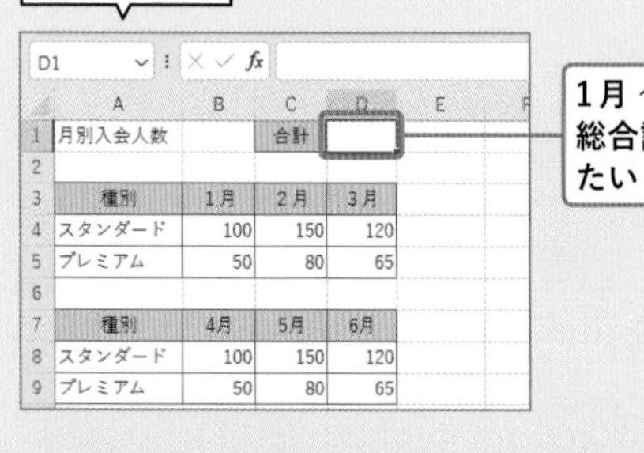

1月～6月の総合計を求めたい

--->

After 操作後

D1 =SUM(B4:D5,B8:D9)

	A	B	C	D
1	月別入会人数		合計	1,130
2				
3	種別	1月	2月	3月
4	スタンダード	100	150	120
5	プレミアム	50	80	65
6				
7	種別	4月	5月	6月
8	スタンダード	100	150	120
9	プレミアム	50	80	65

1月～3月、4月～6月の合計が求められた

▼ SUM関数「数値の合計を求める関数」

書式	=SUM (数値1,[数値2], …)	
引数	数値	合計したい数値を指定します。セル範囲を指定した場合は、セル範囲内の数値のみが計算対象となります。数値、セル、セル範囲を指定できます。
説明	引数で指定した数値やセル、セル範囲に含まれる数値の合計を求めます。	

レッスン 56-1 SUM関数で合計を求める

56-1-月別入会人数.xlsx

操作 合計を求める

SUM関数を使って合計を求めてみましょう。合計は、とてもよく使用するので［ホーム］タブの［合計］Σをクリックするだけで入力できます。

Memo ここで設定したSUM関数の意味

数式：=SUM(B4:D4)
意味：セル範囲B4～D4の数値の合計を求める

Memo ［数式］タブにも［合計］Σがある

［数式］タブにも［合計］があります。［ホーム］タブの［合計］と同様にクリックするだけでSUM関数を設定できます。

ここではセルE4～E5に、各行の1月～3月の合計を求めます。

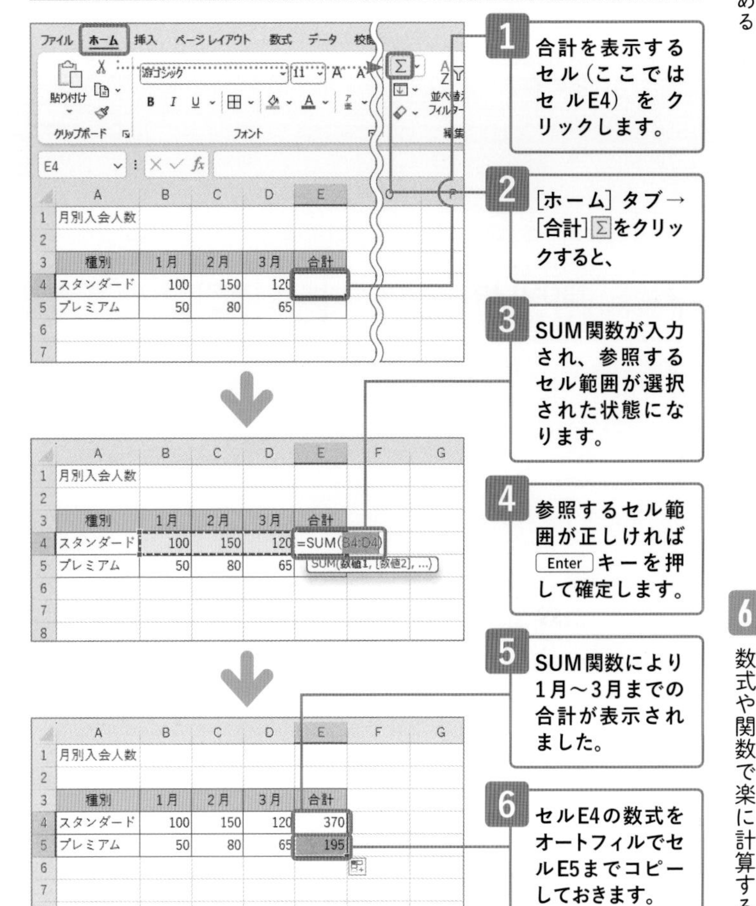

コラム ［合計］Σで合計される範囲

合計を表示したいセルを選択して、［ホーム］タブの［合計］をクリックすると、セルの左方向または上方向に続く連続する数値のセルを自動認識して合計範囲に指定します。**レッスン56-1**のセルE4のSUM関数の場合、セルB4までが数値なのでB4～D4を合計範囲にしています。合計範囲を間違いなく指定したい場合は、下図のようにあらかじめ合計する範囲を含めて範囲選択してから❶、［合計］をクリックしてください❷。

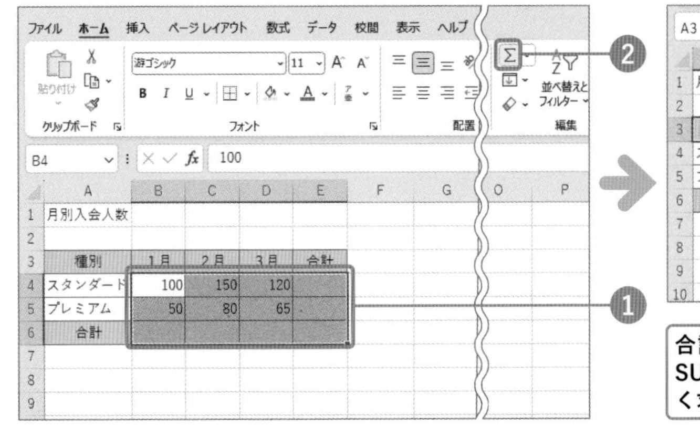

	A	B	C	D	E
1	月別入会人数				
2					
3	種別	1月	2月	3月	合計
4	スタンダード	100	150	120	370
5	プレミアム	50	80	65	195
6	合計	150	230	185	565

合計するセル範囲を含めて選択していたので、SUM関数で横の合計と縦の合計がそれぞれ正しく求められました。

レッスン 56-2 SUM関数で離れた範囲の合計を求める

56-2-月別入会人数.xlsx

ここでは、数式バーにある［関数の挿入］を使って2つの表の合計を求めるSUM関数を入力してみましょう。

操作 離れた範囲の合計を求める

SUM関数では、引数を「,」（カンマ）で区切って複数指定できます。「,」で区切ることで複数のセル範囲を合計することができます。

Memo ［SUM］が表示されていない場合

［関数の挿入］ダイアログの［関数名］に［SUM］が表示されていない場合は、［関数の検索］欄に「SUM」と関数名を入力し、［検索開始］をクリックしてください。「SUM」を含む関数が一覧に表示されます。

Memo ここで設定したSUM関数の意味

数式：=SUM(B4:D5,B8:D9)
意味：セル範囲B4～D5とセル範囲B8～D9の数値の合計を求める

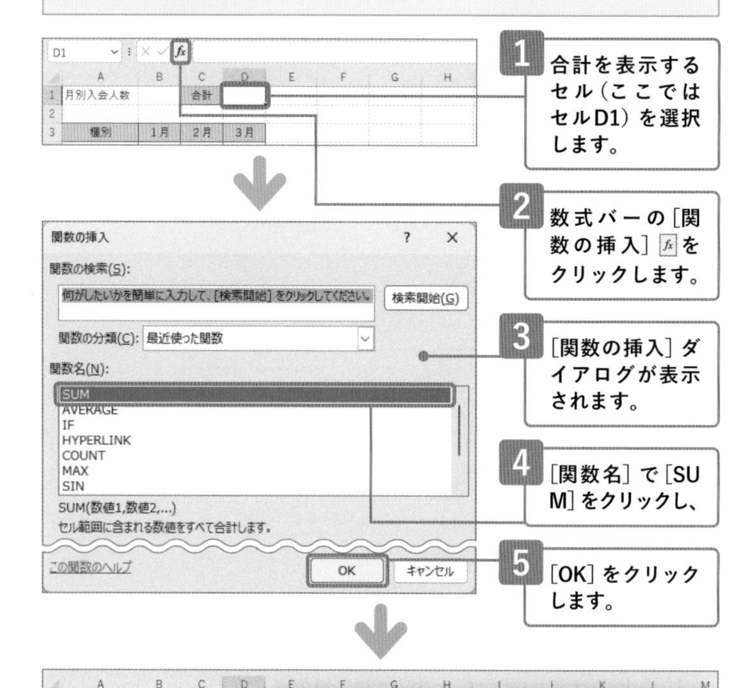

1 合計を表示するセル（ここではセルD1）を選択します。

2 数式バーの［関数の挿入］をクリックします。

3 ［関数の挿入］ダイアログが表示されます。

4 ［関数名］で［SUM］をクリックし、

5 ［OK］をクリックします。

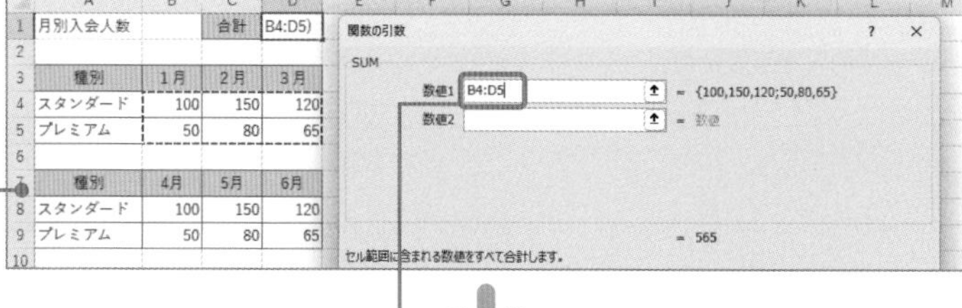

6 ［関数の引数］ダイアログが表示されます。

7 ［数値1］欄にカーソルがあることを確認し、1つ目の合計する範囲（ここではセルB4～D5）をドラッグするとセル範囲が表示されます。

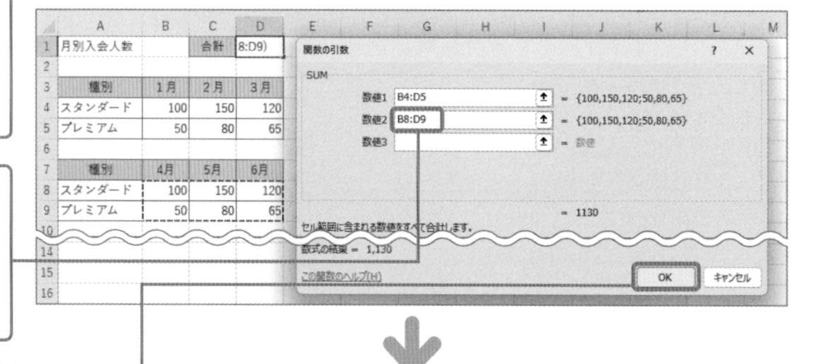

8 ［数値2］欄をクリックし、同様に2つ目の合計する範囲（ここではセルB8～D9）をドラッグして指定し、

9 ［OK］をクリックします。

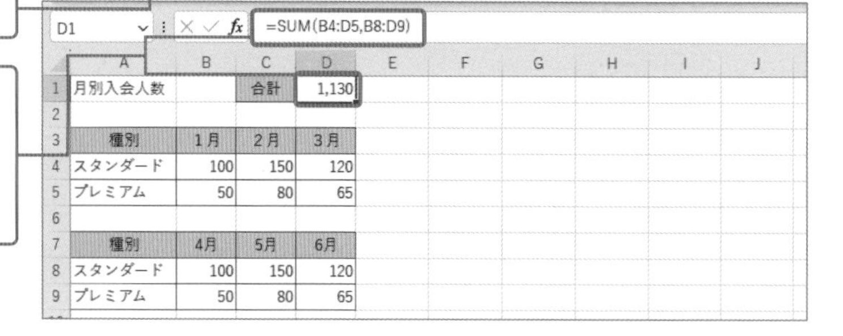

	A	B	C	D
1	月別入会人数		合計	1,130
2				
3	種別	1月	2月	3月
4	スタンダード	100	150	120
5	プレミアム	50	80	65
6				
7	種別	4月	5月	6月
8	スタンダード	100	150	120
9	プレミアム	50	80	65

10 セルD1にセル範囲B4～D5とセル範囲B8～D9の数値を合計するSUM関数が設定されました。

コラム 関数を修正するには

引数を変更するなど、入力した関数を修正するには、関数のセルをクリックし、数式バーをクリックしてカーソルを表示します。数式バーをクリックすると、引数が色分けされて表示されるので、下図のようにドラッグで修正できますが、数式バー上で直接書き直すこともできます。
または、関数のセルが選択されている状態で数式バーの［関数の挿入］をクリックすると［関数の引数］ダイアログが表示されるので、ダイアログ内で修正することもできます。

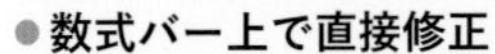

● 数式バー上で直接修正

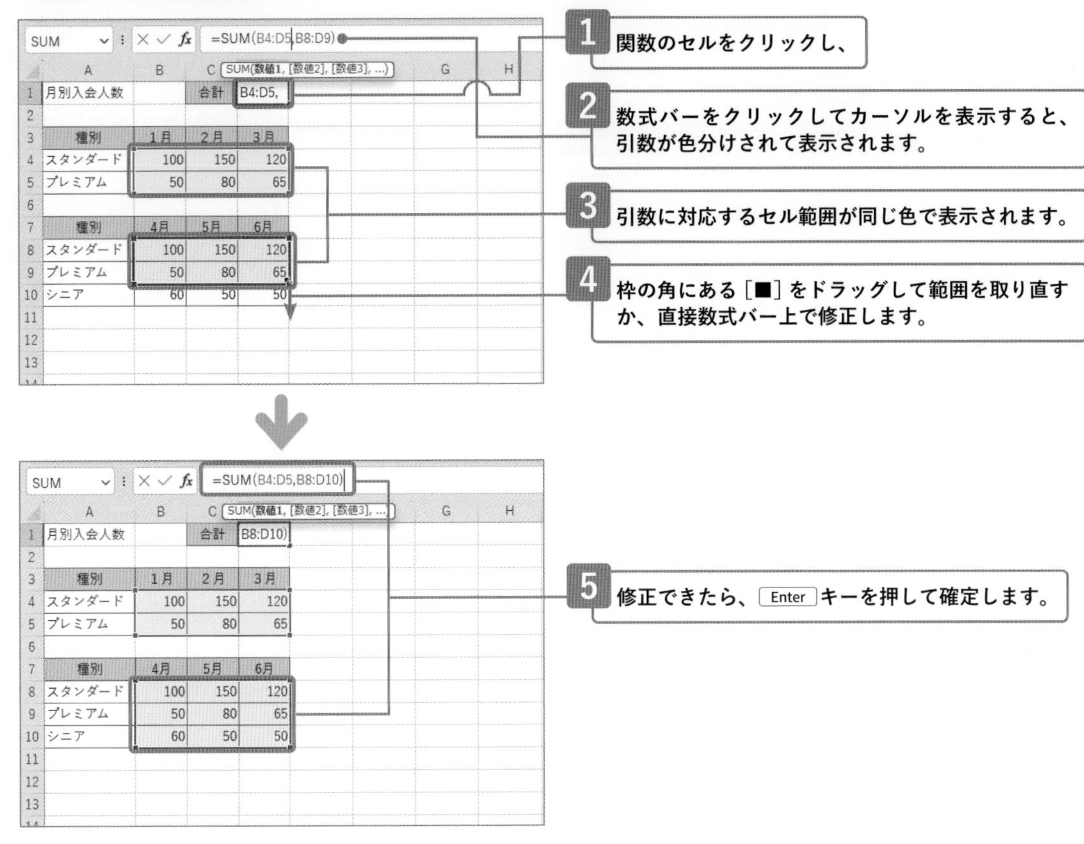

● ［関数の引数］ダイアログを表示して修正

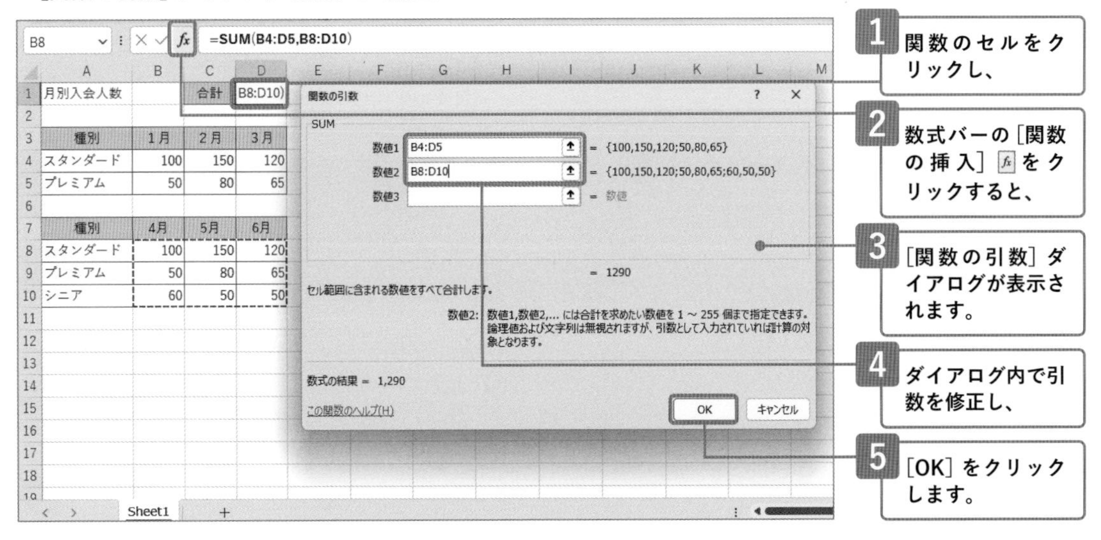

Section 57

平均値を求める

平均を求めるにはAVERAGE関数を使います。基本的ですがよく使用される関数です。例えば、各月の売上から月の平均売上を求めることができます。

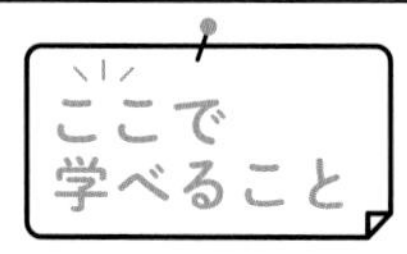

習得スキル	操作ガイド	ページ
▶ AVERAGE関数で平均値を求める	レッスン57-1	p.221

まずは パッと見るだけ！

AVERAGE関数

AVERAGE関数を使うと、テストの平均点、平均気温など、指定した数値の平均値をすばやく求めることができます。

Before 操作前

	A	B	C	D	E
1	英語実力テスト				
2					
3	学籍番号	英文解釈	文法	ヒアリング	合計点
4	S1001	65	88	100	253
5	S1002	82	67	55	204
6	S1003	100	99	94	293
7	S1004	73	75	68	216
8	S1005	91	90	95	276
9	合計点	411	419	412	1,242
10	平均点				
11					
12					

科目別の平均点を求めたい

---→

After 操作後

	A	B	C	D	E
1	英語実力テスト				
2					
3	学籍番号	英文解釈	文法	ヒアリング	合計点
4	S1001	65	88	100	253
5	S1002	82	67	55	204
6	S1003	100	99	94	293
7	S1004	73	75	68	216
8	S1005	91	90	95	276
9	合計点	411	419	412	1,242
10	平均点	82	84	82	248
11					
12					

科目別の平均点が求められた

▼ AVERAGE関数「数値の平均を求める関数」

書式	=AVERAGE (数値1,[数値2], …)	
引数	数値	平均を求めたい数値を指定します。セル範囲を指定した場合は、セル範囲内の数値のみが計算対象となります。数値、セル、セル範囲を指定できます。
説明	引数で指定し数値やセル参照、セル範囲に含まれる数値の平均を求めます。複数の引数を指定する場合は、「=AVERAGE(A2:C2,A4:C4)」のようにセル範囲をカンマで区切って指定します。	

レッスン 57-1 AVERAGE関数で平均値を求める

57-英語実力テスト.xlsx

操作 平均値を求める

AVERAGE関数を使って平均値を求めてみましょう。平均値はとてもよく使用するので[ホーム]タブの[合計] Σ の [▾] をクリックし、一覧から[平均]をクリックするだけで入力できます。

Point メニューを使った場合、引数のセル範囲に注意

手順4で入力されたAVERAGE関数は、隣接する数値のセルをすべてセル範囲にするので、入力直後は合計のセルB9も含めてセル範囲に含まれてしまっています。しかし、正確にはセルB4～B8を指定しないといけません。メニューを使って関数を入力する際は、右の使用例のように引数のセル範囲が正しく指定されているか必ず確認し、必要な場合は範囲を取り直してください。

Memo ここで設定したAVERAGE関数の意味

数式：=AVERAGE(B4:B8)
意味：セル範囲B4～B8の数値の平均値を求める

ここでは、科目別の平均点を求めます。

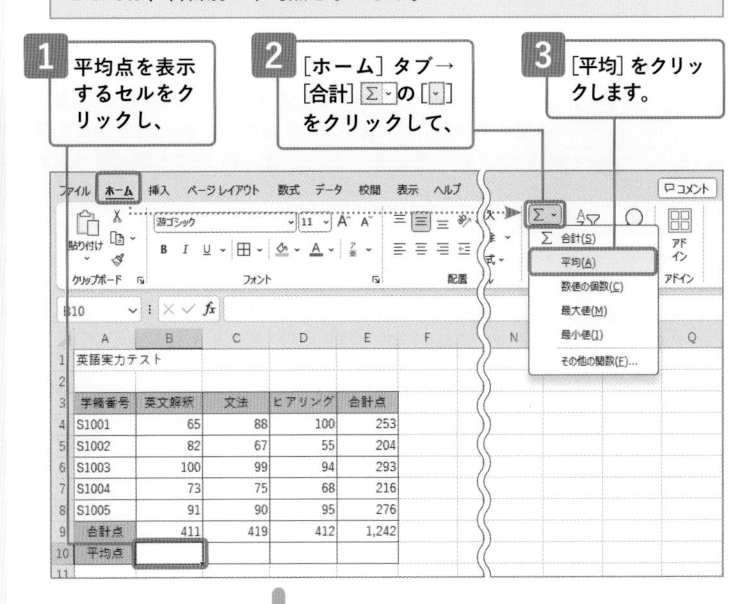

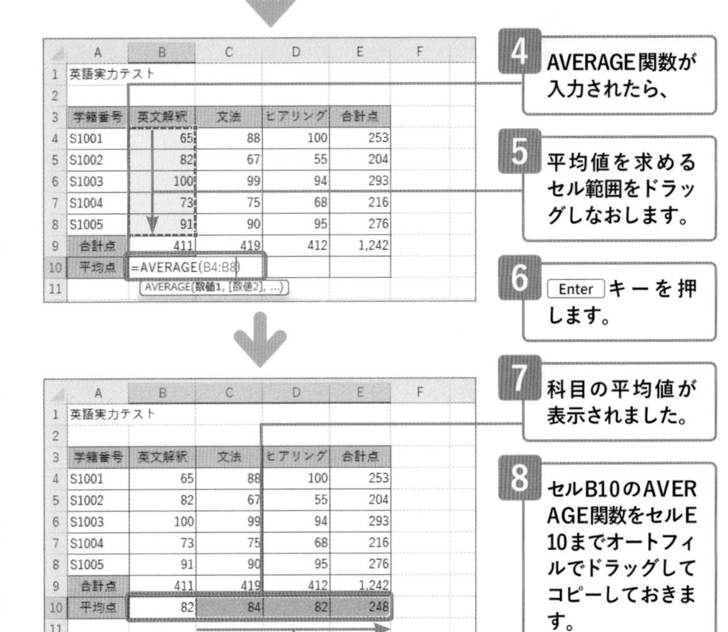

	A	B	C	D	E
1	英語実力テスト				
2					
3	学籍番号	英文解釈	文法	ヒアリング	合計点
4	S1001	65	88	100	253
5	S1002	82	67	55	204
6	S1003	100	99	94	293
7	S1004	73	75	68	216
8	S1005	91	90	95	276
9	合計点	411	419	412	1,242
10	平均点	82	84	82	248

7 科目の平均値が表示されました。

8 セルB10のAVERAGE関数をセルE10までオートフィルでドラッグしてコピーしておきます。

コラム 平均値の表示桁数を調整する

平均値が整数で表示される場合、必ずしも割り切れているわけではないことに注意しましょう。表示形式によっては、整数で表示される場合があります。[ホーム] タブの [小数点以下の表示桁数を増やす] または [小数点以下の表示桁数を減らす] をクリックして表示桁数を調整してください。

9	合計点	411	419	412	1,242
10	平均点	82.2	83.8	82.4	248.4

小数点以下第1位まで表示するよう、調整しています。

Section

58 最大値と最小値を求める

複数の数値の中から最大値を求めるにはMAX関数、最小値を求めるにはMIN関数を使います。最大値や最小値は、データの傾向を調べるために必要となる重要な情報になり、データ分析の際によく使われます。ここでは、最大値と最小値の求め方を覚えましょう。

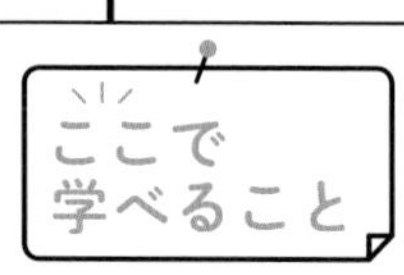

習得スキル	操作ガイド	ページ
▶ MAX関数で最大値を求める	レッスン58-1	p.223
▶ MIN関数で最小値を求める	レッスン58-1	p.223

まずは パッと見るだけ！

MAX関数／MIN関数

テスト結果の得点の列の中から最高点と最低点を求めてテスト結果をまとめます。最高点はMAX関数、最低点はMIN関数で求められます。

Before 操作前

	A	B	C	D	E	F
1	英語実力テスト					
2						
3	学籍番号	得点		最高点		
4	S1001	253		最低点		
5	S1002	204				
6	S1003	293				
7	S1004	216				
8	S1005	276				
9						

［得点］列の中から最高点と最低点を表示したい

→

After 操作後

	A	B	C	D	E	F
1	英語実力テスト					
2						
3	学籍番号	得点		最高点	293	
4	S1001	253		最低点	204	
5	S1002	204				
6	S1003	293				
7	S1004	216				
8	S1005	276				
9						

最高点と最低点が求められた

▼ MAX関数「数値の最大値を求める関数」

書式	=MAX (数値1,[数値2], …)	
引数	数値	最大値を求める数値を指定します。セル範囲を指定した場合は、セル範囲内の数値のみが計算対象となります。数値、セル、セル範囲を指定できます。
説明	引数で指定した数値やセル参照、セル範囲に含まれる数値の中から最大値を求めます。複数の引数を指定する場合は、「=MAX(A2:C2,A4:C4)」のようにセル範囲をカンマで区切って指定します。	

▼ MIN関数「数値の最小値を求める関数」

書式	=MIN (数値1,[数値2], …)	
引数	数値	最小値を求める数値を指定します。セル範囲を指定した場合は、セル範囲内の数値のみが計算対象となります。数値、セル、セル範囲を指定できます。
説明	引数で指定した数値やセル参照、セル範囲に含まれる数値の中から最小値を求めます。複数の引数を指定する場合は、「=MIN(A2:C2,A4:C4)」のようにセル範囲をカンマで区切って指定します。	

レッスン 58-1 MAX関数で最大値、MIN関数で最小値を求める

58-英語実力テスト.xlsx

操作 最大値と最小値を求める

MAX関数を使って最大値、MIN関数を使って最小値を求めてみましょう。どちらの関数も[ホーム]タブの[合計][Σ]の[▾]をクリックし、一覧から[最大値]、[最小値]をクリックすると簡単に入力できます。

Memo ここで設定したMAX関数の意味

数式：=MAX(B4:B8)
意味：セル範囲B4～B8の最大値を求める

Memo ここで設定したMIN関数の意味

数式：=MIN(B4:B8)
意味：セル範囲B4～B8の最小値を求める

ここでは得点（セル範囲B4～B8）の中から最高点をセルE3、最低点をセルE4に表示します。

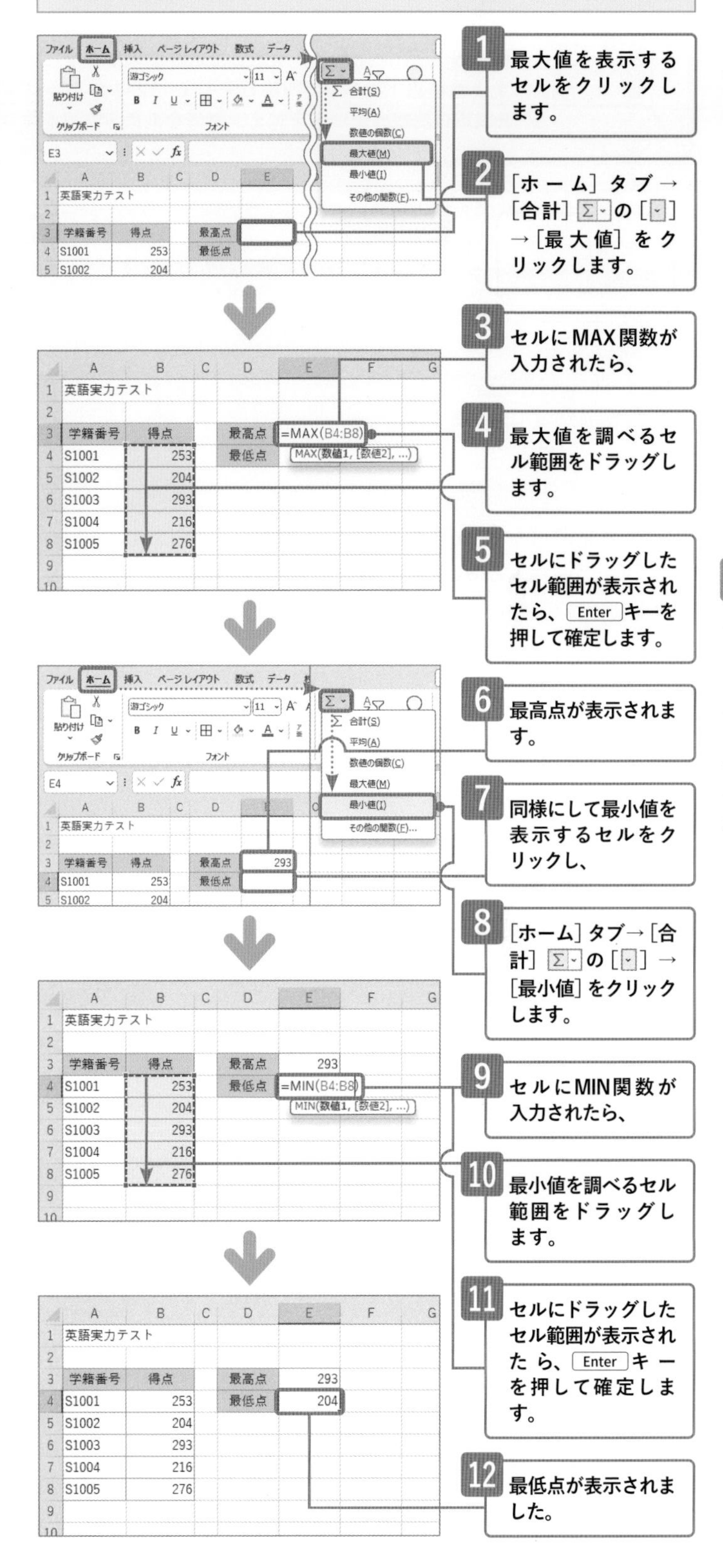

Section

59 数値を四捨五入する

ROUND関数を使うと、指定した桁数になるように数値を四捨五入できます。例えば、「123.54」を小数点以下第1位で四捨五入して「124」のように整数にしたい場合に使えます。ここでは、ROUND関数の使い方を覚え、数値を丸める方法をマスターしましょう。

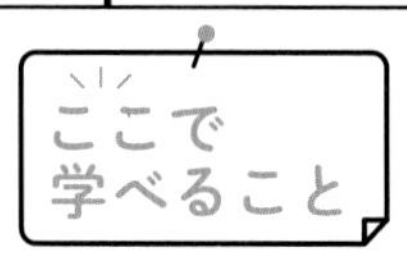

習得スキル	操作ガイド	ページ
▶ROUND関数で数値を四捨五入する	レッスン59-1	p.225

まずは パッと見るだけ！

ROUND関数

商品を指定した値引率で値引いた後の価格（定価×（1-値引率））が小数点以下の数値になってしまった場合、小数点以下第1位を四捨五入して整数にして、価格を調整できます。表示形式で見せかけの整数にするのではなく、数値自体を変換することを押さえておきましょう。

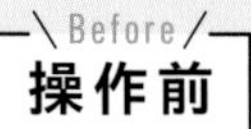

値引後価格を整数に変換したい

--->

After
操作後

E2　=ROUND(D2,0)

	A	B	C	D	E
1	商品名	定価	値引率	値引後価格	値引後価格(整数)
2	商品1	3,455	25%	2591.25	2591
3	商品2	7,535	43%	4294.95	4295
4					
5					

四捨五入して整数に変換できた

▼ROUND関数「数値を指定した桁数になるように四捨五入する関数」

書式	=ROUND（数値,桁数）	
引数	数値	処理する数値を指定します。
	桁数	四捨五入後の結果の桁数を指定します。正の数の場合は、小数部分、負の数の場合は整数部分で四捨五入が行われます。
説明	数値を指定した桁数になるように四捨五入した結果を返します。小数点以下を四捨五入して整数に変換することができます。	

レッスン 59-1 ROUND関数で小数点以下第1位を四捨五入して整数にする

59-割引後価格.xlsx

操作 整数になるように四捨五入する

ROUND関数を使って、値引後の価格が1円単位になるように、小数点以下第1位を四捨五入して整数値にし、値引後の価格を求めてみましょう。

Memo ここで設定したROUND関数の意味

数式：=ROUND(D2,0)
意味：セルD2の数値を小数点第1位で四捨五入して、小数点以下の桁数を0（整数）に変換する。

ここでは、セルD2の値引後価格を四捨五入して小数点以下の桁数を0にし、セルE2に表示します。

1 セルE2をクリックし、「=ROUND(D2,0)」と入力したら、Enter キーを押します。

E2 =ROUND(D2,0)

	A	B	C	D	E
1	商品名	定価	値引率	値引後価格	値引後価格(整数)
2	商品1	3,455	25%	2591.25	=ROUND(D2,0)
3	商品2	7,535	43%	4294.95	

2 セルE2に値引後価格が整数で表示されます。

3 セルE2の式をオートフィルでセルE3までコピーしておきます。

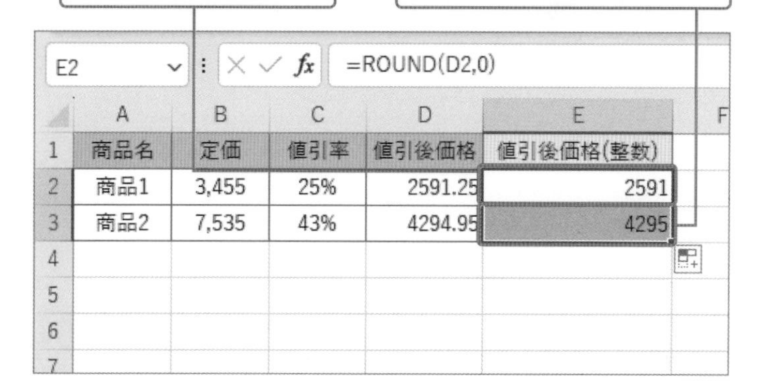
E2 =ROUND(D2,0)

	A	B	C	D	E
1	商品名	定価	値引率	値引後価格	値引後価格(整数)
2	商品1	3,455	25%	2591.25	2591
3	商品2	7,535	43%	4294.95	4295

コラム ROUND関数で数値を「123.456」にして、「桁数」を変更した場合

ROUND関数では、引数の桁数が正の場合は、小数点以下の表示桁数を指定します。桁数が負の場合は、整数部の表示桁数を指定し、「-1」は10の位、「-2」は100の位ということになります。「0」は表示桁数が0なので、整数表示になります。いずれも、桁数で指定した桁の1つ下の桁で四捨五入します。

	A	B	C
1	ROUND関数	桁数	結果
2	=ROUND(123.456,2)	2	123.46
3	=ROUND(123.456,1)	1	123.5
4	=ROUND(123.456,0)	0	123
5	=ROUND(123.456,-1)	-1	120
6	=ROUND(123.456,-2)	-2	100

Section

60 条件を満たす、満たさないで異なる結果を表示する

IF関数は、指定した条件を満たす場合と、満たさない場合で異なる結果を返す関数です。例えば、テスト結果が80点以上なら「合格」と表示するといったことができます。IF関数はとてもよく使用する関数です。条件式の設定方法もあわせてしっかり覚えましょう。

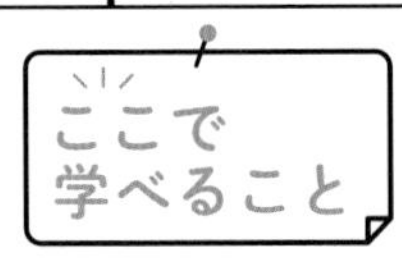

習得スキル	操作ガイド	ページ
▶ IF関数で表示を分ける	レッスン60-1	p.227
▶ IF関数で表示を3段階に分ける	レッスン60-2	p.228

まずは パッと見るだけ！

IF関数

テスト結果の表で、[進級] 列には、得点が70点以上の場合は「進級」と表示し、[評価] 列には、得点が90点以上で「A」、70点以上で「B」、それ以外は「C」と表示するといったことをIF関数で設定できます。

Before 操作前

	A	B	C	D	E	F
1	学籍番号	得点	進級	評価		
2	S1001	76				
3	S1002	93				
4	S1003	64				
5	S1004	81				
6	S1005	100				
7	S1006	60				
8						

得点が70点以上で進級となる

評価は、得点が90点以上でA、70点以上でB、それ以外はCとする

After 操作後

	A	B	C	D	E	F
1	学籍番号	得点	進級	評価		
2	S1001	76	進級	B		
3	S1002	93	進級	A		
4	S1003	64		C		
5	S1004	81	進級	B		
6	S1005	100	進級	A		
7	S1006	60		C		
8						

得点が70点以上の場合のみ「進級」と表示された

得点が90点以上で「A」、70点以上で「B」、それ以外は「C」と評価が表示された

▼ IF関数「条件を満たすかどうかで異なる値を返す関数」

書式	=IF(論理式, 真の場合,[偽の場合])	
引数	論理式	TRUEまたはFALSEを返す式を指定します。
	真の場合	[論理式] がTRUEまたは0以外の場合に返す値や数式を指定します。
	偽の場合	[論理式] がFALSEまたは0の場合に返す値や数式を指定します。省略時は、「0」が返ります。
説明	[論理式] がTRUEの場合は [真の場合] を返し、FALSEの場合は [偽の場合] を返します。	

コラム　論理式の設定方法

IF関数の第1引数［論理式］には、TRUEまたはFALSEが返る式を設定します。それには、「> =」や「<」のような比較演算子を使って式を作成します。比較演算子は、2つの値を比較し、結果が成立する場合は「TRUE」、成立しない場合は「FALSE」が返ります。

●比較演算子

演算子	意味	例（A1が10の場合）	結果
=	等しい	A1 = 20	FALSE
>	より大きい	A1 > 20	FALSE
<	より小さい	A1 < 20	TRUE
> =	以上	A1>=20	FALSE
< =	以下	A1 < = 20	TRUE
< >	等しくない	A1 < > 20	TRUE

レッスン 60-1 IF関数で条件を満たすかどうかで異なる結果を表示する

60-1-テスト結果.xlsx

操作　条件を満たすかどうかで表示を分ける

「得点が70点以上の場合は「進級」、そうでない場合は何も表示しない」となるようにIF関数を設定する練習をしてみましょう。

Point　数式内に文字列を指定する場合

引数内に文字列を指定する場合は、文字列を半角の「"」（ダブルクォーテーション）で囲んで指定します。

Memo　ここで設定したIF関数の意味

数式：=IF(B3>=70,"進級","")
意味：セルB3の値が70以上の場合、「進級」と表示し、そうでない場合は何も表示しない。何も表示しない場合は、「""」を指定します。

ここでは、セルC2に得点が70以上の場合は「進級」と表示し、そうでない場合は何も表示しないという式をIF関数を使って入力します。

1 結果を表示するセルをクリックし、

2 「=IF(B2>=70, "進級","")」と入力したら、Enterキーを押します。

B2　=IF(B2>=70,"進級","")

	A	B	C	D
1	学籍番号	得点	進級	評価
2	S1001	76	=IF(B2>=70,"進級","")	
3	S1002	93		
4	S1003	64		

3 セルC2に結果が表示されます（ここではセルB2が76なので、「進級」と表示されます）。

4 オートフィルを実行してセルC2の数式をセルC7までコピーします。

C2　=IF(B2>=70,"進級","")

	A	B	C	D
1	学籍番号	得点	進級	評価
2	S1001	76	進級	
3	S1002	93	進級	
4	S1003	64		
5	S1004	81	進級	
6	S1005	100	進級	
7	S1006	60		

コラム IF関数をセルに直接入力しづらい場合

関数の入力が直接入力だと難しく感じる場合は、レッスン56-2で説明した［関数の挿入］ダイアログを表示して設定するといいでしょう。セルC2をクリックしてから、数式バーの［関数の挿入］をクリックして、［関数の挿入］ダイアログを表示し❶、［IF］を選択して❷、［OK］をクリックすると❸、［関数の引数］ダイアログが表示されるので❹、引数を順番に指定し❺、［OK］をクリックします❻。

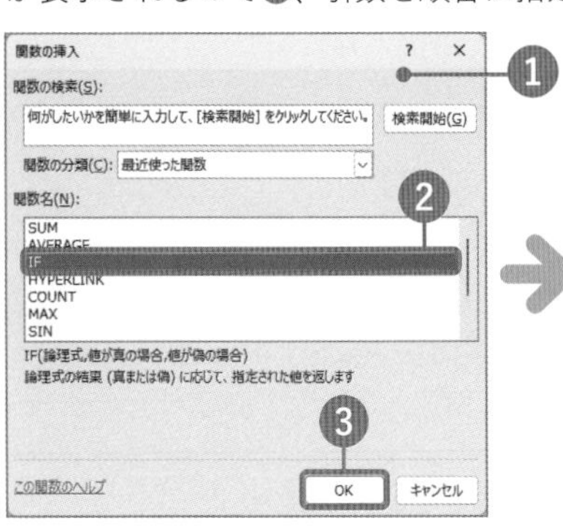

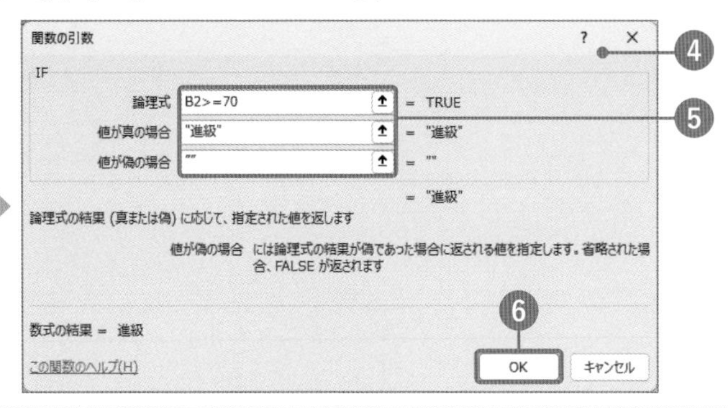

レッスン60-2 IF関数の中にIF関数を設定し、点数によって「A」「B」「C」と表示する

練習用ファイル 60-2-テスト結果.xlsx

操作 IF関数を入れ子にする

IF関数で複数の条件を設定したい場合は、IF関数の中の［偽の場合］にIF関数を追加します。このように、関数の中に関数を設定することをネスト（入れ子）といいます。
ここでは、得点が90点以上の場合は「A」、70点以上の場合は「B」、そうでない場合は「C」と表示されるように、IF関数をネストして設定してみましょう。あせらず、ゆっくり入力してみてください。

Memo ここで設定したIF関数の意味

式：=IF(B2>=90,"A",IF(B2>=70,"B","C"))

意味：セルB2の値が90以上の場合、「A」と表示し、そうでない場合、さらにIF関数を設定し、セルB2の値が70以上の場合、「B」、そうでない場合は、「C」と表示する。［偽の場合］にIF関数を追加することで複数の条件を設定して段階的に判定できます。

ここでは、セルD2に得点が90以上の場合は「A」、70以上の場合は「B」、そうでない場合は「C」と表示する式をIF関数をネストして入力します。

1 結果を表示するセルをクリックし、

2 「=IF(B2>=90,"A",IF(B2>=70,"B","C"))」と入力したら、Enter キーを押します。

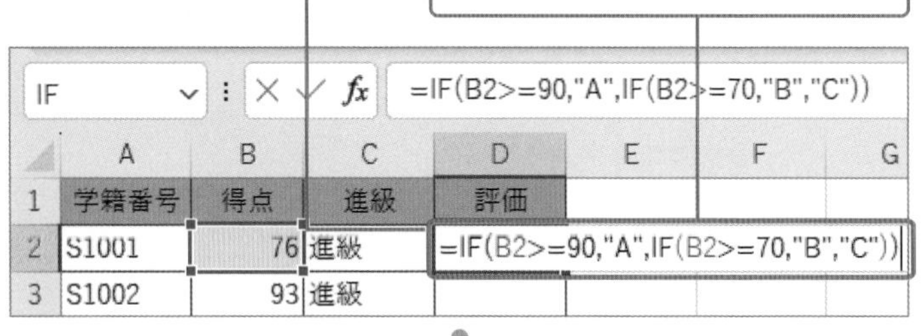

3 セルD2に結果が表示されます（ここではセルB2が76なので、「B」と表示されます）。

4 オートフィルを実行してセルD2の数式をセルD7までコピーします。

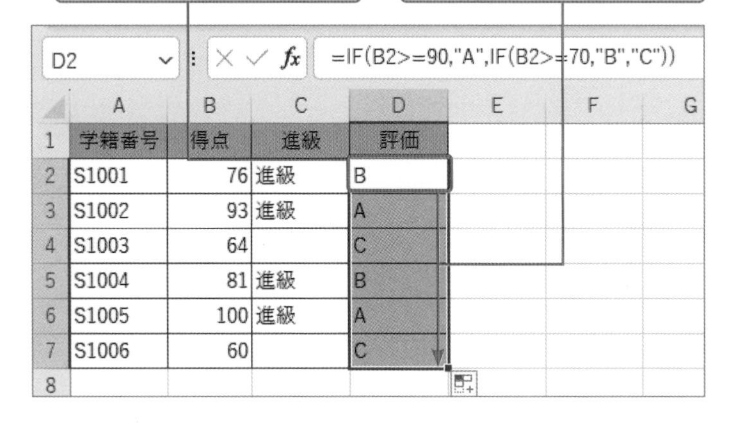

コラム IF関数の処理の流れを理解する

IF関数の中にIF関数を追加することで複数の条件を設定することができます。理解しづらい場合は、処理の流れをフローチャートにして図式化するといいでしょう。ひし形が［論理式］、四角形が［真の場合］、［偽の場合］の処理になります。

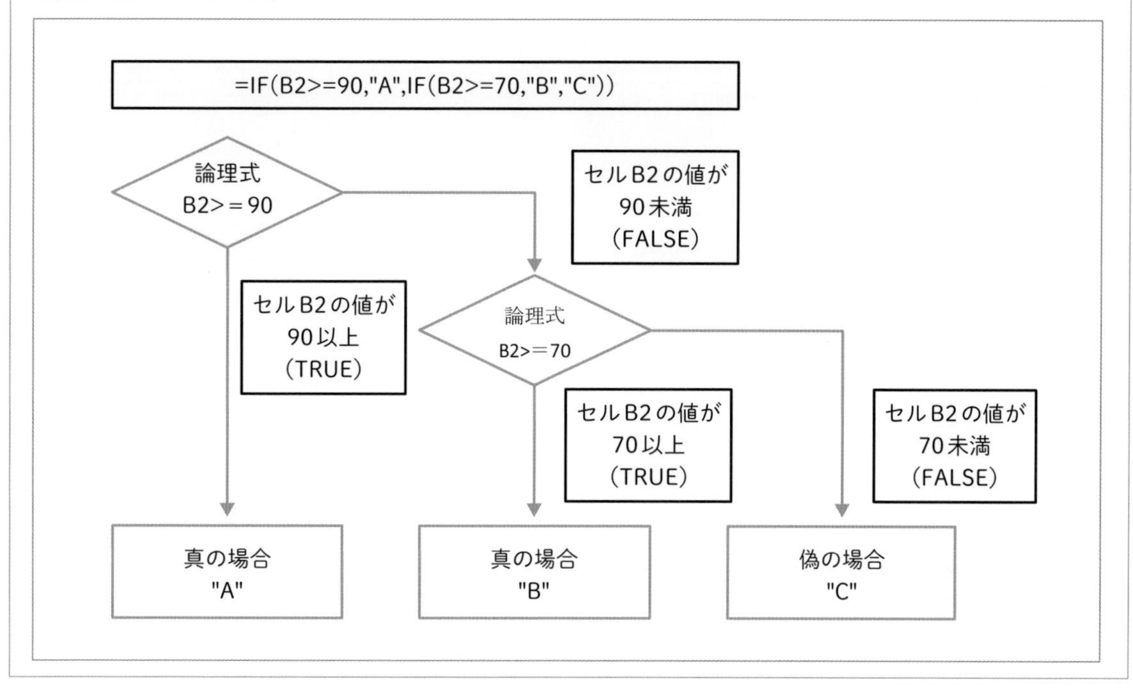

時短ワザ 関数を入力せずに合計や平均などを求める方法

セル範囲を選択すると、画面下にあるステータスバーに選択範囲の数値の平均、データの個数、合計が表示されます。関数をわざわざ入力することなくすばやく合計を調べられます。なお、合計が表示されているステータスバーを右クリックすると、現在表示されている計算にチェックがついています。数値の個数や最小値、最大値をクリックして表示を追加することもできます。

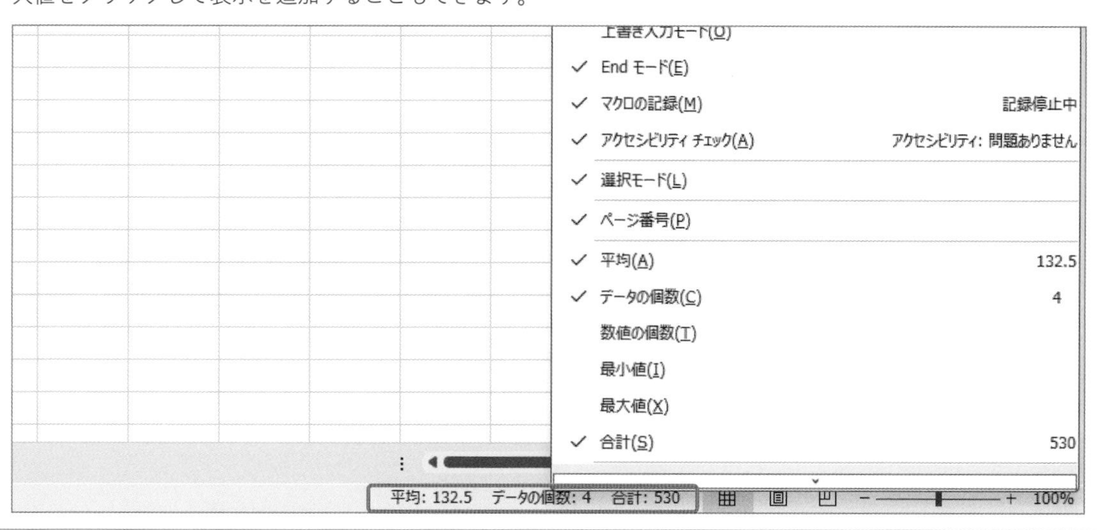

Section 61

アルファベットを大文字、小文字に揃える

アルファベット表記の文字列を大文字または小文字に揃えたい場合、UPPER関数、LOWER関数を使います。大文字と小文字が混在しているデータをどちらかに揃えてデータを整えたい場合に使えます。

ここで学べること

習得スキル	操作ガイド	ページ
▶UPPER関数で大文字に揃える	レッスン61-1	p.231
▶LOWER関数で小文字に揃える	レッスン61-1	p.231

まずは パッと見るだけ！

UPPER関数／LOWER関数

UPPER関数は文字列内に含まれるアルファベットをすべて大文字に変換し、**LOWER関数**はすべて小文字に変換します。商品名や氏名などの名前を英字で表す場合に、表記を統一して整理しやすくします。

Before 操作前

A1 ローマ字名

	A	B	C
1	ローマ字名	大文字変換	小文字変換
2	Sanae KATO		
3	Kenji Tanaka		
4	ami Sakamoto		
5			
6			
7			
8			
9			
10			

大文字、小文字が混在している名前のローマ字表記を大文字、小文字に統一して変換したい

After 操作後

A1 ローマ字名

	A	B	C
1	ローマ字名	大文字変換	小文字変換
2	Sanae KATO	SANAE KATO	sanae kato
3	Kenji Tanaka	KENJI TANAKA	kenji tanaka
4	ami Sakamoto	AMI SAKAMOTO	ami sakamoto
5			
6			
7			
8			
9			
10			

大文字、小文字に統一できた

▼UPPER関数「英字を大文字にする関数」

書式	=UPPER(文字列)	
引数	文字列	大文字に変換する英字を含む文字列を指定します。
説明	引数で指定した文字列に含まれる英字の小文字を大文字に変換します。	

▼LOWER関数「英字を小文字にする関数」

書式	=LOWER(文字列)	
引数	文字列	小文字に変換する英字を含む文字列を指定します。
説明	引数で指定した文字列に含まれる英字の大文字を小文字に変換します。	

レッスン61-1 UPPER関数／LOWER関数で大文字と小文字に揃える

61-ローマ字名.xlsx

操作 大文字または小文字に変換する

ローマ字表記の名前をUPPER関数で大文字に統一、LOWER関数で小文字に統一してみましょう。

Memo ここで設定したUPPER関数の意味

数式：=UPPER(A2)
意味：セルA2に入力された文字列にある英字をすべて大文字に変換する

Memo ここで設定したLOWER関数の意味

数式：=LOWER(A2)
意味：セルA2に入力された文字列にある英字をすべて小文字に変換する

上級テクニック 先頭のみ大文字に変換する

PROPER関数を使うと、先頭文字のみ大文字、他の文字を小文字に変換できます。書式は、UPPER関数やLOWER関数と同じです。例えば、「=PROPER("SANAE KATO")」と入力すると、「Sanae Kato」と頭文字だけ大文字に変換されます。

UPPER関数で大文字変換

ここでは、セルA2のローマ字名を、セルB2に大文字に変換して表示します。

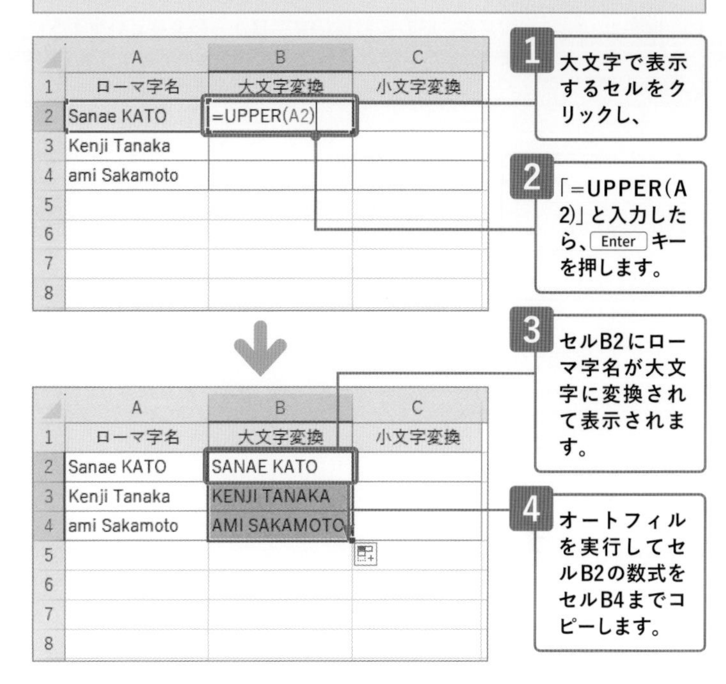

	A	B	C
1	ローマ字名	大文字変換	小文字変換
2	Sanae KATO	SANAE KATO	
3	Kenji Tanaka	KENJI TANAKA	
4	ami Sakamoto	AMI SAKAMOTO	

LOWER関数で小文字変換

ここでは、セルA2のローマ字名を、セルC2に小文字に変換して表示します。

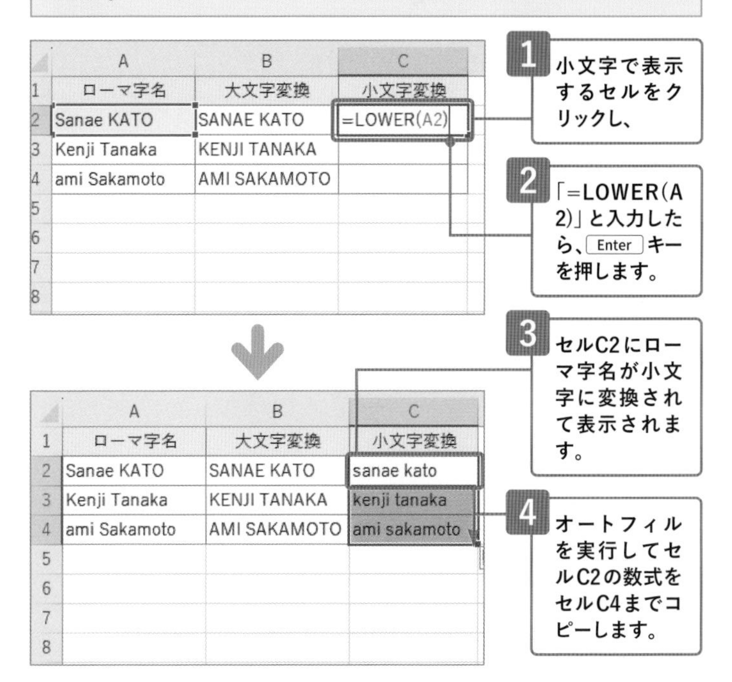

	A	B	C
1	ローマ字名	大文字変換	小文字変換
2	Sanae KATO	SANAE KATO	sanae kato
3	Kenji Tanaka	KENJI TANAKA	kenji tanaka
4	ami Sakamoto	AMI SAKAMOTO	ami sakamoto

Section

62 文字列から文字の一部分を取り出す

文字列の中から部分的に文字を取り出したいとき、LEFT関数は左から○文字、RIGHT関数は右から○文字、MID関数は○文字目から○文字というように文字を取り出せます。郵便番号や電話番号のように区分を組み合わせて構成されているような文字列から各区分を取り出したいときに使えます。

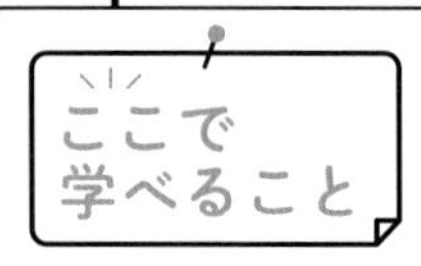

習得スキル	操作ガイド	ページ
▶ LEFT関数で文字を取り出す	レッスン62-1	p.233
▶ RIGHT関数で文字を取り出す	レッスン62-2	p.234
▶ MID関数で文字を取り出す	レッスン62-3	p.234

まずは パッと見るだけ！

LEFT関数／RIGHT関数／MID関数

商品コードが「分類」「カラー」「番号」の3区分で構成されている場合、各区分を取り出して別のセルに表示するには、LEFT関数、MID関数、RIGHT関数が使えます。

Before 操作前

	A	B	C	D	E
1	商品コード	商品名	分類	カラー	番号
2	PNR1001	ペン（赤）			
3	FLB2001	フォルダー(青)			
4	MSW4003	マウス（白）			
5					

商品コードから分類、カラー、番号を取り出したい

--->

After 操作後

	A	B	C	D	E
1	商品コード	商品名	分類	カラー	番号
2	PNR1001	ペン（赤）	PN	R	1001
3	FLB2001	フォルダー(青)	FL	B	2001
4	MSW4003	マウス（白）	MS	W	4003
5					

LEFT関数で分類、MID関数でカラー、RIGHT関数で番号が取り出せた

▼ LEFT関数「文字列の先頭から指定数の文字を取り出す関数」

書式	=LEFT (文字列, [文字数])	
引数	文字列	取り出すもととなる文字列を指定します。
	文字数	取り出したい文字数を指定します。省略した場合は、1とみなされます。文字列より大きい文字数を指定した場合はすべての文字列が取り出されます。
説明	文字列の先頭（左端）から指定された数の文字を返します。半角文字、全角文字の区別なく1文字として数えます。	

▼ RIGHT関数「文字列の末尾から指定数の文字を取り出す関数」

書式	=RIGHT (文字列, [文字数])	
引数	文字列	取り出すもととなる文字列を指定します。
	文字数	取り出したい文字数を指定します。省略した場合は、1とみなされます。文字列より大きい文字数を指定した場合はすべての文字列が取り出されます。
説明	文字列の末尾（右端）から指定された数の文字を返します。半角文字、全角文字の区別なく1文字として数えます。	

▼ MID関数「文字列の指定した位置から指定数の文字を取り出す関数」

書式	=MID (文字列, 開始位置, 文字数)	
引数	文字列	取り出すもととなる文字列を指定します。
	開始位置	取り出したい文字列の開始位置を［文字列］の先頭文字を1として何文字目かを指定します。
	文字数	取り出したい文字数を指定します。指定した文字数が開始位置以降の文字数より大きい場合は、文字列の最後までの文字を返します。
説明	文字列の指定された位置から指定された文字数の文字を返します。半角文字、全角文字の区別なく1文字として数えます。	

レッスン 62-1 LEFT関数で左から2文字取り出す

62-1-商品コード.xlsx

操作 文字列の先頭から2文字取り出す

LEFT関数を使うと、指定した文字列の先頭から指定した数の文字列を取り出せます。
ここでは、［分類］［カラー］［番号］の3つの区分で構成されている商品コードで、LEFT関数を使って左から2文字の［分類］を取り出してみましょう。

Memo ここで設定したLEFT関数の意味

数式：=LEFT(A2,2)
意味：セルA2に入力された文字列の先頭から2文字取り出す

ここでは、セルA2の商品コードの先頭から2文字を取り出して、セルC2に表示します。

3 セルC2に商品コードの先頭から2文字が表示されます。

4 オートフィルを実行してセルC2の数式をセルC4までコピーします。

C2 =LEFT(A2,2)

	A	B	C	D	E	F
1	商品コード	商品名	分類	カラー	番号	
2	PNR1001	ペン（赤）	PN			
3	FLB2001	フォルダー(青)	FL			
4	MSW4003	マウス（白）	MS			
5						
6						
7						
8						

レッスン 62-2 RIGHT関数で右から4文字取り出す

62-2-商品コード.xlsx

操作 文字列の先頭から2文字取り出す

RIGHT関数を使うと、指定した文字列の末尾から指定した数の文字列を取り出せます。
ここでは、[分類][カラー][番号]の3つの区分で構成されている商品コードで、RIGHT関数を使って右から4文字の[番号]を取り出してみましょう。

Memo ここで設定したRIGHT関数の意味

数式：=RIGHT(A2,4)
意味：セルA2に入力された文字列の末尾から4文字取り出す

ここでは、セルA2の商品コードの末尾から4文字を取り出して、セルE2に表示します。

1 番号のセルをクリックし、

2 「=RIGHT(A2,4)」と入力したら、Enter キーを押します。

	A	B	C	D	E	F	G
1	商品コード	商品名	分類	カラー	番号		
2	PNR1001	ペン（赤）	PN		=RIGHT(A2,4)		
3	FLB2001	フォルダー(青)	FL				
4	MSW4003	マウス（白）	MS				
5							

3 セルE2に商品コードの末尾から4文字が表示されます。

4 オートフィルを実行してセルE2の数式をセルE4までコピーします。

	A	B	C	D	E	F	G
1	商品コード	商品名	分類	カラー	番号		
2	PNR1001	ペン（赤）	PN		1001		
3	FLB2001	フォルダー(青)	FL		2001		
4	MSW4003	マウス（白）	MS		4003		
5							

レッスン 62-3 MID関数で3文字目から1文字取り出す

62-3-商品コード.xlsx

操作 文字列の3文字目から1文字取り出す

MID関数を使うと、指定した文字列の指定した位置から指定した数の文字列を取り出せます。
ここでは、[分類][カラー][番号]の3つの区分で構成されている商品コードで、MID関数を使って先頭から3文字目の[カラー]を取り出してみましょう。

Memo ここで設定したMID関数の意味

数式：=MID(A2,3,1)
意味：セルA2に入力された文字列の3文字目から1文字取り出す

ここでは、セルA2の商品コードの3文字目から1文字を取り出して、セルD2に表示します。

1 カラーのセルをクリックし、

2 「=MID(A2,3,1)」と入力したら、Enter キーを押します。

	A	B	C	D	E	F	G
1	商品コード	商品名	分類	カラー	番号		
2	PNR1001	ペン（赤）	PN	=MID(A2,3,1)			
3	FLB2001	フォルダー(青)	FL		2001		
4	MSW4003	マウス（白）	MS		4003		
5							

3 セルD2に商品コードの3文字目から1文字が表示されます。

4 オートフィルを実行してセルD2の数式をセルD4までコピーします。

	A	B	C	D	E	F	G
1	商品コード	商品名	分類	カラー	番号		
2	PNR1001	ペン（赤）	PN	R	1001		
3	FLB2001	フォルダー(青)	FL	B	2001		
4	MSW4003	マウス（白）	MS	W	4003		
5							

コラム LEN関数を使って文字数を調べる

LEN関数は、指定した文字列の文字数を求める関数です。LEN関数とRIGHT関数を組み合わせると、文字長が変動する場合、LEN関数を使って文字数を数え、右から何文字取り出せばいいかを調べて、RIGHT関数を使って取り出すことができます。

	A	B	C	D
1	住所	市区町村	住所1	
2	港区六本木x-x-x	港区	六本木x-x-x	
3				
4	LEN(A2)	LEN(B2)	LEN(A2)－LEN(B2)	
5	10	2	8	
6				

例えば、セルA2の住所の文字数とセルB2の市区町村の文字数をLEN関数で数えると、住所1の文字数は、「住所の文字数-市区町村の文字数」(LEN(A2) − LEN(B2)) で求めることができます。これをRIGHT関数で右から取り出す文字数に指定して、「=RIGHT(A2,LEN(A2)-LEN(B2))」とすることで残りの住所1をセルC2に表示することができます。

▼LEN関数「文字列の文字数を求める関数」

書式	=LEN (文字列)	
引数	文字列	文字数を調べたい文字列や数値を指定します。
説明	引数で指定した文字列の文字数を返します。半角や全角区別なく1文字として数えます。文字列内のスペースや記号も数えます。なお、セルに設定されている表示形式は文字数として数えることはできません。	

関数が覚えられなくても大丈夫

関数を使いたいのに、何を使ったらいいのかわからない。使ったことはあるけど、どんな関数だったか思い出せない。そんなことありませんか？　心配ありません。よくあることです。Excelには、500を超える関数がありますから、とても覚えられませんし、覚える必要もありません。
「関数名はわかるけど使い方がわからない」とか、「こんなことしたいけど関数名がわからない」という場合、ほとんどはインターネットで「Excel 関数 内容」(「内容」にはやりたいことを記入)といったキーワードで検索して調べられます。あるいは、Excelの関数辞典のような書籍を手元に置いておくのもいいでしょう。書籍の場合は、すべての関数と使用例が1冊でまとめられています。そのため、ページをめくるだけでも、「こんな関数があるのか」とか「こんな使い方があるんだ」という発見があるので、とても勉強になります。拙著に『いちばん詳しいExcel関数大辞典 増補改訂版』(SBクリエイティブ刊) がありますので参考にしていただけますと幸いです。
関数は使っているうちに、いろいろな計算や処理ができるようになるので、どんどんスキルアップしていきます。スキルアップを楽しみながら関数を使ってみてください。

Point 関数を全部覚えて仕事をしている人はいない

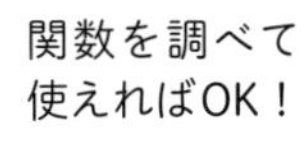

Section

63 ふりがなを表示する

文字が入力されたセルには、ふりがな情報が保管されています。PHONETIC関数を使うと、保管されているふりがなをセルに表示することができます。例えば、名簿の［フリガナ］列にふりがなを自動的に入力することができます。

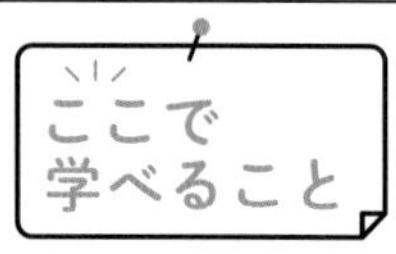

習得スキル	操作ガイド	ページ
▶ PHONETIC関数でふりがなを表示する	レッスン63-1	p.237

まずは パッと見るだけ！

PHONETIC関数

PHONETIC関数を使うと、セルまたはセル範囲に入力されている文字のふりがなを表示することができます。名簿の［フリガナ］列にふりがなを表示するのに利用できます。

\ Before / 操作前

	A	B	C	D
1	受講者一覧			
2	NO	氏名	フリガナ	部署
3	1	近藤　久美子		営業部
4	2	山崎　雅史		総務部
5	3	北野　桃子		経理部
6				
7				
8				

受講者の氏名からフリガナを表示したい

--->

\ After / 操作後

	A	B	C	D
1	受講者一覧			
2	NO	氏名	フリガナ	部署
3	1	近藤　久美子	コンドウ　クミコ	営業部
4	2	山崎　雅史	ヤマザキ　マサシ	総務部
5	3	北野　桃子	キタノ　モモコ	経理部
6				
7				
8				

フリガナが表示された

▼ PHONETIC関数「文字列のふりがなを取り出す関数」

書式	=PHONETIC(参照)	
引数	参照	ふりがなを取り出したい文字が入力されているセルまたはセル範囲を指定します。
説明	セルまたはセル範囲に入力されている文字列から、ふりがなを取り出します。	

レッスン 63-1 PHONETIC関数で［フリガナ］列にふりがなを表示する

63-受講者一覧.xlsx

操作 ふりがなを表示する

PHONETIC関数を使って［氏名］列の読みを［フリガナ］列に表示してみましょう。PHONETIC関数を使えば、わざわざふりがなを入力する必要がありません。

Memo ここで設定したPHONETIC関数の意味

数式：=PHONETIC(B3)
意味：セルB3に入力されている文字列のふりがなを表示する。

ここでは、セルB3に入力されている文字の読みを、セルC3に表示します。

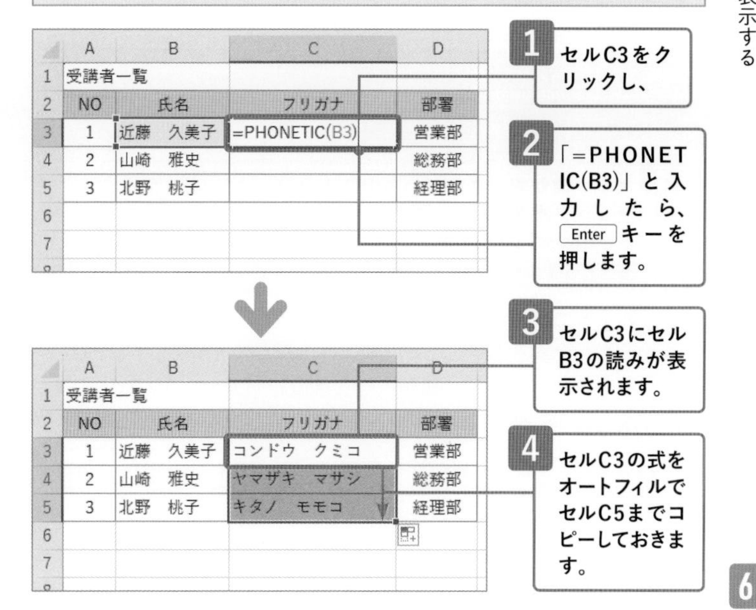

コラム エラー値の種類と対策

数式が入力されているセルの左上角に緑色のマークが表示されることがあります。これは、エラーの場合やエラーの可能性がある場合に表示されるエラーインジケーターです。セルを選択すると、［エラーチェックオプション］が表示され、マウスポインターを合わせると、エラーの内容やメニューが表示されるので、必要な対処をしてください。また、セルに「#DIV/0!」のようなエラー値が表示される場合があります。エラー値の場合は、明らかなエラーなので数式を修正する必要があります。

● エラーチェックオプションに対応する

ここでは、セルE2のSUM関数がセル範囲C2～D2を合計範囲としています。セルB2は前年度の数値なので、合計に含めていません。ここで表示されるエラーチェックオプションは、セルB2も隣接する数値なのに合計範囲に含められていないために表示されています。そのためここで表示されるエラーインジケーターは無視しても構わないので非表示にします。

E2 =SUM(C2:D2)

	A	B	C	D	E
1	支店名	前年度	上期	下期	当年度
2	支店 1	5,000	3,000	3,	6,500
3	支店 2	8,000	3,500	4,00	

このセルにある数式は、隣接したセル以外の範囲を参照します。

1 エラーインジケーターが表示されているセルをクリックし、［エラーチェックオプション］にマウスポインターを合わせてメッセージを確認します。

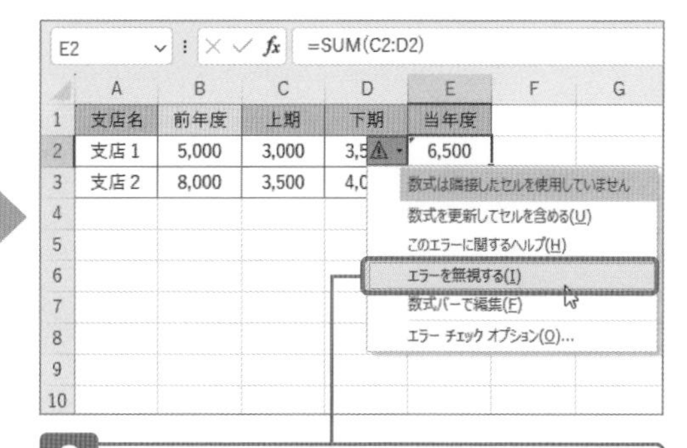

2 エラーチェックオプションをクリックし、［エラーを無視する］をクリックするとエラーチェックオプションが非表示になります。

● **エラー値に対応する**

セルにエラー値が表示されている場合、対処が必要です。エラー値が表示されているセルにもエラーインジケーターが表示されます。エラーインジケーターにマウスポインターを合わせて、内容を確認して必要な処理をしてください。

1 エラー値が表示されているセルをクリックし、[エラーチェックオプション]にマウスポインターを合わせてエラー内容を確認します。

2 ここでは、セルB2が空欄だったためエラーになっていました。値を入力することで解決しています。

● **主なエラー値の種類**

数式が正しく評価されていないと、セルに「#」が付いたエラー値が表示されます。主なエラー値には、次のようなものがあります。種類と内容を確認しておきましょう。

エラー値	内容
#######	数値や日付がセル幅に収まらないか、日付や時刻が負の値になっている
#NULL!	セル範囲の指定で範囲演算子「：」や「,」が正しく使われていない
#DIV/0!	0または空白で割っている
#VALUE!	関数で指定した引数が不適切な場合や参照先のセルに問題がある
#REF!	数式で参照されているセルが削除された場合など、数式が有効でないセルを参照している
#NAME?	関数名や範囲名が間違っている。セル範囲の「：」(コロン)が抜けるなど、認識できない文字列が使用されている
#NUM!	数式や関数に無効な数値が含まれている場合に表示される
#N/A	VLOOKUP関数等で参照する値が見つからない場合や計算に必要な値が入力されていない
#SPILL!	動的配列数式の出力先のセルが空でない場合や結合されている場合など、スピル機能が動作できない

コラム スピルって何？

「スピル」とは、数式が複数の値を返すときに隣接するセルに自動的に結果が表示される機能で、Excel 2021、Microsoft 365で追加されました。そのため、Excel 2019以前のExcelではこの機能は使えません。ここでは、以下の表で、スピルを使った各支店の上期と下期の合計の求め方と、関数を紹介します。なお、スピルにより自動で数式が入力される範囲に何らかのデータが入力されているとエラー「#SPILL!」が表示されます。数式が入力される範囲のセルは空にしておきます。

● **スピルを使った数式の設定方法**

1 結果を表示する先頭セル（ここではセルD2）を選択して「=B2:B4+C2:C4」と入力し、Enter キーを押します。

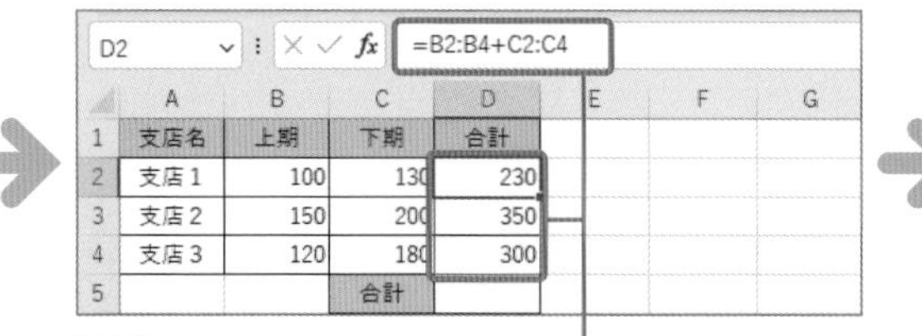

2 数式が入力されると同時に、スピルにより自動的に各行の「上期＋下期」の式の結果が表示されます。

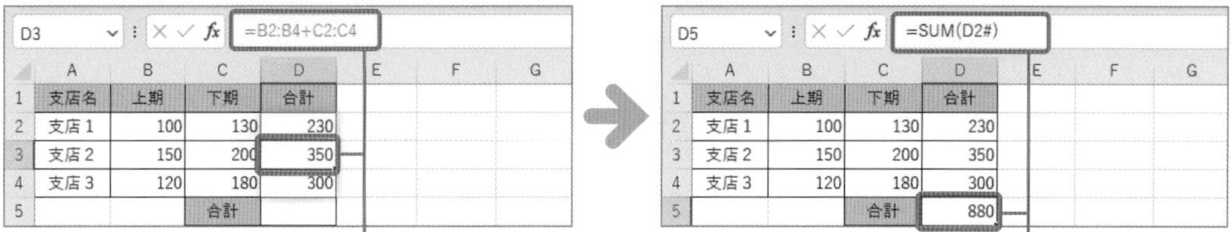

D3	=B2:B4+C2:C4		
支店名	上期	下期	合計
支店1	100	130	230
支店2	150	200	350
支店3	120	180	300
		合計	

3 自動で結果が表示されたセルの数式バーには灰色で数式が表示されます。これらの数式は編集、削除できません。数式の編集は、先頭のセルD2でのみ行えます。また、スピルにより入力された数式の範囲が青い枠で囲まれて表示されます。

D5	=SUM(D2#)		
支店名	上期	下期	合計
支店1	100	130	230
支店2	150	200	350
支店3	120	180	300
		合計	880

4 合計のセルに「=SUM(D2#)」と入力すると、スピルのセル範囲（セルD2～D4）で合計が表示されます（SUM関数のセル範囲を指定する場合に、セルD2からD4をドラッグすると自動で「D2#」と表示されます）。

●スピル機能を使う関数の例

ここでは、スピル機能を使って並べ替えを行うSORT関数と、重複データを調べるUNIQUE関数を紹介します。結果を表示するセル範囲の左上角のセルに関数を入力します。

●SORT関数でデータを並べ替える

商品別売上表			売上上位順並べ替え	
商品名	売上合計		商品名	売上合計
商品A	171		商品C	327
商品B	261		商品B	261
商品C	327		商品E	205
商品D	111		商品A	171
商品E	205		商品D	111

=SORT(A3:B7,2,-1)

式の意味：セル範囲A3～B7を、2列目を基準に、降順(-1)に行単位で並べ替えを行います。第4引数を省略しているので、行で並べ替えられます。

▼SORT関数「データを並べ替えた結果を表示する関数」

書式	SORT(配列,[並べ替えインデックス],[順序],[並べ替え方向])	
引数	配列	並べ替えのもととなるセル範囲を指定します。
	並べ替えインデックス	並べ替えの基準となる行または列の先頭を1として数値で指定します。省略時は1とみなされます。
	順序	昇順は1(既定値)、降順は-1を指定します。
	並べ替え方向	FALSEまたは省略時は行で並べ替え、TRUEは列で並べ替えます。
説明	指定したセル範囲を並べ替えて表示します。元の表はそのままにして、別の場所に並べ替えた結果を表示します。	

●UNIQUE関数で重複するデータをまとめて取り出す

色		色一覧
赤		赤
白		白
青		青
赤		緑
緑		
青		

=UNIQUE(A2:B7)

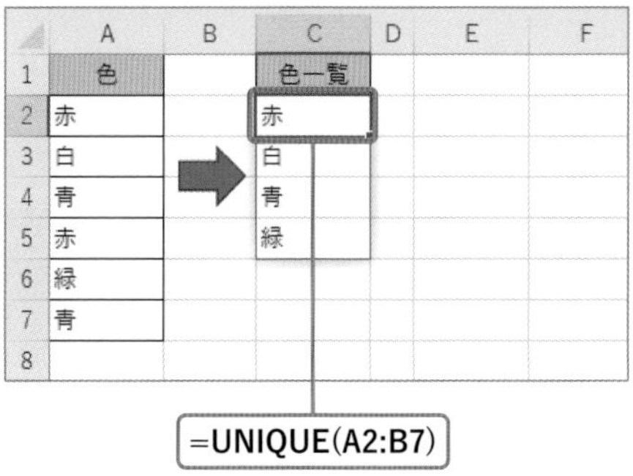

式の意味：セル範囲A2～B7で重複データをまとめた色の一覧を表示します。ここでは第2引数を省略しているので、行が比較されます。第3引数も省略しているので、複数回現れる値を1つにまとめてすべて取り出しています。

▼UNIQUE関数「重複するデータをまとめて取り出す関数」

書式	UNIQUE(配列,[比較の方向],[回数])	
引数	配列	対象となるセル範囲を指定します。
	比較の方向	TRUEの場合は列を比較し、FALSEまたは省略時は行が比較されます。
	回数	TRUEの場合は1回だけ現れる値だけを取り出し、FALSEまたは省略時は複数回現れる値を1つにまとめて取り出します。
説明	指定したセル範囲を並べ替えて表示します。元の表はそのままにして、別の場所に並べ替えた結果を表示します。	

Section

64 数値の個数やデータ件数を求める

COUNTA関数、COUNT関数、COUNTBLANK関数は、それぞれ指定したセル範囲の中でデータが入力されているセルの数、数値データのセルの数、空白セルの数を調べることができます。データ件数を調べるときによく使われる便利な関数です。

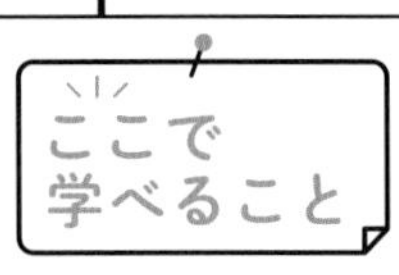

習得スキル	操作ガイド	ページ
▶COUNTA関数でデータ件数を求める	レッスン64-1	p.241
▶COUNT関数で数値の個数を求める	レッスン64-2	p.242
▶COUNTBLANK関数で空白セルの数を求める	レッスン64-2	p.242

まずは パッと見るだけ！

COUNTA関数／COUNT関数／COUNTBLANK関数

COUNTA関数は空白でないセルの数、COUNT関数は数値のセルの数、COUNTBLANK関数は空白セルの数を数えます。これらの関数を使って申し込み状況の表から申込件数、入金済みの件数、未入金の件数を調べられます。

Before 操作前

	A	B	C	D	E
1	申込状況				
2	顧客NO	入金金額		申込件数	
3	C1012	1,500		入金済	
4	C1033	5,000		未入金	
5	C1128				
6	C1369	3,500			
7	C1458	キャンセル			
8					

申し込み状況の表から件数、入金済みの件数、未入金の件数をそれぞれ調べたい

--->

After 操作後

	A	B	C	D	E
1	申し込み状況				
2	顧客NO	入金金額		申込件数	5
3	C1001	1,500		入金済	3
4	C1002	5,000		未入金	1
5	C1003				
6	C1004	3,500			
7	C1005	キャンセル			
8					

COUNTA関数で件数、
COUNT関数で入金済み件数、COUNTBLANK関数で未入金件数が数えられた

▼ COUNTA関数「データの個数を求める関数」

書式	=COUNTA (値1,[値2], …)	
引数	値	セルの個数を求めたいセル参照、セル範囲を指定します。
説明	引数で指定したセル範囲の中で空白でないセルの個数を求めます。数式の結果が「""」の場合やスペースだけが入力されている場合など、見かけが空白でもデータが入力されている場合は数えられます。	

▼COUNT関数「数値データの個数を求める関数」

書式	=COUNT (値1,[値2], …)	
引数	値	数値データのセルの個数を求めたい数値、セル参照、セル範囲を指定します。セル範囲を指定した場合は、セル範囲内の数値のみが計算対象となります。
説明	引数で指定した数値やセル参照、セル範囲に含まれる数値データの個数を求めます。日付や時刻も数値として扱われ、計算対象になります。	

▼COUNTBLANK関数「空白セルの個数を求める関数」

書式	=COUNTBLANK (値1,[値2], …)	
引数	値	空白セルの数を求めたいセル範囲を指定します。
説明	引数で指定したセル範囲の中で空白セルの個数を求めます。数式の結果が「""」の場合で、見かけが空白の時は空白として数えられます。スペースが入力されている場合は、見かけが空白でも数えられません。	

レッスン64-1 COUNTA関数で表のデータ件数を数える

練習用ファイル 64-1-申込状況.xlsx

ここでは、［顧客NO］列（セル範囲A3～A7）でデータが入力されているセルの数を数えて、セルE2に件数を求めます。

	A	B	C	D	E	F
1	申込状況					
2	顧客NO	入金金額		申込件数	=COUNTA(A3:A7)	
3	C1012	1,500		入金済		
4	C1033	5,000		未入金		
5	C1128					
6	C1369	3,500				
7	C1458	キャンセル				
8						

1 セルE2をクリックし、

2 「=COUNTA(A3:A7)」と入力し、Enter キーを押します。

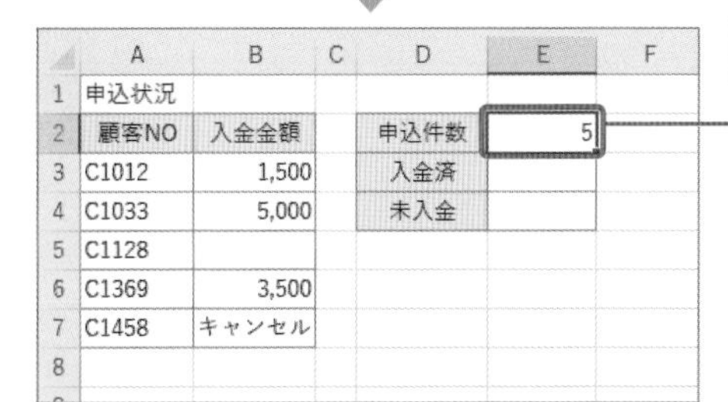

	A	B	C	D	E	F
1	申込状況					
2	顧客NO	入金金額		申込件数	5	
3	C1012	1,500		入金済		
4	C1033	5,000		未入金		
5	C1128					
6	C1369	3,500				
7	C1458	キャンセル				
8						

3 データ件数が表示されます。

操作 データ件数を数える

COUNTA関数は、指定したセル範囲の中で文字や数値など、データが入力されているセルの数を返します。そのため、表のデータ件数を数えるときによく使用されます。
例えば、顧客NOのような空白セルのない列のセルを数えることでデータ件数を求められます。

Memo ここで設定したCOUNTA関数の意味

数式：=COUNTA(A3:A7)
意味：セル範囲A3～A7でデータが入力されているセルの数を求める

Point 見かけは空白でも数えられるセル

COUNTA関数は、値が入力されているセルの数を数えます。見かけは空白でも何らかのデータが入力されていれば数えられることに注意してください。例えば、接頭辞の「'」やスペースが入力されていると見かけは空白セルですが、何らかのデータが入力されているので数えられます。

時短ワザ キー操作で表内の列全体を選択する

COUNTA関数の引数でセル範囲を選択するときに、データが入力されている列方向のセル範囲を選択する場合、先頭のセルをクリックし、Ctrl+Shift+↓キーを押すと一気に列内でデータが入力されている一番下のセルまで選択できます。

レッスン 64-2 COUNT関数で数値の数、COUNTBLANK関数で空白の数を数える

64-2-申込状況.xlsx

操作 数値の個数と空白の個数を数える

COUNT関数は、指定したセル範囲の中で数値が入力されているセルの数を返します。数値が入力されているセルの数を数えることで、入金済みの件数を調べることができます。
また、COUNTBLANK関数は、何も入力されていない空白のセルの個数を数えます。例えば、未入金のセルを数えることができます。

Memo ここで設定したCOUNT関数の意味

数式：=COUNT(B3:B7)
意味：セル範囲B3～B7で数値が入力されているセルの数を求める

Memo ここで設定したCOUNTBLANK関数の意味

数式：=COUNTBLANK(B3:B7)
意味：セル範囲B3～B7で空白セルの数を求める

Point COUNT関数で日付のセルも数えられる

日付や時刻データも数値として認識されるため、COUNT関数で数えることができます。例えば、表に入金日が入力されている場合、入金日が入力されているセルの数を数えることで入金済みの件数が数えられます。

ここでは、［入金金額］列（セル範囲B3～B7）で数値が入力されているセルを数えてセルE3に表示し、空白セルを数えてセルE4に表示します。

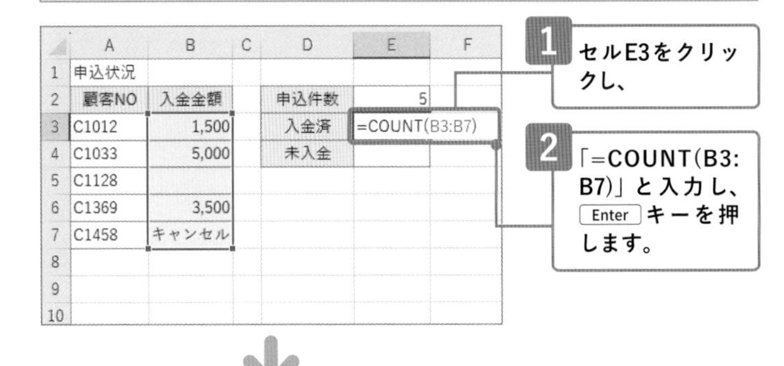

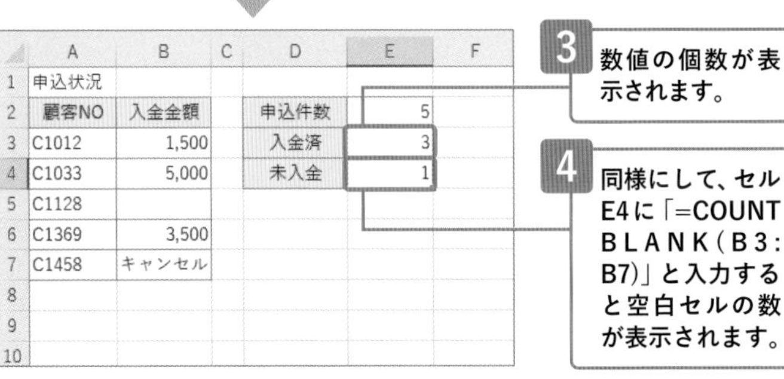

Point COUNTBLANK関数で数えられるセル

COUNTBLANK関数は、空白のセルを数えます。スペースが入力されているセルは、空白に見えますが数えられません。ですが、接頭辞「'」や数式の結果が「""」の場合、実際にはデータが入力されていますが、空白として数えられます。

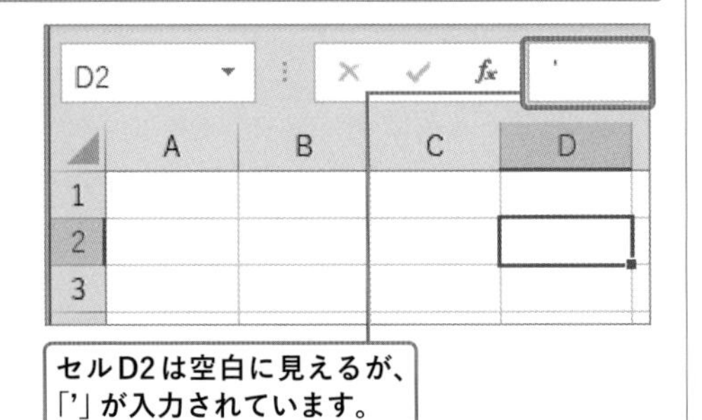

Section 65 複数の文字列を1つにまとめる

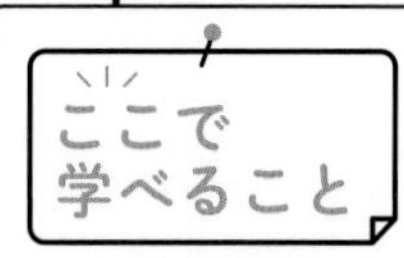

複数の文字列を連結して1つの文字列にしたい場合、CONCAT関数とTEXTJOIN関数が使えます。CONCAT関数は、分割された複数の文字列をひと続きの文字列にまとめます。TEXTJOIN関数は、分割された複数の文字列を区切り記号で区切りながらまとめます。

ここで学べること

習得スキル	操作ガイド	ページ
▶ CONCAT関数で文字を連結する	レッスン65-1	p.244
▶ TEXTJOIN関数で文字を連結する	レッスン65-2	p.245

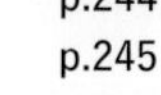

まずは パッと見るだけ！

CONCAT関数／TEXTJOIN関数

［都道府県］、［市区町村］、［住所1］で列が分かれている住所は、CONCAT関数を使って簡単に1つにまとめることができます。また、TEXTJOIN関数を使うと、文字列と文字列の間に指定した「−」のような記号を挿入しながら1つにまとめることができます。

● CONCAT関数で文字を連結

Before 操作前

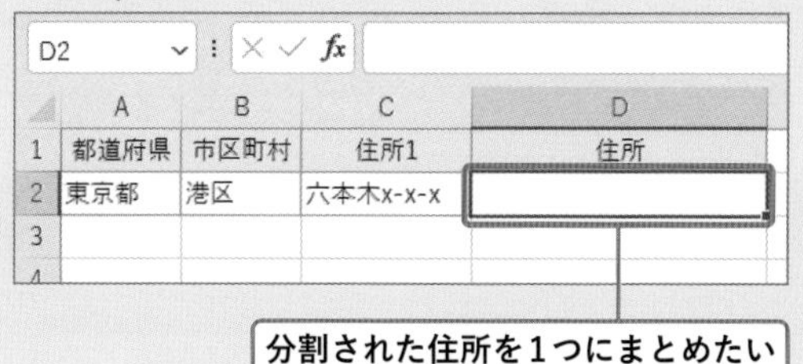

After 操作後

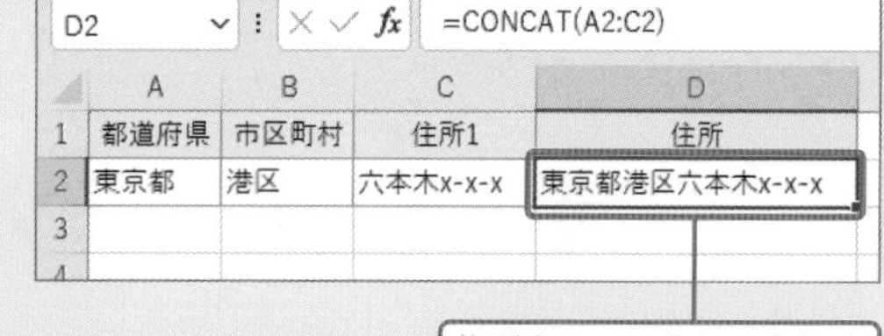

● TEXTJOIN関数で文字を連結

Before 操作前

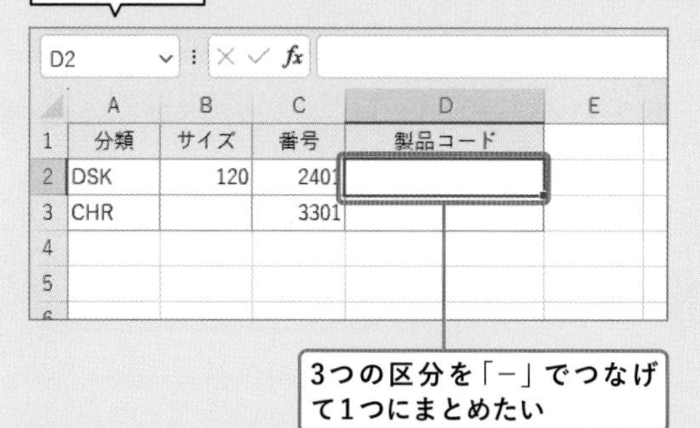

After 操作後

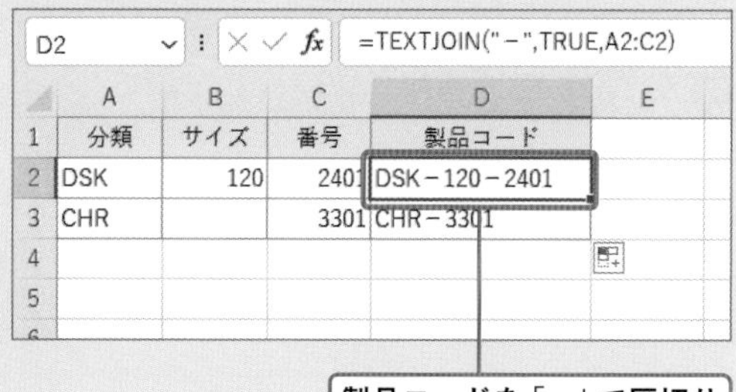

▼ CONCAT関数「複数の文字列を結合する関数」

書式	=CONCAT(テキスト1, [テキスト2], …)	
引数	テキスト	結合する文字列を文字列、セル参照、セル範囲で指定します。
説明	引数で指定した文字列をひと続きの文字列に連結します。	

▼ TEXTJOIN関数「区切り記号で複数の文字列を結合する関数」

書式	=TEXTJOIN(区切り記号, 空の文字を無視, 文字列1, [文字列2],…)	
引数	区切り記号	[文字列] の間に挿入する文字列を指定します。直接指定する場合は、「"-"」のように「"」で囲んで指定します。
	空の文字を無視	[文字列] が空の場合の扱いを指定します。TRUEの場合、空の場合は無視して [区切り記号] を挿入しません。FALSEの場合、空の場合でも [区切り記号] を挿入します。
	文字列	連結したい文字列を文字列、セル参照、セル範囲で指定します。セル範囲を指定した場合は、各セルを [区切り記号] で区切りながら連結されます。
説明	複数の文字列を、指定した区切り記号で区切りながらひと続きの文字列に連結します。	

レッスン 65-1 CONCAT関数で複数の文字列を1つにまとめる

65-1-住所.xlsx

操作 複数の文字列を1つにまとめる

複数のセルに入力されている値をひと続きの文字列にまとめてみましょう。
ここでは、[都道府県] 列と [市区町村] 列と [住所1] 列に分かれて入力されている住所を一つにまとめて [住所] 列に表示します。

Memo ここで設定したCONCAT関数の意味

数式：=CONCAT(A2:C2)
意味：セル範囲A2からC2の各セルの文字列を連結してひと続きの文字列にまとめる

ここでは、セル範囲A2～C2内の各文字列をまとめてひと続きの文字列にしてセルD2に表示します。

1 住所を表示するセルをクリックし、

2 「=CONCAT(A2:C2)」と入力したら、Enter キーを押します。

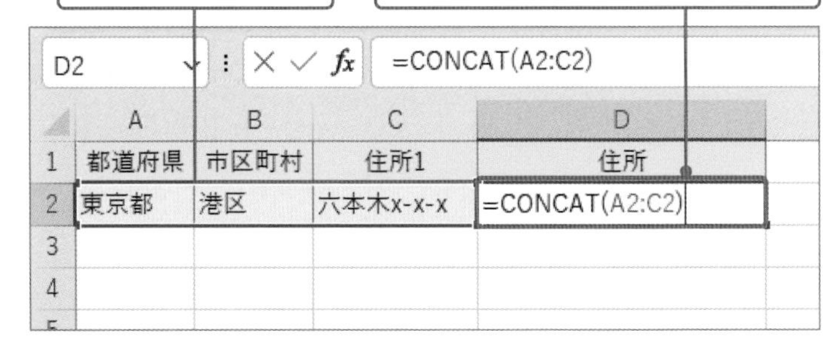

3 セルD2にセル範囲A2からC2の各セルの文字列が連結されて表示されます。

D2 =CONCAT(A2:C2)

	A	B	C	D
1	都道府県	市区町村	住所1	住所
2	東京都	港区	六本木x-x-x	東京都港区六本木x-x-x
3				
4				
5				

レッスン65-2 TEXTJOIN関数で複数の文字列を区切り文字でつなげる

65-2-製品コード.xlsx

操作 複数の文字列を区切り文字でつなげる

複数のセルに入力されている値を区切り文字「－」でつなげてひと続きの文字列にまとめてみましょう。
ここでは、[分類] 列と [サイズ] 列と [番号] 列の3つの区分を「-」(半角のハイフン) でつなげて [製品コード] 列に表示します。

Memo ここで設定したTEXTJOIN関数の意味

数式：=TEXTJOIN("－", TRUE, A2:C2)
意味：空のセルは無視して、「-」(ハイフン) で区切って、セル範囲A2～C2の文字列を連結します。セルD3の場合、セルB3は空欄になっています。第2引数で空のセルを無視 (TRUE) しているため [サイズ] 列の区分は省略されています。

ここでは、セル範囲A2～C2内の各文字列を、半角の「-」でつなげて、ひと続きの文字列にしてセルD2に表示します。なお、セルが空欄の場合は、区切り記号は省略します。

1 セルD2をクリックし、

2 「=TEXTJOIN("-",TRUE,A2:C2)」 と入力したら、Enter キーを押します。

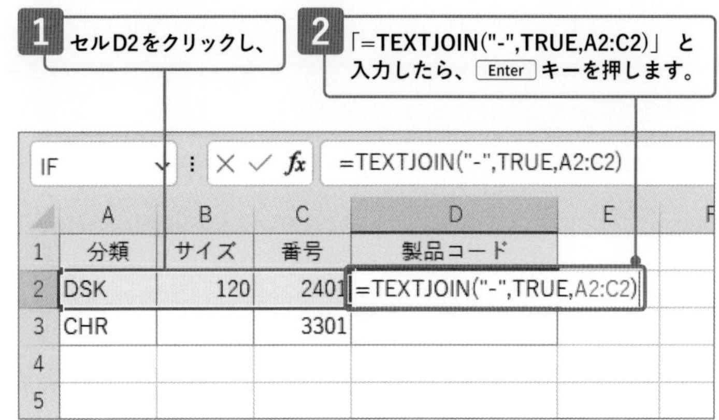

3 セルD2にセル範囲A2からC2の各セルの文字列が「-」で区切りながら連結されて表示されます。

4 セルD2の式をオートフィルでセルD3までコピーしておきます。

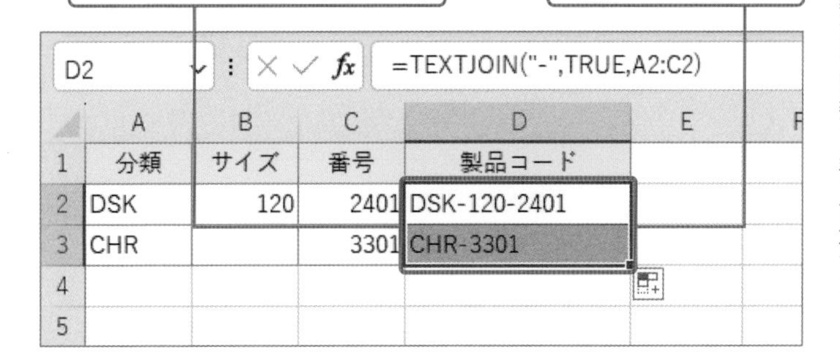

コラム セルへのTEXTJOINの入力方法

TEXTJOIN関数の第2引数 [空の文字を無視] ではTRUEまたはFALSEのいずれかを選択します。セルに直接関数を入力する際、引数に選択肢があると、一覧から選べるようになっています。
第1引数設定後、「,」を入力すると選択肢が表示されるので❶、↓キーを押して項目を選択し Tab キーを押すと❷、セルに項目が入力されます❸。「,」に続けて第3引数を設定し、関数を完成させたら、Enter キーで確定します。

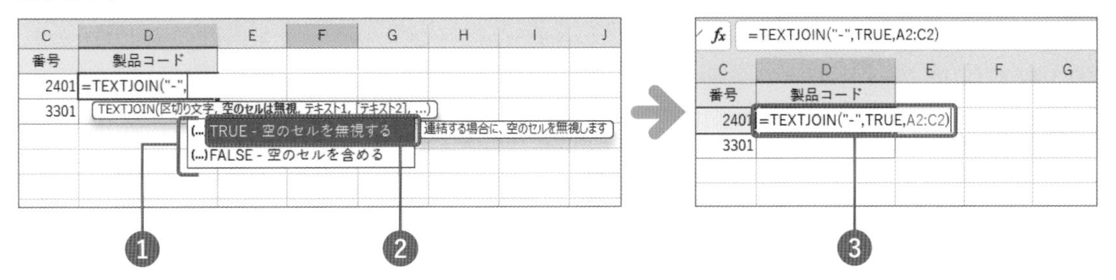

練習問題 数式や関数を入力する練習をしてみよう

演習6-テスト結果成績表.xlsx

完成見本を参考に、以下のように関数を設定してください。

1. セルD1にCOUNTA関数を使って受験者数を表示する
2. ［フリガナ］列（セル範囲C4～C13）にPHONETIC関数を使って学生名のふりがなを表示する
3. ［合計］列（セル範囲G4～G13）にSUM関数を使って3科目の合計点を表示する
4. 平均点の行（セル範囲D14～G14）にAVERAGE関数を使って各科目と合計の平均点を表示する
5. 最高点の行（セル範囲D15～G15）にMAX関数を使って各科目と合計の最大値を表示する
6. 最低点の行（セル範囲D16～G16）にMIN関数を使って各科目と合計の最小値を表示する
7. ［評価］列に、IF関数を使って合計点が250点以上の場合は「A」、200点以上の場合は「B」、それ以外の場合は「C」と表示する

▼完成見本

	A	B	C	D	E	F	G	H	I
1	テスト結果成績表		受験者数：	10					
2									
3	NO	学生名	フリガナ	英語	数学	国語	合計	評価	
4	1	吉本　七海	ヨシモト　ナナミ	68	83	79	230	B	
5	2	野村　健介	ノムラ　ケンスケ	97	67	63	227	B	
6	3	鈴木　洋子	スズキ　ヨウコ	63	68	73	204	B	
7	4	岸本　杏	キシモト　アン	69	88	94	251	A	
8	5	高杉　慎二	タカスギ　シンジ	95	98	100	293	A	
9	6	飯塚　保志	イイヅカ　ヤスシ	89	61	74	224	B	
10	7	村松　明美	ムラマツ　アケミ	53	61	81	195	C	
11	8	下田　誠	シモダ　マコト	95	94	84	273	A	
12	9	中井　大樹	ナカイ　ダイキ	63	55	64	182	C	
13	10	安藤　歩美	アンドウ　アユミ	96	58	78	232	B	
14			平均点	78.8	73.3	79	231.1		
15			最高点	97	98	100	293		
16			最低点	53	55	63	182		
17									

第7章

表のデータをグラフにする

ここでは表をもとにグラフを作成する方法を紹介します。Excelでは、棒グラフ、折れ線グラフ、円グラフなど、さまざまな種類のグラフを作成できます。グラフを作成することで数値の変化を視覚化し、一目でわかるようになります。ビジネスでよく使われるグラフを作れるようになりましょう。

Section

66 グラフについて理解を深めよう

グラフとは、表の数値の関係性を図表で表したもので、棒グラフで大きさを比較したり、折れ線グラフで時間経過による数値の変化を表したり、円グラフで構成比を表したりできます。他にも目的によっていろいろなグラフが用意されています。

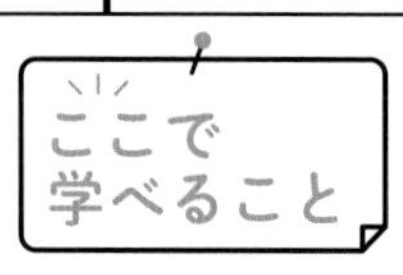

習得スキル	操作ガイド	ページ
▶グラフの必要性を理解する ▶よく利用されるグラフを知る	なし	p.248 p.249

まずは パッと見るだけ！

グラフの必要性

　データを分析するのに、表の数値をグラフ化するとデータの大小、傾向、割合、相関関係などを視覚化できます。グラフは数値だけでは読み取れない情報を把握するのに役立ちます。

	A	B	C	D	E	F	G
1	商品別売上				単位：万円		
2		2020年	2021年	2022年	2023年	合計	
3	商品A	1,450	1,600	1,500	1,650	6,200	
4	商品B	1,600	1,800	2,000	2,600	8,000	
5	商品C	1,150	1,350	1,100	1,250	4,850	
6	商品D	700	1,000	1,350	1,600	4,650	
7	合計	4,900	5,750	5,950	7,100	23,700	

数値だけだと、売れ行きや全体の傾向がわかりづらい

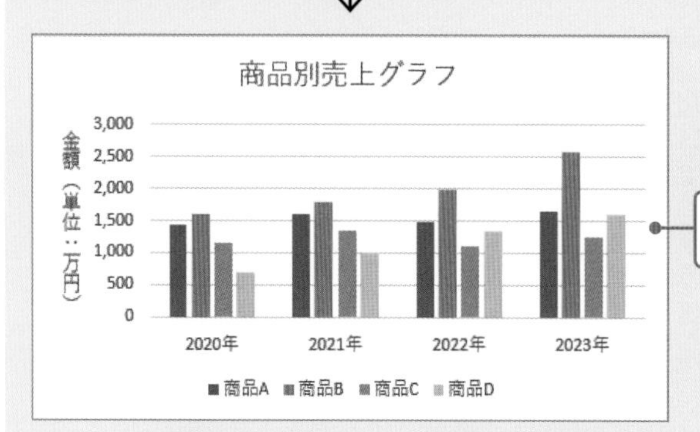

グラフ化することで商品ごとの売上状況や売れ筋などを把握できる

よく利用されるグラフ

Excelでは、一般的なグラフから株式や統計に使う専門的なグラフまでさまざまなグラフを作成できます。それぞれのグラフの特徴を確認し、目的にあったグラフを作成しましょう。

●棒グラフ

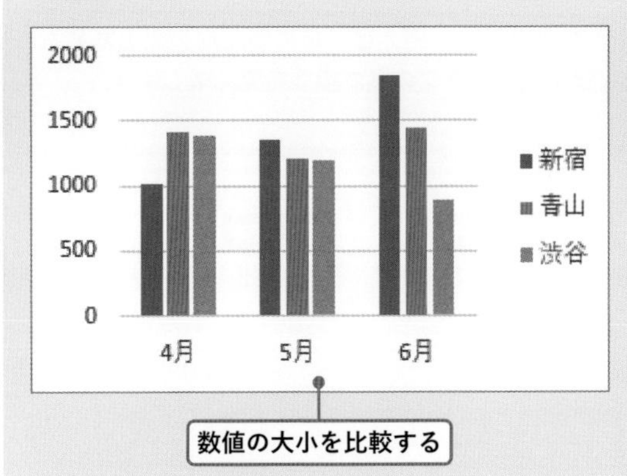

数値の大小を比較する

●折れ線グラフ

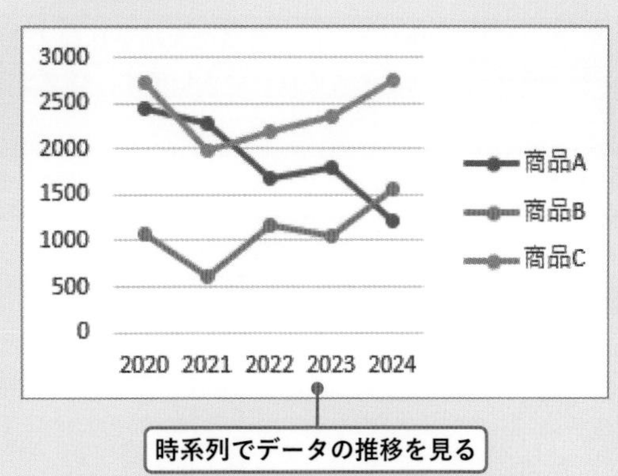

時系列でデータの推移を見る

●円グラフ

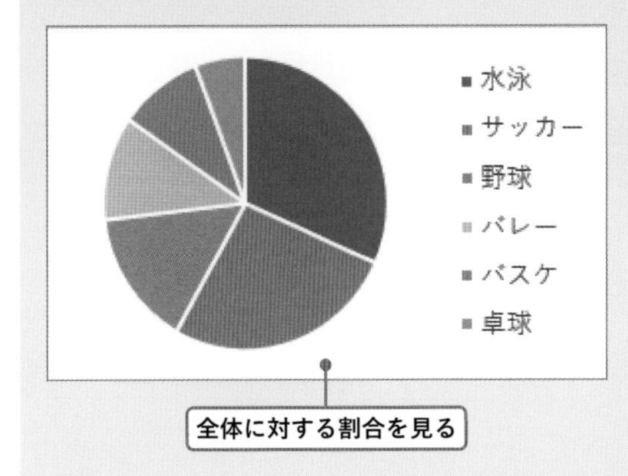

全体に対する割合を見る

●散布図

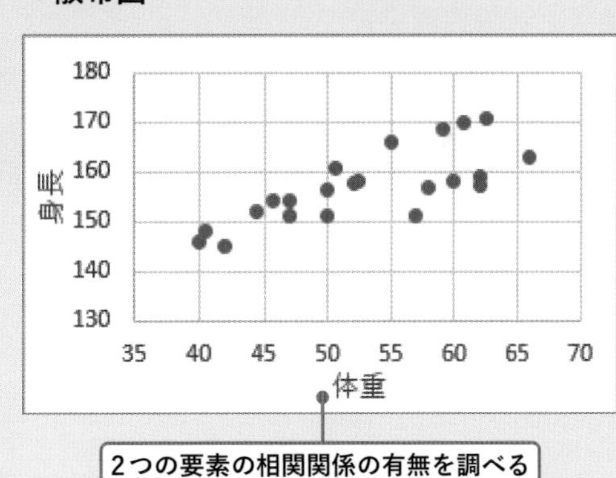

2つの要素の相関関係の有無を調べる

グラフを
作ってみたい！

Section

67 棒グラフを作成する

棒グラフは、数値の大小を比較するのに適したグラフです。例えば、年の商品別の売上結果を比較するのに向いています。棒グラフを作成しながら、グラフの基本操作を覚えましょう。

ここで学べること

習得スキル	操作ガイド	ページ
▶棒グラフの作成	レッスン67-1	p.251
▶グラフを移動とサイズ変更	レッスン67-2	p.253

まずは パッと見るだけ！

棒グラフの作成

棒グラフは、もっとも一般的なグラフで、数値の大小を比較するのに使われます。棒グラフにもさまざまなものが用意されていますが、基本的な縦棒グラフを作成してみましょう。

Before 操作前

	A	B	C	D	E	F
1	商品別売上					単位：万円
2		2020年	2021年	2022年	2023年	合計
3	商品A	1,450	1,600	1,500	1,650	6,200
4	商品B	1,600	1,800	2,000	2,600	8,000
5	商品C	1,150	1,350	1,100	1,250	4,850
6	商品D	700	1,000	1,350	1,600	4,650
7	合計	4,900	5,750	5,950	7,100	23,700

年ごとの商品の売上を比較したい

棒グラフを作成したら、棒の高さで各商品の売上状況が比較できた

After 操作後

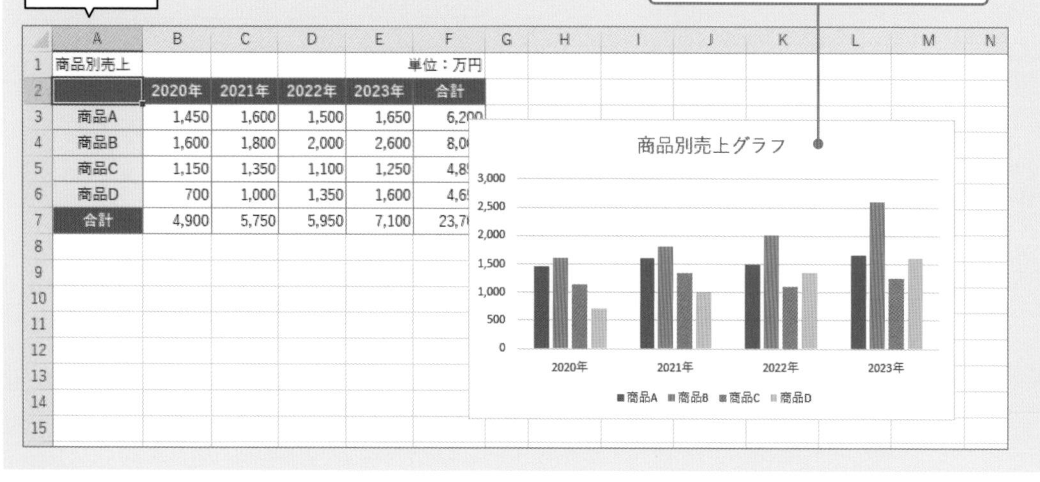

	A	B	C	D	E	F
1	商品別売上					単位：万円
2		2020年	2021年	2022年	2023年	合計
3	商品A	1,450	1,600	1,500	1,650	6,200
4	商品B	1,600	1,800	2,000	2,600	8,0
5	商品C	1,150	1,350	1,100	1,250	4,8
6	商品D	700	1,000	1,350	1,600	4,6
7	合計	4,900	5,750	5,950	7,100	23,7

レッスン67-1 棒グラフを作成する

67-1-商品別売上.xlsx

操作 棒グラフを作成する

棒グラフを作成するには、まず、グラフ化したいセル範囲を選択し、[挿入]タブの[縦棒/横棒グラフの挿入] をクリックし、作成したいグラフの種類をクリックします。
作成したら、グラフタイトルに適切なタイトルを入力し完成させます。

Memo [おすすめグラフ]からグラフを作成する

[挿入]タブの[おすすめグラフ])をクリックすると、[グラフの挿入]ダイアログが表示されます。[おすすめグラフ]タブにはExcelがおすすめとしていくつかのグラフを挙げていますが、[すべてのグラフ]タブでは、すべてのグラフの種類の中から、選択できます。

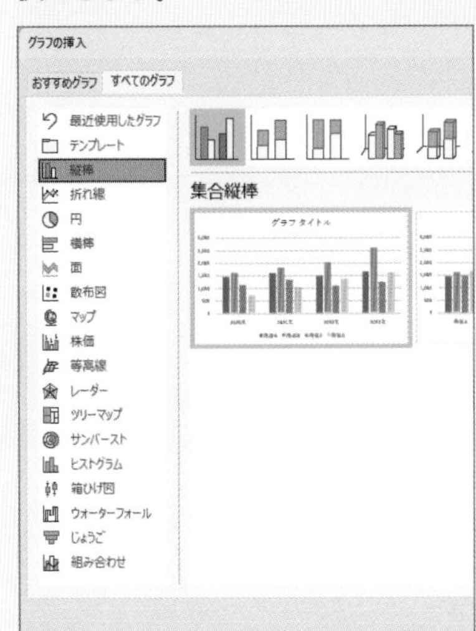

Memo 縦軸ラベルと横軸ラベル

グラフ作成直後には、縦軸ラベルと横軸ラベルが表示されていません。要素の追加は、Section76を参照してください。

ここでは、セル範囲A2～E6をグラフ化する範囲とし、集合縦棒グラフを作成します。

1 グラフ化する範囲(ここではセル範囲A2～E6)を選択します。

	A	B	C	D	E	F	G
1	商品別売上					単位：万円	
2		2020年	2021年	2022年	2023年	合計	
3	商品A	1,450	1,600	1,500	1,650	6,200	
4	商品B	1,600	1,800	2,000	2,600	8,000	
5	商品C	1,150	1,350	1,100	1,250	4,850	
6	商品D	700	1,000	1,350	1,600	4,650	
7	合計	4,900	5,750	5,950	7,100	23,700	
8							

2 [挿入]→[縦棒/横棒グラフの挿入] をクリックし、作成するグラフをクリックすると、

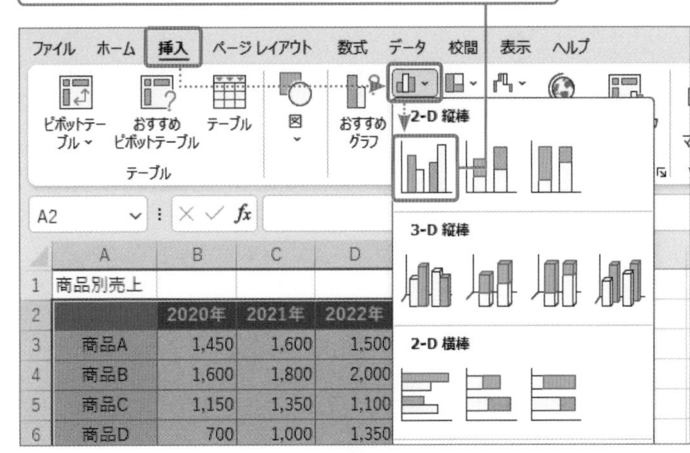

3 画面の中央に任意の大きさで縦棒グラフが作成されます。

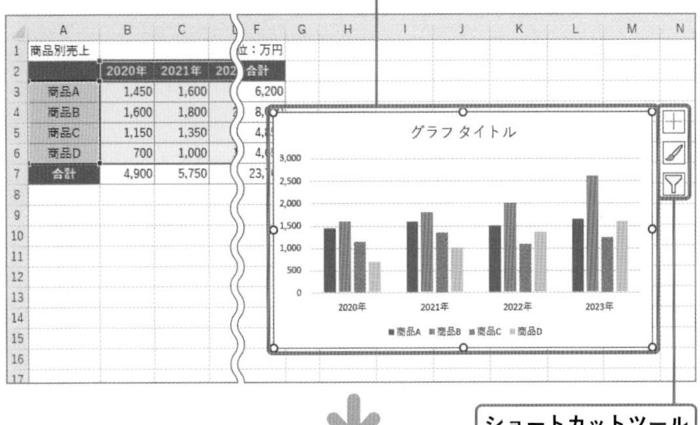

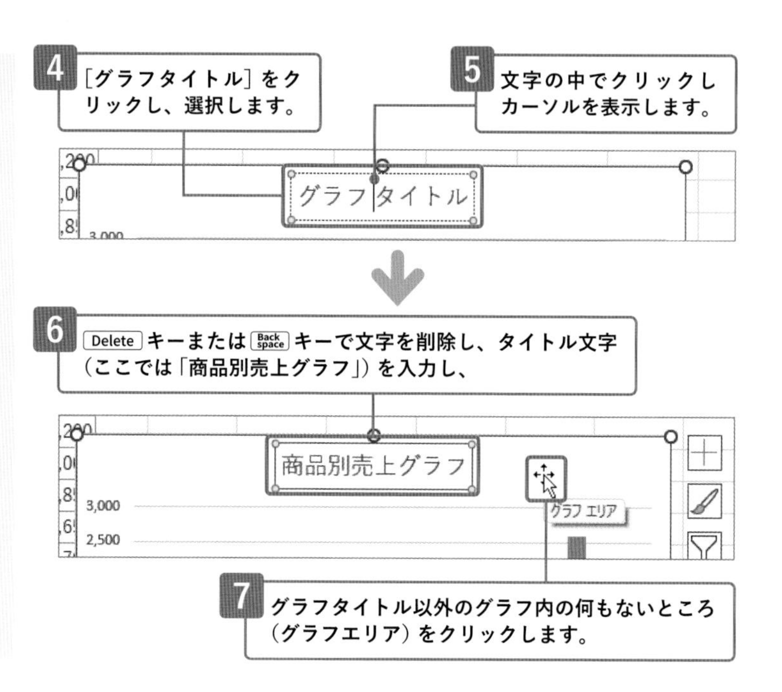

時短ワザ ショートカットツール

グラフを作成すると、グラフの右上に3つのボタンが表示されます。これは「ショートカットツール」といい、グラフ編集に便利な機能がまとめられています。詳細はSection76を参照してください。

ボタン	名称	機能
＋	グラフ要素	グラフに表示する要素と表示位置を指定する
🖌	グラフスタイル	グラフのスタイルや配色を変更する
▽	グラフフィルター	グラフに表示する項目を指定する

コラム グラフの構成要素

棒グラフは次のような構成になっています。ここでは、使用例で表示されていない要素も含めて紹介します。マウスポインターを要素の上に合わせると、ポップヒントで要素名が表示されます。グラフを編集するときは、対象となる要素を選択してからメニューを選択します。また、グラフの要素は必要に応じて表示／非表示を切り替えたり位置を変更したりできます。

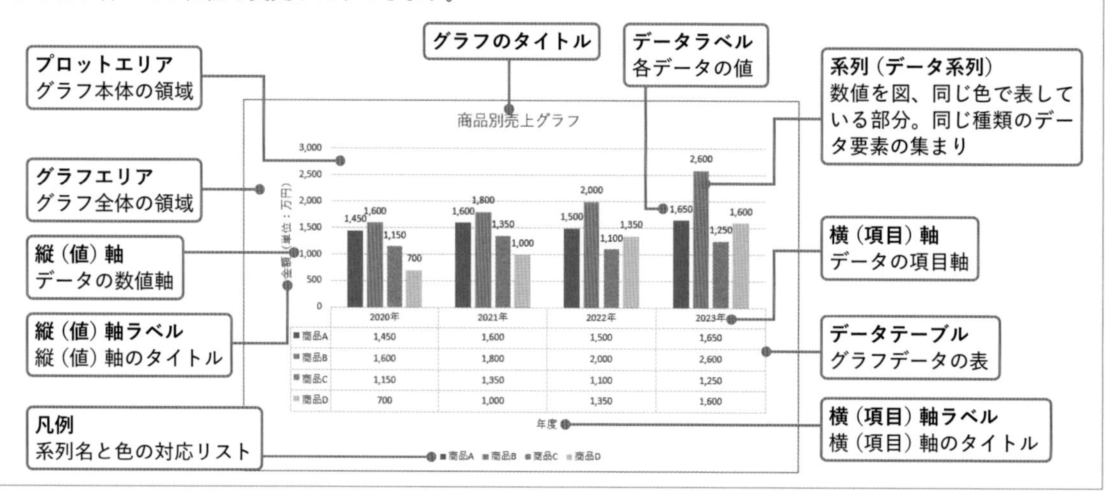

	2020年	2021年	2022年	2023年
商品A	1,450	1,600	1,500	1,650
商品B	1,600	1,800	2,000	2,600
商品C	1,150	1,350	1,100	1,250
商品D	700	1,000	1,350	1,600

レッスン 67-2 グラフの移動／サイズを変更する

67-2-商品別売上.xlsx

操作 グラフの移動／サイズ変更をする

ワークシート上に作成されたグラフは、「オブジェクト」として扱われます。オブジェクトとは、ワークシート上に配置された、セルとは別に扱われる要素で、図形や画像もオブジェクトとして扱われます。グラフの移動とサイズ変更は、他のオブジェクトと同じ操作をします。
グラフ移動とサイズ変更のときのマウスポインターの形がポイントです。グラフ移動は、サイズ変更はの形になります。マウスポインターの形状を確認しながら操作してください。

Point グラフを選択する

グラフを移動したり、サイズ変更したり、グラフ自体を編集したりするときは、グラフを選択します。グラフを選択する場合は、グラフ内の何もない場所（グラフエリア）をクリックします。グラフが選択されると、グラフの枠の周囲に白い○（ハンドル）が表示されます。

Memo 矢印キーで移動する

グラフが選択されている状態で、↑、↓、→、←キーを押してもグラフを移動できます。少しずつ移動して位置を調整したいときに使えます。

上級テクニック セルの境界に合わせて移動／サイズ変更する

Alt キーを押しながらドラッグすると、グラフがセルの境界にぴったり重なるように移動またはサイズ変更できます。

グラフの移動

1 グラフ内をクリックしてグラフを選択します。

2 グラフ内の何もない場所（グラフエリア）にマウスポインターを合わせ、の形になったらドラッグすると、

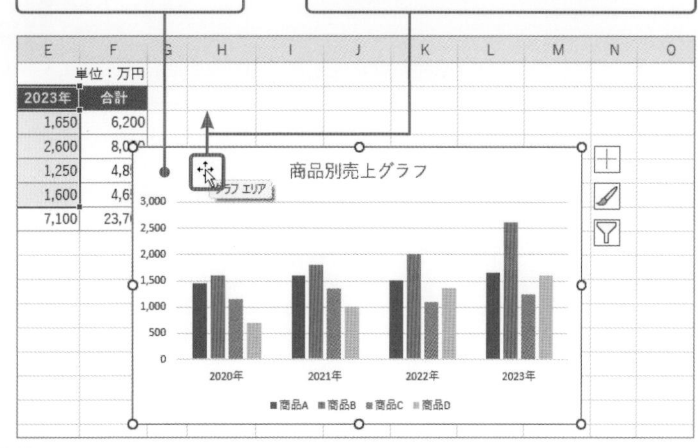

3 グラフが移動します。

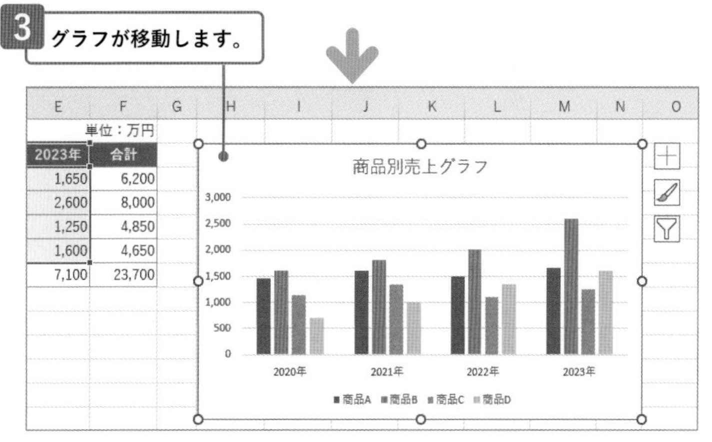

グラフのサイズ変更

1 グラフの中でクリックし、グラフを選択します。

2 グラフの周囲に表示された［○］（ハンドル）にマウスポインターを合わせ、の形になったら、ドラッグすると、

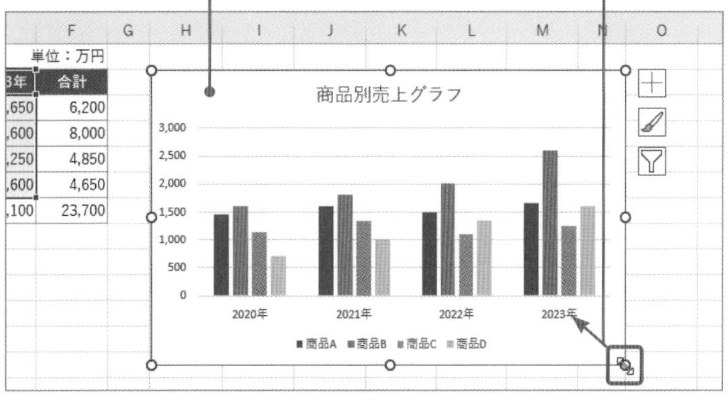

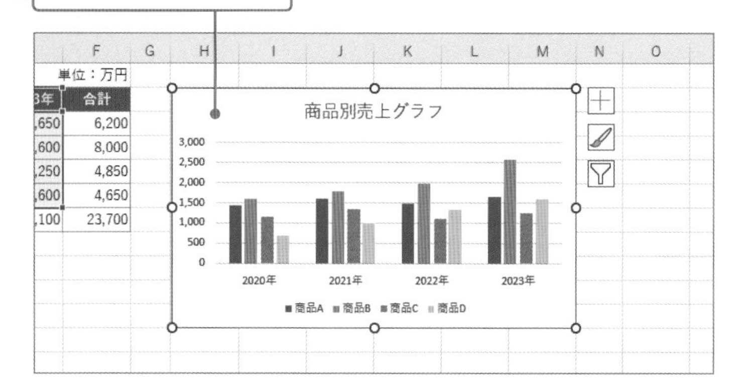

コラム　グラフシートにグラフを移動する

ワークシート上に作成されたグラフを、グラフシートに移動するには、グラフが選択されている状態で、[グラフのデザイン] タブ→[グラフの移動] をクリックします❶。
[グラフの移動] ダイアログで [新しいシート] をクリックし、シート名を入力して❷、[OK] をクリックすると❸、グラフシートが挿入され、そこにグラフが移動します❹。

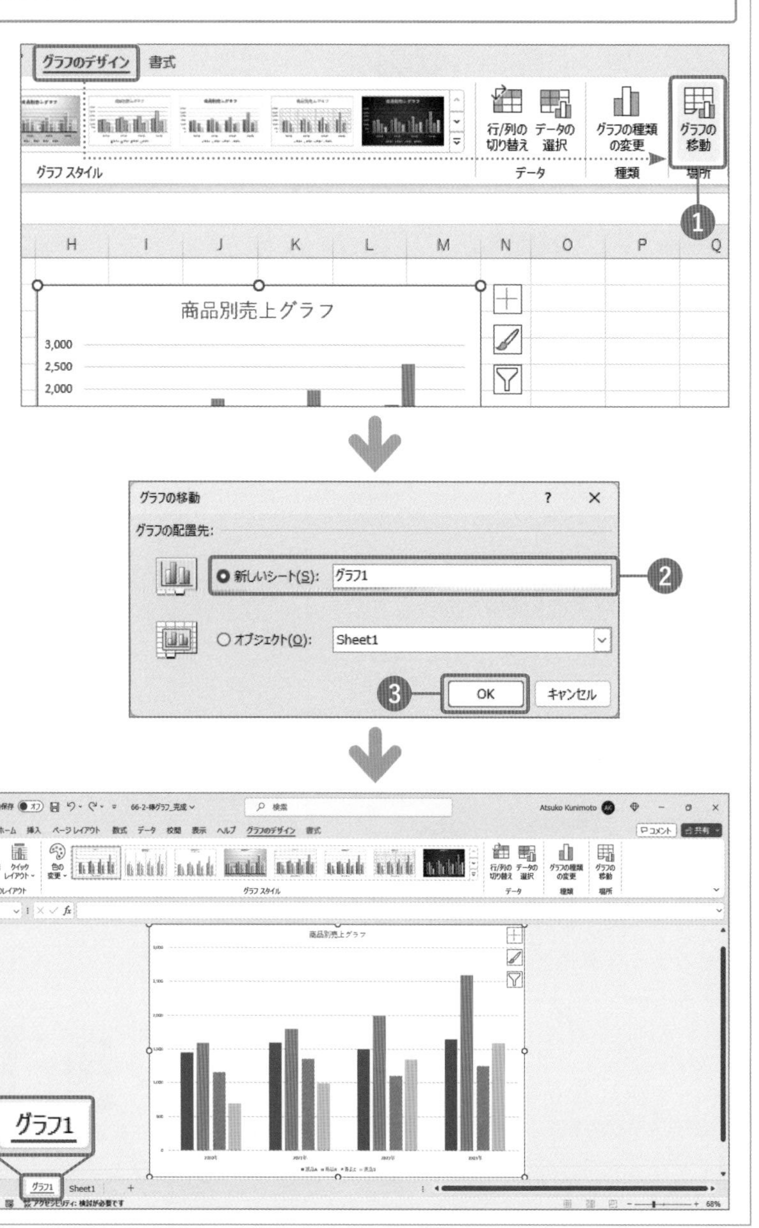

Section

68 折れ線グラフを作成する

折れ線グラフは、時系列で数値の変化を見るのに適したグラフです。例えば、商品の月ごとの売上数を折れ線グラフで表して、連続する期間でどう売上が変化したか傾向を探れます。

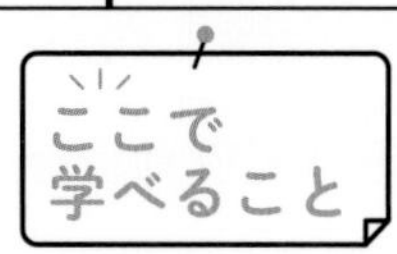

習得スキル	操作ガイド	ページ
▶折れ線グラフの作成	レッスン68-1	p.256

まずは パッと見るだけ！

折れ線グラフの作成

折れ線グラフは、時間の経過とともに数値がどのように変化したかを見るのに使われます。一般的に横軸に年、月、日などの期間を指定し、縦軸に売上数などの数値を指定します。

Before 操作前

	A	B	C	D	E	F	G	H
1	月別売上							
2		1月	2月	3月	4月	5月	6月	合計
3	支店1	1,300,914	1,200,524	1,350,357	1,400,852	1,350,149	1,550,641	8,153,437
4	支店2	1,650,188	1,500,114	1,150,925	1,200,637	1,100,239	900,527	7,502,630
5	支店3	750,740	1,050,200	1,250,925	1,300,719	1,500,156	1,650,808	7,503,548
6	合計	3,701,842	3,750,838	3,752,207	3,902,208	3,950,544	4,101,976	23,159,615

各支店の売上の推移を見たい

After 操作後

	A	B	C	D	E	F	G	H
1	月別売上							
2		1月	2月	3月	4月	5月	6月	合計
3	支店1	1,300,914	1,200,524	1,350,357	1,400,852	1,350,149	1,550,641	8,153,437
4	支店2	1,650,188	1,500,114	1,150,925	1,200,637	1,100,239	900,527	7,502,630
5	支店3	750,740	1,050,200	1,250,925	1,300,719	1,500,156	1,650,808	7,503,548
6	合計	3,701,842	3,750,838	3,752,207	3,902,208	3,950,544	4,101,976	23,159,615

月別売上グラフ
1,800,000
1,600,000
1,400,000
1,200,000
1,000,000
800,000
600,000
400,000
200,000
0
1月 2月 3月 4月 5月 6月
支店1 支店2 支店3

折れ線グラフを作成したら、線の傾きで各支店の売上の推移がわかった

レッスン68-1 折れ線グラフを作成する

68-月別売上.xlsx

操作　折れ線グラフを作成する

折れ線グラフを作成するには、まず、グラフ化したいセル範囲を選択し、[挿入] タブの [折れ線/面グラフの挿入] をクリックし、作成したいグラフの種類をクリックします。
作成したら、グラフタイトルに適切なタイトルを入力し完成させます。

Point　グラフタイトルを削除したい

グラフタイトルの枠線上をクリックし、Delete キーを押します。なお、グラフタイトルを削除しても後から追加できます（Section76参照）

ここでは、セル範囲A2～G5をグラフ化する範囲とする、折れ線グラフを作成します。

1 グラフ化する範囲（ここではセル範囲A2～G5）を選択します。

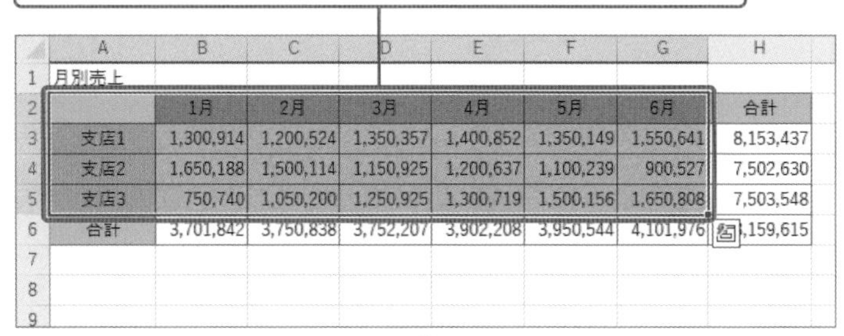

	A	B	C	D	E	F	G	H
1	月別売上							
2		1月	2月	3月	4月	5月	6月	合計
3	支店1	1,300,914	1,200,524	1,350,357	1,400,852	1,350,149	1,550,641	8,153,437
4	支店2	1,650,188	1,500,114	1,150,925	1,200,637	1,100,239	900,527	7,502,630
5	支店3	750,740	1,050,200	1,250,925	1,300,719	1,500,156	1,650,808	7,503,548
6	合計	3,701,842	3,750,838	3,752,207	3,902,208	3,950,544	4,101,976	,159,615

2 [挿入] → [折れ線/面グラフの挿入] をクリックし、作成するグラフをクリックすると、

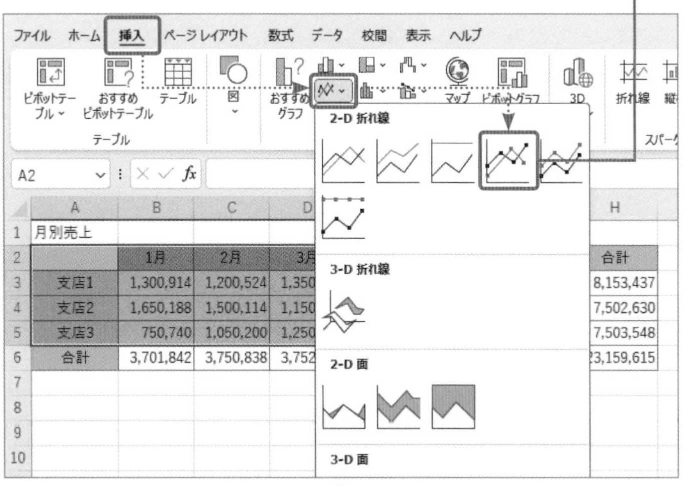

3 画面の中央に任意の大きさで折れ線グラフが作成されます。

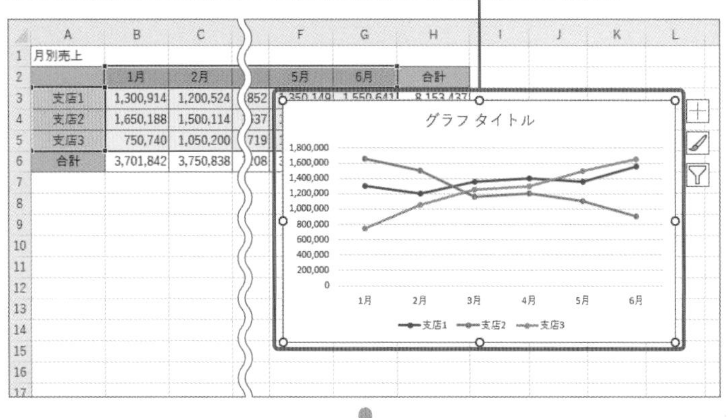

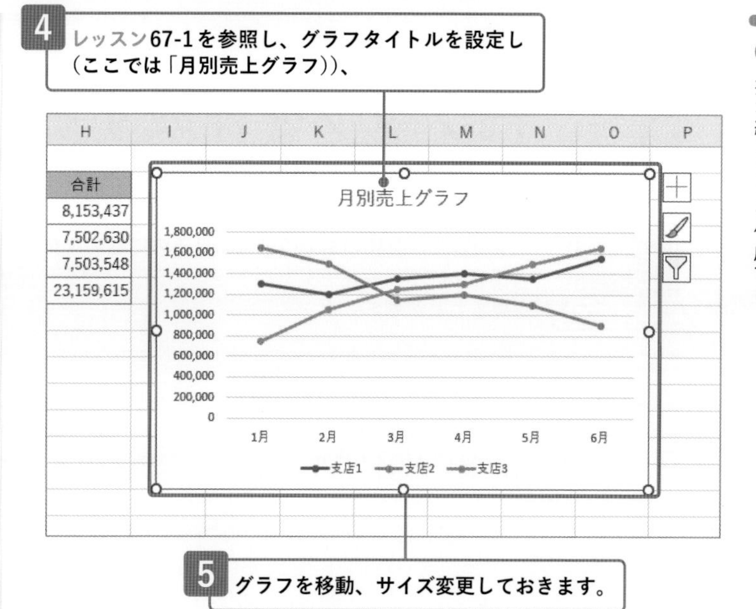

コラム 折れ線グラフで途切れた線をつなぐには

表に空白があると、折れ線グラフは線が途切れてしまいます。途切れた線をつなぐには、次の手順で設定します。グラフを選択し、コンテキストタブの［グラフのデザイン］タブ→［データの選択］をクリックし❶、［データソースの選択］ダイアログで［非表示および空白のセル］をクリックします❷。［非表示および空白のセルの設定］ダイアログで［データ要素を線で結ぶ］をクリックして選択し❸、［OK］をクリックします❹。途切れていた線がつながります❺。

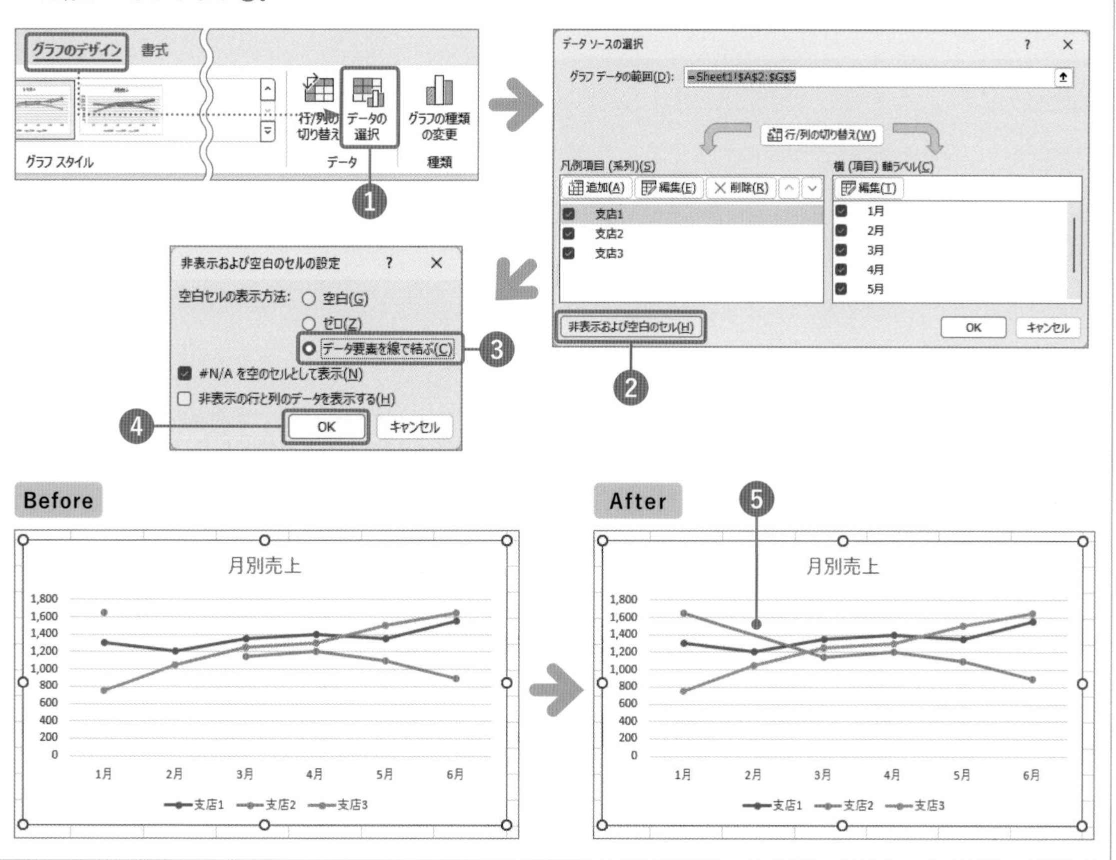

Section

69 円グラフを作成する

円グラフは、全体の中での割合を見るのに適切なグラフです。例えば、売り上げ全体に対する、各商品の売上構成比を見たいときに、円グラフを作成することでその扇形の面積で占める割合を見ることができます。

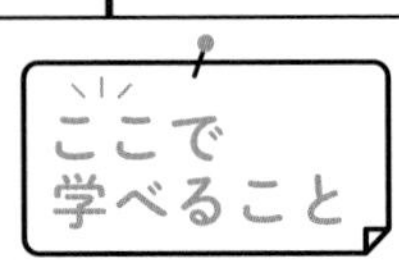

習得スキル	操作ガイド	ページ
▶円グラフの作成	レッスン69-1	p.259

まずは パッと見るだけ！

円グラフの作成

円グラフは、各要素が全体に対してどのくらいの割合になっているかを見るのに使われます。通常、グラフ化する数値は「1月の売上」や「商品ごとの合計」など1種類にします。ここでは、上半期の商品ごとの合計を円グラフにします。

Before 操作前

上半期（1月～6月）の各商品の売上の割合を見たい

	A	B	C	D	E	F	G	H
1	上半期商品別売上		(売上高い順)					
2	商品	1月	2月	3月	4月	5月	6月	合計
3	商品E	86,000	88,000	87,000	84,500	89,500	91,000	526,000
4	商品F	65,000	62,500	60,000	63,000	59,000	55,000	364,500
5	商品D	59,000	55,000	48,000	52,500	56,000	58,000	328,500
6	商品A	42,000	41,500	43,500	48,600	51,000	40,000	266,600
7	商品C	28,000	22,500	28,600	26,000	28,500	30,000	163,600
8	商品B	10,500	11,300	10,500	13,000	12,300	14,500	72,100
9	合計	290,500	280,800	277,600	287,600	296,300	288,500	1,721,300
10								

After 操作後

円グラフを作成したら、各商品の扇の大きさで全体に占める割合が確認できた

	A	B	C	D	E	F	G	H
1	上半期商品別売上		(売上高い順)					
2	商品	1月	2月	3月	4月	5月	6月	合計
3	商品E	86,000	88,000	87,000	84,500	89,500	91,000	526,000
4	商品F	65,000	62,500	60,000	63,000	59,000	55,000	364,500
5	商品D	59,000	55,000	48,000	52,500	56,000	58,000	328,500
6	商品A	42,000	41,500	43,500	48,600	51,000	40,000	266,600
7	商品C	28,000	22,500	28,600	26,000	28,500	30,000	163,600
8	商品B	10,500	11,300	10,500	13,000	12,300	14,500	72,100
9	合計	290,500	280,800	277,600	287,600	296,300	288,500	1,721,300
10								
11								
12								

上半期売上構成比

■商品E ■商品F ■商品D ■商品A ■商品C ■商品B

レッスン 69-1 円グラフを作成する

69-上半期商品別売上.xlsx

操作 円グラフを作成する

円グラフを作成するには、まず、グラフ化したいセル範囲を選択し、[挿入] タブの [円またはドーナツグラフの挿入] をクリックし、作成したいグラフの種類をクリックします。
作成したら、グラフタイトルに適切なタイトルを入力し完成させます。

Point 表を数値の大きい順に並べ替えておく

円グラフは、割合の大きいものから順に配置されるようにした方が比較しやすく見やすいグラフになります。ここでは、表をあらかじめ売上金額の大きい順で並べ替えをしています。並べ替えについては、Section79を参照してください。

Memo 割合は自動で計算される

円グラフを作成するときに各要素の全体に対する割合は自動で計算されます。そのため、円グラフを作成するために、[構成比]の列をあえて作成する必要はありません。

Memo データラベルを表示するには

円グラフの中にパーセントの表示を追加する手順は、Section76を参照してください。

ここでは、セル範囲A2～A8とH2～H8をグラフ化する範囲とする、円グラフを作成します。

1 商品名の列 (セル範囲A2～A8) をドラッグして選択し、

2 合計の列 (セルH2～H8) を Ctrl キーを押しながらドラッグして選択します。

	A	B	C	D	E	F	G	H	I
1	上半期商品別売上	(売上高い順)							
2	商品	1月	2月	3月	4月	5月	6月	合計	
3	商品E	86,000	88,000	87,000	84,500	89,500	91,000	526,000	
4	商品F	65,000	62,500	60,000	63,000	59,000	55,000	364,500	
5	商品D	59,000	55,000	48,000	52,500	56,000	58,000	328,500	
6	商品A	42,000	41,500	43,500	48,600	51,000	40,000	266,600	
7	商品C	28,000	22,500	28,600	26,000	28,500	30,000	163,600	
8	商品B	10,500	11,300	10,500	13,000	12,300	14,500	72,100	
9	合計	290,500	280,800	277,600	287,600	296,300	288,500	1,721,300	
10									

3 [挿入] → [円またはドーナツグラフの挿入] をクリックし、作成するグラフをクリックすると、

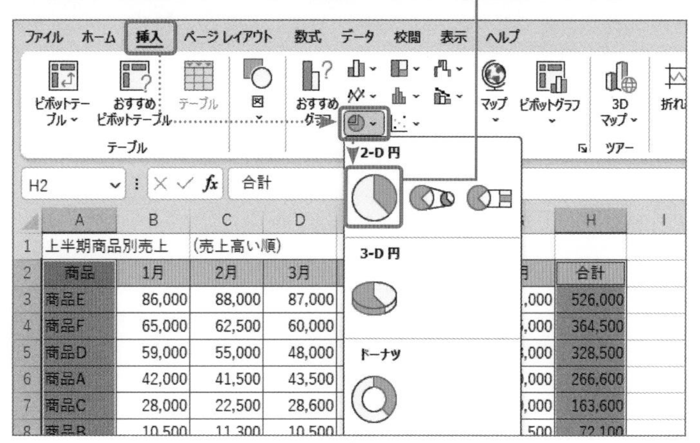

4 画面の中央に任意の大きさで円グラフが作成されます。

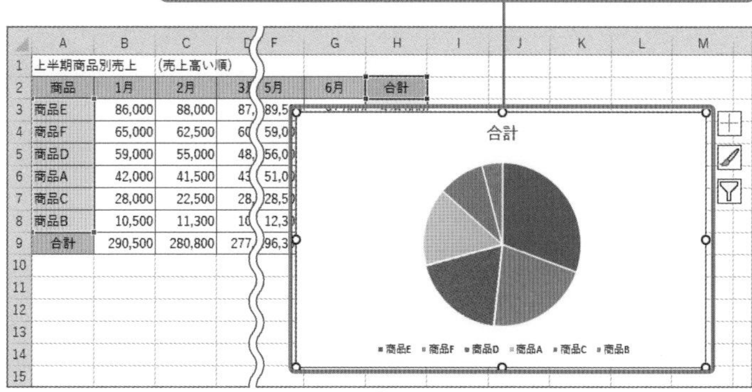

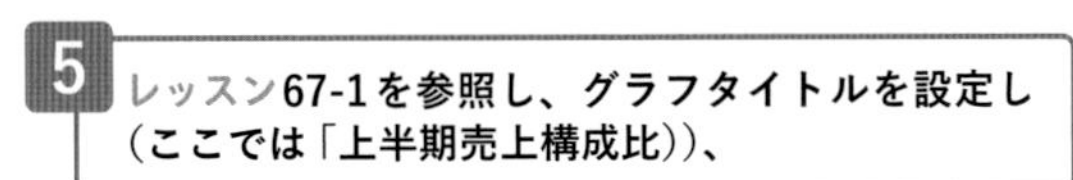

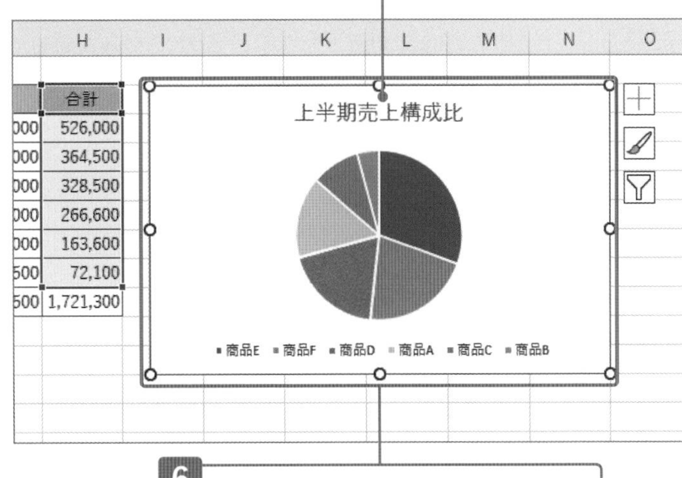

コラム セルの値をグラフのタイトルにするには

セルの値をグラフのタイトルとして使用したい場合は、次の手順でセルを参照します。
グラフタイトルをクリックして選択し❶、数式バーに半角で「=」を入力して❷、グラフタイトルにしたい文字列が入力されているセルをクリックします❸。数式バーに「=Sheet1!$A$1」のようにセル番地が表示されたら❹、Enter キーで確定すると、グラフタイトルにセルの値が表示されます❺。

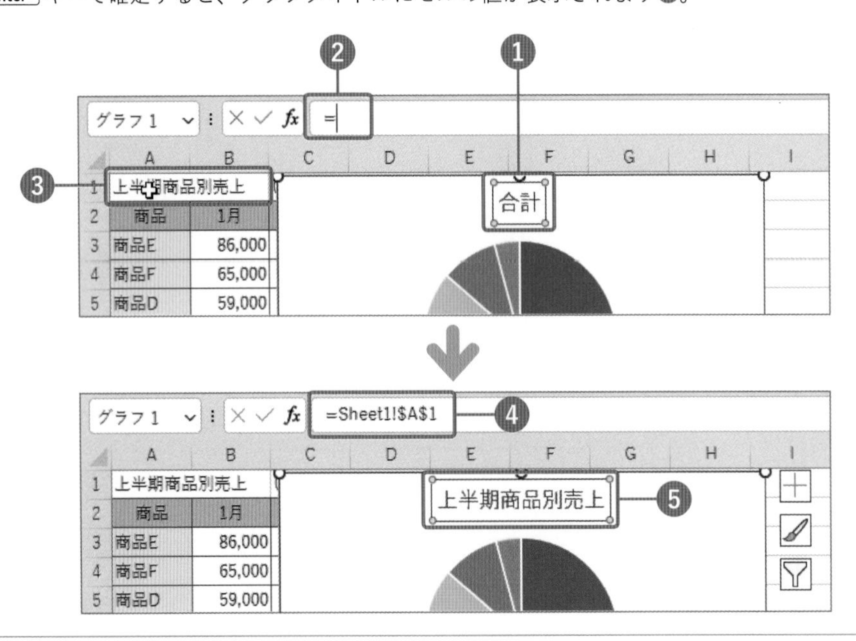

Section

70 散布図を作成する

散布図は、2つのデータの相関関係を示すグラフです。例えば、身長と体重のような2種類の項目を縦軸と横軸にとり、データの分布状態を示し、相関関係の有無を調べることができます。

ここで学べること

習得スキル	操作ガイド	ページ
▶散布図の作成	レッスン70-1	p.262

まずは パッと見るだけ！

散布図の作成

散布図は、縦軸と横軸に2種類の項目を取り、グラフ上にデータを点で表示（プロット）したものです。グラフ上の点の分布状況を見て、相関関係の有無を調べることができます。散布図は、分布図ともいわれます。

Before 操作前

	A	B	C	D
1	購買調査			
2	顧客NO	年齢	購入金額	
3	C001	26	12,000	
4	C002	23	6,000	
5	C003	42	35,000	
6	C004	46	26,000	
7	C005	56	38,650	
8	C006	62	52,000	
9	C007	64	48,500	
10	C008	42	22,000	
11	C008	66	35,600	
12	C009	38	21,000	
13	C009	68	49,900	
24	C020	60	40,000	
25	C021	31	12,500	
26	C022	52	15,000	
27	C023	54	20,000	
28	C024	20	5,000	
29	C025	22	15,000	
30				

年齢と購入金額で散布図を作成し分布状況を確認したい

After 操作後

	A	B	C
1	購買調査		
2	顧客NO	年齢	購入金額
3	C001	26	12,000
4	C002	23	6,000
5	C003	42	35,000
6	C004	46	26,000
7	C005	56	38,650
8	C006	62	52,000
9	C007	64	48,500
10	C008	42	22,000
11	C008	66	35,600
12	C009	38	21,000
13	C009	68	49,900
14	C010	25	16,000
15	C011	25	18,000

年齢別購買調査

散布図を作成したら、分布状態が明確になり、年齢と購入金額に相関関係を見ることができる

相関関係はどちらかが大きくなるともう一方も大きくなる、または小さくなる関係ですね！

レッスン 70-1 散布図を作成する

70-購買調査.xlsx

操作 散布図を作成する

散布図を作成するには、まずグラフ化したいセル範囲を選択します。散布図では、2種類の数値を選択します。[挿入] タブの [散布図 (X,Y) またはバブルチャートの挿入] をクリックし、作成したいグラフの種類をクリックします。
作成したら、グラフタイトルに適切なタイトルを入力し、位置とサイズを調整して完成させます。

Memo 縦軸ラベルと横軸ラベル

縦軸ラベルと横軸ラベルは作成直後にはありませんが、後で追加できます。詳細はSection76を参照してください。

ここでは、年齢と購入金額のセル範囲B2～C29をグラフ化する範囲とする、散布図を作成します。

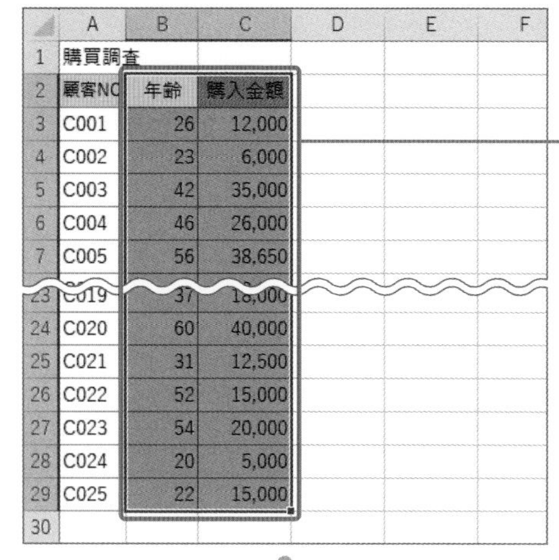

	A	B	C	D	E	F
1	購買調査					
2	顧客NO	年齢	購入金額			
3	C001	26	12,000			
4	C002	23	6,000			
5	C003	42	35,000			
6	C004	46	26,000			
7	C005	56	38,650			
23	C019	37	13,000			
24	C020	60	40,000			
25	C021	31	12,500			
26	C022	52	15,000			
27	C023	54	20,000			
28	C024	20	5,000			
29	C025	22	15,000			
30						

1 年齢と購入金額（ここではセル範囲B2～C29）をドラッグして選択します。

2 [挿入] タブ→[散布図 (X,Y) またはバブルチャートの挿入] をクリックし、作成するグラフをクリックすると、

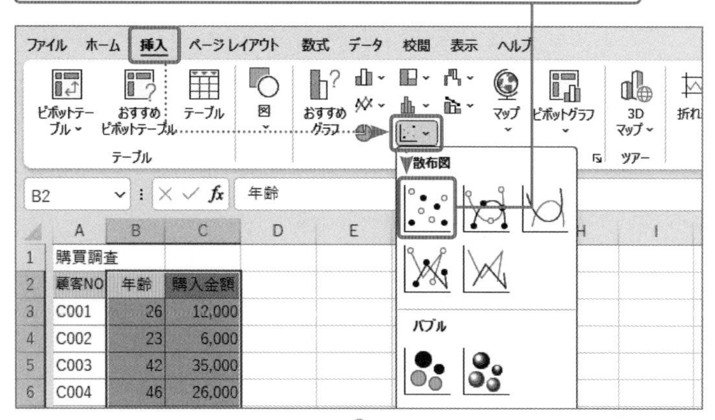

3 画面の中央に任意の大きさで散布図が作成されます。

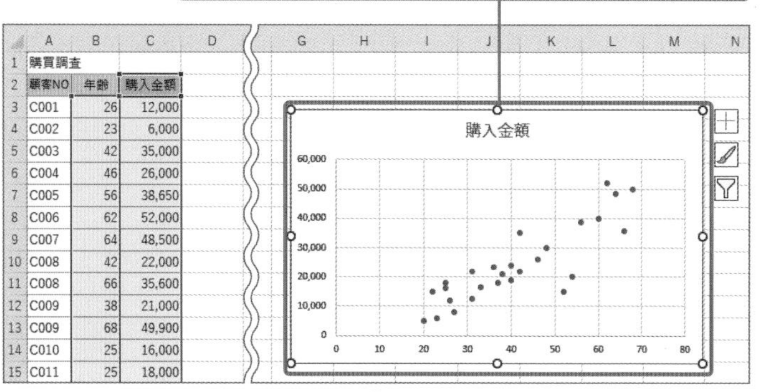

	A	B	C
1	購買調査		
2	顧客NO	年齢	購入金額
3	C001	26	12,000
4	C002	23	6,000
5	C003	42	35,000
6	C004	46	26,000
7	C005	56	38,650
8	C006	62	52,000
9	C007	64	48,500
10	C008	42	22,000
11	C008	66	35,600
12	C009	38	21,000
13	C009	68	49,900
14	C010	25	16,000
15	C011	25	18,000

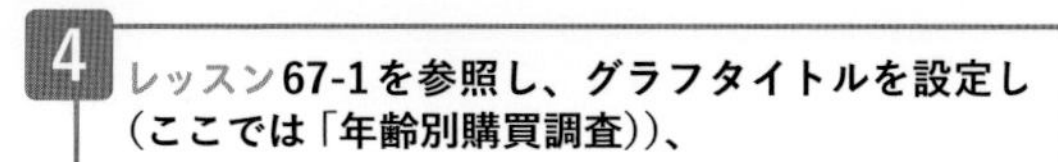

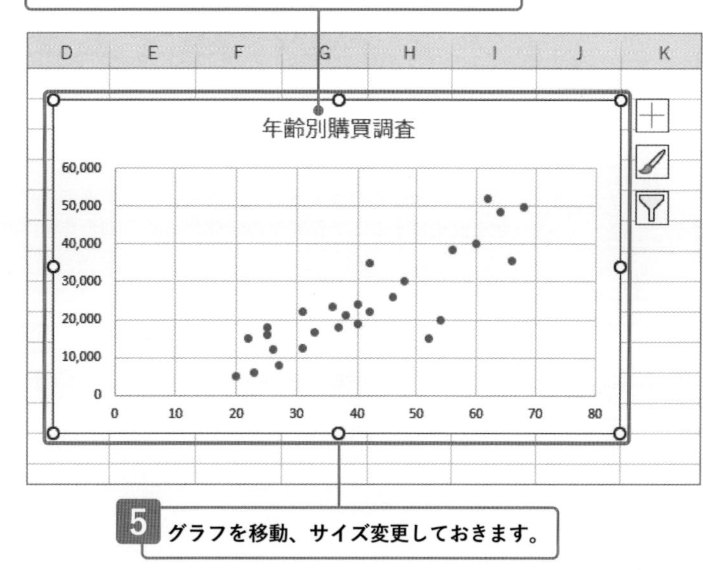

読みやすいグラフとは

グラフを作成する際は、まず、伝えたい内容にあったグラフを作成することが大切です。大きさを比較したいのであれば棒グラフですし、全体の構成比を見たいのであれば円グラフが適切でしょう。Excelには多くのグラフの種類があるので、目的にあったグラフが見つかると思います。
また、グラフを読みやすくするには、グラフの内容を簡潔に説明するラベルをつけます。グラフタイトルやグラフの縦軸や横軸のラベル（軸ラベル）、グラフの数値やパーセンテージ（データラベル）などを追加して、グラフの内容を正確に伝わるようにします。例えば、数値が金額なのか個数なのかや、単位が千なのか万なのかといったことも明確にする必要があります。
他にも、円グラフの構成比が何パーセントなのかの数値がデータラベルで表示されているとわかりやすいですね。
次に、色の使い方も重要です。例えば、一番売れている商品を強調したいのであれば、その商品のグラフだけ色を変更して、それ以外は同系色にするとわかりやすいでしょう。

● **読みやすいグラフのためのチェックポイント**

☑ 内容に適したグラフの種類を選んでいるか？
☑ データをラベルで補足できているか？
☑ 強調したいデータの色は適切か？

Point グラフの種類／ラベル／色でグラフをスッキリと見せる

71 グラフの種類を変更する

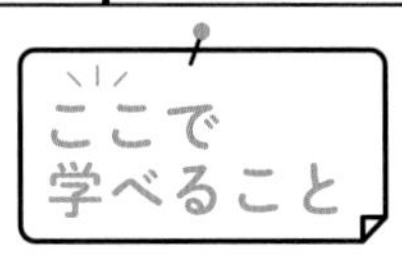

グラフの種類は、グラフ作成後でも変更できます。同じ表でも、グラフの種類を変更することで、見える情報が変わってきます。例えば、各要素の数の大きさを比較していたグラフを、グラフの種類を変更することで各要素の全体に占める割合を示すグラフにすることができます。

ここで学べること

習得スキル	操作ガイド	ページ
▶グラフの種類の変更	レッスン71-1	p.266

まずは パッと見るだけ！

グラフの種類を変える

グラフの種類を変更するだけで、簡単に受け取れる情報を変更できます。例えば、商品別売上の集合縦棒グラフを100%積み上げ縦棒グラフに変更するだけで、年ごとの各商品の売上構成比が確認できます。

Before 操作前

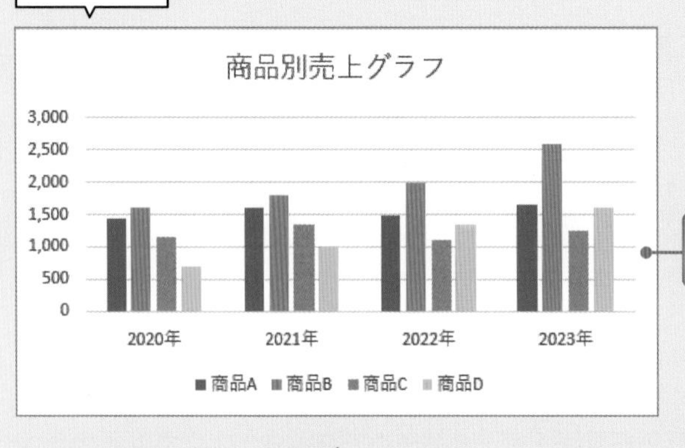

グラフの種類を変更して各年における売上構成を見たい

After 操作後

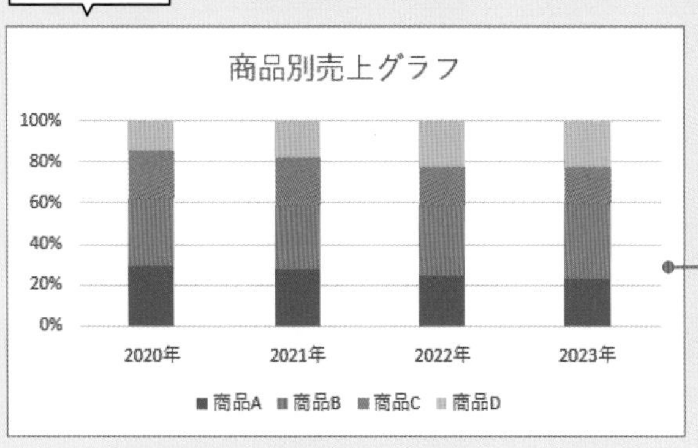

100%積み上げ縦棒グラフに変更したら、年ごとの各商品の占める割合が確認できた

棒グラフの種類

棒グラフは**縦棒グラフ**と**横棒グラフ**の2種類に大きく分類されます。その中でもさらに系列を並べて比較する「集合」と、各系列を積み重ねて比較する「積み上げ」と、全体を100%として系列を積み重ねて割合をみる「100%積み上げ」の3種類があります。なお、3Dグラフといった立体型に見せるグラフもあります。

● 集合縦棒グラフ

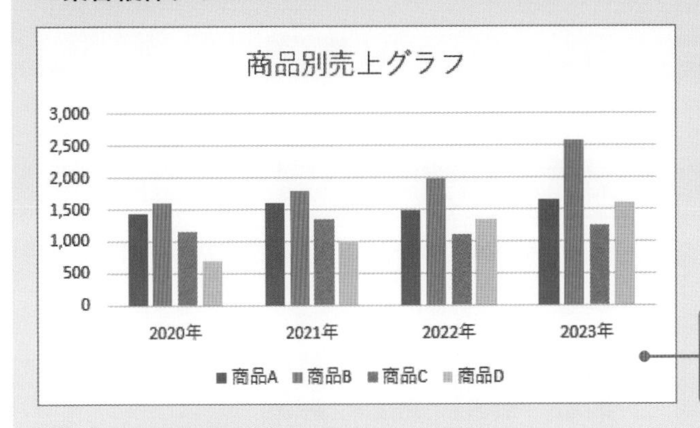

各商品の売上を棒グラフにして並べることで、各商品の売上を全体的に比較できる

● 積み上げ縦棒グラフ

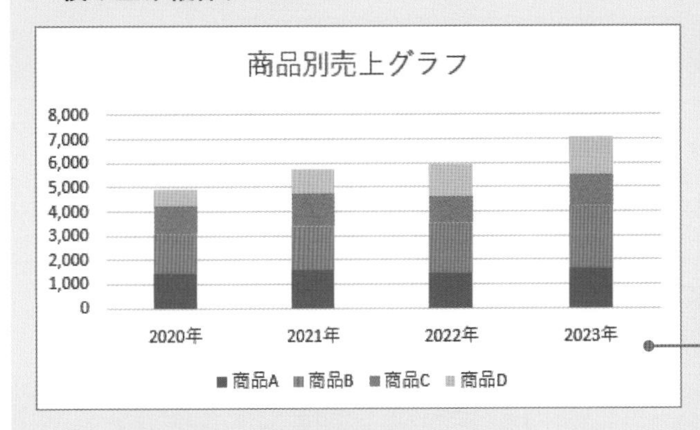

棒の高さが年の売上合計となるため、年単位の売上比較ができる。棒グラフの内部は、各商品の売上数であるため、その年の売上数の内訳が確認できる

● 100%積み上げ縦棒グラフ

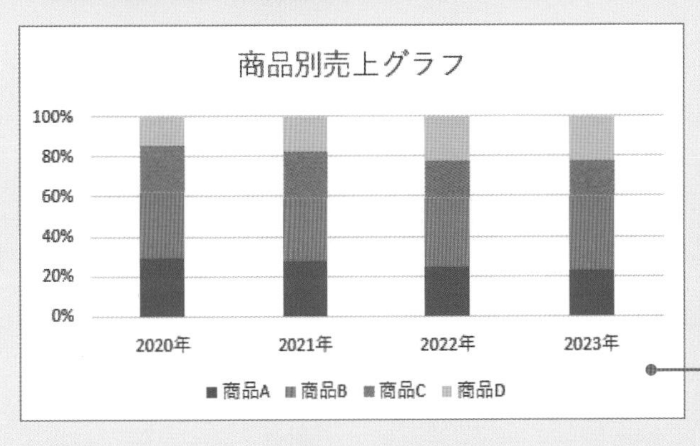

売上の合計を100%として、各商品の売上の割合が表示される。売上金額というより、全体に対する各商品の占める割合を確認できる

レッスン 71-1 集合縦棒グラフを100%積み上げ縦棒グラフに変更する

練習用ファイル 71-商品別売上.xlsx

操作 グラフの種類を変更する

グラフの種類を変更するには、グラフを選択し、コンテキストタブの[グラフのデザイン]タブの[グラフの種類の変更]をクリックします。表示される[グラフの種類の変更]ダイアログで変更したいグラフを選択するだけです。

Memo 各要素の値を表示するには

グラフの右上にある⊞をクリックし❶、一覧から[データラベル]にチェックを付けると❷、各要素のセルの値が表示されます❸。
なお、パーセント表示はできないので、構成比を表示したい場合は、別途構成比の表を作成する必要があります。

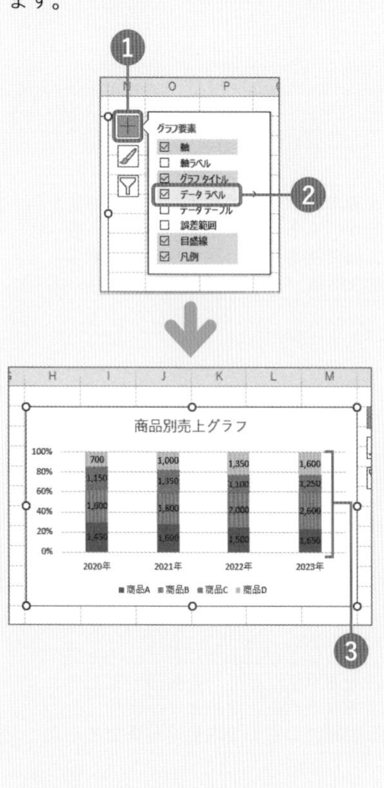

ここでは、集合縦棒グラフを100%積み上げ縦棒グラフに変更します。

1 グラフを選択し、

2 コンテキストタブの[グラフのデザイン]タブ→[グラフの種類の変更]をクリックします。

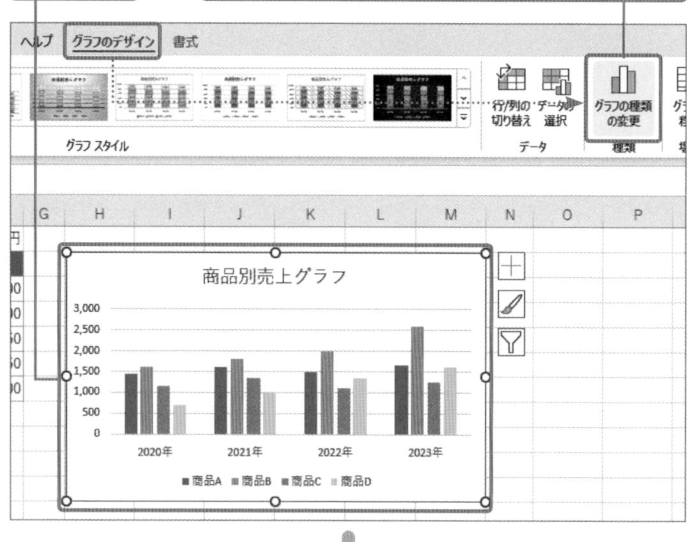

3 [グラフの種類の変更]ダイアログが表示されます。

4 [すべてのグラフ]タブのグラフの分類(ここでは[縦棒])をクリックし、

5 変更するグラフ(ここでは、[100%積み上げ縦棒])をクリックして、

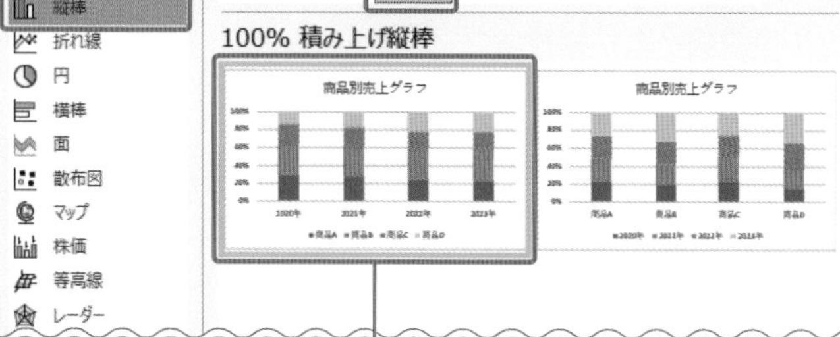

6 プレビューを確認して種類を選択したら、

7 [OK]をクリックします。

8 グラフの種類が変更されます。

コラム　グラフ選択時に表示されるリボン

グラフを選択すると、コンテキストタブの［グラフのデザイン］タブと［書式］タブが表示されます。グラフに対するいろいろな編集を行うことができます。

● ［グラフのデザイン］タブ

グラフの要素を追加したり、デザインを変更したり、グラフの種類を変更したりと、グラフを編集する機能がまとめられています。

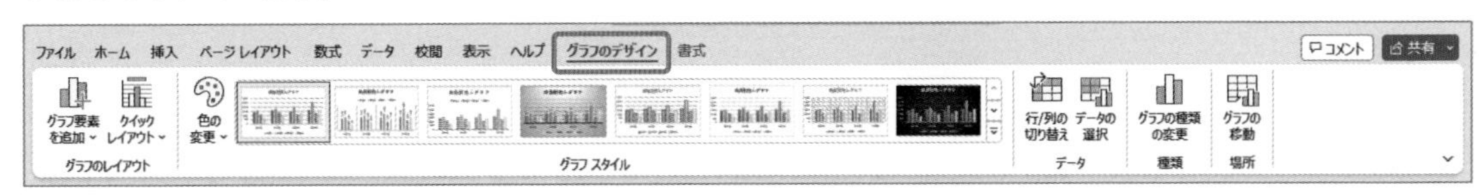

● ［書式］タブ

グラフの系列やデータ要素に色を変えたり、図形を追加したりと、個別に修飾を設定する機能がまとめられています。

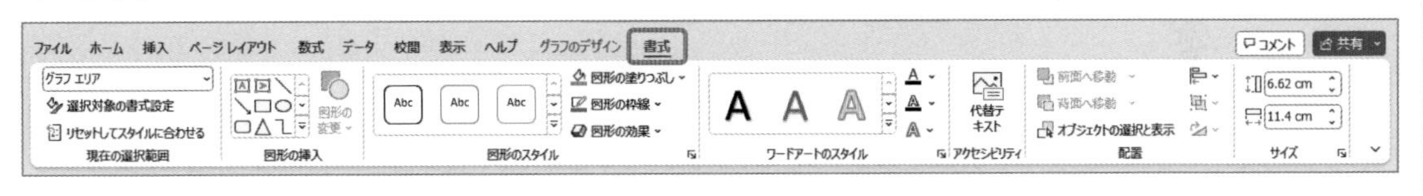

Memo　横棒グラフ

横棒グラフは、横長の棒グラフで、［グラフの種類の変更］ダイアログで選択できます。

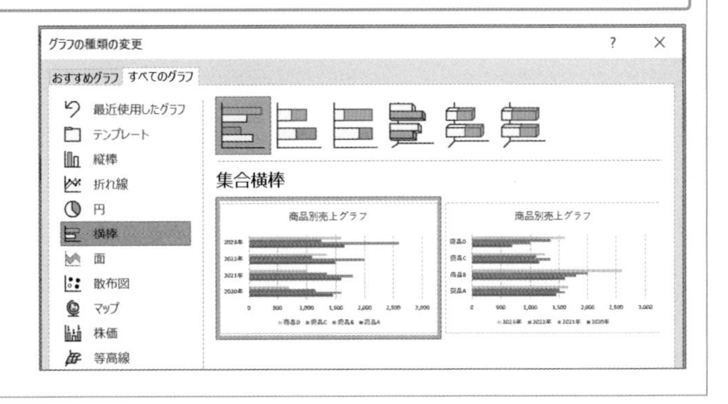

Section 72

グラフの項目軸と凡例を入れ替える

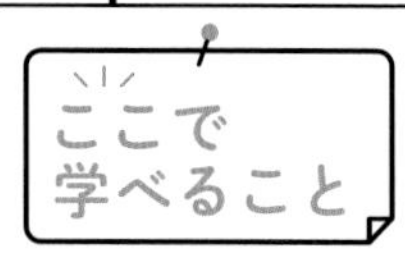

棒グラフや折れ線グラフを作成する場合、グラフの作成元となるデータ範囲の大きさによって項目軸（横軸）が自動で決められてグラフが作成されます。作成した後で、項目軸と凡例を入れ替えたい場合は、グラフの元となるデータ範囲の行と列を入れ替えます。

習得スキル	操作ガイド	ページ
▶項目軸と凡例の入れ替え	レッスン72-1	p.269

まずは パッと見るだけ！

グラフの項目軸と凡例の入れ替え

グラフの項目軸と**凡例**を入れ替えると、比較対象を変更することができ、グラフから伝わる情報を切り替えることができます。

Before 操作前

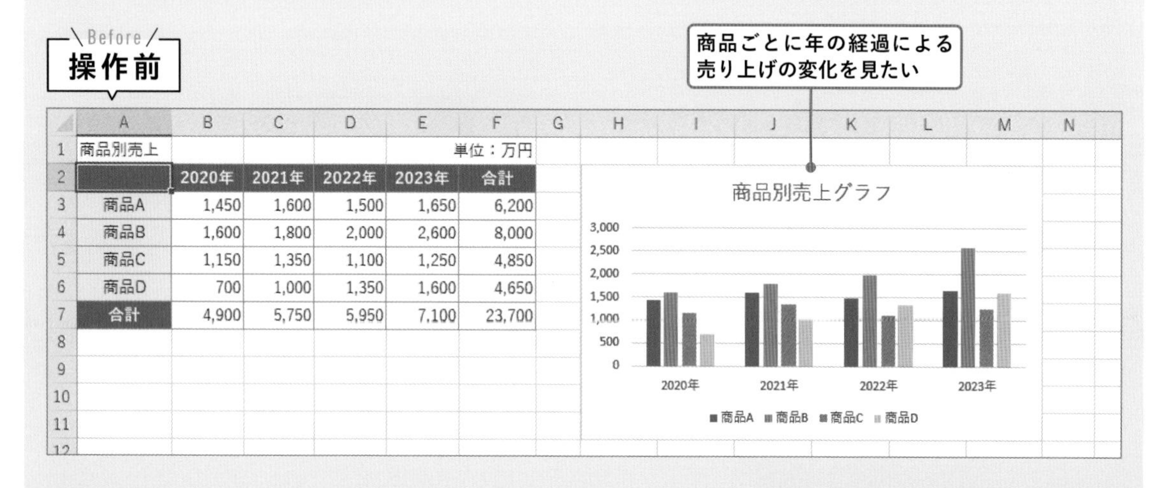

	A	B	C	D	E	F
1	商品別売上					単位：万円
2		2020年	2021年	2022年	2023年	合計
3	商品A	1,450	1,600	1,500	1,650	6,200
4	商品B	1,600	1,800	2,000	2,600	8,000
5	商品C	1,150	1,350	1,100	1,250	4,850
6	商品D	700	1,000	1,350	1,600	4,650
7	合計	4,900	5,750	5,950	7,100	23,700

After 操作後

	A	B	C	D	E	F
1	商品別売上					単位：万円
2		2020年	2021年	2022年	2023年	合計
3	商品A	1,450	1,600	1,500	1,650	6,200
4	商品B	1,600	1,800	2,000	2,600	8,000
5	商品C	1,150	1,350	1,100	1,250	4,850
6	商品D	700	1,000	1,350	1,600	4,650
7	合計	4,900	5,750	5,950	7,100	23,700

項目軸と凡例を入れ替えたら、各商品の年ごとの売上状況が確認できた

商品別売上グラフ

3,000 / 2,500 / 2,000 / 1,500 / 1,000 / 500 / 0

商品A　商品B　商品C　商品D

■2020年 ■2021年 ■2022年 ■2023年

レッスン 72-1 項目軸を年別から商品別に変更する

72-商品別売上.xlsx

操作 行/列を切り替える

グラフの項目軸と凡例を入れ替えるには、コンテキストタブの［グラフのデザイン］タブの［行/列の切り替え］をクリックするだけです。クリックするごとに入れ替えられます。

1 グラフを選択し、

2 コンテキストタブの［グラフのデザイン］タブ→［行/列の切り替え］をクリックします。

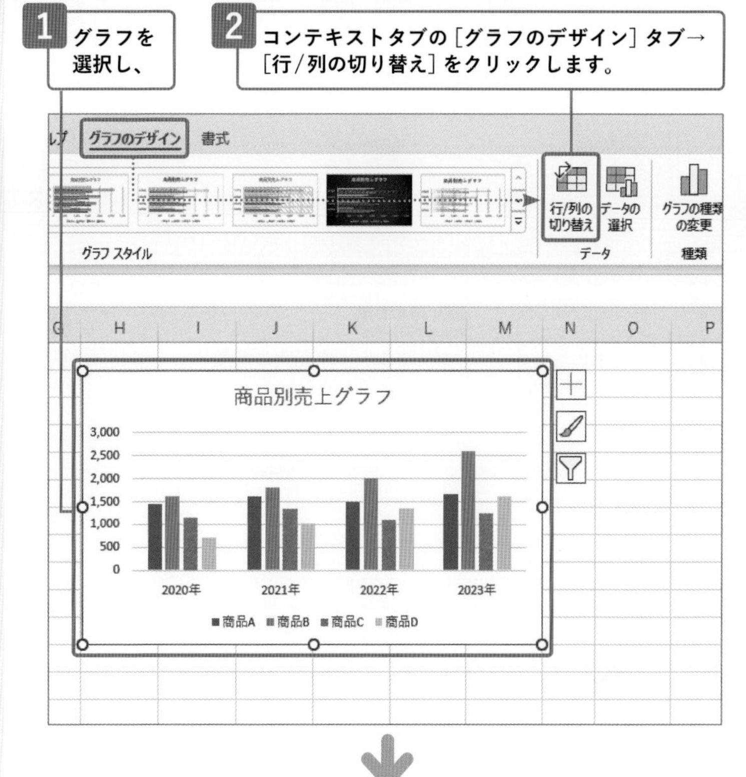

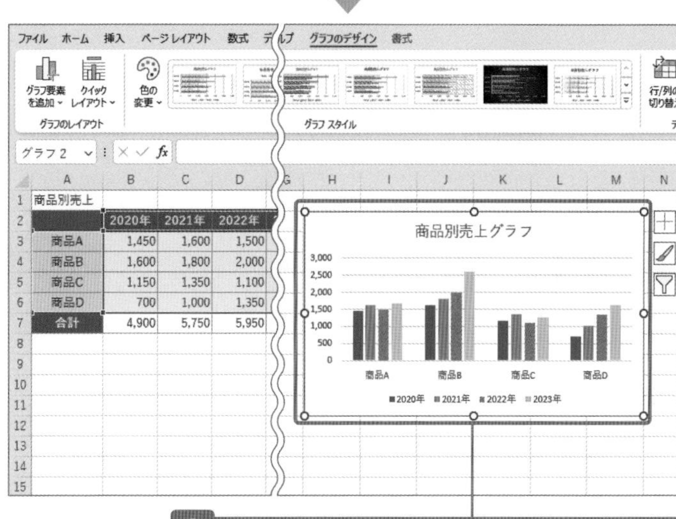

	A	B	C	D
1	商品別売上			
2		2020年	2021年	2022年
3	商品A	1,450	1,600	1,500
4	商品B	1,600	1,800	2,000
5	商品C	1,150	1,350	1,100
6	商品D	700	1,000	1,350
7	合計	4,900	5,750	5,950

3 項目軸と凡例が切り替わり、商品ごとに年ごとの売上を比較できます。

Section

73 グラフのデータ範囲を追加する

表が大きくなったときにグラフにする範囲を広げたり、表が小さくなったときにグラフにする範囲を縮小したりするには、データソースというグラフの元となるデータ範囲を変更します。

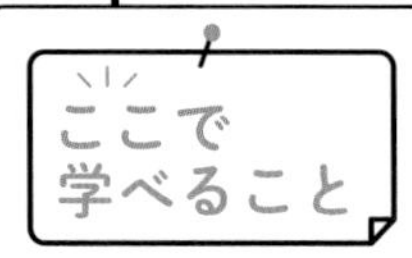

習得スキル	操作ガイド	ページ
▶グラフのデータ範囲の追加	レッスン73-1	p.271

まずは パッと見るだけ！

グラフのデータ範囲を広げて反映する

グラフを作成した後に表の項目が増加した場合、グラフにも増加分を追加するには、グラフのデータ範囲を広げます。

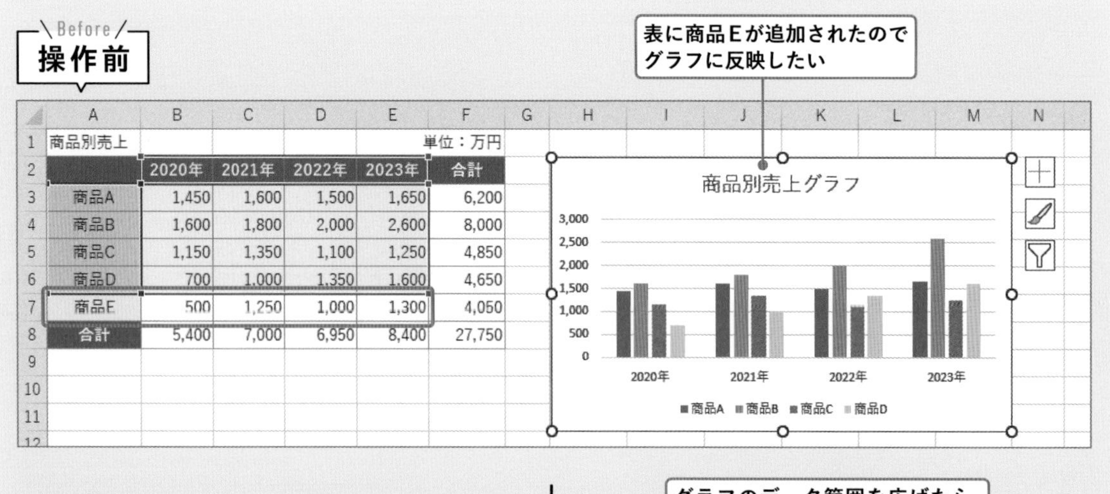

	A	B	C	D	E	F
1	商品別売上					単位：万円
2		2020年	2021年	2022年	2023年	合計
3	商品A	1,450	1,600	1,500	1,650	6,200
4	商品B	1,600	1,800	2,000	2,600	8,000
5	商品C	1,150	1,350	1,100	1,250	4,850
6	商品D	700	1,000	1,350	1,600	4,650
7	商品E	500	1,250	1,000	1,300	4,050
8	合計	5,400	7,000	6,950	8,400	27,750

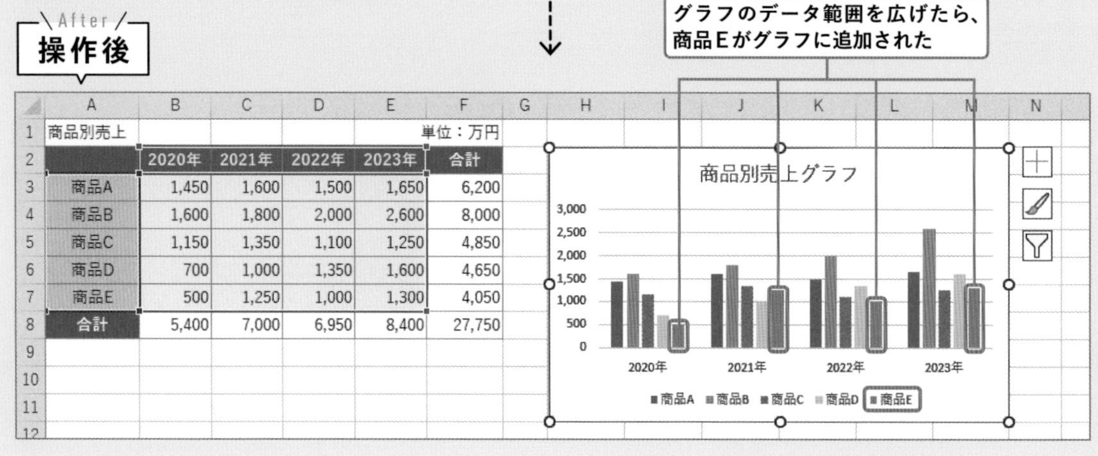

	A	B	C	D	E	F
1	商品別売上					単位：万円
2		2020年	2021年	2022年	2023年	合計
3	商品A	1,450	1,600	1,500	1,650	6,200
4	商品B	1,600	1,800	2,000	2,600	8,000
5	商品C	1,150	1,350	1,100	1,250	4,850
6	商品D	700	1,000	1,350	1,600	4,650
7	商品E	500	1,250	1,000	1,300	4,050
8	合計	5,400	7,000	6,950	8,400	27,750

レッスン 73-1 グラフのデータ範囲を広げて商品を追加する

73-商品別売上.xlsx

操作 グラフのデータ範囲を変更する

グラフのデータ範囲を広げるには、グラフを選択したときに表に表示される色の付いた枠線をドラッグします。

Memo [データソースの選択] ダイアログでグラフ範囲を変更する

コンテキストタブの [グラフのデザイン] タブにある [データの選択] をクリックすると、[データソースの選択] ダイアログが表示されます❶。[グラフデータの範囲] にグラフの元になるセル範囲 (データソース) が表示されています❷。このセル範囲を修正してもグラフ範囲を変更できます。

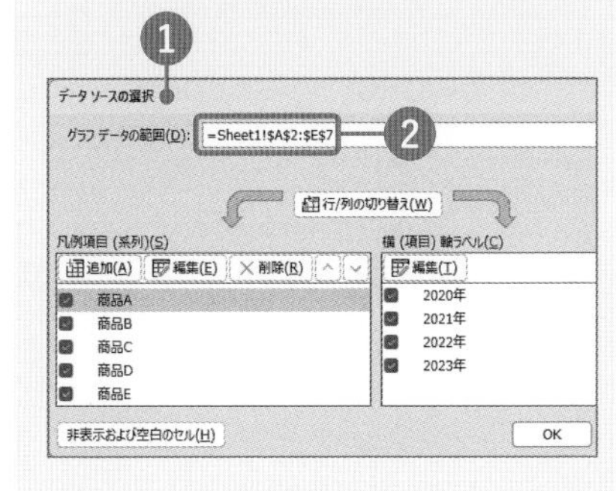

1 グラフを選択すると、

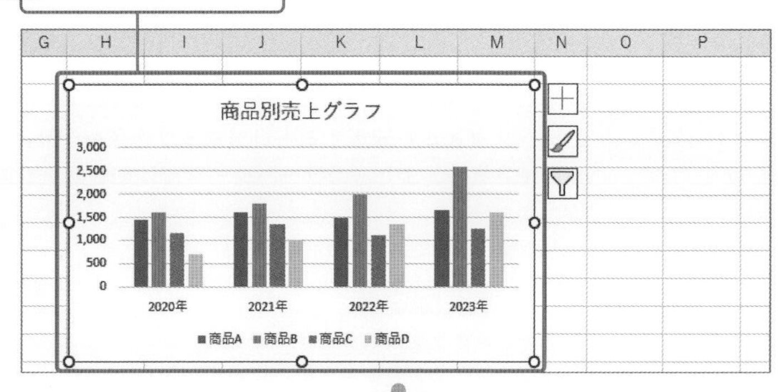

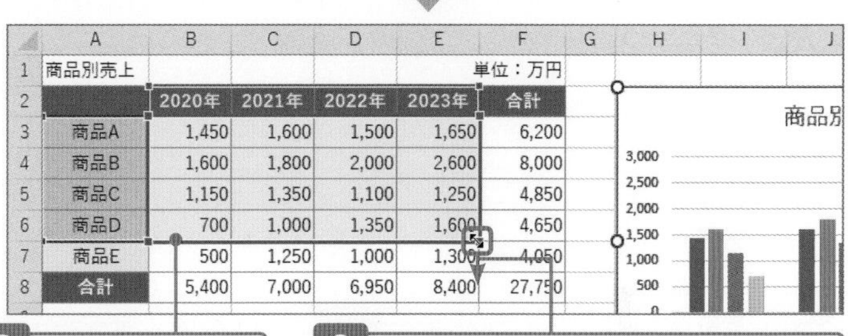

2 グラフのデータ範囲の周囲に色のついた枠線が表示されます。

3 色枠の線の角にある [■] (ハンドル) に マウスポインターを合わせ、の形になったら、データ範囲を広げたい方向にドラッグします。

4 色枠が広がり、グラフのデータ範囲が広がりました。

	2020年	2021年	2022年	2023年	合計
商品A	1,450	1,600	1,500	1,650	6,200
商品B	1,600	1,800	2,000	2,600	8,000
商品C	1,150	1,350	1,100	1,250	4,850
商品D	700	1,000	1,350	1,600	4,650
商品E	500	1,250	1,000	1,300	4,050
合計	5,400	7,000	6,950	8,400	27,750

5 グラフに系列 (商品E) が追加されました。

Section

グラフのスタイルを変更する

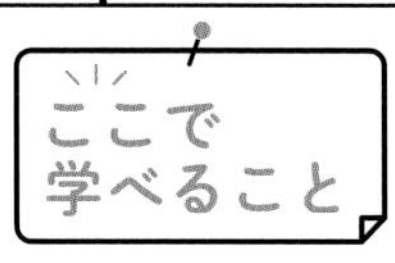

グラフのスタイルは、色、効果、データラベル、グラフタイトルなどの組み合わせのセットです。スタイルを変更するだけでグラフ全体のデザインを変更して、見栄えを一気に整えることができます。また、カラーパターンだけを変更してグラフの色合いを整えることもできます。

習得スキル	操作ガイド	ページ
▶グラフのスタイルの変更	レッスン74-1	p.273
▶グラフの要素を個別に変更	レッスン74-2	p.274

まずは パッと見るだけ！

グラフのスタイルを変える

　グラフを作成すると、カラフルな色合いの凡例とグラフタイトルが表示されているシンプルなスタイルが設定されています。グラフのスタイルを選択すれば、すばやく色合いやデザインを変更できます。なお、個別に色を変えたい場合は、要素ごとに設定します。

\ Before /
操作前

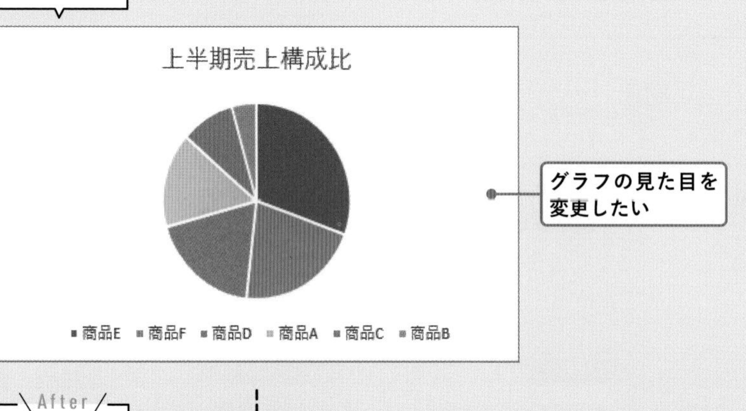

\ After /
操作後

上半期売上構成比

■商品E ■商品F ■商品D ■商品A ■商品C ■商品B

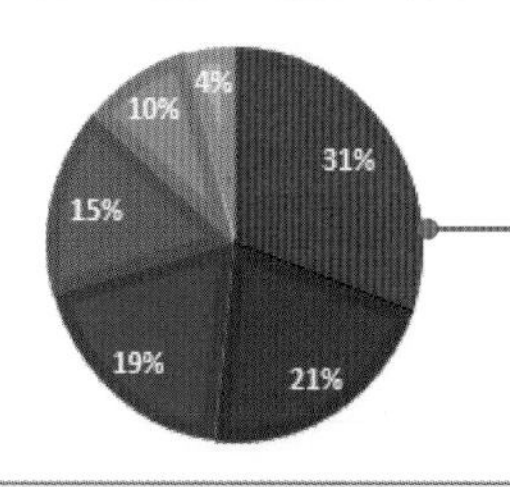

色合いやスタイルが変更され、構成比が最も大きい商品だけ強調できた

 レッスン 74-1 グラフの色合いやスタイルを変更する

練習用ファイル 74-1-上半期商品別売上.xlsx

操作 グラフのスタイルを変更する

グラフのスタイルを変更するには、コンテキストタブの［グラフのデザイン］タブの［グラフスタイル］グループでデザインを選択します。

Memo 色合いを最初に戻す

色合い変更の手順3で、一番上のカラーパターン［カラフルなパレット1］を選択します。

グラフの色合いを変更する

1 グラフを選択しておきます。

2 コンテキストタブの［グラフのデザイン］のタブ→［色の変更］（グラフクイックカラー）をクリックし、

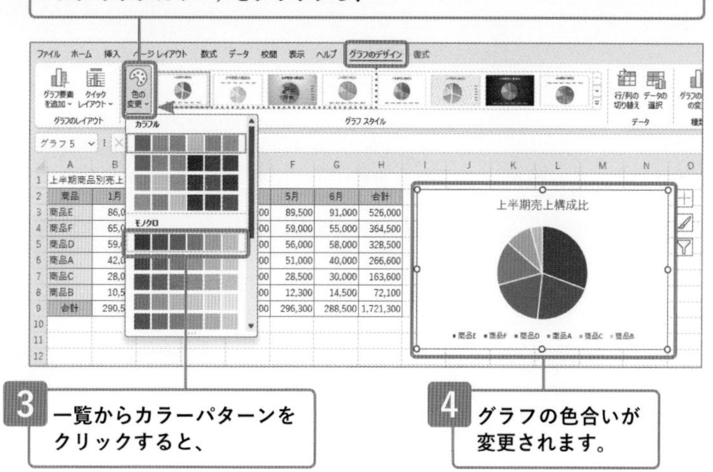

3 一覧からカラーパターンをクリックすると、

4 グラフの色合いが変更されます。

Memo スタイルを最初に戻す

グラフスタイルの一覧から、一番上の左端にあるスタイル［スタイル1］をクリックします。
なお、データラベルが表示されるスタイルを選択していた場合は、データラベルは削除されず、そのまま残ります。

時短ワザ ショートカットツールを使ってスタイルを変更する

グラフの右上に表示されているショートカットツールの［グラフスタイル］をクリックしてもスタイルを変更できます。

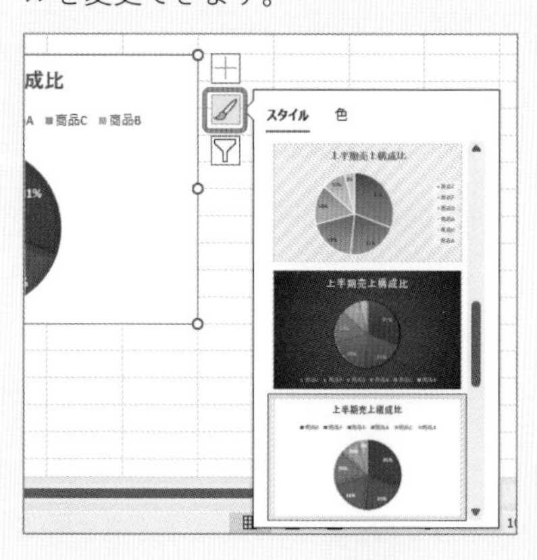

グラフのスタイルを変更する

1 グラフを選択しておきます。

2 コンテキストタブの［グラフのデザイン］タブの［グラフスタイル］にあるをクリックします。

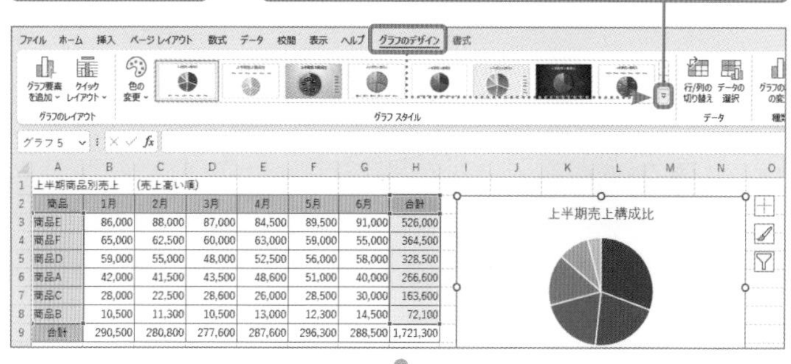

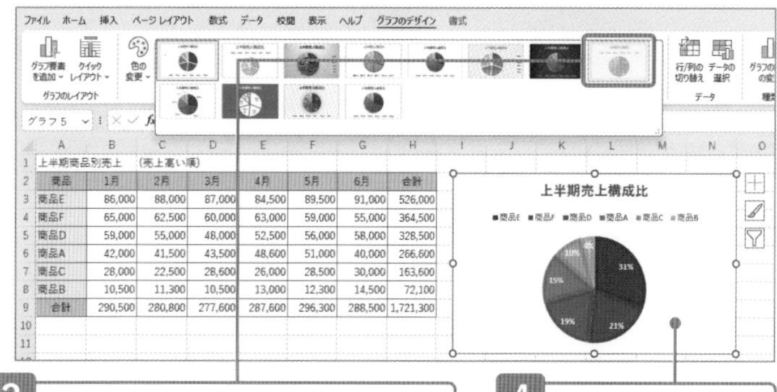

3 スタイルの一覧から任意のスタイルをクリックすると、

4 グラフのスタイルが変更されます。

 レッスン74-2 グラフの要素を個別に変更する

練習用ファイル 74-2-上半期商品別売上.xlsx

操作 グラフの要素を個別に変更する

グラフスタイルでは、全体をセットにしてデザインを変更しますが、グラフの要素を個別に変更するには、コンテキストタブの［書式］タブにあるメニューを使います。

コラム 1つのグラフの要素を切り離したい

円グラフの1つの要素を強調するには、色を変更する以外に、1つの要素だけ切り離して表示する方法があります。切り離したいグラフの要素だけを選択したら、マウスポインターをグラフ要素内に合わせ❶、外側にドラッグします❷。

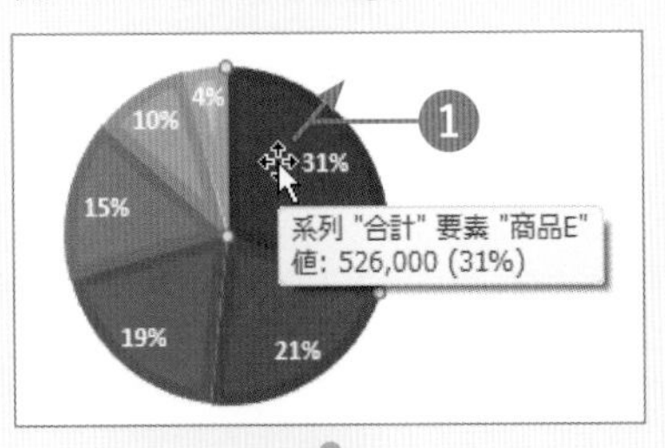

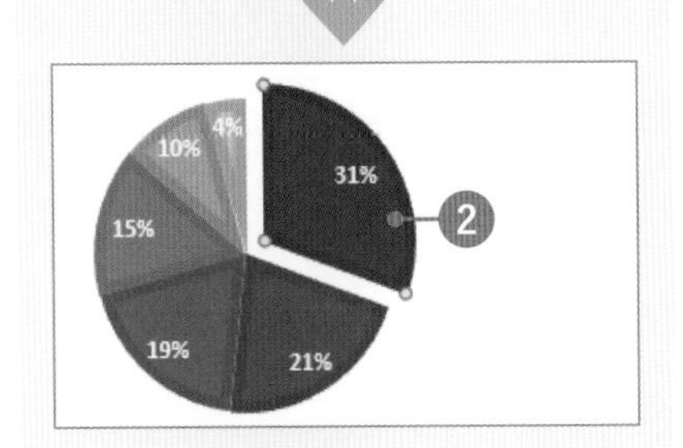

ここでは、一番構成比の大きいグラフの要素に赤い色を設定してみましょう。

1 グラフを選択します。

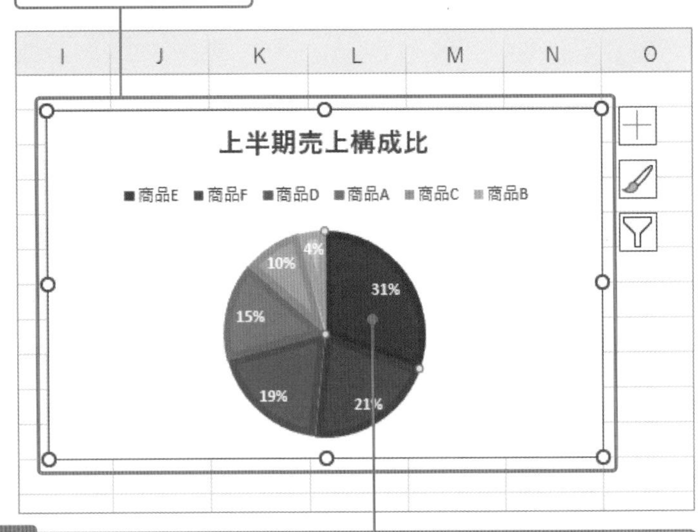

2 色を変更したいグラフの要素で2回クリックし、そのグラフ要素の周囲だけハンドル（〇）を表示します。

3 コンテキストタブの［書式］タブ→［図形の塗りつぶし］をクリックし、

4 色をクリックすると、

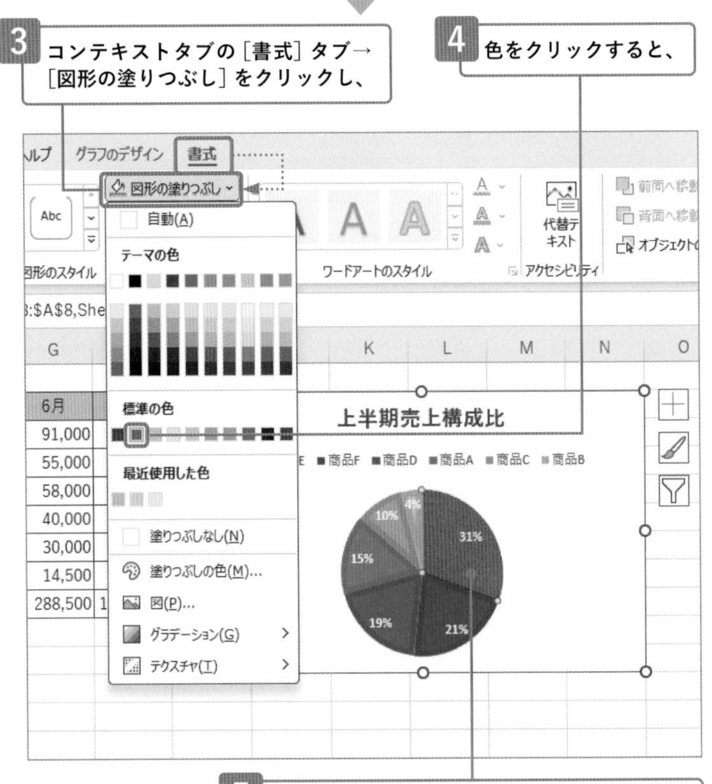

5 選択したグラフの要素だけ色が変更されます。

コラム　グラフ内に図形を配置する

グラフ内に図形を配置する場合、次の手順で追加します。
グラフを選択して、コンテキストタブの［書式］タブの［図形の挿入］グループにある⊽をクリックし❶、一覧から図形をクリックします❷。グラフ内でドラッグして図形を作成します❸。
グラフが選択されている状態で図形を配置すると、グラフを移動する際に図形もいっしょに移動します。

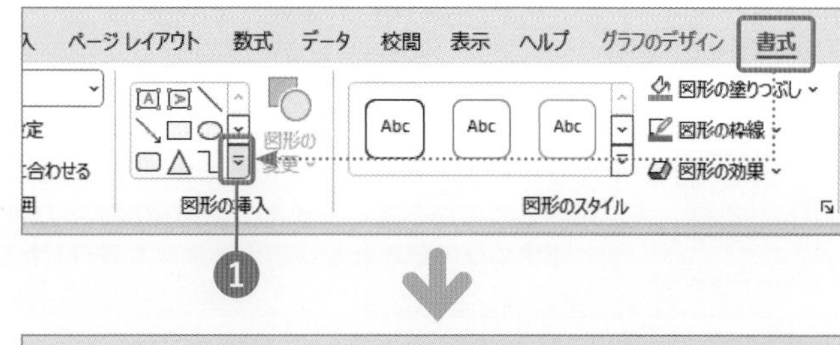

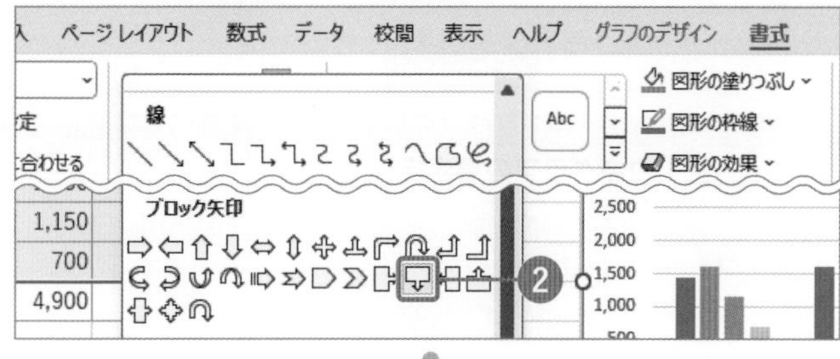

●**図形内に文字入力**
図形が選択されている状態で、文字をタイプすると図形内に文字が入力されます。

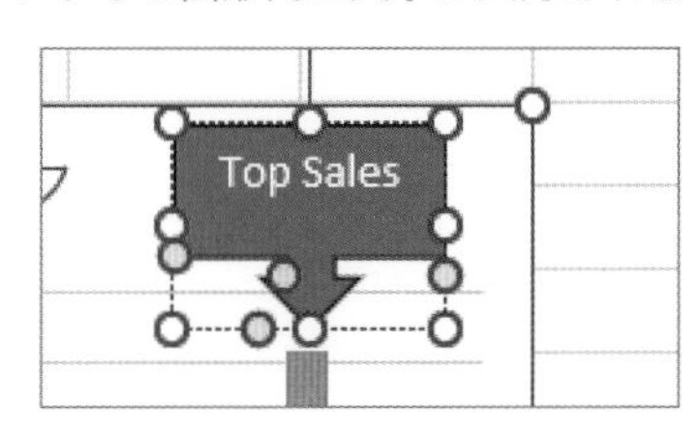

●**図形の移動**
図形の中にマウスポインターを合わせ、ドラッグして移動します。

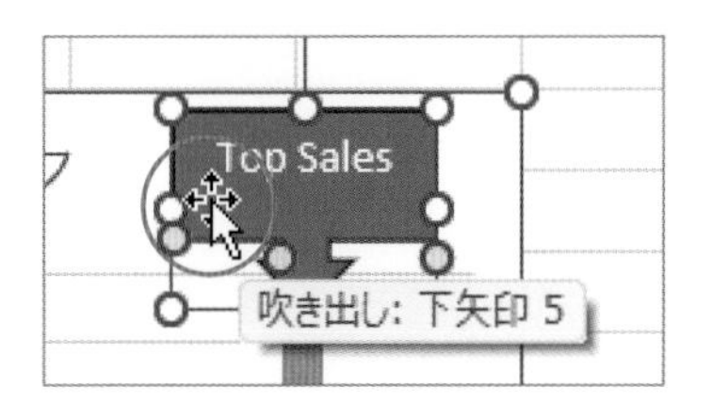

●**図形のサイズ変更**
図形の周囲に表示される白いハンドル［○］にマウスポインターを合わせドラッグしてサイズ変更します。

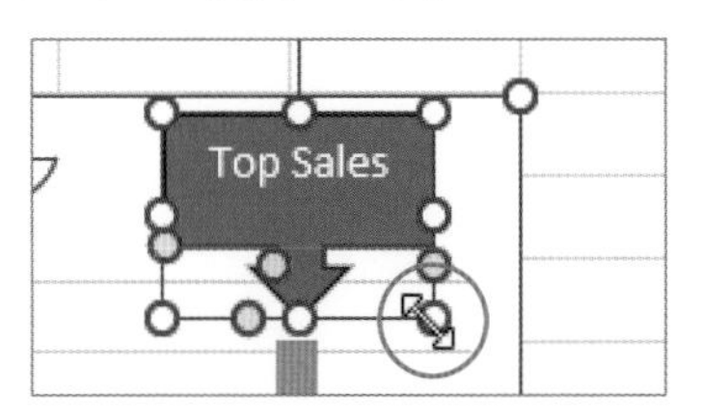

●**図形のスタイル変更**
コンテキストタブの［図形の書式］タブの［図形のスタイル］グループで図形のスタイルを選択します。なお、［図形の塗りつぶし］や［図形の枠線］で色を選択すると、図形の色や枠線を個別に変更できます。

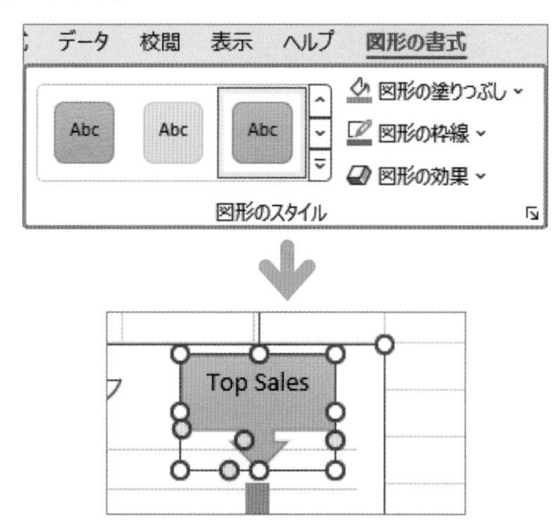

Section 75 グラフのレイアウトを変更する

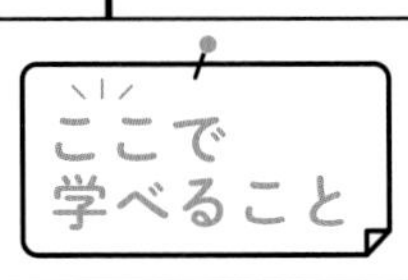

グラフに表示する、ラベルやデータテーブルなどのグラフ要素の組み合わせがレイアウトとして用意されています。レイアウトを選択するだけで、グラフのレイアウトを簡単に変更できます。標準では表示されない要素を手早く表示したいときに便利です。

ここで学べること

習得スキル	操作ガイド	ページ
▶グラフのレイアウトの変更	レッスン75-1	p.277

まずは パッと見るだけ！

グラフのレイアウトを変える

Excelに用意されているグラフのレイアウトを適用することで、作成直後のレイアウトには表示されていないグラフの要素が追加されたレイアウトに変更できます。

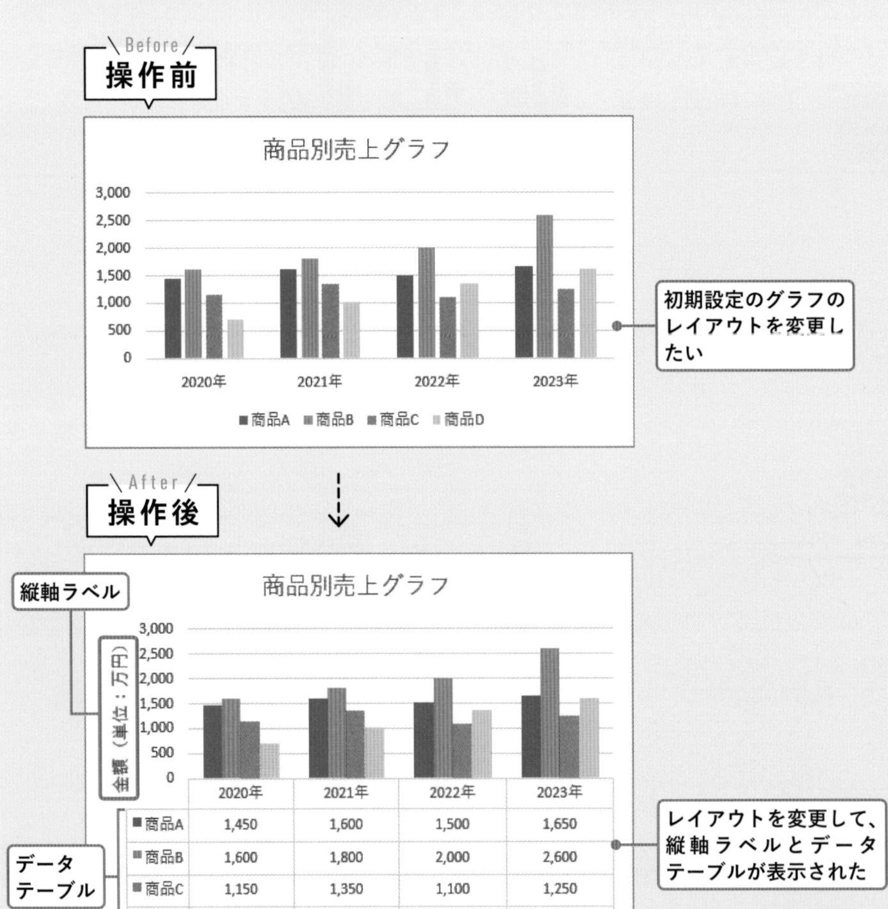

	2020年	2021年	2022年	2023年
商品A	1,450	1,600	1,500	1,650
商品B	1,600	1,800	2,000	2,600
商品C	1,150	1,350	1,100	1,250
商品D	700	1,000	1,350	1,600

レッスン 75-1 グラフのレイアウトを変更する

75-商品別売上.xlsx

操作 グラフのレイアウトを変更する

グラフのレイアウトを変更するには、コンテキストタブの［グラフのデザイン］タブの［クイックレイアウト］をクリックして一覧から選択します。グラフ要素などの組み合わせがまとめて設定されます。
なお、個別にグラフ要素を追加、削除するには、Section76を参照してください。

Memo 縦軸ラベルを変更する

縦軸ラベルをクリックして選択したら、文字の中でクリックしてカーソルを表示し、Back space または Delete キーを押して仮の文字列を削除して、表示したい文字を入力します。

ここでは、グラフのレイアウトを変更して縦軸ラベルとデータテーブルを表示します。グラフを選択しておいてください。

1 コンテキストタブの［グラフのデザイン］のタブ→［クイックレイアウト］をクリックし、

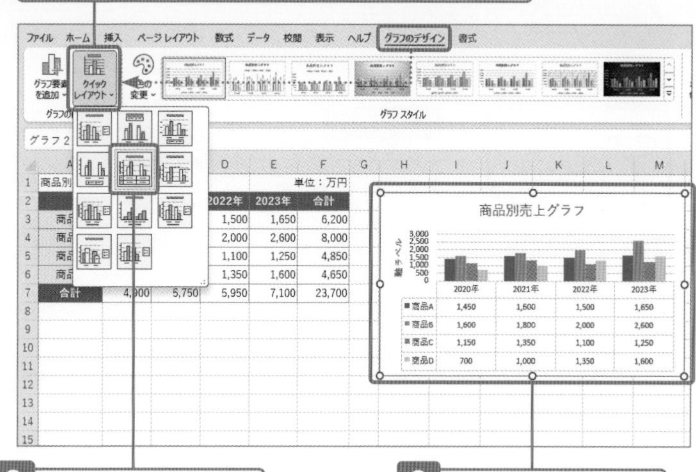

2 一覧からレイアウトをクリックすると、

3 グラフのレイアウトが変更されます。

4 グラフのサイズを調整し、

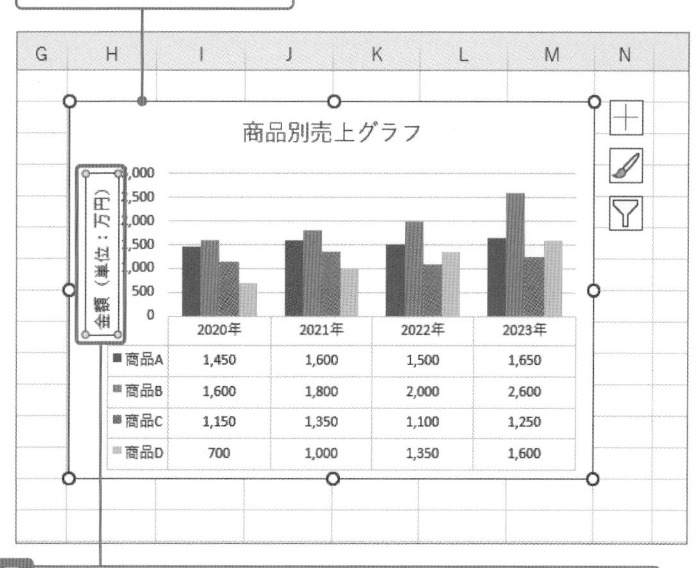

5 表示されたグラフ要素（ここでは縦軸ラベル）の文字を修正します。

Section 76

グラフの要素を追加／変更して編集する

グラフにデータを追加で表示したり、目盛線を変更したりと、グラフの要素を追加／変更することで、より見やすいグラフを作成できます。ここでは、いろいろなグラフ要素の追加や編集方法を学びましょう。

ここで学べること

習得スキル	操作ガイド	ページ
軸ラベルの追加／変更	レッスン76-1	p.279
縦（値）軸の変更	レッスン76-2	p.281
データラベルの追加	レッスン76-3	p.282

まずは パッと見るだけ！

グラフ要素の追加／変更する

グラフの各要素は自由に追加／変更できます。グラフをより見やすくわかりやすくするのに役立ちます。

Before 操作前　After 操作後

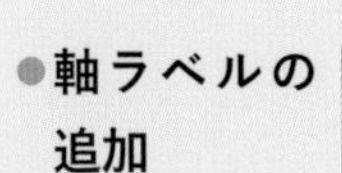

●軸ラベルの追加

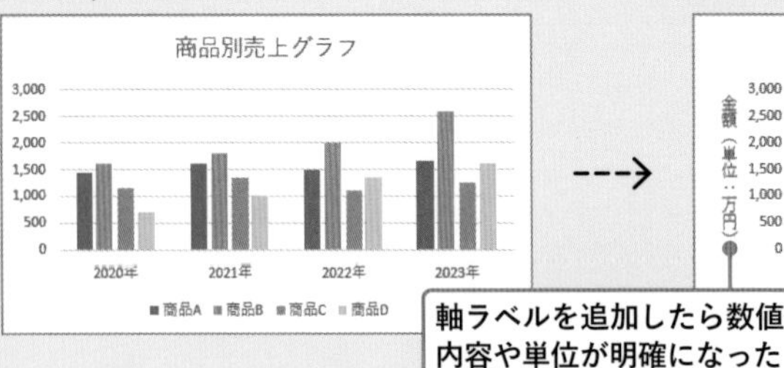

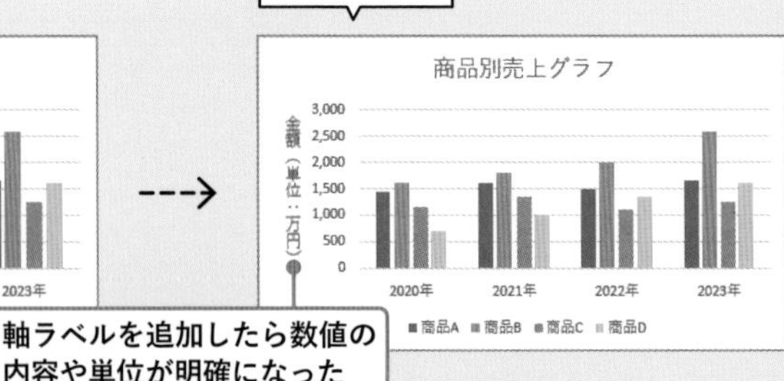

●縦（値）軸の変更

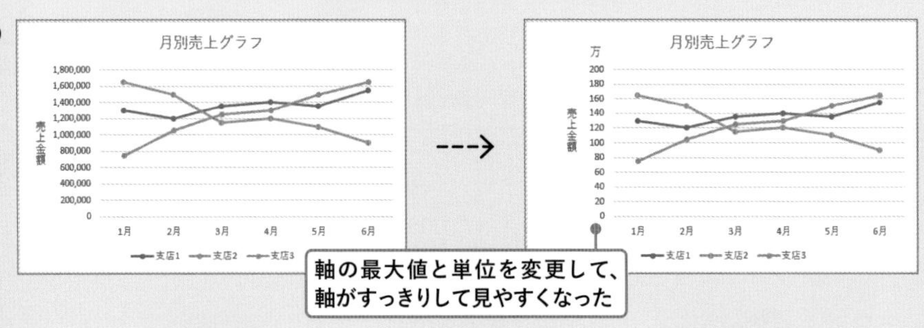

●データラベルの追加

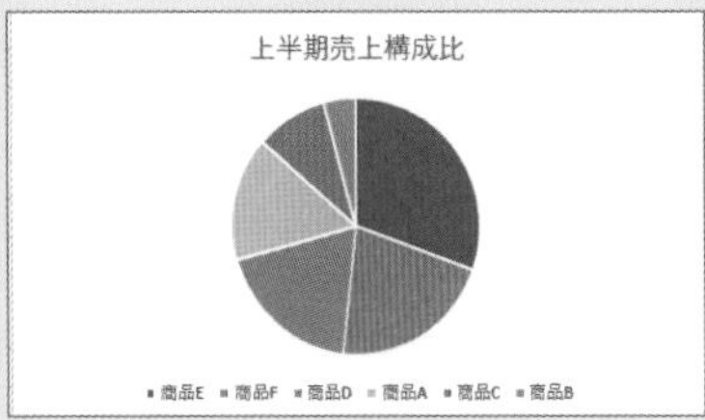

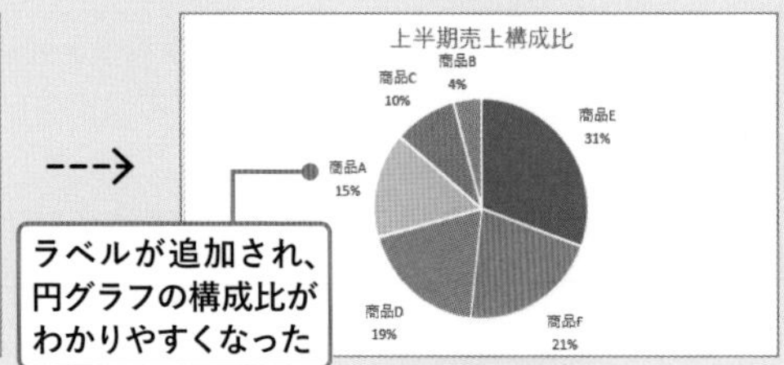

レッスン 76-1 グラフの軸ラベルを追加/変更する

76-1-商品別売上.xlsx

操作 軸ラベルを追加/編集する

棒グラフや折れ線グラフなど、縦軸と横軸のあるグラフにそれぞれの軸にラベルを追加するには、コンテキストタブの［グラフのデザイン］タブにある［グラフ要素を追加］を使います。
また、追加した軸ラベルの設定を変更するには、［軸ラベルの書式設定］作業ウィンドウを表示します。

時短ワザ ショートカットツールで軸ラベルを追加する

グラフの右上に表示される［グラフ要素］⊞をクリックし❶、［軸ラベル］の>をクリックして一覧から追加したい軸ラベルをクリックします❷。なお、縦軸、横軸ともに追加したい場合は、［軸ラベル］のチェックボックスをクリックしてチェックを付けます。

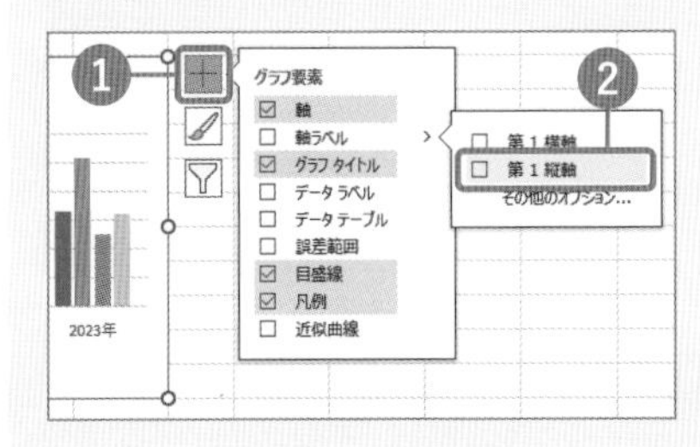

Memo 軸ラベルを削除する

不要な軸ラベルを削除するには、軸ラベルの外枠をクリックして選択し、Delete キーを押します。

ここでは、集合縦棒グラフの縦軸（第1縦軸）の軸ラベルを追加し、縦書きに変更します。グラフを選択しておいてください。

軸ラベルの追加

1 コンテキストタブの［グラフのデザイン］のタブ→［グラフ要素を追加］をクリックし、

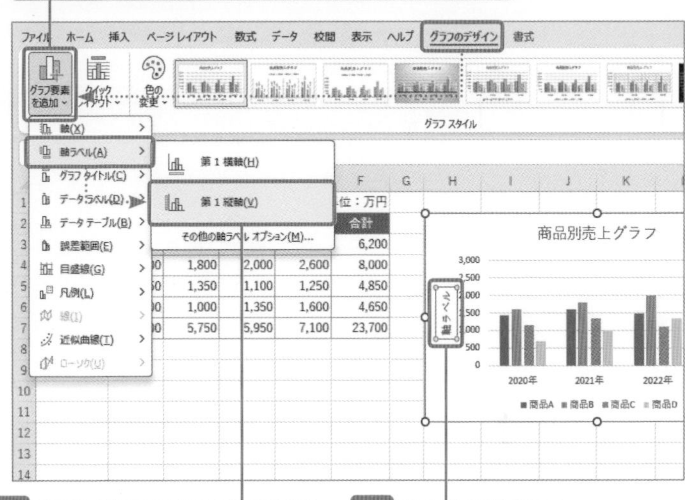

2 ［軸ラベル］→［第1縦軸］をクリックすると、

3 軸ラベルが追加されます。

4 軸ラベル内をクリックしてカーソルを表示し、Back space キーまたは Delete キーで仮の文字を削除し、軸のラベルにする文字列（ここでは「金額（単位：万円）」）を入力します。

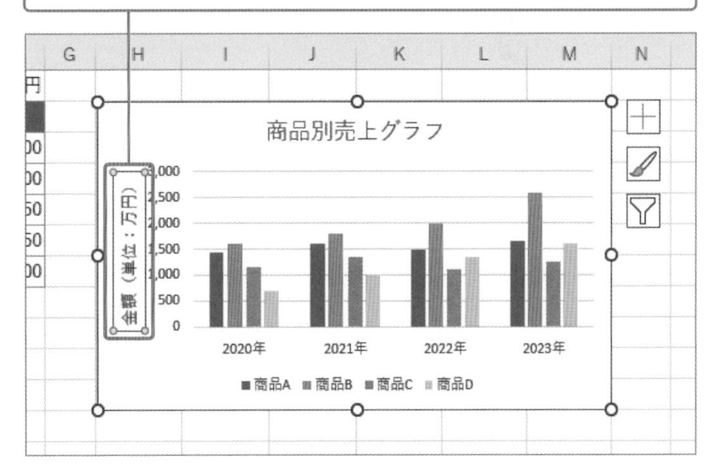

軸ラベルを縦書きに変更

1 縦軸ラベル上で右クリックし、［軸ラベルの書式設定］をクリックします。

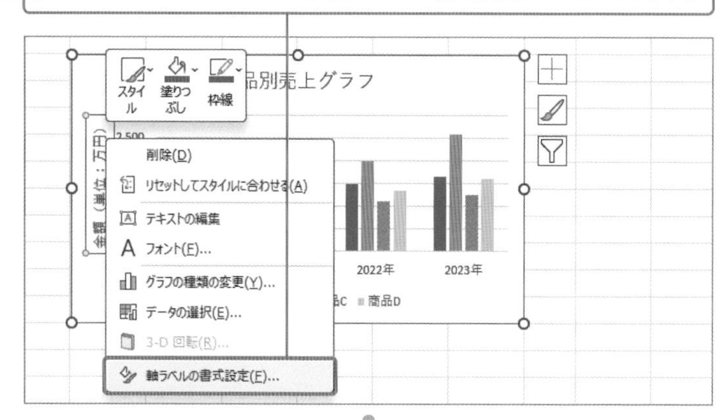

2 ［軸ラベルの書式設定］作業ウィンドウが表示されます。

3 ［文字のオプション］をクリックし、

4 ［テキストボックス］をクリックします。

5 ［テキストボックス］の［文字列の方向］で［縦書き］を選択すると、

6 ［軸ラベルが縦書きになります。

コラム グラフ要素の追加方法

グラフ要素は、コンテキストタブの［グラフのデザイン］のタブ→［グラフ要素を追加］をクリックして一覧からグラフ要素を選択し、追加する位置や種類を選択します。または、ショートカットツールの［グラフ要素］⊞を使うこともできます。

●［グラフ要素を追加］

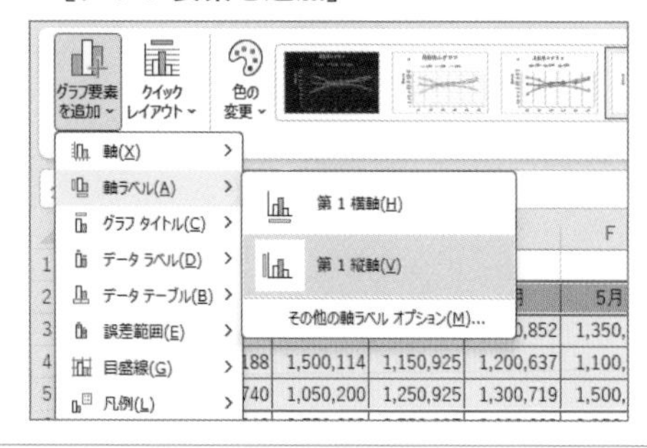

●ショートカットツールのグラフ要素

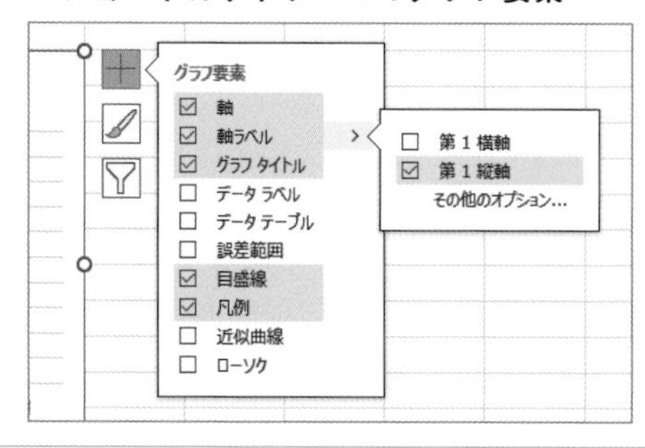

 レッスン 76-2 縦（値）軸を変更する

練習用ファイル 76-2-月別売上.xlsx

操作 縦軸を編集する

棒グラフや折れ線グラフにある縦軸の最小値や最大値、目盛の間隔を変更するなど、設定を詳細に変更するには、[軸の書式設定] 作業ウィンドウで設定します。

時短ワザ [(グラフ要素) の書式設定] 作業ウィンドウの表示

各グラフ要素の詳細を設定する書式設定作業ウィンドウは**レッスン76-1**のように右クリックして [(グラフ要素名) の書式設定] をクリックする以外に、直接グラフ要素をダブルクリックしても表示できます。
また、すでに作業ウィンドウが表示されている場合は、グラフ上でグラフ要素をクリックするだけで切り替えられます。

Point 最大値が「2.0E6」と表示される

最大値の値が確定されると、作業ウィンドウの[最大値] の欄に「2.0E6」と表示されます。桁数が大きいと自動的に指数で表示されます。これは、「2×10^6」という意味で「2000000」を表しています。

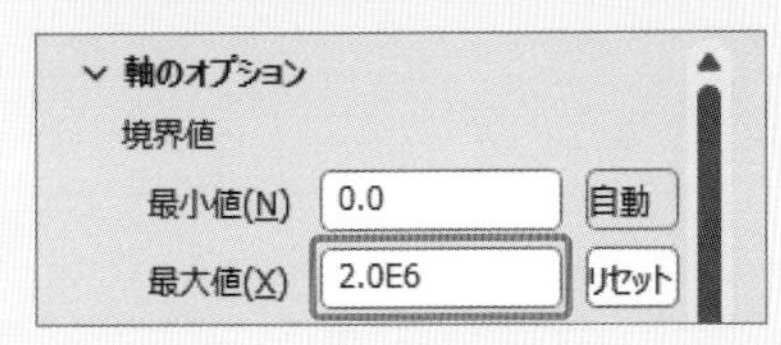

軸の最大値を変更する

ここでは、折れ線グラフの縦軸の最大値を「2,000,000」に変更します。グラフを選択しておいてください。

1 縦軸の数値の部分をダブルクリックすると、

2 [軸の書式設定] 作業ウィンドウが表示されます。

3 [軸のオプション] をクリックし、

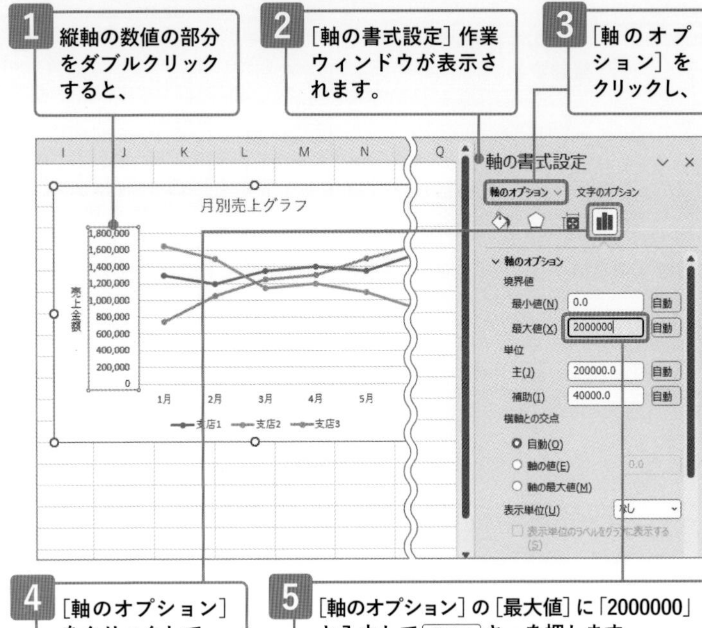

4 [軸のオプション] をクリックして、

5 [軸のオプション] の [最大値] に「2000000」と入力して Enter キーを押します。

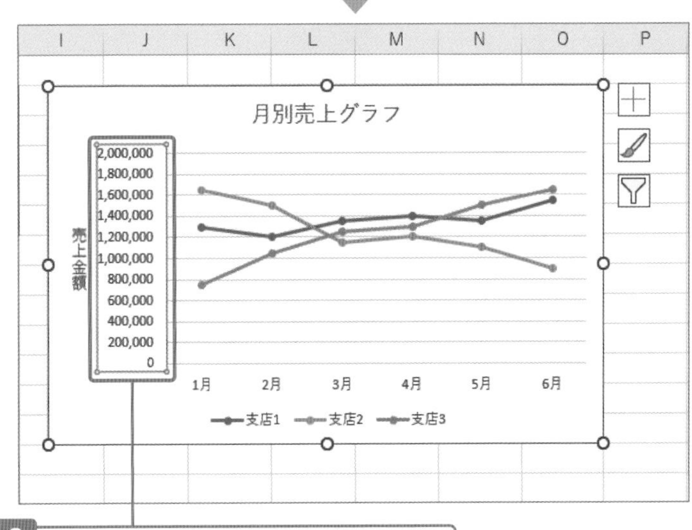

6 軸の最大値が「2,000,000」に変更されます。

Memo 表示単位ラベルを縦書きにする

表示単位ラベルをダブルクリックして［表示単位ラベルの書式設定］作業ウィンドウを表示したら、**レッスン76-1**と同じ手順で縦書きに変更できます。

Memo ラベルを任意の位置に移動する

軸ラベルや表示単位のラベルはラベルの境界線をドラッグして任意の位置に移動することができます。

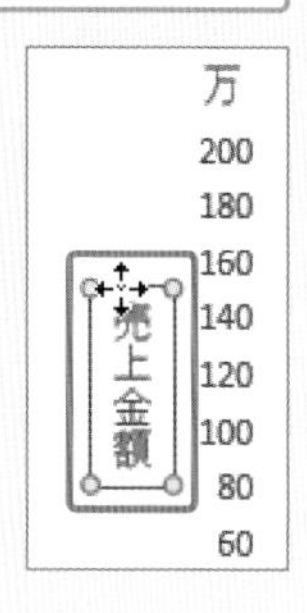

単位を「万」に変更する

ここでは、表の数値の桁数が大きいので単位を万にして軸の数値の表示単位を変更します。

1 ［軸の書式設定］作業ウィンドウの［軸のオプション］の［表示単位］で［万］を選択します。

2 ［表示単位のラベルをグラフに表示する］にチェックがついていることを確認します。

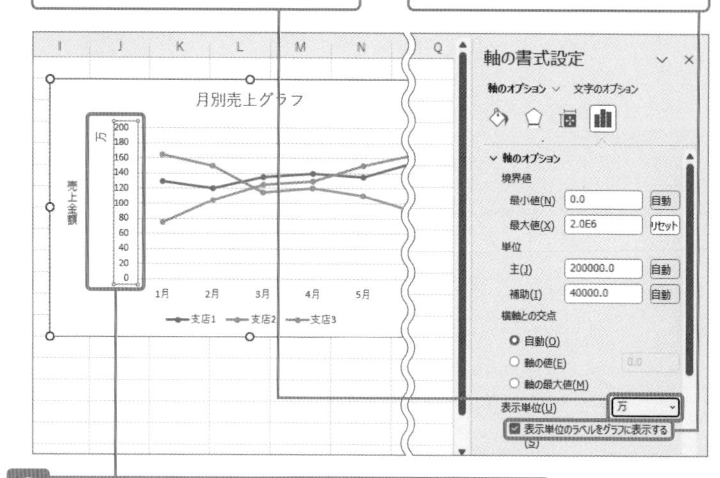

3 単位が変更され、表示単位のラベルが変更されます。

レッスン 76-3 データラベルを追加する

練習用ファイル 76-3-上半期商品別売上.xlsx

操作 データラベルを追加する

グラフのデータ系列にデータラベルを表示して、内訳が確認できるようにしてみましょう。

ここでは、ショートカットツールの［グラフ要素］⊞から［データラベルの書式設定］作業ウィンドウを表示し、分類名とパーセントが上下に表示されるように設定を変更します。

ここでは円グラフにパーセンテージと商品名（分類名）を表示し、凡例を非表示にします。グラフを選択しておいてください。

1 ［グラフ要素］⊞をクリックして、

2 ［データラベル］の ⊳ をクリックし、

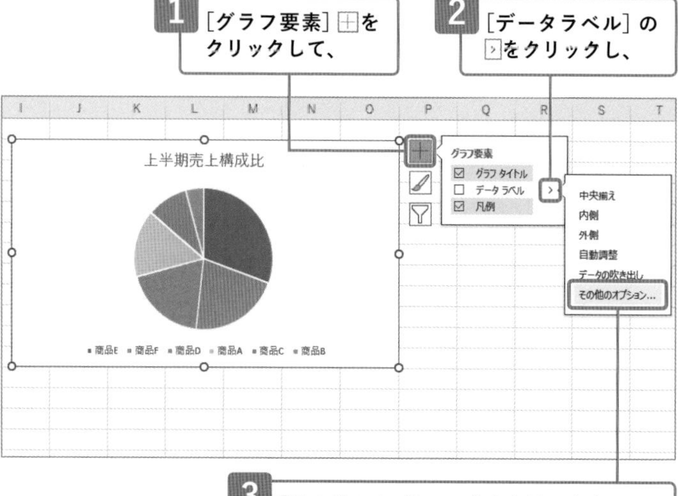

3 ［その他のオプション］をクリックすると、

Memo パーセント表示を小数点以下第1位まで表示する

手順9の後、作業ウィンドウの下の方にある［表示形式］をクリックして展開し、［カテゴリ］で［パーセンテージ］を選択して、［小数点以下の桁数］に「1」と入力します。

Point 凡例を移動／非表示にする

ショートカットツールの［グラフ要素］⊞→［凡例］の▷をクリックして、メニューから凡例を表示する位置を変更できます。
なお、凡例を直接ドラッグすると任意の位置に移動できます。
また、凡例を非表示にするには、［グラフ要素］⊞→［凡例］のチェックボックスをクリックしてチェックを外すか、凡例をクリックして選択し、Delete キーを押します。

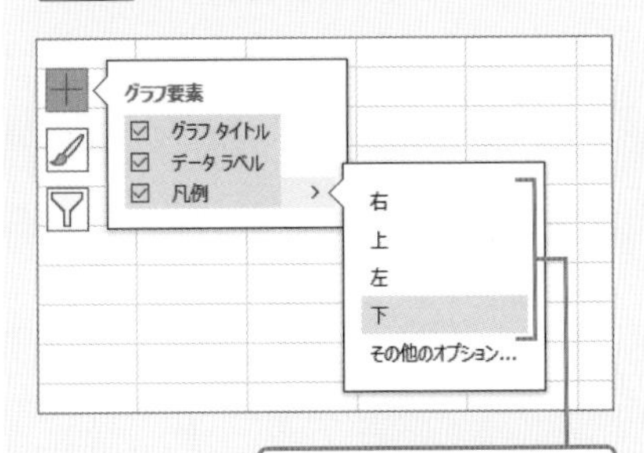

表示位置を選択します。

4 ［データラベルの書式設定］作業ウィンドウが表示されます。

5 ［ラベルオプション］をクリックし、

6 ［ラベルオプション］をクリックして、

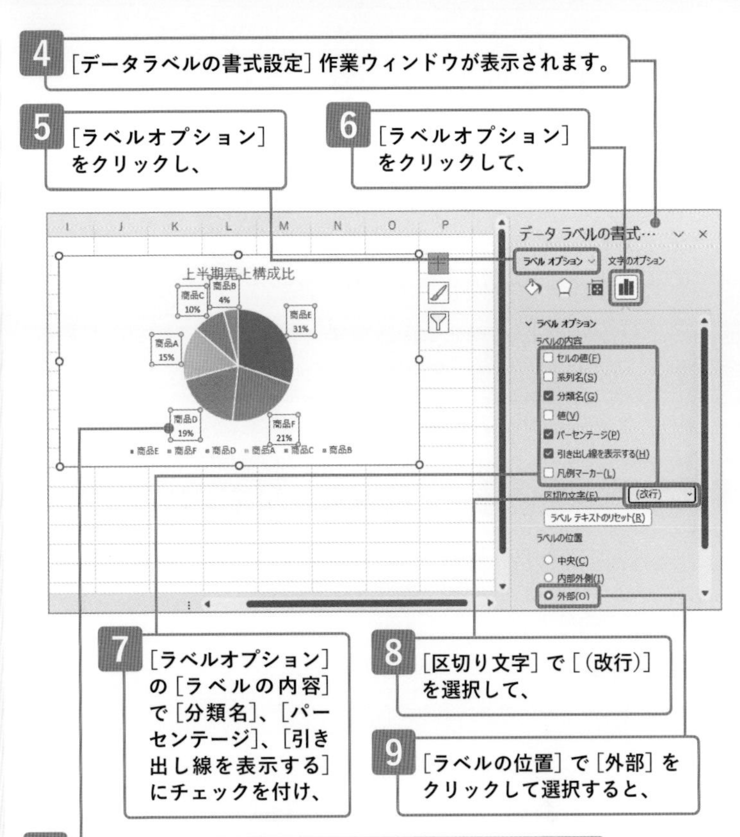

7 ［ラベルオプション］の［ラベルの内容］で［分類名］、［パーセンテージ］、［引き出し線を表示する］にチェックを付け、

8 ［区切り文字］で［（改行）］を選択して、

9 ［ラベルの位置］で［外部］をクリックして選択すると、

10 分類名とパーセンテージのデータラベルが表示されます。左のPointを参考に凡例を非表示にします。

コラム グラフに代替テキストを追加する

視覚に障がいがある方などが、グラフの内容がわかるようにグラフに代替テキストを追加することができます。代替テキストを追加するには、コンテキストタブの［書式］タブの［代替テキスト］をクリックして❶、［代替テキスト］作業ウィンドウを表示し❷、入力欄に簡単な説明文を入力します❸。

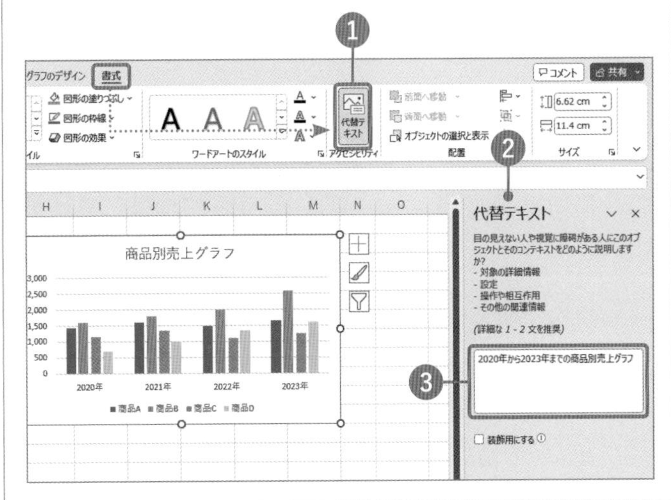

練習問題　グラフを作る練習をしよう

演習7-店舗別月別集客数.xlsx

完成見本を参考に、以下の手順でグラフを作成してください。

1 セル範囲A2～A7とE2～E7をグラフ範囲として、円グラフを作成し、セルG7～L12にぴったり収まるようにサイズ変更、移動する
2 グラフのタイトルを「店舗別集客数（1-3月）」に変更する
3 グラフの色合いを［カラフルなパレット3］に変更する
4 グラフのスタイルを［スタイル5］に変更する
5 データラベルを［分類名］と［パーセンテージ］を改行して、外部に表示する。このときパーセンテージの表示形式を小数点以下第1位までにする
6 凡例を非表示にする

ヒント：p.283のPoint参照

▼完成見本

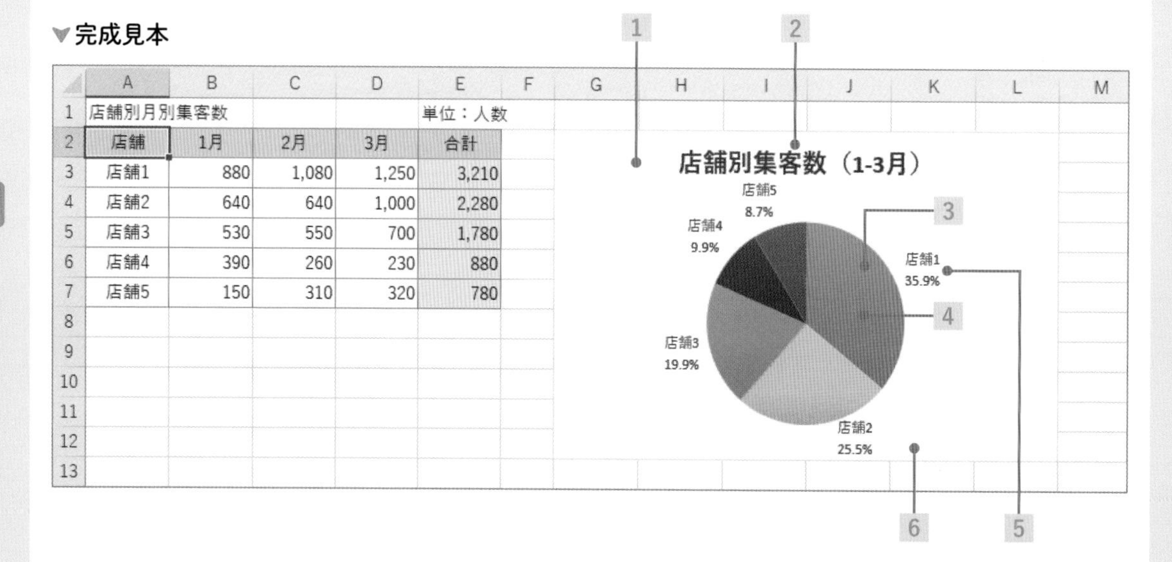

	A	B	C	D	E
1	店舗別月別集客数				単位：人数
2	店舗	1月	2月	3月	合計
3	店舗1	880	1,080	1,250	3,210
4	店舗2	640	640	1,000	2,280
5	店舗3	530	550	700	1,780
6	店舗4	390	260	230	880
7	店舗5	150	310	320	780

第 8 章

表のデータを便利に利用する

Excelでは、ワークシート上に顧客情報や売上情報などのデータを集めることができます。データをただ集めて保管するだけでなく、データを活用する機能も用意されています。ここでは、集めたデータを活用する機能を紹介します。

意外と簡単にデータ活用ができます

Section 77

データの上手な活用方法を知ろう

データの活用とは、集めたデータを有効に利用することです。例えば、50音順に並べ替えるとか、女性だけを抽出するなどがあります。これらの機能を使うには、表がデータベース形式で用意されている必要があります。ここでは、データベースの概要と機能を学びましょう。

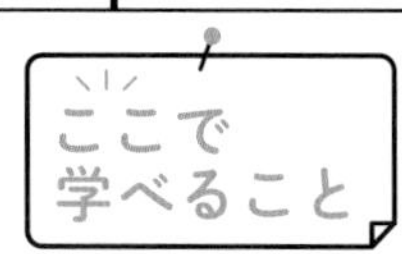

習得スキル	操作ガイド	ページ
▶データベース形式の表を知る ▶データの活用を知る	なし	p.286 p.287

まずは パッと見るだけ！

データベース形式の表

データを活用する機能を利用するには、データベース形式の表を用意する必要があります。データベースとは、顧客情報や売上情報など、特定のテーマに沿って集められたデータです。Excelでは、表をデータベースとして認識すると、いろいろな機能が使えるようになります。

● データベース形式の表の構成要素

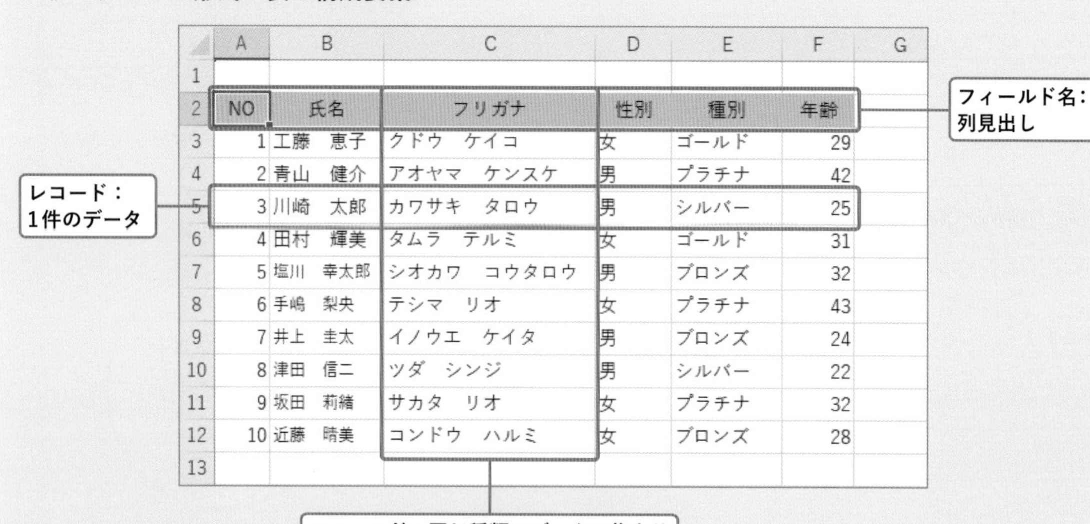

NO	氏名	フリガナ	性別	種別	年齢
1	工藤　恵子	クドウ　ケイコ	女	ゴールド	29
2	青山　健介	アオヤマ　ケンスケ	男	プラチナ	42
3	川崎　太郎	カワサキ　タロウ	男	シルバー	25
4	田村　輝美	タムラ　テルミ	女	ゴールド	31
5	塩川　幸太郎	シオカワ　コウタロウ	男	ブロンズ	32
6	手嶋　梨央	テシマ　リオ	女	プラチナ	43
7	井上　圭太	イノウエ　ケイタ	男	ブロンズ	24
8	津田　信二	ツダ　シンジ	男	シルバー	22
9	坂田　莉緒	サカタ　リオ	女	プラチナ	32
10	近藤　晴美	コンドウ　ハルミ	女	ブロンズ	28

● データベース形式の表のきまり

- 表の1行目は列見出しにする
- 列見出しには2行目以降（レコード行）と異なる書式を設定する
- 列ごとに同じ種類のデータを入力する
- 2行目以降にはデータを入力し、1行で1件分のデータ（レコード）になるようにする
- 表に隣接するセルは空白にする（データベースの表の範囲は自動認識される）

データを活用をする機能

●表の見出しの固定

画面をスクロールしても表の見出しは常に表示されるよう固定できます。

データが増えて、下の方のレコードを表示しても見出しを常に表示できる

●データの検索と置換

大量のデータの中から目的のデータをすばやく見つけたり、データの置き換えを正確に処理したりできます。

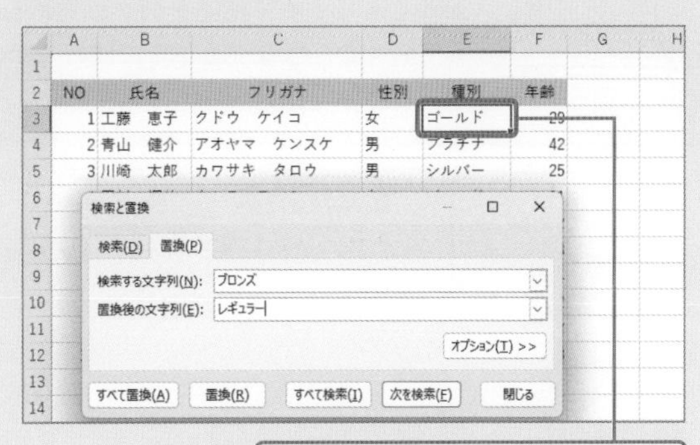

特定の文字列を検索して置き換える

●データの並べ替え

データを並べ替えて見やすい表を作成できます。

表をフリガナの50音順で並べ替える

●データの抽出

条件を満たすデータだけを表示して、必要なデータを取り出せます。

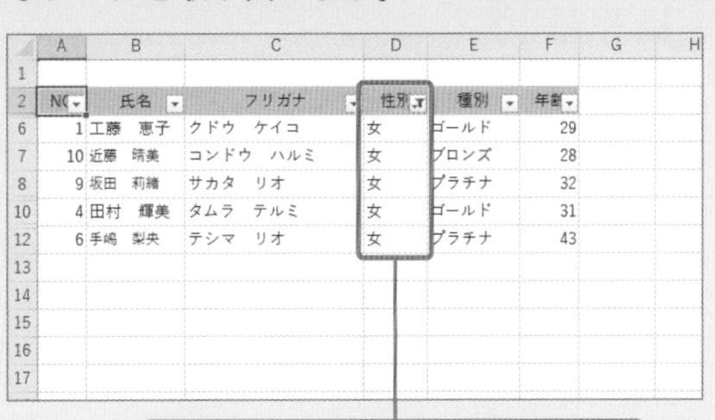

［性別］が「女」だけのデータを抽出する

●テーブルの利用

表をテーブルに変換すると、データの入力、並べ替え、抽出、集計、スタイル変更などが便利になり、効率的にデータを扱えます。

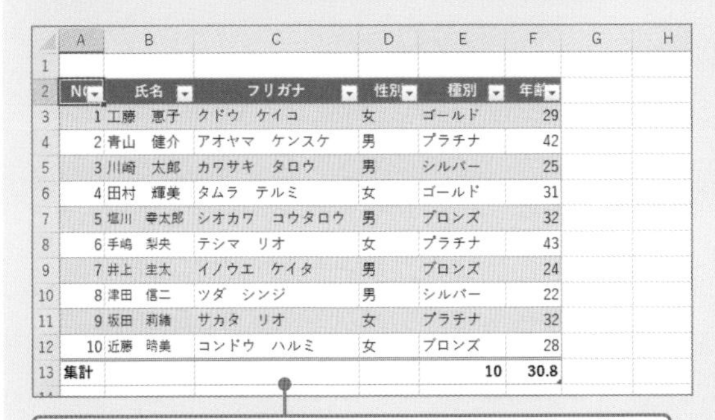

表をテーブルに変換すると、データ管理しやすくなる

●ピボットテーブルの利用

ピボットテーブルを作成すると、いろいろな角度から分析できる集計表が作成できます。本書では解説していません。

分類	(すべて)			
合計 / 金額	月			
商品	6月	7月	8月	総計
リンゴジュース	20,000	15,000	17,000	52,000
白桃ジュース	19,200	2,400	1,200	22,800
バームクーヘン	21,000	19,600	21,000	61,600
クッキー詰合せ	25,200	13,200	13,200	51,600
紅茶セット	5,200	28,600	28,600	62,400
飲茶セット	24,000	31,500	24,000	79,500
総計	114,600	110,300	105,000	329,900

表のデータから月別の商品売上集計表が作成できる

Section

78 スクロールしても表の見出しを常に表示する

データベース形式の表でデータが多くなってくると、画面を下にスクロールして作業する場合が多くあります。画面をスクロールしても、表の見出しが常に表示されるように見出しを固定しておくと、作業するときに便利です。ここでは、見出しの固定方法を覚えましょう。

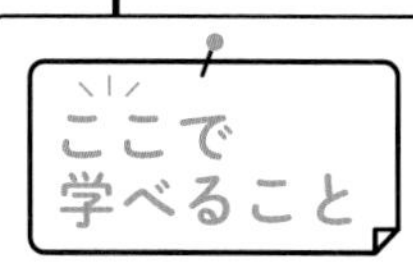

習得スキル	操作ガイド	ページ
▶ウィンドウ枠の固定	レッスン78-1	p.289

まずは パッと見るだけ！

ウィンドウの枠の固定

表をスクロールしても見出しを常に表示するには、**ウィンドウ枠**を固定します。

Before 操作前

	A	B	C	D	E	F	G	H	I
16	14	1月15日	A1002	白桃ジュース	飲料	1,200	2	2,400	
17	15	1月16日	B2002	バームクーヘン	菓子	1,400	2	2,800	
18	16	1月17日	B2002	バームクーヘン	菓子	1,400	3	4,200	
19	17	1月18日	A1002	白桃ジュース	飲料	1,200	2	2,400	
20	18	1月19日	C3002	飲茶セット	セット	1,500	5	7,500	
21	19	1月20日	A1002	白桃ジュース	飲料	1,200	2	2,400	
22	20	1月21日	A1002	白桃ジュース	飲料	1,200	3	3,600	
23	21	1月22日	A1001	リンゴジュース	飲料	1,000	4	4,000	
24	22	1月23日	A1002	白桃ジュース	飲料	1,200	4	4,800	
25	23	1月24日	B2002	バームクーヘン	菓子	1,400	5	7,000	
26	24	1月25日	C3001	紅茶セット	セット	1,300	4	5,200	
27	25	1月26日	A1002	白桃ジュース	飲料	1,200	2	2,400	
28	26	1月27日	A1002	白桃ジュース	飲料	1,200	1	1,200	

画面をスクロールすると見出しが見えなくなる

After 操作後

	A	B	C	D	E	F	G	H	I
1									
2	No	日付	商品NO	商品	分類	単価	数量	金額	
16	14	1月15日	A1002	白桃ジュース	飲料	1,200	2	2,400	
17	15	1月16日	B2002	バームクーヘン	菓子	1,400	2	2,800	
18	16	1月17日	B2002	バームクーヘン	菓子	1,400	3	4,200	
19	17	1月18日	A1002	白桃ジュース	飲料	1,200	2	2,400	
20	18	1月19日	C3002	飲茶セット	セット	1,500	5	7,500	
21	19	1月20日	A1002	白桃ジュース	飲料	1,200	2	2,400	
22	20	1月21日	A1002	白桃ジュース	飲料	1,200	3	3,600	
23	21	1月22日	A1001	リンゴジュース	飲料	1,000	4	4,000	
24	22	1月23日	A1002	白桃ジュース	飲料	1,200	4	4,800	
25	23	1月24日	B2002	バームクーヘン	菓子	1,400	5	7,000	
26	24	1月25日	C3001	紅茶セット	セット	1,300	4	5,200	
27	25	1月26日	A1002	白桃ジュース	飲料	1,200	2	2,400	
28	26	1月27日	A1002	白桃ジュース	飲料	1,200	1	1,200	

ウィンドウ枠を固定したら、スクロールしても見出しが常に見えるようになった

見出し行を固定すれば、作業効率がアップ！

レッスン 78-1 ウィンドウ枠を固定して見出しを常に表示する

78-食品売上表.xlsx

操作 ウィンドウ枠を固定する

ウィンドウ枠を固定するには、固定したい位置にアクティブセルを移動し、[表示] タブの [ウィンドウ枠の固定] をクリックして、固定する方法を選択します。

Point ウィンドウ枠固定の種類

ウィンドウ枠固定には、以下の3種類があります。行列を組み合わせて任意の位置で固定したい場合は、[ウィンドウ枠の固定] を選択してください。

ウィンドウ枠の固定	アクティブセルの上の行、左の列を固定して常に表示します。
先頭行の固定	先頭行（1行目）を固定して常に表示します。
先頭列の固定	先頭列（1列目）を固定して常に表示します。

Memo ウィンドウ枠の固定を解除する

ウィンドウ枠の固定を解除するには、[表示] タブ→ [ウィンドウ枠の固定] → [ウィンドウ枠固定の解除] をクリックします。

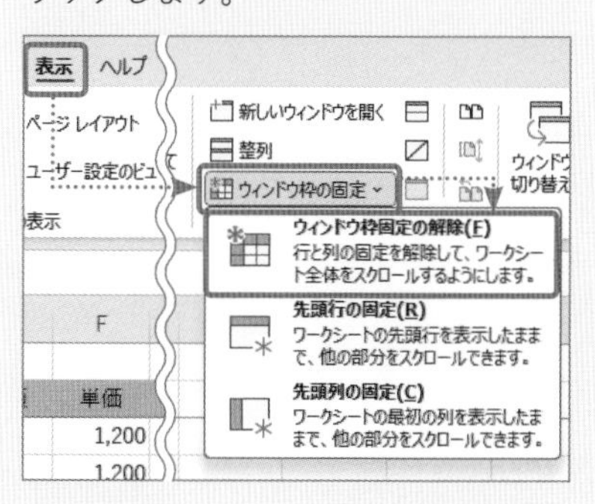

ここでは、2行目の見出しが常に表示されるように1～2行でウィンドウ枠を固定します。

1 見出し行の1行下で、先頭列をクリックしてアクティブセルを移動します。

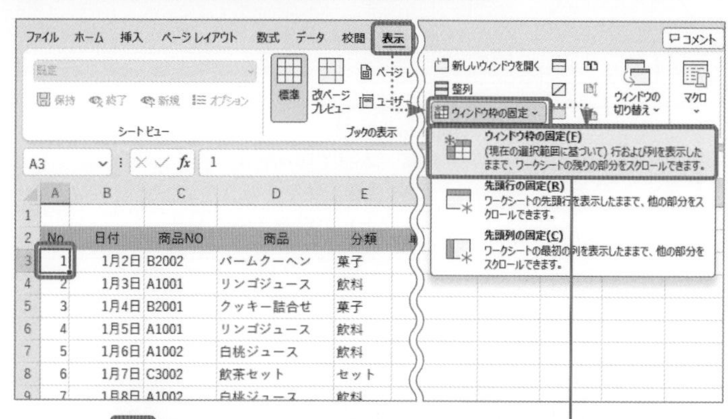

2 [表示] タブ→ [ウィンドウ枠の固定] → [ウィンドウ枠の固定] をクリックすると、

	A	B	C	D	E	F	G	H	R
1									
2	No	日付	商品NO	商品	分類	単価	数量	金額	
3	1	1月2日	B2002	バームクーヘン	菓子	1,400	3	4,200	
4	2	1月3日	A1001	リンゴジュース	飲料	1,000	3	3,000	
5	3	1月4日	B2001	クッキー詰合せ	菓子	1,200	1	1,200	
6	4	1月5日	A1001	リンゴジュース	飲料	1,000	2	2,000	
7	5	1月6日	A1002	白桃ジュース	飲料	1,200	2	2,400	
8	6	1月7日	C3002	飲茶セット	セット	1,500	1	1,500	
9	7	1月8日	A1002	白桃ジュース	飲料	1,200	2	2,400	
10	8	1月9日	B2002	バームクーヘン	菓子	1,400	1	1,400	

3 アクティブセルの上の行と左の列が固定され（ここでは、先頭列なので行のみ固定）、固定された位置にラインが表示されます。

4 下方向にスクロールしても見出しは常に表示されます。

	A	B	C	D	E	F	G	H	R
1									
2	No	日付	商品NO	商品	分類	単価	数量	金額	
21	19	1月20日	A1002	白桃ジュース	飲料	1,200	2	2,400	
22	20	1月21日	A1002	白桃ジュース	飲料	1,200	3	3,600	
23	21	1月22日	A1001	リンゴジュース	飲料	1,000	4	4,000	
24	22	1月23日	A1002	白桃ジュース	飲料	1,200	4	4,800	
25	23	1月24日	B2002	バームクーヘン	菓子	1,400	5	7,000	
26	24	1月25日	C3001	紅茶セット	セット	1,300	4	5,200	
27	25	1月26日	A1002	白桃ジュース	飲料	1,200	2	2,400	
28	26	1月27日	A1002	白桃ジュース	飲料	1,200	1	1,200	
29	27	1月28日	A1001	リンゴジュース	飲料	1,000	2	2,000	
30	28	1月29日	A1002	白桃ジュース	飲料	1,200	3	3,600	
31	29	1月30日	C3001	紅茶セット	セット	1,300	4	5,200	
32	30	1月31日	C3002	飲茶セット	セット	1,500	1	1,500	
33	31	2月1日	C3002	飲茶セット	セット	1,500	5	7,500	
34	32	2月2日	C3001	紅茶セット	セット	1,300	3	3,900	
35	33	2月3日	C3002	飲茶セット	セット	1,500	3	4,500	

Section

79 データを並べ替える

データを50音順で並べ替えたり、年齢順に並べ替えたりすると、データが整理され、情報が見やすくなります。大きい順や小さい順に並べ替えたり、任意の順番で並べ替えたりできます。

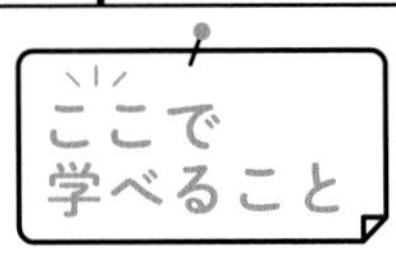

習得スキル	操作ガイド	ページ
▶昇順／降順で並べ替え	レッスン79-1	p.291
▶［並べ替え］ダイアログを使って並べ替え	レッスン79-2	p.292
▶オリジナルの順番で並べ替え	レッスン79-3	p.293

まずは パッと見るだけ！

データの並べ替え

表の指定した列を基準にして小さい順または大きい順に並べ替えることができます。小さい順を**昇順**、大きい順を**降順**といいます。1つの列だけでなく、複数の列を指定して並べ替えたり、オリジナルの順番で並べ替えたりできます。

Before 操作前

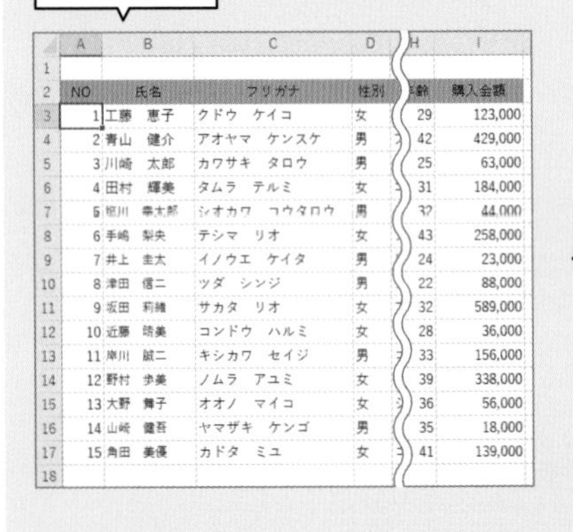

NO	氏名	フリガナ	性別	年齢	購入金額
1	工藤　恵子	クドウ　ケイコ	女	29	123,000
2	青山　健介	アオヤマ　ケンスケ	男	42	429,000
3	川崎　太郎	カワサキ　タロウ	男	25	63,000
4	田村　輝美	タムラ　テルミ	女	31	184,000
5	塩川　幸太郎	シオカワ　コウタロウ	男	32	44,000
6	手嶋　梨央	テシマ　リオ	女	43	258,000
7	井上　圭太	イノウエ　ケイタ	男	24	23,000
8	津田　信二	ツダ　シンジ	男	22	88,000
9	坂田　莉緒	サカタ　リオ	女	32	589,000
10	近藤　晴美	コンドウ　ハルミ	女	28	36,000
11	岸川　誠二	キシカワ　セイジ	男	33	156,000
12	野村　歩美	ノムラ　アユミ	女	39	338,000
13	大野　舞子	オオノ　マイコ	女	36	56,000
14	山崎　健吾	ヤマザキ　ケンゴ	男	35	18,000
15	角田　美優	カドタ　ミユ	女	41	139,000

--->

After 操作後

● 小さい順に並べ替え

NO	氏名	フリガナ	性別	種別
2	青山　健介	アオヤマ　ケンスケ		プラチナ
7	井上　圭太	イノウエ　ケイタ		レギュラ
13	大野　舞子	オオノ　マイコ		シルバ
15	角田　美優	カドタ　ミユ		ゴールド
3	川崎　太郎	カワサキ　タロウ		シルバー
11	岸川　誠二	キシカワ　セイジ		ゴールド
1	工藤　恵子	クドウ　ケイコ		ゴールド
10	近藤　晴美	コンドウ　ハルミ		レギュラ
9	坂田　莉緒	サカタ　リオ		プラチナ
5	塩川　幸太郎	シオカワ　コウタロウ		レギュラ
4	田村　輝美	タムラ　テルミ		ゴールド

50音順で並べ替わる

● 大きい順に並べ替え

所在地	生年月日	年齢	購入金額
東京都調布市	1992/1/16		589,000
埼玉県さいたま市	1981/8/18		429,000
神奈川県藤沢市	[illegible]		[illegible]
東京都世田谷区	1980/4/29		258,000
千葉県市川市	1992/7/16		184,000
神奈川県横浜市	1990/7/1		156,000
東京都渋谷区	1982/9/2		139,000
東京都世田谷区	1994/11/6		123,000
神奈川県川崎市	2001/4/7		88,000
東京都港区	1998/4/12		63,000
千葉県千葉市	1987/6/12		56,000

金額の大きい順で並べ替わる

● 複数列で優先順位をつけて並べ替え

NO	氏名	フリガナ	性別	種別
13	大野　舞子	オオノ　マイコ	女	ルバー
15	角田　美優	カドタ　ミユ	女	ールド
1	工藤　恵子	クドウ　ケイコ	女	ールド
10	近藤　晴美	コンドウ　ハルミ	女	ギュラー
9	坂田　莉緒	サカタ　リオ	女	ラチナ
4	田村　輝美	タムラ　テルミ	女	ールド
6	手嶋　梨央	テシマ　リオ	女	ラチナ
12	野村　歩美	ノムラ　アユミ	女	ラチナ
2	青山　健介	アオヤマ　ケンスケ	男	ラチナ
7	井上　圭太	イノウエ　ケイタ	男	ギュラー
3	川崎　太郎	カワサキ　タロウ	男	ルバー
11	岸川　誠二	キシカワ　セイジ	男	ールド
5	塩川　幸太郎	シオカワ　コウタロウ	男	ギュラー

性別順、50音順で並べ替わる

● オリジナルの順番で並べ替え

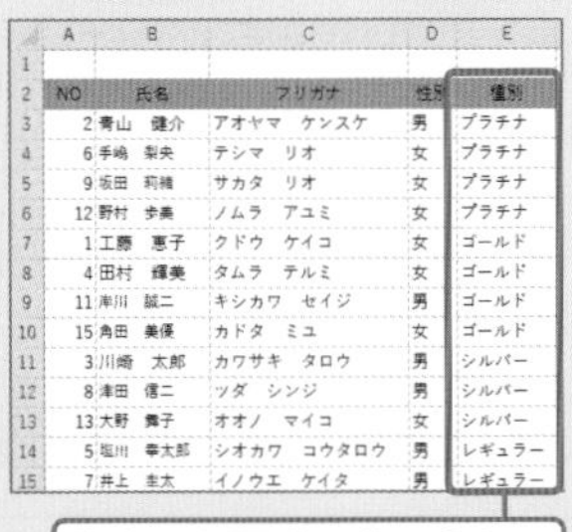

NO	氏名	フリガナ	性別	種別
2	青山　健介	アオヤマ　ケンスケ	男	プラチナ
6	手嶋　梨央	テシマ　リオ	女	プラチナ
9	坂田　莉緒	サカタ　リオ	女	プラチナ
12	野村　歩美	ノムラ　アユミ	女	プラチナ
1	工藤　恵子	クドウ　ケイコ	女	ゴールド
4	田村　輝美	タムラ　テルミ	女	ゴールド
11	岸川　誠二	キシカワ　セイジ	男	ゴールド
15	角田　美優	カドタ　ミユ	女	ゴールド
3	川崎　太郎	カワサキ　タロウ	男	シルバー
8	津田　信二	ツダ　シンジ	男	シルバー
13	大野　舞子	オオノ　マイコ	女	シルバー
5	塩川　幸太郎	シオカワ　コウタロウ	男	レギュラー
7	井上　圭太	イノウエ　ケイタ	男	レギュラー

指定した順番で並べ変わる

レッスン 79-1 昇順／降順で並べ替える

79-1-会員名簿.xlsx

操作 昇順／降順で並べ替える

データを昇順で並べ替えたり、降順で並べ替えたりするには、表の中で並べ替えの基準となる列内でクリックしてアクティブセルを移動し、[データ] タブの [昇順] 🔠または、[降順] 🔠をクリックします。

Point 昇順／降順の並べ替え

昇順は小さい順、降順は大きい順の並べ替えになります。なお、空白セルは、昇順、降順にかかわらず常に一番下になります。

▼昇順の並べ替え順（降順はこの逆になる）

文字種	並べ替え順
ひらがな	50音順（あ→ん）
英字	アルファベット順 （A→Z）
数値	小さい順（小→大）
日付	古い順 （古い日付→新しい日付）

Memo 最初の順番に戻すには

最初の並べ替えに戻せるように、あらかじめ [NO] 列のような連番の列を用意しておき、[NO] 列を基準に昇順で並べ替えます。

昇順で並べ替え

ここでは、[フリガナ] 列を基準に50音順（昇順）で並べ替えます。

1 並べ替えの基準となる列内でクリックし（ここでは [フリガナ] 列）、

2 [データ] タブ→ [昇順] 🔠をクリックすると、

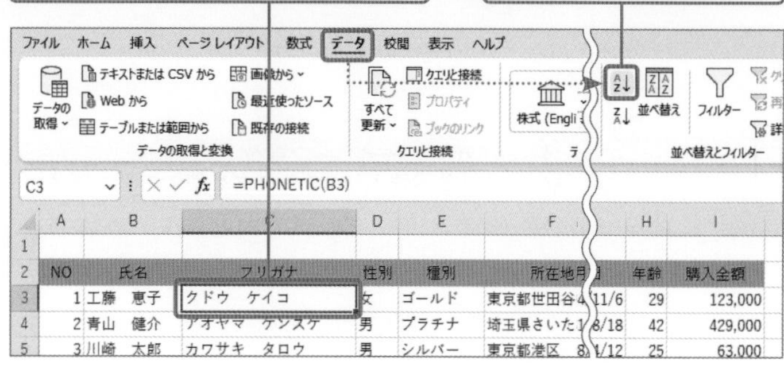

3 [フリガナ] 列の50音順で並べ替わります。

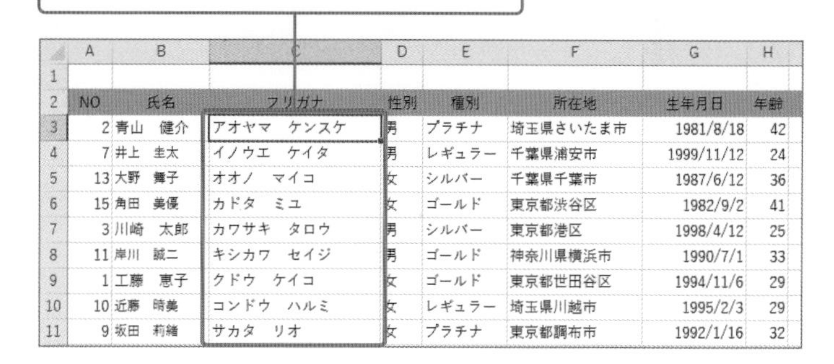

降順で並べ替え

ここでは、[購入金額] 列を基準に大きい順（降順）で並べ替えます。

1 並べ替えの基準となる列内でクリックし（ここでは [購入金額] 列）、

2 [データ] タブ→ [降順] 🔠をクリックすると、

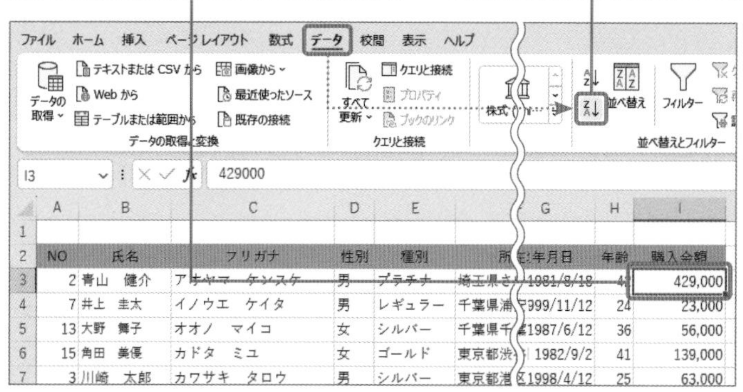

3 ［購入金額］列の金額が大きい順で並べ替わります。

NO	氏名	フリガナ	性別	種別		生年月日	年齢	購入金額
9	坂田　莉緒	サカタ　リオ	女	プラチナ	東京都	1992/1/16	32	589,000
2	青山　健介	アオヤマ　ケンスケ	男	プラチナ	埼玉県	1981/8/18	42	429,000
12	野村　歩美	ノムラ　アユミ	女	プラチナ	神奈川	1984/2/8	39	338,000
6	手嶋　梨央	テシマ　リオ	女	プラチナ	東京都	1980/4/29	43	258,000
4	田村　輝美	タムラ　テルミ	女	ゴールド	千葉県	1992/7/16	31	184,000
11	岸川　誠二	キシカワ　セイジ	男	ゴールド	神奈川	1990/7/1	33	156,000
15	角田　美優	カドタ　ミユ	女	ゴールド	東京都	1982/9/2	41	139,000
1	工藤　恵子	クドウ　ケイコ	女	ゴールド	東京都	1994/11/6	29	123,000
8	津田　信二	ツダ　シンジ	男	シルバー	神奈川	2001/4/7	22	88,000

レッスン 79-2 ［並べ替え］ダイアログを使って並べ替える

練習用ファイル 79-2-会員名簿.xlsx

操作 ［並べ替え］ダイアログで並べ替える

［並べ替え］ダイアログを使うと、男女別で並べ替えて、男性や女性の中で50音順に並べ替えるというように複数の列で優先順位をつけて並べ替えることができます。

［データ］タブの［並べ替え］をクリックして表示します。

Point 漢字の並べ替え

漢字の列で並べ替える場合、文字がExcelで入力されて、漢字の読みがセルに保管されている場合は、50音順で並べ替わります。

他のソフトから取り込んだデータの場合は漢字の読みが保管されていないため、JISコード順で並べ変わります。

JISコードとはコンピューターで文字を表示するために作成された文字コードの規格で、各漢字に識別番号が割り当てられています。

ここでは、［性別］列で大きい順（降順）で並べ、同じデータがある場合は［フリガナ］列で50音順（昇順）で並べ替えます。

1 並べ替えをする表の中でクリックし、

2 ［データ］タブ→［並べ替え］をクリックすると、

3 ［並べ替え］ダイアログが表示されます。

4 最初の並べ替えを設定します。［最優先されるキー］に「性別」「セルの値」「降順」の順番に選択して、

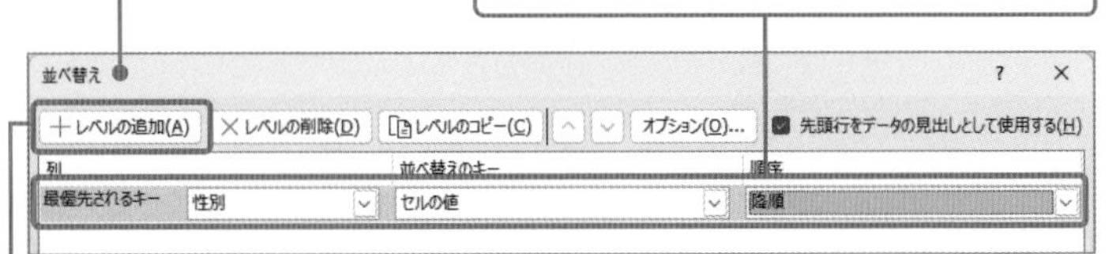

5 ［レベルの追加］をクリックします。

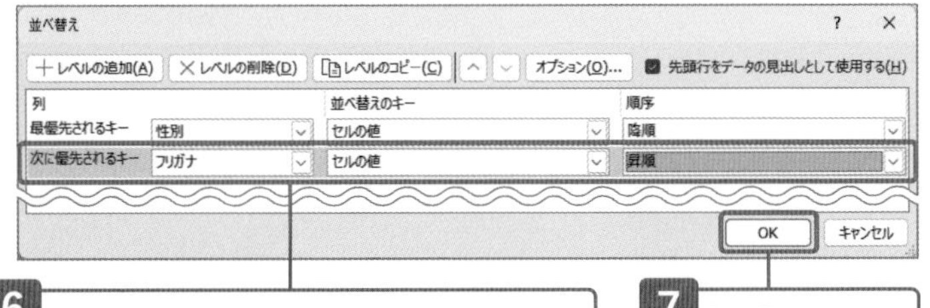

6 次の並べ替えを設定します。［次に優先されるキー］に「フリガナ」「セルの値」「昇順」の順番に選択し、

7 ［OK］をクリックします。

Memo **色やアイコンを基準に並べ替える**

[並べ替え] ダイアログの [並べ替えのキー] では、[セルの値] の他に、[セルの色]、[フォントの色]、[条件付き書式のアイコン] などを基準にして並べ替えることができます。

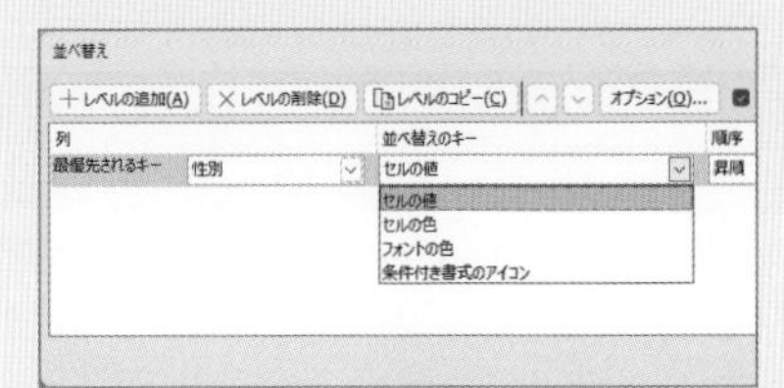

8 性別が降順で並べられ、同じ性別の場合フリガナが昇順で並べ替わります。

	A	B	C	D	E	F	G	H	I
1									
2	NO	氏名	フリガナ	性別	種別	所在地	生年月日	年齢	購入金額
3	13	大野　舞子	オオノ　マイコ	女	ルバー	千葉県千葉市	1987/6/12	36	56,000
4	15	角田　美優	カドタ　ミユ	女	ゴールド	東京都渋谷区	1982/9/2	41	139,000
5	1	工藤　恵子	クドウ　ケイコ	女	ゴールド	東京都世田谷区	1994/11/6	29	123,000
6	10	近藤　晴美	コンドウ　ハルミ	女	ギュラー	埼玉県川越市	1995/2/3	28	36,000
7	9	坂田　莉緒	サカタ　リオ	女	プラチナ	東京都調布市	1992/1/16	32	589,000
8	4	田村　輝美	タムラ　テルミ	女	ゴールド	千葉県市川市	1992/7/16	31	184,000
9	6	手嶋　梨央	テシマ　リオ	女	プラチナ	東京都世田谷区	1980/4/29	43	258,000
10	12	野村　歩美	ノムラ　アユミ	女	プラチナ	神奈川県藤沢市	1984/2/8	39	338,000
11	2	青山　健介	アオヤマ　ケンスケ	男	プラチナ	埼玉県さいたま市	1981/8/18	42	429,000
12	7	井上　圭太	イノウエ　ケイタ	男	ギュラー	千葉県浦安市	1999/11/12	24	23,000
13	3	川崎　太郎	カワサキ　タロウ	男	ルバー	東京都港区	1998/4/12	25	63,000
14	11	岸川　誠二	キシカワ　セイジ	男	ゴールド	神奈川県横浜市	1990/7/1	33	156,000
15	5	塩川　幸太郎	シオカワ　コウタロウ	男	ギュラー	東京都文京区	1991/9/15	32	44,000
16	8	津田　信二	ツダ　シンジ	男	ルバー	神奈川県川崎市	2001/4/7	22	88,000
17	14	山崎　健吾	ヤマザキ　ケンゴ	男	ギュラー	埼玉県所沢市	1988/6/17	35	18,000
18									

レッスン 79-3 オリジナルの順番で並べ替える

79-3-会員名簿.xlsx

操作 **ユーザー定義で並べ替える**

レッスン37-4で紹介したように、ユーザー定義リストにオリジナルの順番を登録することができます。
ここでは、「プラチナ」「ゴールド」「シルバー」「レギュラー」の順番をユーザー定義リストに登録し、登録した順番で並べ替えてみましょう。

ユーザー定義リストに追加

ここでは、オリジナルの順番を [ユーザー定義リスト] ダイアログに直接入力して追加します。

1 レッスン37-4の手順で [ユーザー設定リスト] ダイアログを表示します。

2 [リストの項目] の入力欄をクリックして、「プラチナ」「ゴールド」「シルバー」「レギュラー」を改行しながら入力します。

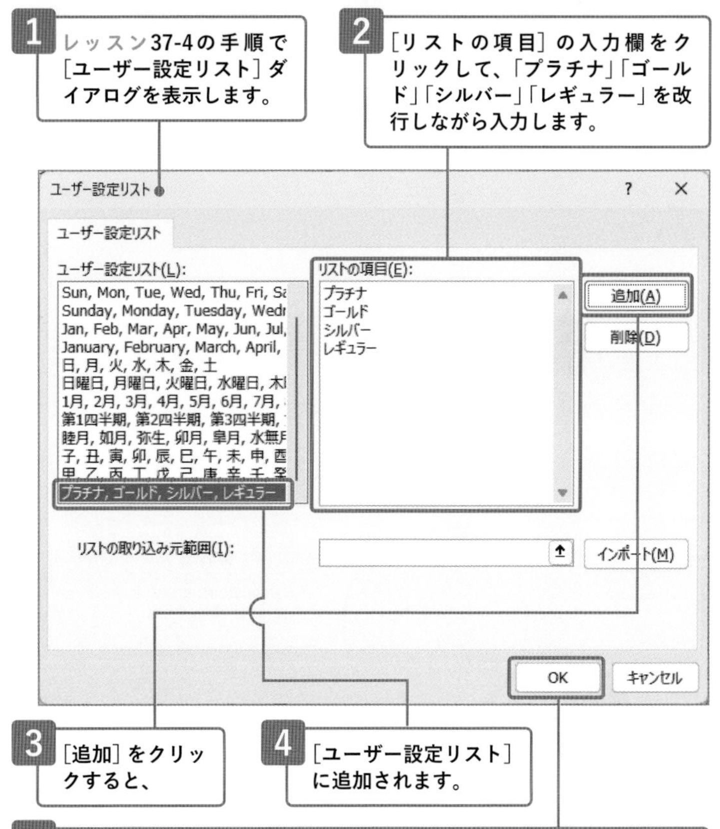

3 [追加] をクリックすると、

4 [ユーザー設定リスト] に追加されます。

5 [OK] をクリックし、[Excelのオプション] ダイアログも [OK] をクリックして閉じておきます。

ユーザー設定リスト順に並べ替える

ここでは［種別］列をユーザー設定リストに追加した順番で昇順に並べ替えます。

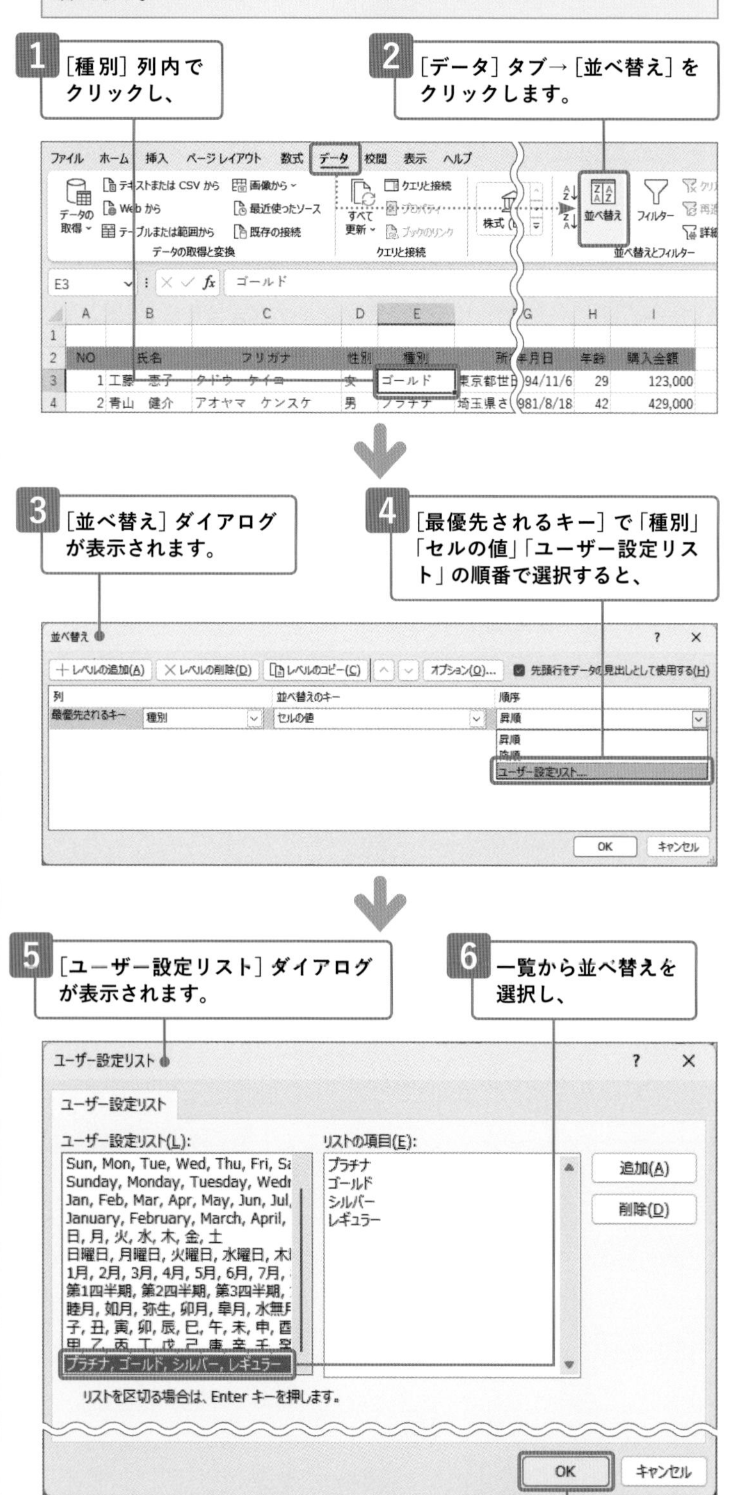

8 ［並べ替え］ダイアログが表示されたら、［OK］をクリックすると、

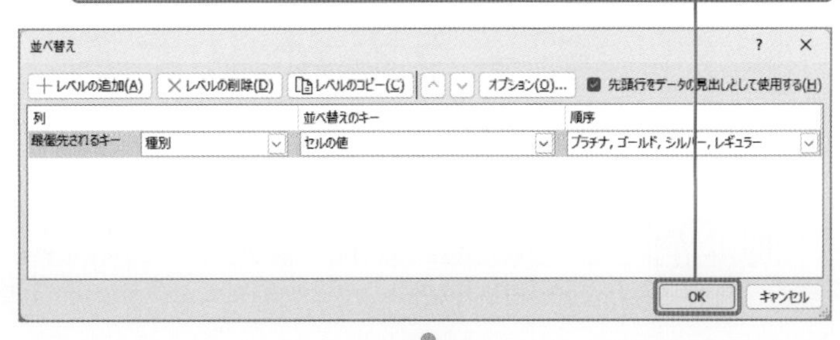

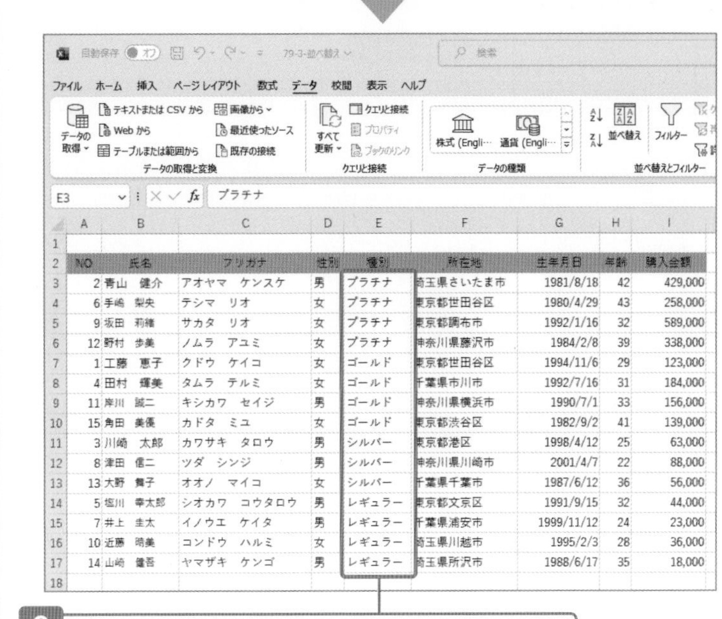

NO	氏名	フリガナ	性別	種別	所在地	生年月日	年齢	購入金額
2	青山 健介	アオヤマ ケンスケ	男	プラチナ	埼玉県さいたま市	1981/8/18	42	429,000
6	手嶋 梨央	テシマ リオ	女	プラチナ	東京都世田谷区	1980/4/29	43	258,000
9	坂田 莉緒	サカタ リオ	女	プラチナ	東京都調布市	1992/1/16	32	589,000
12	野村 歩美	ノムラ アユミ	女	プラチナ	神奈川県藤沢市	1984/2/8	39	338,000
1	工藤 恵子	クドウ ケイコ	女	ゴールド	東京都世田谷区	1994/11/6	29	123,000
4	田村 輝美	タムラ テルミ	女	ゴールド	千葉県市川市	1992/7/16	31	184,000
11	岸川 誠二	キシカワ セイジ	男	ゴールド	神奈川県横浜市	1990/7/1	33	156,000
15	角田 美優	カドタ ミユ	女	ゴールド	東京都渋谷区	1982/9/2	41	139,000
3	川崎 太郎	カワサキ タロウ	男	シルバー	東京都港区	1998/4/12	25	63,000
8	津田 信二	ツダ シンジ	男	シルバー	神奈川県川崎市	2001/4/7	22	88,000
13	大野 舞子	オオノ マイコ	女	シルバー	千葉県千葉市	1987/6/12	36	56,000
5	塩川 幸太郎	シオカワ コウタロウ	男	レギュラー	東京都文京区	1991/9/15	32	44,000
7	井上 圭太	イノウエ ケイタ	男	レギュラー	千葉県浦安市	1999/11/12	24	23,000
10	近藤 晴美	コンドウ ハルミ	女	レギュラー	埼玉県川越市	1995/2/3	28	36,000
14	山崎 健吾	ヤマザキ ケンゴ	男	レギュラー	埼玉県所沢市	1988/6/17	35	18,000

9 ユーザー設定リストに登録した順番で並び替わります。

コラム 並べ替えの範囲を指定する

表の最下部に「合計行」のような集計用の行がある場合に、その行を並べ替えの対象から外すには、並べ替え対象のセル範囲を選択してから、［並べ替え］ダイアログを表示して並べ替えを実行します。

例えば、以下の表で［日計］が大きい順に並べ替えるには、合計行を含めずに範囲選択し❶、［データ］タブ→［並べ替え］をクリックして❷、［並べ替え］ダイアログの［最優先されるキー］に「日計」「セルの値」「大きい順」の順番に選択して❸、［OK］をクリックします❹。選択範囲内で［日計］が大きい順で並べ替えが行われます❺。

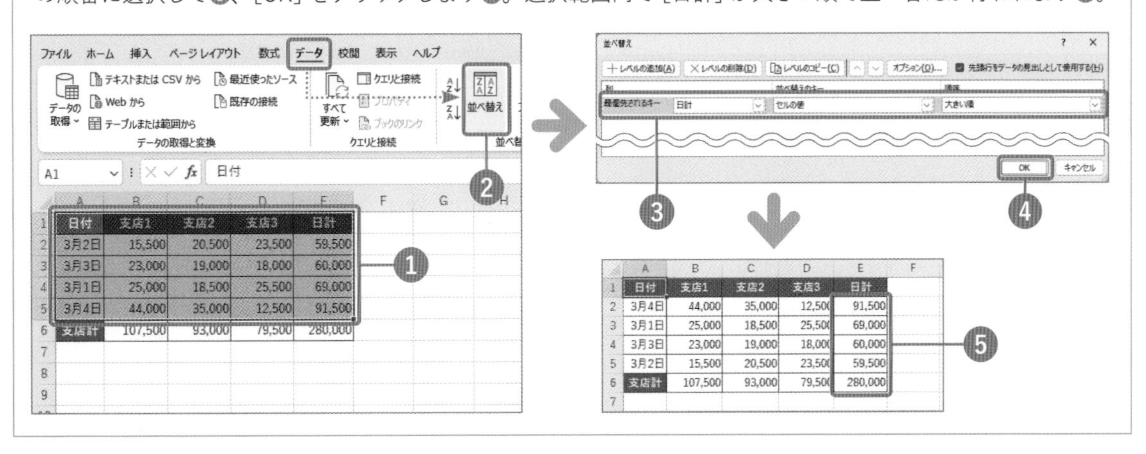

日付	支店1	支店2	支店3	日計
3月2日	15,500	20,500	23,500	59,500
3月3日	23,000	19,000	18,000	60,000
3月1日	25,000	18,500	25,500	69,000
3月4日	44,000	35,000	12,500	91,500
支店計	107,500	93,000	79,500	280,000

日付	支店1	支店2	支店3	日計
3月4日	44,000	35,000	12,500	91,500
3月1日	25,000	18,500	25,500	69,000
3月3日	23,000	19,000	18,000	60,000
3月2日	15,500	20,500	23,500	59,500
支店計	107,500	93,000	79,500	280,000

Section

80 データを抽出する

データベース形式の表でデータを抽出する機能を「フィルター」といいます。フィルターを使うと、簡単な操作で条件に一致するデータだけを絞り込んで表示できます。文字列、数値、日付などいろいろなデータをいろいろな条件で抽出できます。

ここで学べること

習得スキル	操作ガイド	ページ
▶フィルターを使ってデータを抽出	レッスン80-1～4	p.297～p.300
▶フィルターの解除	レッスン80-5	p.301

まずは パッと見るだけ！

データの抽出

フィルター機能は、条件に一致するデータだけを表示します。非表示になったデータは削除されたわけではなく、一時的に非表示になっただけなので、再び元のデータを表示できます。

\ Before /
操作前

	A	B	C	D	E	F	G	H	I	J
1										
2	NO	氏名	フリガナ	性別	種別	所在地	生年月日	年齢	購入金額	
3	1	工藤　恵子	クドウ　ケイコ	女	ゴールド	東京都世田谷区	1994/11/6	29	123,000	
4	2	青山　健介	アオヤマ　ケンスケ	男	プラチナ	埼玉県さいたま市	1981/8/18	42	429,000	
5	3	川崎　太郎	カワサキ　タロウ	男	シルバー	東京都港区	1998/4/12	25	63,000	
6	4	田村　輝美	タムラ　テルミ	女	ゴールド	千葉県市川市	1992/7/16	31	184,000	
15	13	大野　舞子	オオノ　マイコ	女	シルバー	千葉県千葉市	1987/6/12	36	56,000	
16	14	山崎　健吾	ヤマザキ　ケンゴ	男	レギュラー	埼玉県所沢市	1988/6/17	35	18,000	
17	15	角田　美優	カドタ　ミユ	女	ゴールド	東京都渋谷区	1982/9/2	41	139,000	

\ After /
操作後

● 特定の値を持つデータを抽出

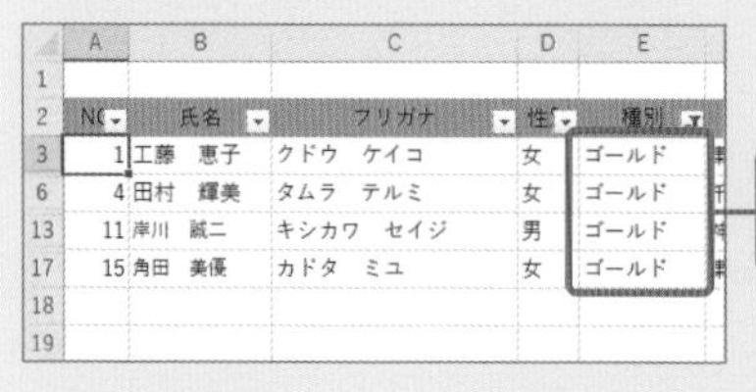

	A	B	C	D	E
1					
2	NO	氏名	フリガナ	性別	種別
3	1	工藤　恵子	クドウ　ケイコ	女	ゴールド
6	4	田村　輝美	タムラ　テルミ	女	ゴールド
13	11	岸川　誠二	キシカワ　セイジ	男	ゴールド
17	15	角田　美優	カドタ　ミユ	女	ゴールド
18					
19					

値が「ゴールド」のデータを抽出

● 文字列を指定してデータを抽出

テキストフィルターで抽出します。

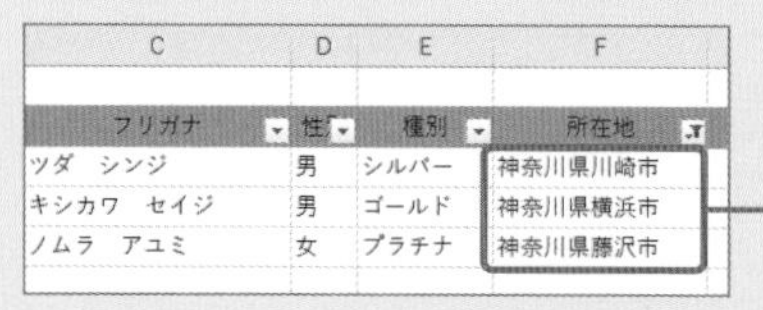

C	D	E	F
フリガナ	性別	種別	所在地
ツダ　シンジ	男	シルバー	神奈川県川崎市
キシカワ　セイジ	男	ゴールド	神奈川県横浜市
ノムラ　アユミ	女	プラチナ	神奈川県藤沢市

「神奈川県」で始まるデータを抽出

● 数値を指定してデータを抽出

数値フィルターで抽出します。

E	F	G	H	I
種別	所在地	生年月日	年齢	購入金額
プラチナ	埼玉県さいたま市	1981/8/18	42	429,000
プラチナ	東京都調布市	1992/1/16	32	589,000
プラチナ	神奈川県藤沢市	1984/2/8	39	338,000

金額が上位3件のデータを抽出

● 日付を指定してデータを抽出

日付フィルターで抽出します。

E	F	G	H	I
種別	所在地	生年月日	年齢	購入金額
ラチナ	埼玉県さいたま市	1981/8/18	42	429,000
ラチナ	東京都世田谷区	1980/4/29	43	258,000
ラチナ	神奈川県藤沢市	1984/2/8	39	338,000
ルバー	千葉県千葉市	1987/6/12	36	56,000

生年月日が1980年代のデータを抽出

 レッスン 80-1 特定の値を持つデータを抽出する

練習用ファイル 80-1-会員名簿.xlsx

操作 特定の値を抽出する

列内のセルの特定の値をもつデータを抽出するには、［フィルターボタン］をクリックし、表示されるメニューで表示したい値のチェックボックスにチェックを付けて選択します。［フィルターボタン］は［データ］タブの［フィルター］をクリックして表示します。

Point ［フィルターボタン］のメニューから並べ替えができる

［フィルターボタン］をクリックすると表示されるメニューにある［昇順］や［降順］をクリックして並べ替えすることができます。
［色で並べ替え］をクリックすると、セルに設定されている色を基準にして並べ替えることもできます。

Memo 抽出中の列の［フィルターボタン］

列が抽出中の場合は、［フィルターボタン］の形状がに変更になります。どの列が抽出されているかの目安になります。

Memo フィルターボタンの表示／非表示

［データ］タブの［フィルター］をクリックするごとに［フィルターボタン］の表示／非表示が切り替わります。抽出されているときに［フィルター］をクリックすると、抽出が解除され、非表示になっていたレコードが表示されます。

Memo 現在の抽出を解除する

現在の条件で抽出されているフィルターを解除するには、解除したい列の列見出しにあるをクリックし［（フィールド名）からフィルターをクリア］をクリックします（レッスン80-5参照）。

ここでは、［種別］が［ゴールド］のデータを抽出します。

1 表内でクリックし、アクティブセルを移動します。

2 ［データ］タブ→［フィルター］をクリックすると、

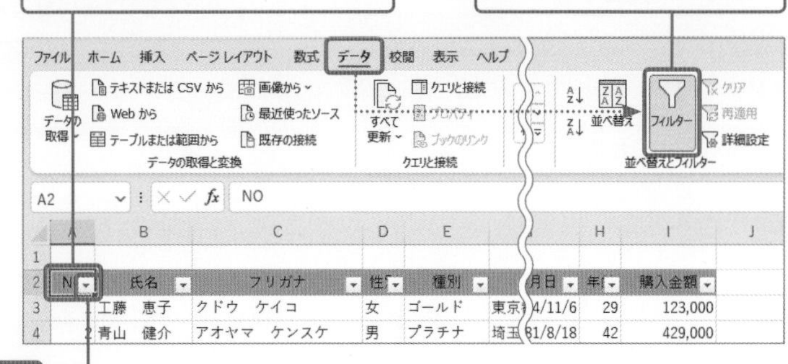

3 列見出しに［フィルターボタン］が表示されます。

4 表抽出する列（ここでは［種別］列）の［フィルターボタン］をクリックし、

5 抽出する値だけ（ここでは［ゴールド］）にチェックを付けて、

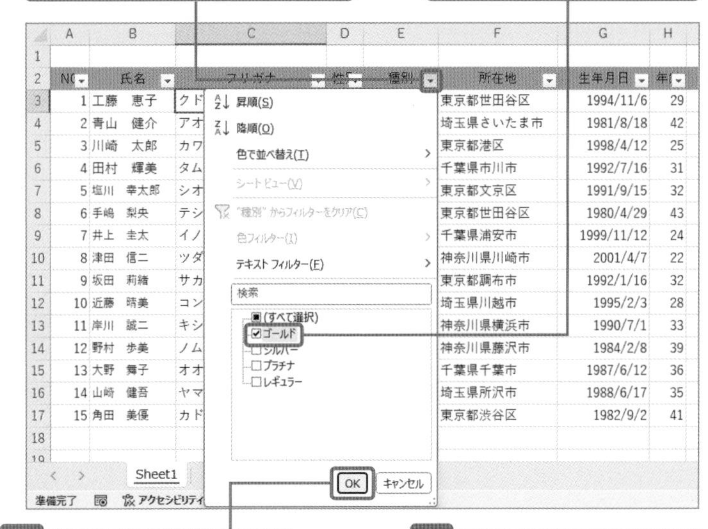

6 ［OK］をクリックすると、

7 指定した値を持つレコードが抽出されます。

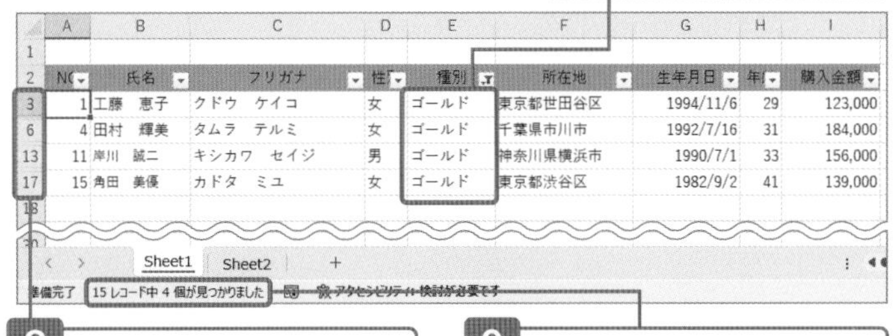

8 抽出中は、行番号が青字で表示され、

9 ステータスバーに抽出された件数が表示されます。

レッスン 80-2 テキストフィルターを使ってデータを抽出する

80-2-会員名簿.xlsx

操作 テキストフィルターで抽出する

抽出する列のデータが文字列の場合は、文字に対して条件が設定できるテキストフィルターが使えます。「等しい」、「で始まる」、「を含む」など指定した値に対して、いろいろな条件が設定できます。

ここでは、［所在地］列で「神奈川県」で始まるデータを抽出します。

1 テキストフィルターを設定したい列（ここでは［所在地］列）の［フィルターボタン］をクリックし、

2 ［テキストフィルター］をクリックして、

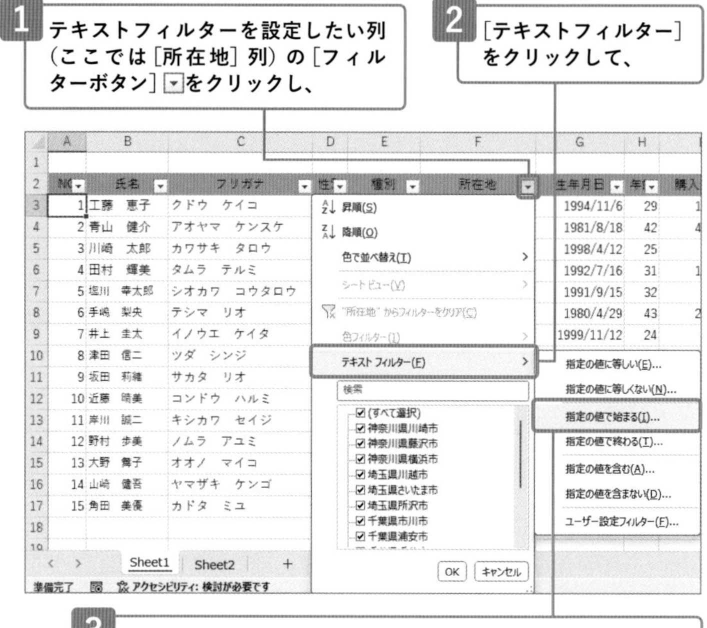

3 条件の項目をクリックすると（ここでは［指定の値で始まる］）、

4 ［カスタムオートフィルター］ダイアログが表示されます。

5 ここに条件とする文字列（ここでは「神奈川県」）を入力し、

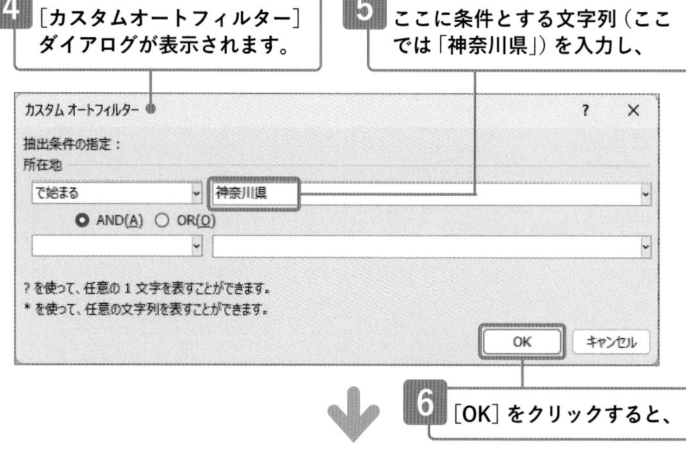

6 ［OK］をクリックすると、

7 指定した条件に一致するデータが抽出されます（ここでは「神奈川県」で始まるデータ）。

レッスン 80-3 数値フィルターを使ってデータを抽出する

80-3-会員名簿.xlsx

操作 数値フィルターで抽出する

抽出する列のデータが数値の場合は、数値に対していろいろな条件が設定できる数値フィルターが使えます。「以上」「より小さい」「トップテン」「平均より上」などの条件が用意されています。

Memo [トップテン オートフィルタ] ダイアログでの設定内容

[トップテン オートフィルタ] ダイアログでは、1つ目の選択肢は [上位] と [下位]、2つ目は取り出す数、3つ目は [項目] と [パーセント] で選択できます。1つ目の選択の [上位] とは大きい順で上から数え、[下位] は大きい順で下から数えます。
また、3つ目の選択肢は [項目] は個数、[パーセント] は割合で選択できます。

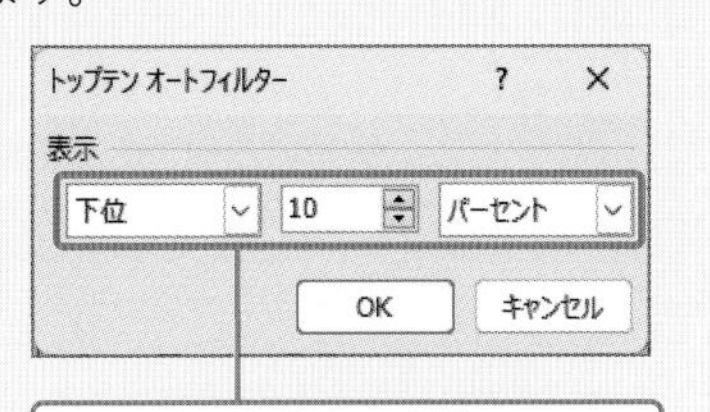

小さい方から数えて全体の10パーセントのデータを抽出します。

ここでは、[購入金額] 列で降順で3件 (トップ3) 抽出します。

1 数値フィルターを設定したい列 (ここでは [購入金額] 列) の [フィルターボタン] をクリックし、

2 [数値フィルター] をクリックして、

3 条件の項目をクリックすると (ここでは [トップテン])、

4 [トップテン オートフィルター] ダイアログが表示されます。

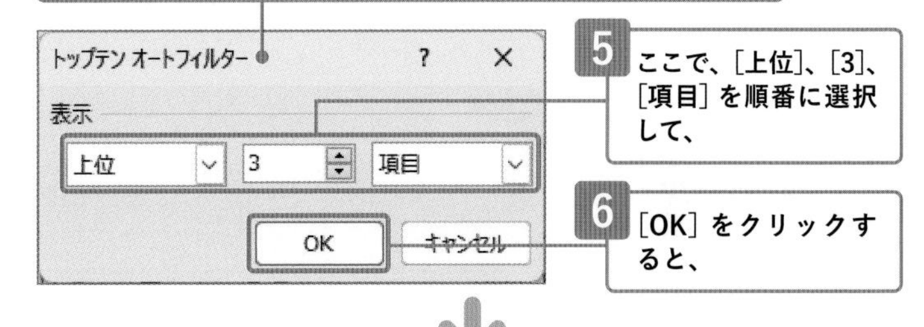

5 ここで、[上位]、[3]、[項目] を順番に選択して、

6 [OK] をクリックすると、

7 指定した条件に一致するデータが抽出されます (ここでは金額が高い方からトップ3のデータ)。

レッスン 80-4 日付フィルターを使ってデータを抽出する

80-4-会員名簿.xlsx

操作 日付フィルターで抽出する

抽出する列のデータが日付の場合は、日付に対して条件が設定できる日付フィルターが使えます。「より前」「期間内」「来月」「昨年」など日付の値に対して、いろいろな条件が用意されています。

ここでは、[生年月日] 列で「1980年代」のデータを抽出します。

1 日付フィルターを設定したい列（ここでは [生年月日] 列）の [フィルターボタン] をクリックし、

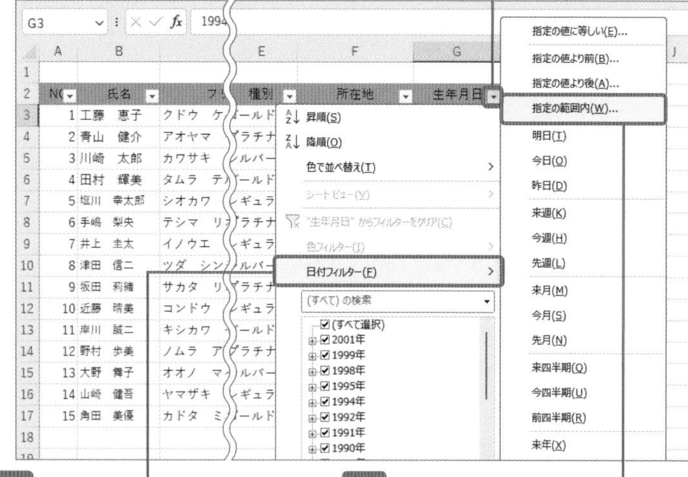

2 [日付フィルター] をクリックして、

3 条件の項目をクリックすると（ここでは [指定の期間内]）、

4 [カスタム オートフィルター] ダイアログが表示されます。

5 ここに開始の日付（ここでは「1980/1/1」）を入力し、

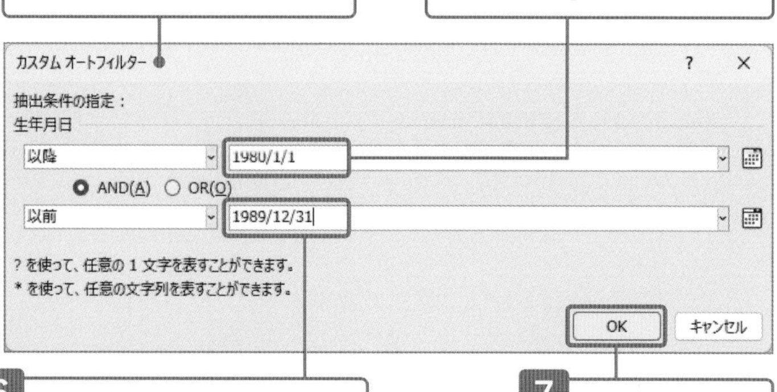

6 ここに条件とする値（ここでは「1989/12/31」）を入力して、

7 [OK] をクリックすると、

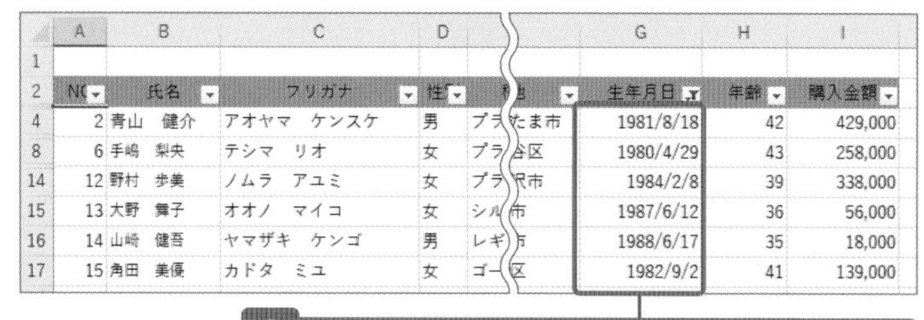

	NO	氏名	フリガナ	性別	所在地	生年月日	年齢	購入金額
4	2	青山　健介	アオヤマ　ケンスケ	男	プラ たま市	1981/8/18	42	429,000
8	6	手嶋　梨央	テシマ　リオ	女	プラ 谷区	1980/4/29	43	258,000
14	12	野村　歩美	ノムラ　アユミ	女	プラ 沢市	1984/2/8	39	338,000
15	13	大野　舞子	オオノ　マイコ	女	シル 市	1987/6/12	36	56,000
16	14	山崎　健吾	ヤマザキ　ケンゴ	男	レギ 市	1988/6/17	35	18,000
17	15	角田　美優	カドタ　ミユ	女	ゴー 区	1982/9/2	41	139,000

8 指定した条件に一致するデータが抽出されます（ここでは1980年代のデータ）。

Memo 1980年代の指定方法

1980年代は、1980/1/1から1989/12/31の期間です。そのため、[指定の期間内] を選択し、開始の日付と終了の日付を指定しています。

Memo ANDとOR

[カスタム オートフィルター] ダイアログで条件を2つ指定する場合、[AND] と [OR] の選択肢があります。[AND] とは「かつ」ということで2つの条件を共に満たすものという意味です。一方、[OR] とは「または」ということで2つの条件のいずれか1つでも条件を満たすものという意味です。

レッスン 80-5 フィルターを解除する

80-5-会員名簿.xlsx

操作 フィルターを解除する

フィルターを行っている列だけ解除するには、[フィルターボタン] をクリックし、[(フィールド名) からフィルターをクリア] をクリックします。すべてのフィルターを一気に解除するには、[データ] タブの [クリア] をクリックします。

Memo 複数フィールドの抽出

使用例では、[性別] 列で「女」、[種別] 列で「プラチナ」、[生年月日] 列で「1980年代」の抽出を行っています。このように複数フィールドで抽出するとすべての条件に一致するレコードが抽出されます。

指定した列のフィルターを解除する

ここでは、[性別] 列のフィルターを解除します。

1 フィルターを解除したい列 (ここでは [性別] 列) の [フィルターボタン] をクリックし、

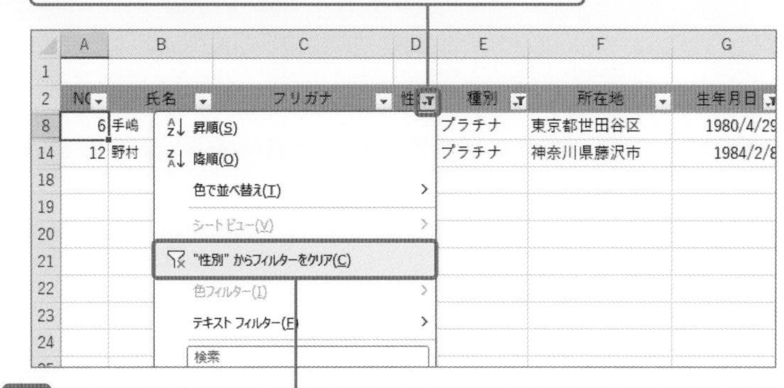

2 [(フィールド名) からフィルターをクリア] (ここでは ["性別" からフィルターをクリア]) をクリックします。

3 [性別] 列のフィルターが解除されました。

	A	B	C	D	E	F	G
1							
2	NO	氏名	フリガナ	性別	種別	所在地	生年月日
4	2	青山　健介	アオヤマ　ケンスケ	男	プラチナ	埼玉県さいたま市	1981/8/
8	6	手嶋　梨央	テシマ　リオ	女	プラチナ	東京都世田谷区	1980/4/
14	12	野村　歩美	ノムラ　アユミ	女	プラチナ	神奈川県藤沢市	1984/2
18							
19							
20							

Memo [フィルターボタン] を表示したままフィルターを解除する

[データ] タブの [クリア] をクリックすると、[フィルターボタン] を表示したままフィルターを解除するので引き続き抽出を行えます。[データ] タブの [フィルター] をクリックすると、フィルターの解除と同時に [フィルターボタン] も非表示になり、フィルター機能が終了します。

すべてのフィルターを解除する

1 [データ] タブ→ [クリア] をクリックします。

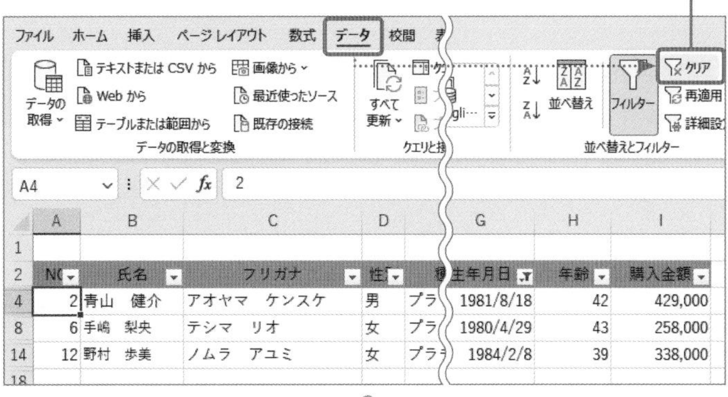

2 すべてのフィルターが解除されて、全レコードが表示されます。

	A	B	C	D	E	F	G	H	I
1									
2	NO	氏名	フリガナ	性別	種別	所在地	生年月日	年齢	購入金額
3	1	工藤　恵子	クドウ　ケイコ	女	ゴールド	東京都世田谷区	1994/11/6	29	123,000
4	2	青山　健介	アオヤマ　ケンスケ	男	プラチナ	埼玉県さいたま市	1981/8/18	42	429,000
5	3	川崎　太郎	カワサキ　タロウ	男	シルバー	東京都港区	1998/4/12	25	63,000
6	4	田村　輝美	タムラ　テルミ	女	ゴールド	千葉県市川市	1992/7/16	31	184,000
7	5	塩川　幸太郎	シオカワ　コウタロウ	男	レギュラー	東京都文京区	1991/9/15	32	44,000
8	6	手嶋　梨央	テシマ　リオ	女	プラチナ	東京都世田谷区	1980/4/29	43	258,000
9	7	井上　圭太	イノウエ　ケイタ	男	レギュラー	千葉県浦安市	1999/11/12	24	23,000
10	8	津田　信二	ツダ　シンジ	男	シルバー	神奈川県川崎市	2001/4/7	22	88,000
11	9	坂田　莉緒	サカタ　リオ	女	プラチナ	東京都調布市	1992/1/16	32	589,000
12	10	近藤　晴美	コンドウ　ハルミ	女	レギュラー	埼玉県川越市	1995/2/3	28	36,000
13	11	岸川　誠二	キシカワ　セイジ	男	ゴールド	神奈川県横浜市	1990/7/1	33	156,000
14	12	野村　歩美	ノムラ　アユミ	女	プラチナ	神奈川県藤沢市	1984/2/8	39	338,000
15	13	大野　舞子	オオノ　マイコ	女	シルバー	千葉県千葉市	1987/6/12	36	56,000
16	14	山崎　健吾	ヤマザキ　ケンゴ	男	レギュラー	埼玉県所沢市	1988/6/17	35	18,000
17	15	角田　美優	カドタ　ミユ	女	ゴールド	東京都渋谷区	1982/9/2	41	139,000
18									

フィルター機能を終了する

1 ［データ］タブ→［フィルター］をクリックすると、

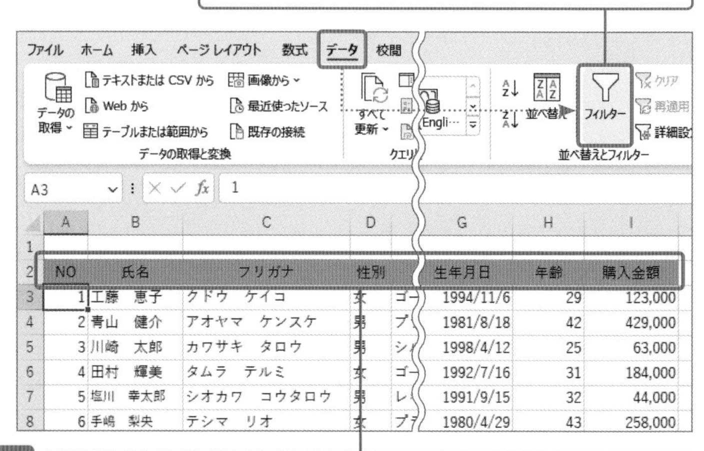

2 ［フィルターボタン］が非表示になります。レコードが抽出されていた場合はすべてのレコードが表示されます。

Section

81 データを検索／置換する

多くのデータの中から特定の文字を探したり、指定した文字列を別の文字に置き換えたりすることがあるでしょう。検索と置換の機能を使えば、大量のデータの中から目的の文字をすばやく見つけたり、指定した文字を正確に1つ残らず置き換えたりできます。

ここで学べること

習得スキル	操作ガイド	ページ
▶データの検索	レッスン81-1	p.304
▶データの置換	レッスン81-2	p.304

まずは パッと見るだけ！

データの検索と置換

集めたデータの中から指定した文字をすばやく探したり、指定した文字列を別の文字列に置き換えたりするには、[検索と置換] ダイアログを使います。必要なデータを見つけたいときやデータの修正が必要なときに役立ちます。

Before 操作前 ／ After 操作後

● データの検索

リガナ	性別	種別	所在地	生年月日	年齢	購入金額
ケイコ	女	ゴールド	東京都世田谷区	1994/11/6	29	123,000
ケンスケ	男	プラチナ	埼玉県さいたま市	1981/8/18	42	429,000
タロウ	男	シルバー	東京都港区	1998/4/12	25	63,000
テルミ	女	ゴールド	千葉県市川市	1992/7/16	31	184,000
コウタロウ	男	ブロンズ	東京都文京区	1991/9/15	32	44,000
リオ	女	プラチナ	東京都世田谷区	1980/4/29	43	258,000
ケイタ	男	ブロンズ	千葉県浦安市	1999/11/12	24	23,000
ンジ	男	シルバー	神奈川県川崎市	2001/4/7	22	88,000
リオ	女	プラチナ	東京都調布市	1992/1/16	32	589,000
ハルミ	女	ブロンズ	埼玉県川越市	1995/2/3	28	36,000
セイジ	男	ゴールド	神奈川県横浜市	1990/7/1	33	156,000
アユミ	女	プラチナ	神奈川県藤沢市	1984/2/8	39	338,000

千葉県のデータを探したい

--->

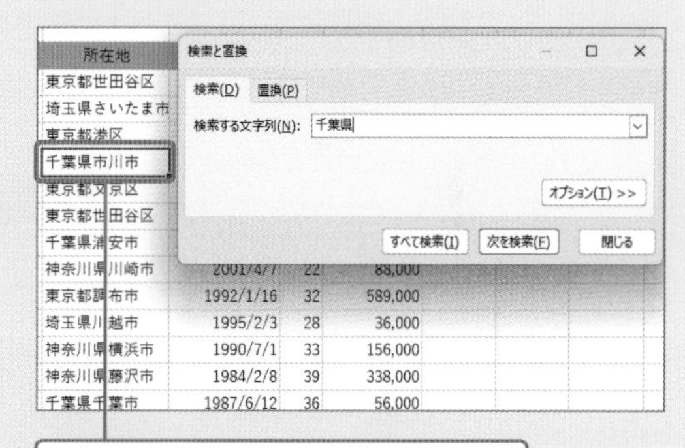

検索機能を使ってすばやく見つけられた

● データの置換

ガナ	性別	種別	所在地	生年月日	年齢	購入金額
イコ	女	ゴールド	東京都世田谷区	1994/11/6	29	123,000
ケンスケ	男	プラチナ	埼玉県さいたま市	1981/8/18	42	429,000
タロウ	男	シルバー	東京都港区	1998/4/12	25	63,000
ルミ	女	ゴールド	千葉県市川市	1992/7/16	31	184,000
コウタロウ	男	ブロンズ	東京都文京区	1991/9/15	32	44,000
オ	女	プラチナ	東京都世田谷区	1980/4/29	43	258,000
ケイタ	男	ブロンズ	千葉県浦安市	1999/11/12	24	23,000
ジ	男	シルバー	神奈川県川崎市	2001/4/7	22	88,000
オ	女	プラチナ	東京都調布市	1992/1/16	32	589,000

「ブロンズ」を「レギュラー」に修正したい

--->

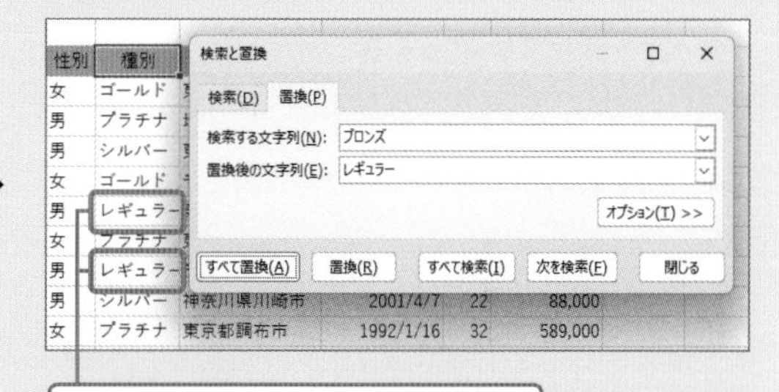

置換機能を使って一気に変更できた

 レッスン 81-1 データを検索する

練習用ファイル 81-1-会員名簿.xlsx

操作 データを検索する

データを検索するには、[ホーム] タブの [検索と選択] をクリックし [検索と置換] ダイアログの [検索] タブの画面を使います。実行前に検索したい列の先頭のセルを選択しておけば、上から順番に検索されます。

ショートカットキー

- 検索
  Ctrl + F

上級テクニック [すべて検索] で一気に検索する

手順5で [すべて検索] をクリックすると、検索結果が [検索と置換] ダイアログの下にリスト表示されます。

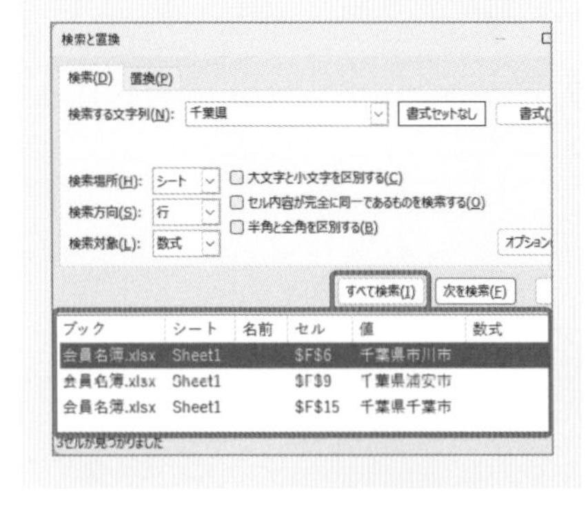

ここでは、[所在地] が「千葉県」のものを検索します。

1 検索する値のある列の列見出しをクリックし、

2 [ホーム] タブ→ [検索と選択] → [検索] をクリックします。

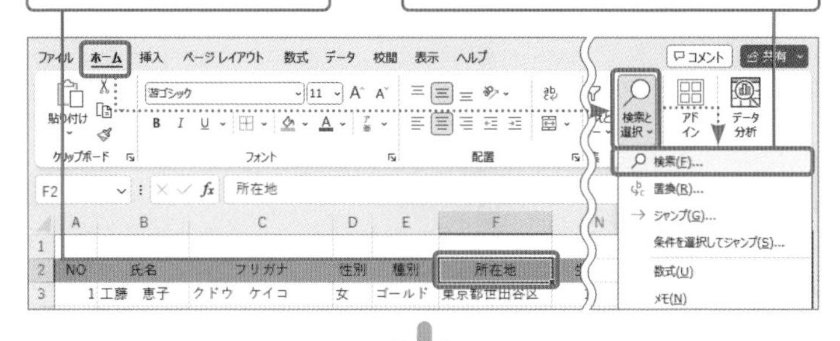

3 [検索と置換] ダイアログで [検索] タブが選択されて表示されます。

4 [検索する文字列] に検索したい文字列（ここでは「千葉県」）と入力し、

5 [次を検索] をクリックすると、

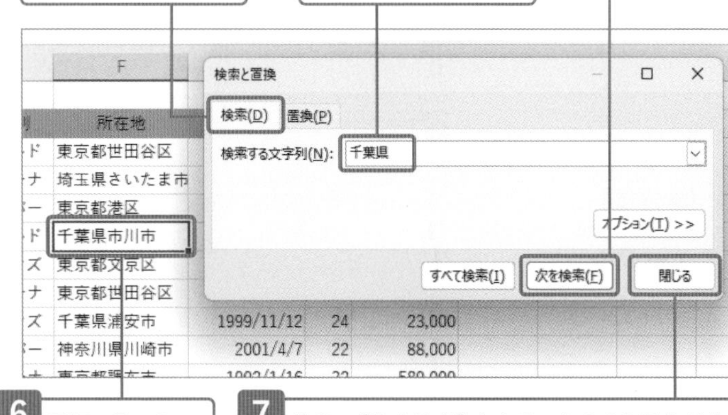

6 最初に見つかったセルが選択されます。

7 続けて [次を検索] をクリックすると検索が実行され、該当するセルが選択されます。終了する場合は、[閉じる] をクリックします。

レッスン 81-2 データを置換する

練習用ファイル 81-2-会員名簿.xlsx

操作 データを置換する

データを置換するには、[ホーム] タブの [検索と選択] をクリックし [検索と置換] ダイアログの [置換] タブの画面を使います。1つずつ確認しながら置換することも、まとめて一気に置換することもできます。

ここでは、[種別] 列の「ブロンズ」を「レギュラー」に置換します。

1 置換する値のある列の列見出しをクリックし、

2 [ホーム] タブ→ [検索と選択] → [置換] をクリックします。

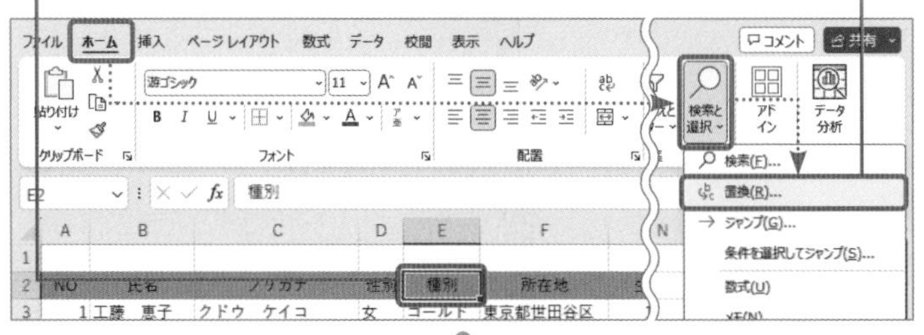

ショートカットキー

● 置換
Ctrl + H

Memo [すべて置換] で一気に置換する

[すべて置換] をクリックすると、該当するデータが一気に置換されます。置換後、下図のように置換されたデータの件数を表示するメッセージが表示されます。

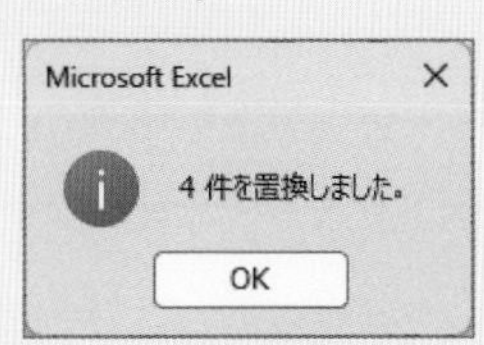

上級テクニック 検索／置換の方法を詳細設定する

[検索と置換] ダイアログで [オプション] をクリックすると画面が拡張され、詳細設定をする項目が表示されます。
例えば、[セル内容が完全に同一であるものを検索する] にチェックを付けると、完全一致するセルだけが検索されます。

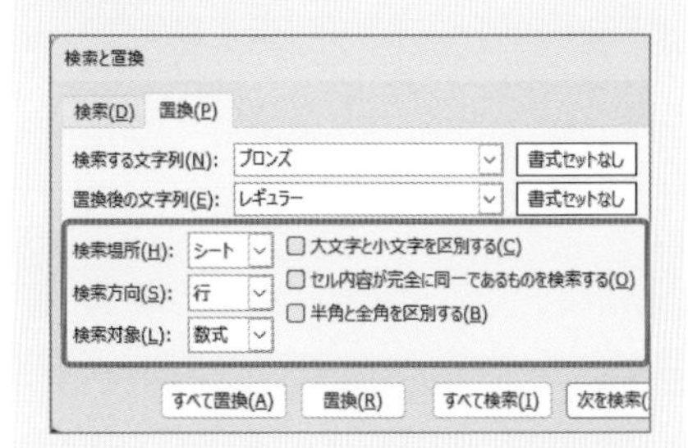

検索、置換ともに設定内容は共通です。変更された設定は終了後も維持されるので、次に検索する場合は、必ず確認するようにしてください。

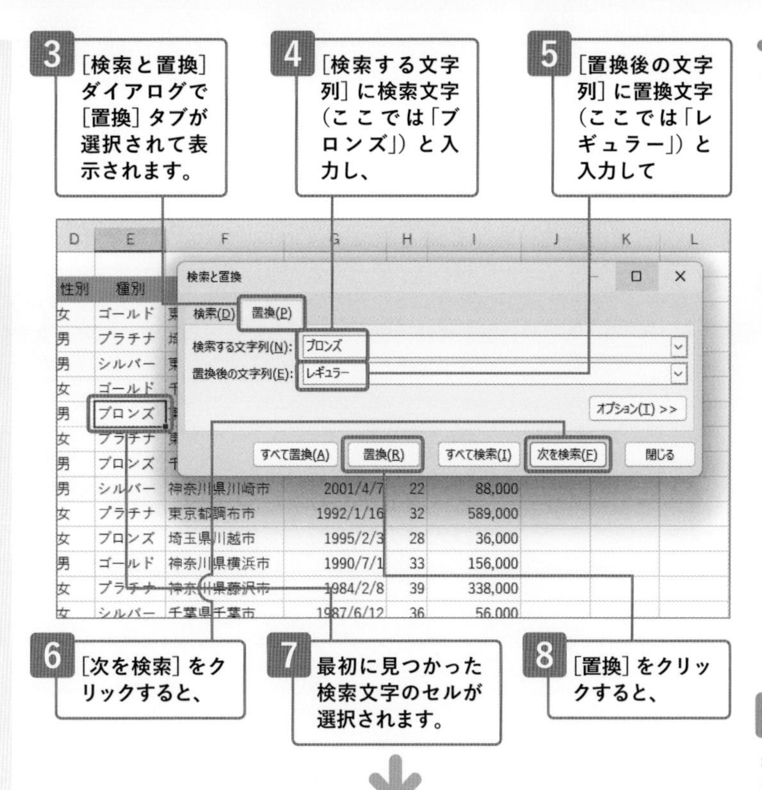

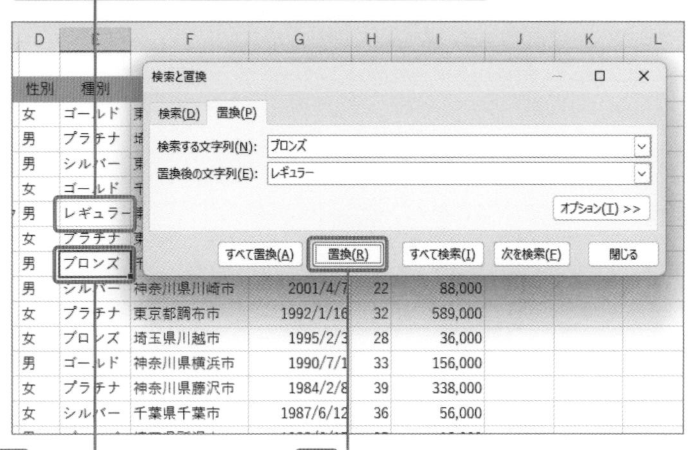

12 置換が終了すると、「一致するデータが見つかりません」というメッセージが表示されます。[OK] をクリックしてメッセージを閉じ、[検索と置換] ダイアログで [閉じる] をクリックして終了します。

Section

82 テーブル機能を利用する

テーブルとは、データを効率的に管理、分析するために用意された機能です。データベース形式で作成された表は、テーブルに変換できます。表がテーブルになると、表全体の範囲が自動的に識別され、データの入力が効率的になり、データを管理しやすくなります。

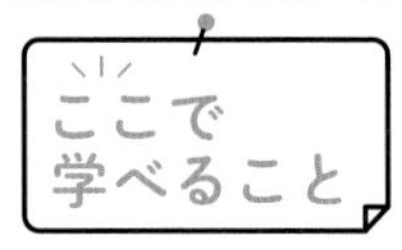

習得スキル	操作ガイド	ページ
▶表をテーブルに変換	レッスン82-1	p.307
▶テーブルへの入力や編集	レッスン82-2～3	p.308～p.310
▶テーブルをセル範囲に戻す	レッスン82-4	p.311

まずは パッと見るだけ！

テーブルでデータを管理する

表をテーブルに変換すると、自動的に表全体に塗りつぶしや罫線などの書式が設定され、表全体に対していろいろな機能が使えるようになります。

\Before/ **操作前**

	A	B	C	D	E	H	I
1							
2	NO	氏名	フリガナ	性別	種 日	年齢	購入金額
3	1	工藤　恵子	クドウ　ケイコ	女	ゴール 11/6	29	123,000
4	2	青山　健介	アオヤマ　ケンスケ	男	プラチ /8/18	42	429,000
5	3	川崎　太郎	カワサキ　タロウ	男	シルバー 4/12	25	63,000
6	4	田村　輝美	タムラ　テルミ	女	ゴール /7/16	31	184,000
7	5	塩川　幸太郎	シオカワ　コウタロウ	男	レギュラ 9/15	32	44,000
8	6	手嶋　梨央	テシマ　リオ	女	プラチ /4/29	43	258,000
9	7	井上　圭太	イノウエ　ケイタ	男	レギュラ 1/12	24	23,000
10	8	津田　信二	ツダ　シンジ	男	シルバ 1/4/7	22	88,000
11	9	坂田　莉緒	サカタ　リオ	女	プラチナ 1/16	32	589,000
12	10	近藤　晴美	コンドウ　ハルミ	女	レギュ 6/2/3	28	36,000
13	11	岸川　誠二	キシカワ　セイジ	男	ゴール /7/1	33	156,000
14	12	野村　歩美	ノムラ　アユミ	女	プラチ 4/2/8	39	338,000
15	13	大野　舞子	オオノ　マイコ	女	シルバー 6/12	36	56,000
16	14	山崎　健吾	ヤマザキ　ケンゴ	男	レギュ /6/17	35	18,000
17	15	角田　美優	カドタ　ミユ	女	ゴール /9/2	41	139,000

データベース形式の表

\After/ **操作後**

	A	B	C	D		H	I
1							
2	NO	氏名	フリガナ	性別	種 日	年齢	購入金額
3	1	工藤　恵子	クドウ　ケイコ	女	ゴール /11/6	29	123,000
4	2	青山　健介	アオヤマ　ケンスケ	男	プラチ 1/8/18	42	429,000
5	3	川崎　太郎	カワサキ　タロウ	男	シルバ /4/12	25	63,000
6	4	田村　輝美	タムラ　テルミ	女	ゴール 2/7/16	31	184,000
7	5	塩川　幸太郎	シオカワ　コウタロウ	男	レギュ /9/15	32	44,000
8	6	手嶋　梨央	テシマ　リオ	女	プラチ 0/4/29	43	258,000
9	7	井上　圭太	イノウエ　ケイタ	男	レギュ 11/12	24	23,000
10	8	津田　信二	ツダ　シンジ	男	シルバ 01/4/7	22	88,000
11	9	坂田　莉緒	サカタ　リオ	女	プラチ /1/16	32	589,000
12	10	近藤　晴美	コンドウ　ハルミ	女	レギュ 95/2/3	28	36,000
13	11	岸川　誠二	キシカワ　セイジ	男	ゴール 0/7/1	33	156,000
14	12	野村　歩美	ノムラ　アユミ	女	プラチ 84/2/8	39	338,000
15	13	大野　舞子	オオノ　マイコ	女	シルバ /6/12	36	56,000
16	14	山崎　健吾	ヤマザキ　ケンゴ	男	レギュ 8/6/17	35	18,000
17	15	角田　美優	カドタ　ミユ	女	ゴール 2/9/2	41	139,000

表をテーブルに変換すると、［フィルターボタン］が表示され、表全体にテーブルスタイルが設定されて、さまざまな機能が使えるようになる

▼テーブルでできること

テーブルでできること	参照レッスン
テーブルのセル範囲が自動認識され、名前が設定される	レッスン82-1
［フィルターボタン］を使って抽出や並べ替えができる	レッスン82-1
スタイルの一括変更ができる	レッスン82-1
画面スクロールで列番号が列見出しになる	レッスン82-2
新規入力行に自動で書式や数式がコピーされる	レッスン82-2
行や列の追加／削除をテーブル単位で操作できる	レッスン82-3
データの集計ができる	レッスン84-1
計算式のセル参照が構造化参照になる	レッスン85-1

レッスン 82-1 表をテーブルに変換する

82-1-会員名簿.xlsx

操作 表をテーブルにする

データベース形式の表をテーブルに変換するには、[挿入] タブ→ [テーブル] をクリックします。
テーブルに変換すると自動的にテーブル全体にスタイルが設定されます。

Point 元の表の色や罫線を削除しておく

テーブルに設定されるスタイルは、元の表の色や罫線に重なって設定されます。テーブルのスタイルをきれいに表示したい場合は、テーブルに変換する前に、フォントの色は[黒]、セルの色は[塗りつぶしなし]に設定し、罫線は削除しておきましょう。元の表の書式をそのまま表示したい場合は、p.311の方法でテーブル変換後にテーブルスタイルをクリアしてください。

Memo [フィルターボタン] を使って並べ替え、抽出する

テーブルに変換すると列見出しに[フィルターボタン]▼が表示されます。[フィルターボタン]をクリックして表示されるメニューから並べ替えや抽出がすばやく行えます。通常の表と同じ手順で並べ替え、抽出を行うことができます(Section79、Section80参照)。

Memo テーブルスタイルを選択してテーブルに変換する

[ホーム] タブ→ [テーブルとして書式設定] をクリックすると、あらかじめテーブルスタイルを指定してテーブルに変換できます。

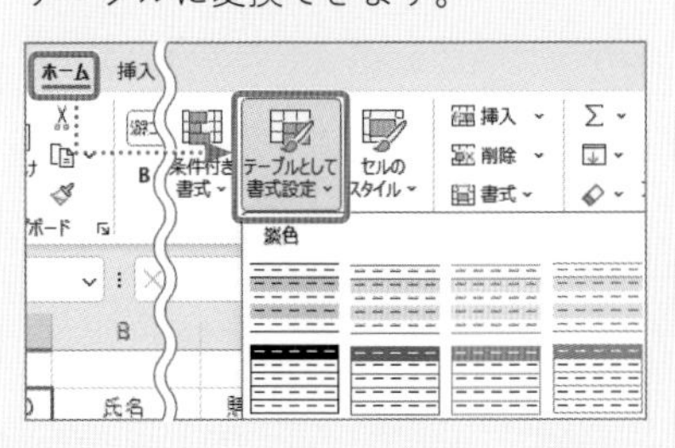

1 表内をクリックし、

2 [挿入] タブ→ [テーブル] をクリックします。

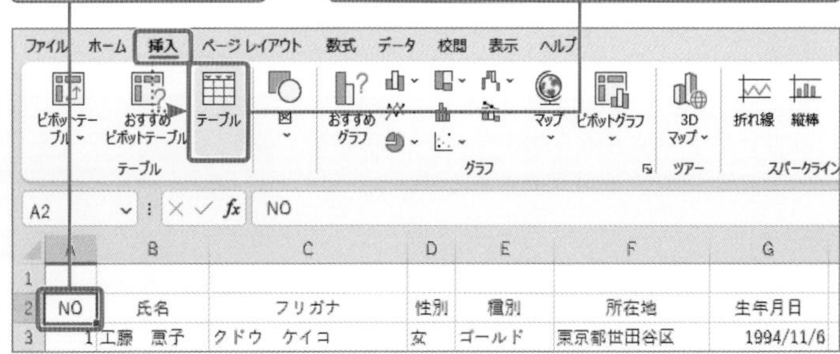

3 テーブルの範囲が点線で囲まれ、セル範囲が表示されます。正しく設定されていない場合はドラッグして範囲を修正します。

4 [OK] をクリックします。

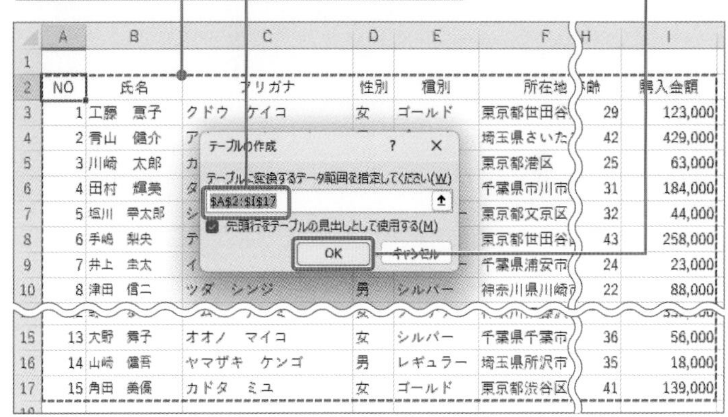

5 表がテーブルに変換されます。列見出しに [フィルターボタン] が表示され、テーブル全体にスタイルが設定されます。

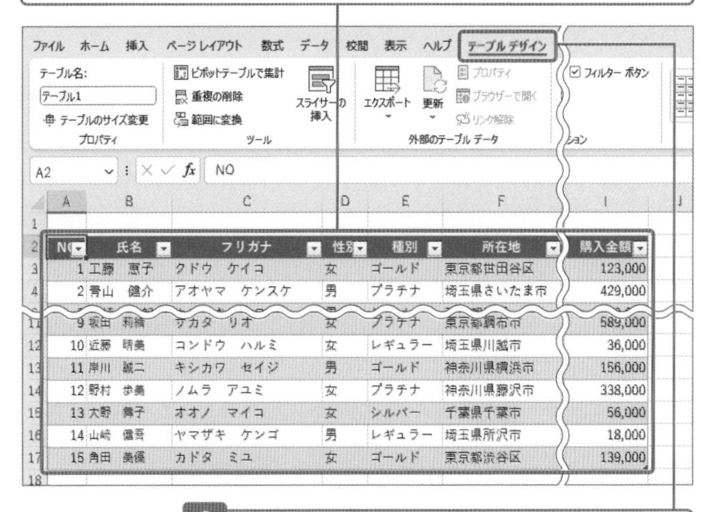

6 テーブル編集用のコンテキストタブの [テーブルデザイン] タブが表示されます。

Memo テーブル名が設定される

テーブルを作成すると、自動的にテーブル名が設定されます。テーブル名はコンテキストタブの［テーブルデザイン］タブの［テーブル名］で確認、変更できます。［名前ボックス］の⌄をクリックし、一覧からテーブル名を選択すると、テーブルの全レコードが選択されます。

Memo テーブルスタイルは自由に変更できる

コンテキストタブの［テーブルデザイン］タブの［テーブルスタイル］グループで⊽をクリックすると、テーブルスタイルの一覧が表示されます。一覧から任意のテーブルスタイルを選択するだけでテーブル全体のスタイルを変更できます。

レッスン 82-2 テーブルにデータを入力する

練習用ファイル 82-2-会員名簿.xlsx

操作 テーブルにデータを入力する

表をテーブルに変換後、新規レコードを入力すると、表にあらかじめ設定されていた入力規則や数式が自動的に新規入力行にコピーされるため、書式設定や数式をコピーする手間が省けます。

時短ワザ Tab キーだけでセル移動できる

テーブル内でデータを入力する場合は、Tab キーで右方向に1つずつ移動し、右端のセルでTab キーを押すと自動的に次の行の先頭セルに移動します。Tab だけでセル移動できるようになり便利です。逆方向に移動するには、Shift+Tab キーを押します。

1 テーブル内でクリックし、画面を下方向にスクロールし、最終行を表示します。

2 画面をスクロールすると、列番号が列見出しに置き換わっていることを確認します。

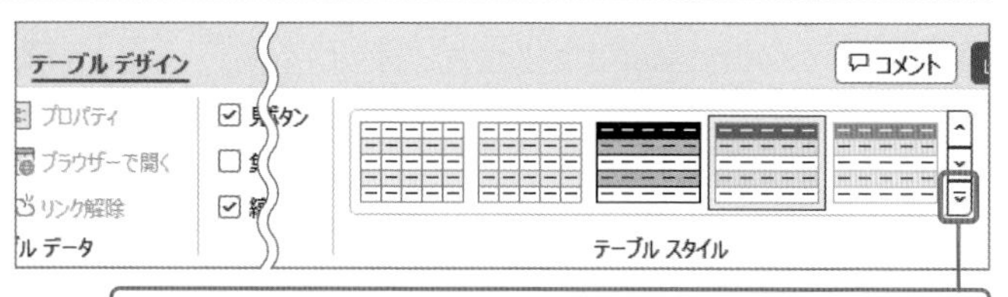

3 最終行の先頭セルをクリックし、Tab キーを押してアクティブセルが順番に右方向に移動することを確認します。

4 アクティブセルが右端にあるとき、Tab キーを押すと、

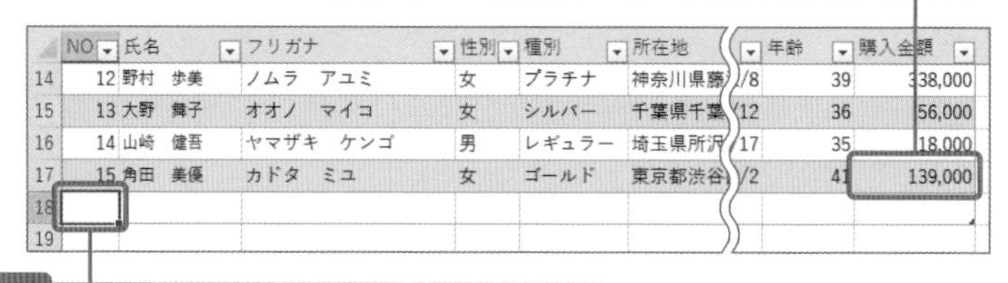

5 テーブルに新規入力行が追加されて、先頭にアクティブセルが表示されます。

6 画面を参照して、データを1件入力します。このとき日本語入力モードを切り替えることなくデータが入力でき、［フリガナ］と［年齢］が自動で表示され、［性別］と［種別］は選択肢から選択できることを確認してください（コラム参照）。

	NO	氏名	フリガナ	性別	種別	所在地	生年月日	年齢	購入金額
14	12	野村　歩美	ノムラ　アユミ	女	プラチナ	神奈川県藤沢市	1984/2/8	39	338,000
15	13	大野　舞子	オオノ　マイコ	女	シルバー	千葉県千葉市	1987/6/12	36	56,000
16	14	山崎　健吾	ヤマザキ　ケンゴ	男	レギュラー	埼玉県所沢市	1988/6/17	35	18,000
17	15	角田　美優	カドタ　ミユ	女	ゴールド	東京都渋谷区	1982/9/2	41	139,000
18	16	中村　明美	ナカムラ　アケミ	女	シルバー	東京都港区	1994/6/24	29	65,000
19									
20									

コラム　テーブルに設定されているデータの入力規則と数式

テーブルには、以下のようなデータの入力規則（赤枠）と数式（青枠）が設定されています。詳細は、サンプルファイルで確認してください。

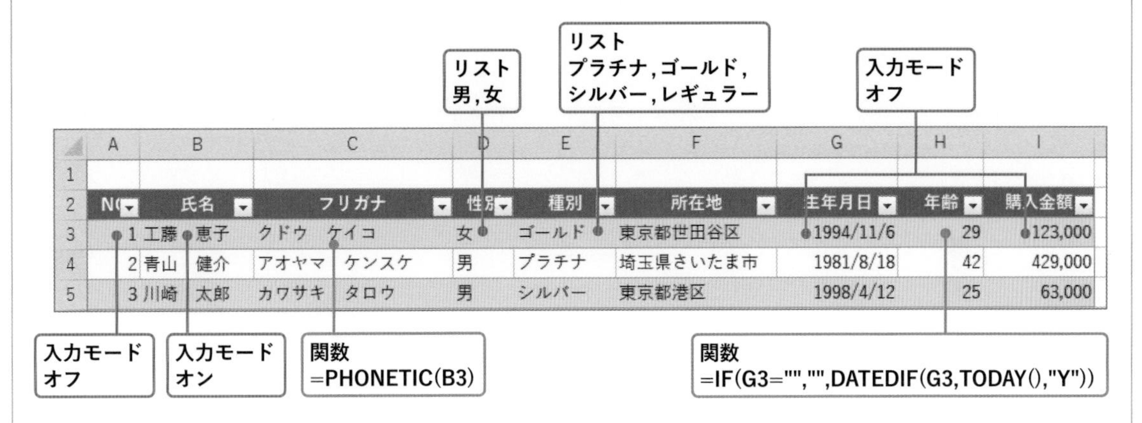

● **［年齢］列の数式**

［年齢］列には、生年月日から年齢を算出する関数を設定しています。
数式：=IF(G3="","",DATEDIF(G3,TODAY(),"Y"))
意味：セルG3の値が空欄の場合、何も表示しない。そうでない場合は、DATEDIF関数の結果を表示する。

数式：=DATEDIF(G3,TODAY(),"Y")
意味：セルG3の日付を開始日、今日の日付を終了日として、満年齢を求める。

▼ TODAY関数「現在の日付を求める関数」

書式	=TODAY()
引数	なし
説明	現在の日付を求めます。

▼ DATEDIF関数「指定期間の年数、月数、日数を求める関数」

書式	=DATEDIF(開始日, 終了日, 単位)	
引数	開始日	開始日の日付を指定します。
	終了日	終了日の日付を指定します。
	単位	求める期間の単位を指定します。
説明	開始日から終了日の期間で、単位で指定した数値を返します。単位を「"Y"」にすると満年数を求めます。	

レッスン82-3 テーブルの行や列を追加／削除する

 82-3-会員名簿.xlsx

操作 テーブルの行列を追加／削除する

テーブル内の列や行を追加／削除する場合、自動的にテーブル範囲内で列や行を追加／削除できます。そのためテーブルの横や下にある別の表に影響を与えません。
また、テーブルのスタイルも自動調整されるため、書式を設定し直す必要もありません。

Point 入力規則や数式も設定される

行を挿入すると、テーブル内に設定されているデータの入力規則や数式も自動的に設定されます。
なお、ここでは[NO]列に数式を設定していないので、必要に応じて連番を設定し直してください。

Memo テーブルの列を横方向に増やすには

テーブルの右端の列の右側のセルにデータを入力すると、自動的にテーブルが横方向に拡張されます。

Memo テーブルの範囲を変更する

テーブルの右下角にある◢にマウスポインターを合わせ、⤡の形になったらドラッグしてテーブルサイズを変更できます。または、コンテキストタブの[テーブルデザイン]タブの[テーブルのサイズ変更]をクリックして表示される[表のサイズ変更]ダイアログで設定し直すことができます。

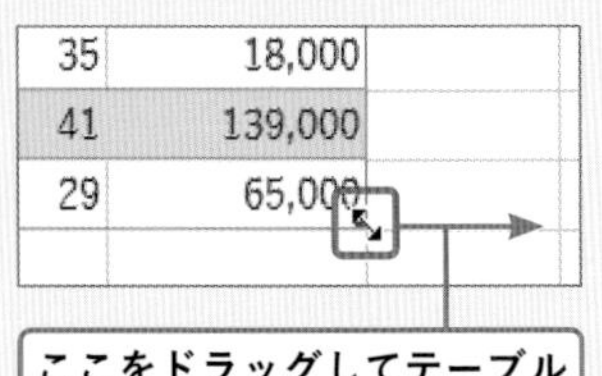

テーブルの列や行を追加

ここでは2行目に行を挿入します。

1 行または列を挿入したいセルを右クリックし、[挿入]→[テーブルの行（上）]をクリックします。

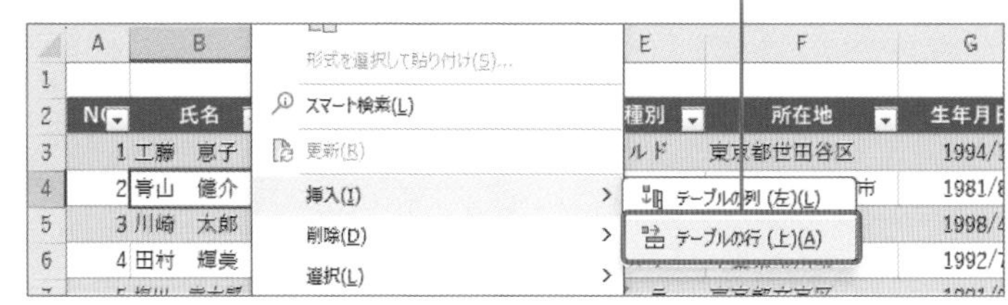

2 テーブル内に行が挿入され、自動的に横の縞模様が調整されます。

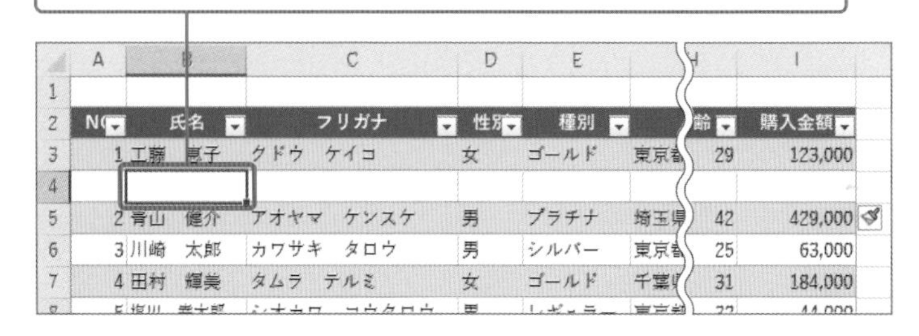

テーブルの列や行を削除

ここでは2行目の空白行を削除します。

1 行または列を削除したいセルを右クリックし、[削除]→[テーブルの行]をクリックします。

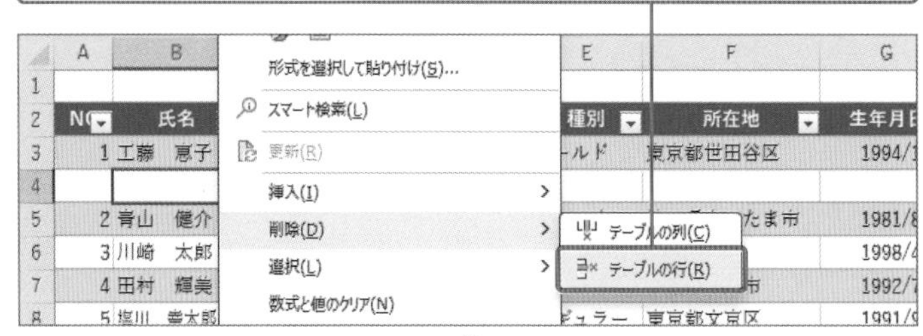

2 テーブル内の行が削除され、自動的に横の縞模様が調整されます。

レッスン 82-4 テーブルをセル範囲に戻す

82-4-会員名簿.xlsx

操作 テーブルをセル範囲に戻す

テーブルを通常の表に戻すには、コンテキストタブの［テーブルデザイン］タブ→［範囲に変換］をクリックします。通常の表に戻してもテーブルスタイルの書式はそのまま残ります。

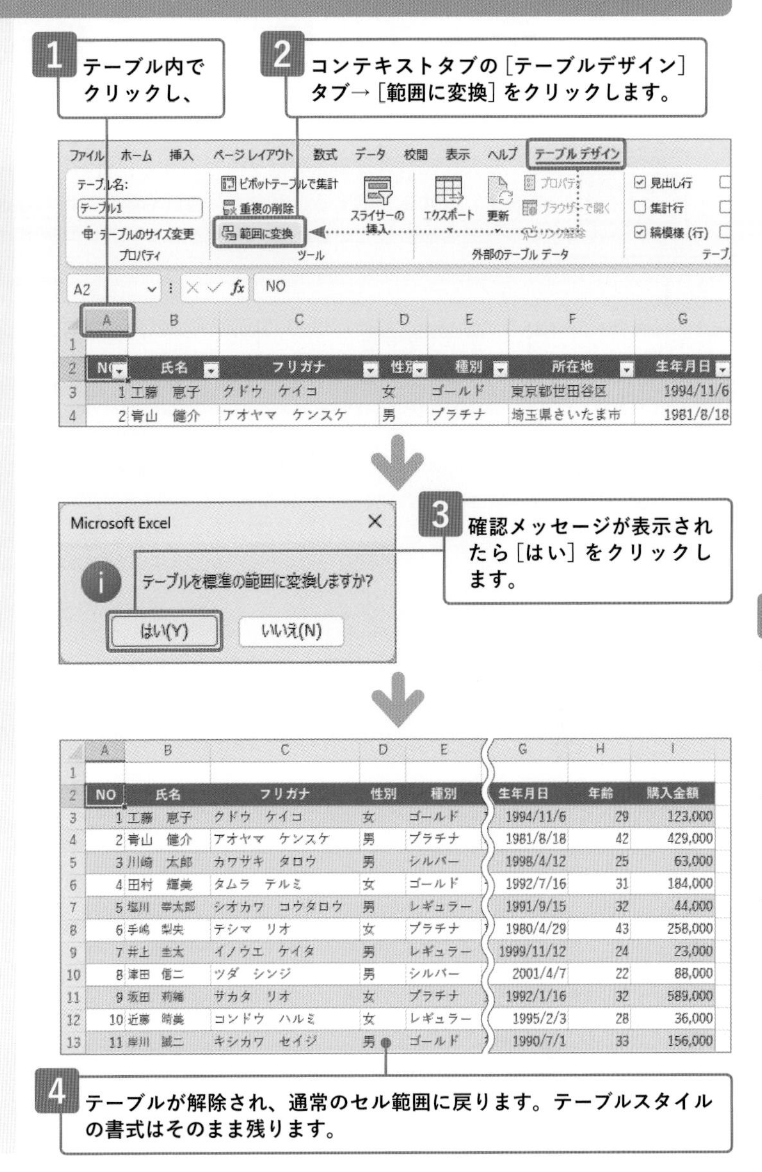

Memo テーブルスタイルを残したくない場合

テーブルスタイルを残したくない場合は、範囲に変換する前にコンテキストタブの［テーブルデザイン］タブ→［テーブルスタイル］グループの⊽をクリックし❶、［クリア］をクリックしてスタイルを解除しておきます❷。

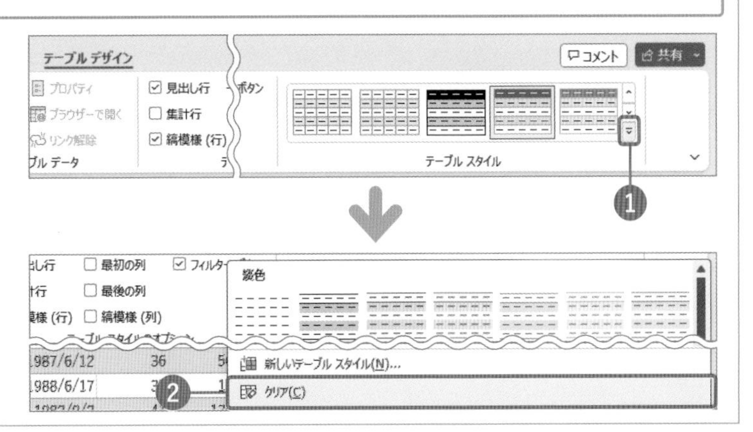

Section

83 テーブルに集計行を表示する

テーブルに集計行を表示すると、テーブルに入力されているレコードの値を集計することができます。数式を設定することなく、合計や個数、平均などいろいろな計算結果を確認できます。レコードを抽出している場合、表示されているレコードに対する集計結果を確認できます。

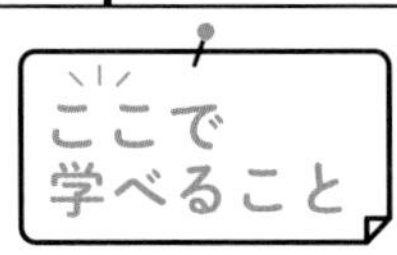

習得スキル	操作ガイド	ページ
▶集計行を表示して集計する	レッスン83-1	p.313

まずは パッと見るだけ！

集計行を表示して集計する

テーブルの最終行に**集計行**を表示して、列ごとのデータを集計し、結果を表示できます。

Before 操作前

	A	B	C	D	E	F	G	H	I	J
2	NO	氏名	フリガナ	性別	種別	所在地	生年月日	年齢	購入金額	
3	1	工藤　恵子	クドウ　ケイコ	女	ゴールド	東京都世田谷区	1994/11/6	29	123,000	
4	2	青山　健介	アオヤマ　ケンスケ	男	プラチナ	埼玉県さいたま市	1981/8/18	42	429,000	
5	3	川崎　太郎	カワサキ　タロウ	男	シルバー	東京都港区	1998/4/12	25	63,000	
6	4	田村　輝美	タムラ　テルミ	女	ゴールド	千葉県市川市	1992/7/16	31	184,000	
7	5	塩川　幸太郎	シオカワ　コウタロウ	男	レギュラー	東京都文京区	1991/9/15	32	44,000	
8	6	手嶋　梨央	テシマ　リオ	女	プラチナ	東京都世田谷区	1980/4/29	43	258,000	
15	13	大野　舞子	オオノ　マイコ	女	シルバー	千葉県千葉市	1987/6/12	36	56,000	
16	14	山崎　健吾	ヤマザキ　ケンゴ	男	レギュラー	埼玉県所沢市	1988/6/17	35	18,000	
17	15	角田　美優	カドタ　ミユ	女	ゴールド	東京都渋谷区	1982/9/2	41	139,000	
18	16	中村　明美	ナカムラ　アケミ	女	シルバー	東京都港区	1994/6/24	29	65,000	
19										

After 操作後

集計行を表示し、［年齢］列のデータ件数、［購入金額］列の平均値が表示できた

	A	B	C	D	E	F	G	H	I	J
2	NO	氏名	フリガナ	性別	種別	所在地	生年月日	年齢	購入金額	
3	1	工藤　恵子	クドウ　ケイコ	女	ゴールド	東京都世田谷区	1994/11/6	29	123,000	
4	2	青山　健介	アオヤマ　ケンスケ	男	プラチナ	埼玉県さいたま市	1981/8/18	42	429,000	
5	3	川崎　太郎	カワサキ　タロウ	男	シルバー	東京都港区	1998/4/12	25	63,000	
6	4	田村　輝美	タムラ　テルミ	女	ゴールド	千葉県市川市	1992/7/16	31	184,000	
7	5	塩川　幸太郎	シオカワ　コウタロウ	男	レギュラー	東京都文京区	1991/9/15	32	44,000	
8	6	手嶋　梨央	テシマ　リオ	女	プラチナ	東京都世田谷区	1980/4/29	43	258,000	
15	13	大野　舞子	オオノ　マイコ	女	シルバー	千葉県千葉市	1987/6/12	36	56,000	
16	14	山崎　健吾	ヤマザキ　ケンゴ	男	レギュラー	埼玉県所沢市	1988/6/17	35	18,000	
17	15	角田　美優	カドタ　ミユ	女	ゴールド	東京都渋谷区	1982/9/2	41	139,000	
18	16	中村　明美	ナカムラ　アケミ	女	シルバー	東京都港区	1994/6/24	29	65,000	
19	集計							16	163,063	

レッスン 83-1 集計行を表示して集計方法を設定する

83-会員名簿.xlsx

操作 集計行を表示して集計する

テーブルに集計行を表示するには、コンテキストタブの［テーブルデザイン］タブの［集計行］にチェックを付けます。クリックするごとに表示、非表示を切り替えられます。
集計行を表示すると、既定でテーブルの右端の列に集計結果が表示されますが、集計方法を変更したり、別の列に集計結果を表示したりできます。

Memo 右端列が数値の場合の集計結果

右端列が数値の場合は、既定で合計が表示されます。それ以外は、データの個数が表示されます。

Memo 列の集計結果を非表示にする

列に表示されている集計結果を非表示にするには、手順4で［なし］を選択します。

Memo 集計行で設定される数式

集計行のセルには、SUBTOTAL関数が自動で設定されます。SUBTOTAL関数は、以下の書式でセル範囲を、指定した集計方法で計算した結果を返す関数です。
例えば、集計方法が101の場合は平均値、103の場合はデータの個数、109の場合は合計になります。

書式:SUBTOTAL(集計方法, セル範囲)

セルI19に設定されている数式は、下図の通りです。［購入金］は［購入金額］列のデータ部分を参照する構造化参照です（Section84参照）。

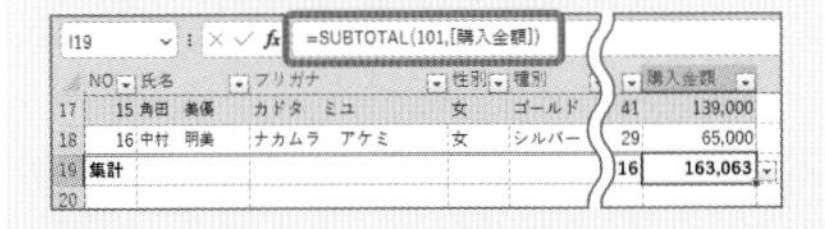

1 テーブル内でクリックし、

2 コンテキストタブの［テーブルデザイン］タブで［集計行］をクリックしてチェックを付けると、

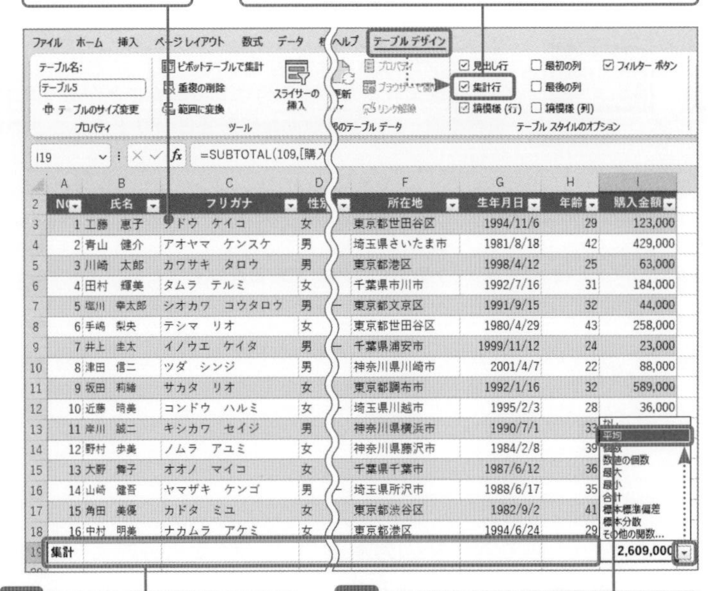

3 テーブルの最終行に集計行が表示されます。

4 ▼をクリックし、演算方法（ここでは［平均］）を選択すると、

5 指定した演算方法で集計結果（ここでは平均値）が表示されます。

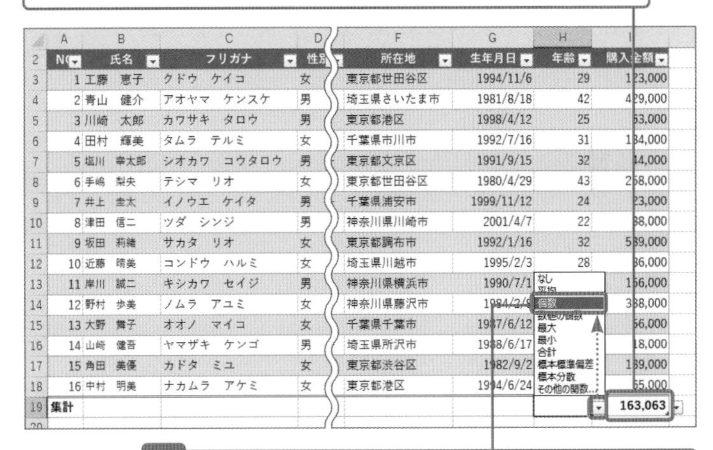

6 別の列の集計行のセルをクリックし、▼をクリックして演算方法（ここでは［個数］）をクリックすると、

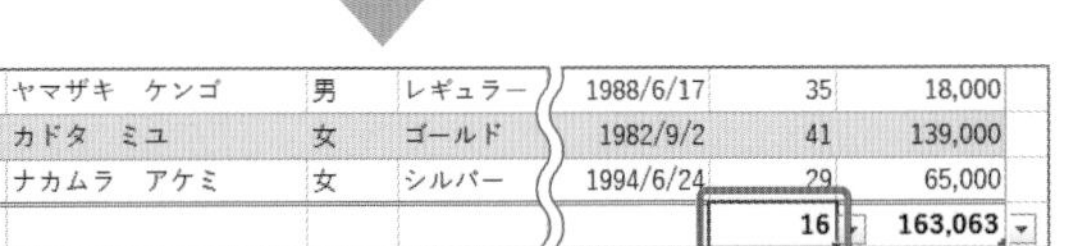

7 指定した演算方法で集計結果（ここではデータの個数）が表示されます。

Section
84 テーブル内のセルを参照した数式を入力する

テーブル内で数式を入力する際、セルをクリックすると、セル番地が入力されずに角カッコ([])で囲まれた文字が入力されて驚くことがあります。テーブル内のセルを参照する場合、「構造化参照」という特別な参照形式になります。ここでは構造化参照を理解しましょう。

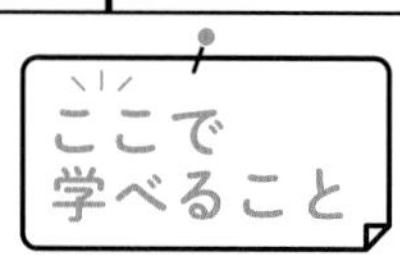

習得スキル	操作ガイド	ページ
▶構造化参照で数式を入力する	レッスン84-1	p.315

まずは パッと見るだけ！

テーブル内の数式と構造化参照

テーブル内で**数式**を入力する場合、**構造化参照**という参照方式を使います。構造化参照は角カッコ[ ]で囲んだ文字列でテーブル内のセルやセル範囲を参照します。構造化参照で入力された数式は、式を確定するとすべての列に自動入力されます。

Before
操作前

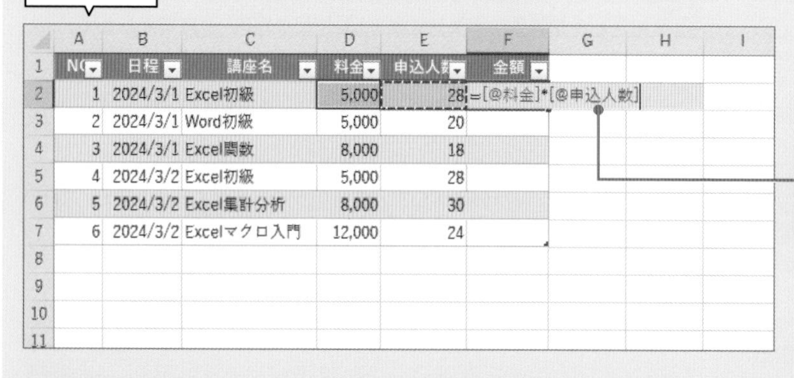

	A	B	C	D	E	F	G	H	I
1	NO	日程	講座名	料金	申込人数	金額			
2	1	2024/3/1	Excel初級	5,000	28	=[@料金]*[@申込人数]			
3	2	2024/3/1	Word初級	5,000	20				
4	3	2024/3/1	Excel関数	8,000	18				
5	4	2024/3/2	Excel初級	5,000	28				
6	5	2024/3/2	Excel集計分析	8,000	30				
7	6	2024/3/2	Excelマクロ入門	12,000	24				
8									
9									
10									
11									

テーブル内で数式を設定する際、セルをクリックすると、セル番地ではなく、別の参照形式が入力された

After
操作後

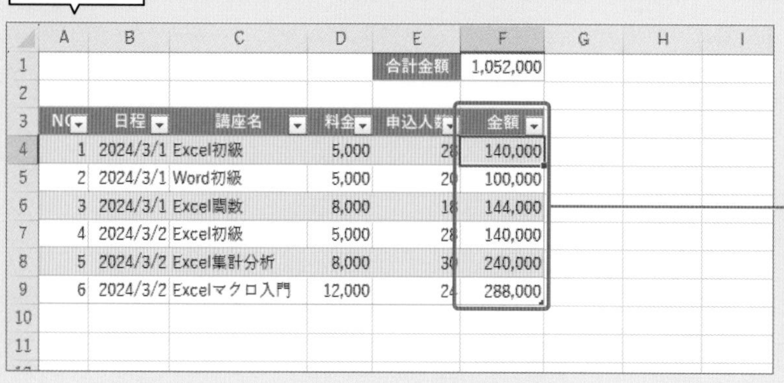

	A	B	C	D	E	F	G	H	I
1					合計金額	1,052,000			
2									
3	NO	日程	講座名	料金	申込人数	金額			
4	1	2024/3/1	Excel初級	5,000	28	140,000			
5	2	2024/3/1	Word初級	5,000	20	100,000			
6	3	2024/3/1	Excel関数	8,000	18	144,000			
7	4	2024/3/2	Excel初級	5,000	28	140,000			
8	5	2024/3/2	Excel集計分析	8,000	30	240,000			
9	6	2024/3/2	Excelマクロ入門	12,000	24	288,000			
10									
11									

式を確定すると、自動的にテーブル内の列全体に数式が入力された

レッスン 84-1 テーブル内で数式を入力する

84-Officeソフト講座.xlsx

操作 テーブル内で数式を入力する

テーブル内のセルに数式を入力する際、セルやセル範囲をクリックすると、自動的に構造化参照で入力され、式を確定すると列全体に数式が設定されることを確認しましょう。
また、テーブルの外の数式がテーブル内のセルを参照する場合の参照のされ方も合わせて確認してください。

Memo 構造化参照の指定子

構造化参照では、角カッコ([])で囲まれた指定子を使ってセルやセル範囲を参照します。指定子は、下表の通りです。

指定子	内容
[#すべて]	テーブル全体
[#見出し]	列見出し行
[#データ]	データ部分
[#集計行]	集計行
[@]	数式が入力されている同じ行のセル
[見出し名]	フィールド名に対応するデータ部分
[@見出し名]	[@]と[見出し名]が交差するセル

Memo 「=[@料金]*[@申込人数]」の意味

[@料金]は数式が入力されている同じ行で[料金]列の交点のセルを参照し、[@申込人数]は数式が入力されている同じ行で[申込人数]列の交点のセルを参照します。
「=[@料金]*[@申込人数]」は「数式が入力されている同じ行にある、[料金]列のセル×[申込人数]列のセル」という意味になります。

テーブル内で数式を設定する

ここでは、[金額]列に「=料金×申込人数」の式を設定します。

1 数式を入力したい列の1レコード目のセルをクリックします。

	A	B	D	E	F	G	H
1				合計金額			
2							
3	NO	日程	料金	申込人数	金額		
4	1	2024/3/1	5,000	28	=[@料金]*[@申込人数]		
5	2	2024/3/1	5,000	20			
6	3	2024/3/1	8,000	18			
7	4	2024/3/2	5,000	28			
8	5	2024/3/2	8,000	30			
9	6	2024/3/2	12,000	24			

2 「=」と入力し、[料金]のセルをクリックして「*」を入力し、[申込人数]のセルをクリックすると、「=[@料金]*[@申込人数]」と表示されることを確認し、 Enter キーを押します。

F5 =[@料金]*[@申込人数]

	A	B	C	D	E	F
1					合計金額	
2						
3	NO	日程	講座名	料金	申込人数	金額
4	1	2024/3/1	Excel初級	5,000	28	140,000
5	2	2024/3/1	Word初級	5,000	20	100,000
6	3	2024/3/1	Excel関数	8,000	18	144,000
7	4	2024/3/2	Excel初級	5,000	28	140,000
8	5	2024/3/2	Excel集計分析	8,000	30	240,000
9	6	2024/3/2	Excelマクロ入門	12,000	24	288,000
10						

3 数式が確定され、[金額]列のすべてのセルに数式「=[@料金]*[@申込人数]」が入力され、それぞれの行に「料金×申込人数」の結果が表示されることを確認します。

テーブルの
見出しを数式に
使ってるよ〜

テーブル外で数式を設定する

ここでは、セルF1にテーブル内の［金額］列のデータを合計するSUM関数を設定します。

1 テーブル外にあるセル（ここではセルF1）をクリックします。

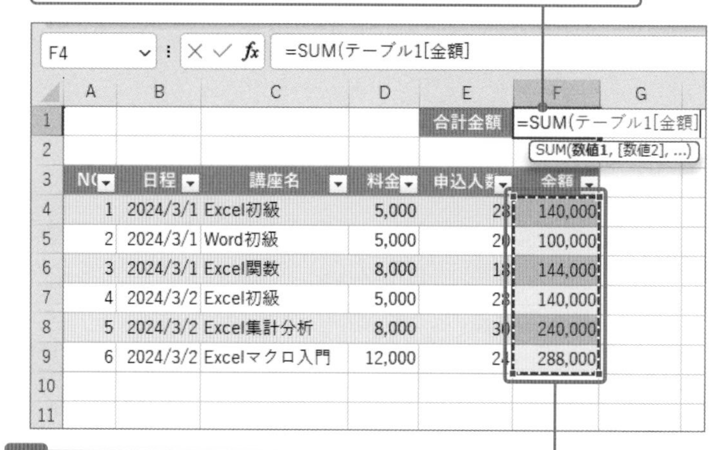

2 「=SUM(」と入力し、［金額］列のデータ部分（セル範囲F4～F9）をドラッグすると「=SUM(テーブル1[金額])」と表示されることを確認し、Enterキーを押します。

3 ［テーブル1］テーブルの［金額］列の数値の合計が表示されます。

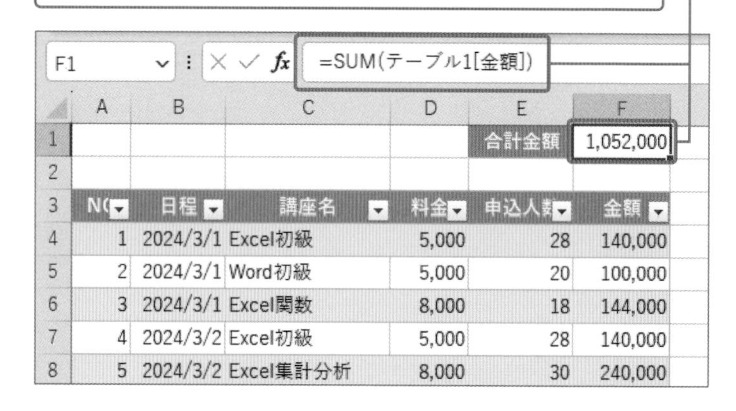

Memo 「=SUM(テーブル1[金額])」の意味

テーブル外からテーブル内のセルを参照して数式を設定する場合、指定子の前にテーブル名を付けます。
「テーブル1[金額]」は、［テーブル1］テーブルの［金額］列のデータ範囲を参照します。
「=SUM(テーブル1[金額])」は［テーブル1］テーブルの金額列のデータの合計を求めます。
構造化参照では、セル番地を使って範囲を指定していないため、テーブルのレコード数の増減にかかわらず、常に［金額］列のデータ範囲が参照されます。

練習問題 データ活用の練習をしよう

演習8-商品マスター.xlsx

完成見本を参考に以下の手順でテーブルを作成し、データ活用の機能を使ってみましょう。

1 セル範囲A2～D8をテーブルに変換する
2 テーブルスタイルを中間色の［ゴールド,テーブルスタイル（中間）5］に変更する
3 ［単価］列の右に列を追加し、項目名を「セール価格」に設定する
4 ［セール価格］の列に「単価×0.8」の式を設定し、［セール価格］列に桁区切りカンマの表示形式を設定する
5 ［分類］を昇順で並べ替え、値が同じ場合は［単価］を降順（大きい順）で並べ替える
6 ［分類］列で「冷凍」だけ抽出して表示する
7 集計行を表示し、［セール価格］列に平均金額、［単価］列にデータの個数を表示する

▼完成見本

	A	B	C	D	E	F	G	H	I
1	商品マスター								
2	商品NO	商品	分類	単価	セール価格				
6	D4003	冷凍ホタテ	冷凍	4,300	3,440				
7	D4001	海老フライ	冷凍	3,600	2,880				
8	D4002	冷凍ロールキャベツ	冷凍	2,800	2,240				
9	集計			3	2,853				
10									
11									

資料を手早く作るには

資料を作る前に確認すべきこと

職場で「資料を作って」と頼まれた際、できるだけ手早く作成したいものですね。とはいえ、早ければいいということではありません。作成する前に、作成する資料の「対象」、「目的」を明確にしておく必要があります。

例えば、対象が社内なのか、社外なのか。社外の場合、取引先なのか、不特定多数なのかによっても書き方が変わります。対象と目的がはっきりすると、内容もだいたい決まってきます。依頼された上司とよく話し合って、どのような資料が必要なのか確認を取り、構成をきちんと決めておきましょう。

● チェックリスト

- ☑ 作成する資料は何か？
- ☑ 何のために作成するのか？
- ☑ 守るべきルールはあるか？
- ☑ いつまでに作成するのか？
- ☑ 作成後はどうすればよいか？（Aさんに確認後に印刷、ドライブに保存など）

資料はゼロから作らない

資料を何もないところから作成するのは、大変骨の折れる作業です。社外文書を作成する場合は、構成や表現にパターンがあるので、ビジネス文書の例文集のような書籍を参考書として手元に持っておくと便利です。

また、資料の中で使用する人数や金額などの数値は正確でないといけません。数値が入る表の作成のしやすさや、正確性を考えると、Excelで作成した表をWordに貼り付けるとよいでしょう。

以前作成された同じような文書があれば、それをひな型（テンプレート）にして、内容を入れ替えながら作成すれば、より短時間で作成できるでしょう。

〆切も忘れずに確認しておきましょう

Point 手を動かす前の情報収集がカギ

第 9 章

シートやブックを使いこなそう

Excelでは、同時に複数のブックを開いて作業できます。そのブック内には複数のワークシートを含むことができます。
ここでは、まずブックとワークシートの関係を説明しています。次にワークシートの切り替え方法や、追加と削除、表示と非表示、ワークシートの整列や保護など、ワークシートに関するさまざまな操作を紹介します。そして、2つのブックを並べて比較しながら作業する機能も紹介します。いずれもとても実務的な内容です。ここでワークシートとブックの扱いに慣れましょう。

Section

85 ワークシートとブックの役割

Excelは、データを入力するセル、表を作成するワークシート、ファイルとして保存するブックと、大きく3つの要素で構成されています。ここでは、ワークシートとブックについて理解を深めましょう。

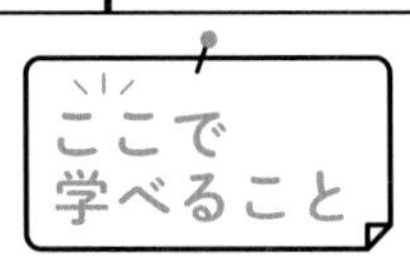

習得スキル	操作ガイド	ページ
▶ワークシートとブックを理解する	なし	p.320

まずは パッと見るだけ！

ワークシートとブックの関係

Excelでは、保存の単位をブックといい、ブックを構成するのがワークシートです。Excelで新規に空白のブックを開くと、ワークシートが1枚表示されますが、自由に増やすことができます。

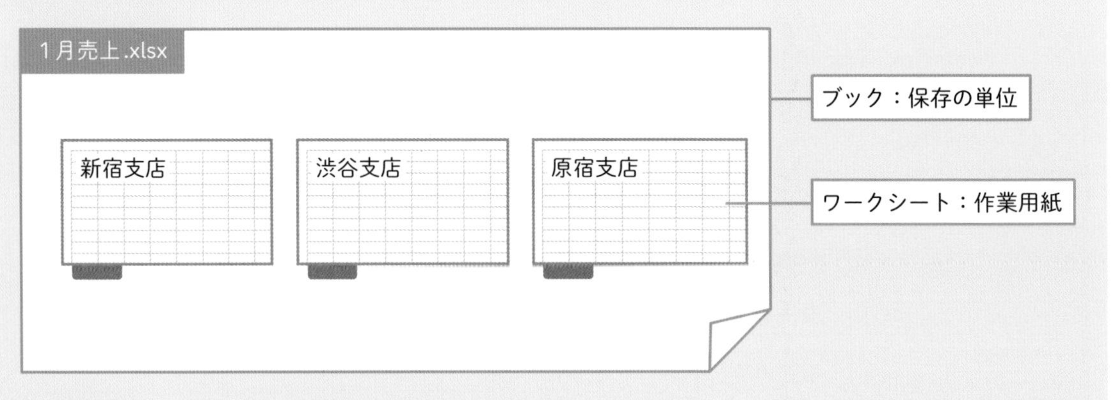

● **注意**

- 1つのワークシート内には大きな表を作成したり、複数の表を作成したりできますが、データの管理を考えると、支店別など分類ごとにワークシートを分けて表を作成しましょう。
- すべてのデータを1つのブックに保存するのではなく、月別など内容ごとに分けて保存しましょう。

データを分けて管理すると、ファイルの破損や誤った削除によるデータの紛失を防げます

ワークシートとブックでデータを整理する

ワークシートは実際にデータを入力、表を作成する作業用紙です。収集したデータをもとに集計表を作成したり、納品書や報告書などの書類のひな型を作成したりします。

ブックは、ワークシートで作成された表や書類の保管場所です。ワークシートは大量のデータを入力することも多く、データを保管するブックはとても大切なファイルです。きちんと整理して保管しましょう。

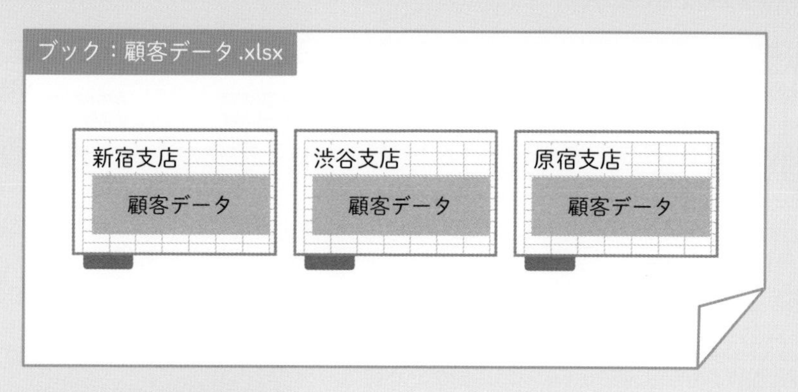

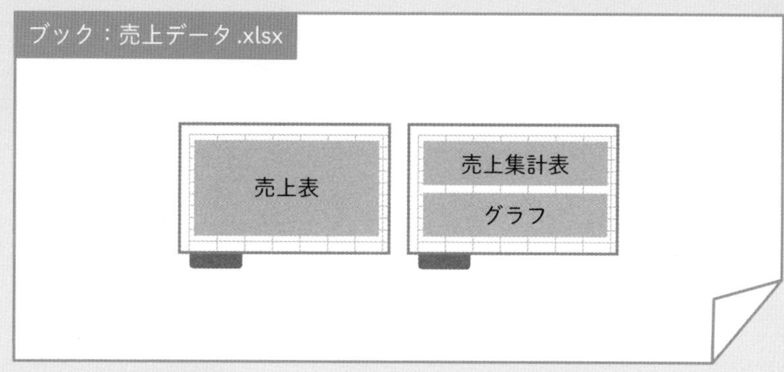

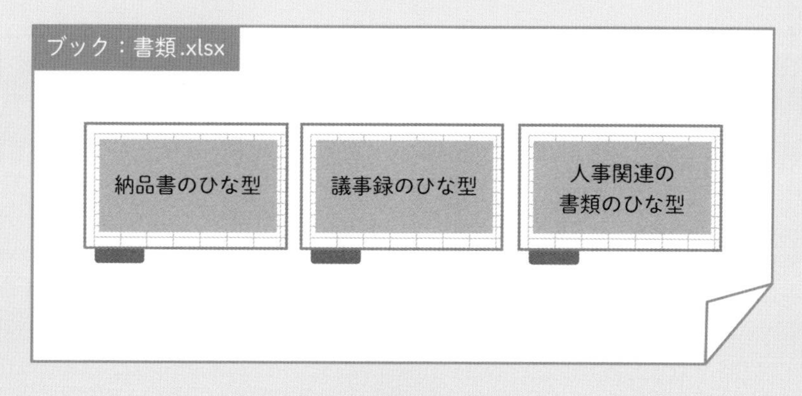

Section 86

ワークシートを追加／削除する

新規ブックには、1枚のワークシートが用意されていますが、必要に応じてワークシートを自由に追加できます。また、不要であれば削除も自由です。ここでは、ワークシートの追加と削除の方法を覚えましょう。

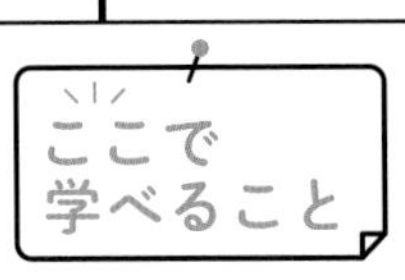

習得スキル	操作ガイド	ページ
▶ワークシートの追加	レッスン86-1	p.323
▶ワークシートの削除	レッスン86-2	p.323

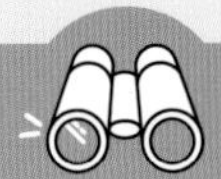

まずは パッと見るだけ！

ワークシートの追加と削除

支店別や月別にワークシートを分けて表を作成したい場合は、必要なだけワークシートを追加できます。また、不要なシートは削除してブック内のシートを整理します。

● ワークシートの追加

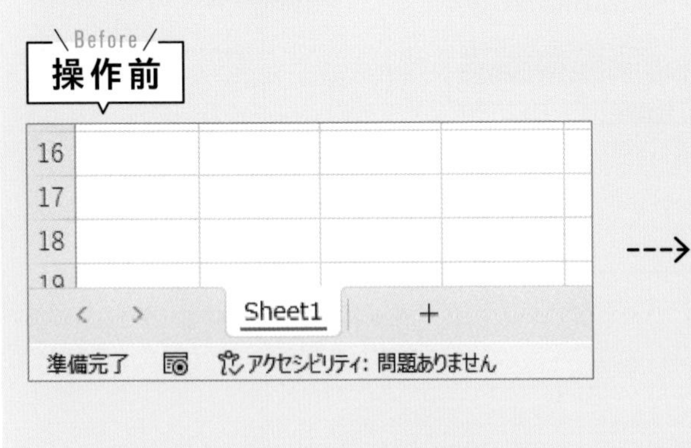

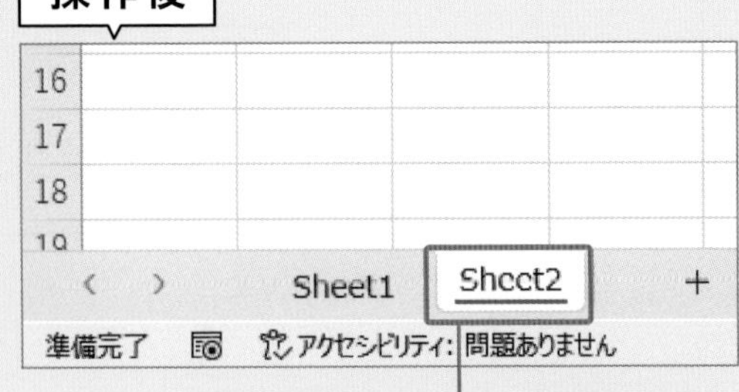

● ワークシートの削除

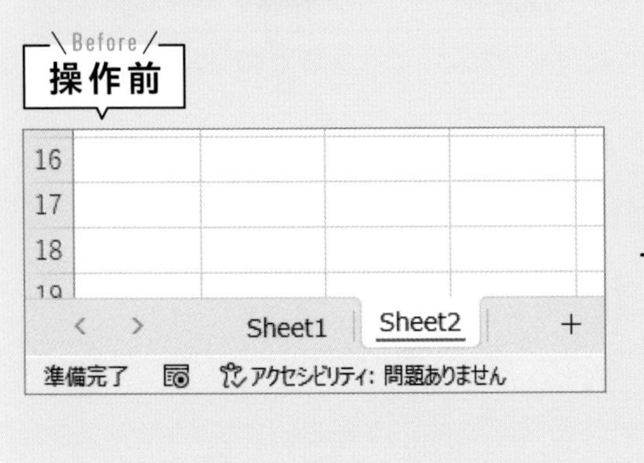

レッスン 86-1 ワークシートを追加する

練習用ファイル 86-1-シート追加.xlsx

操作 ワークシートを追加する

ワークシートを追加するには、シート見出しの右にある［新しいシート］+をクリックします。作業中のシート（アクティブシート）の後ろにワークシートが追加されます。

ショートカットキー

- アクティブシートの前に新しいワークシートを追加する
  Shift + F11

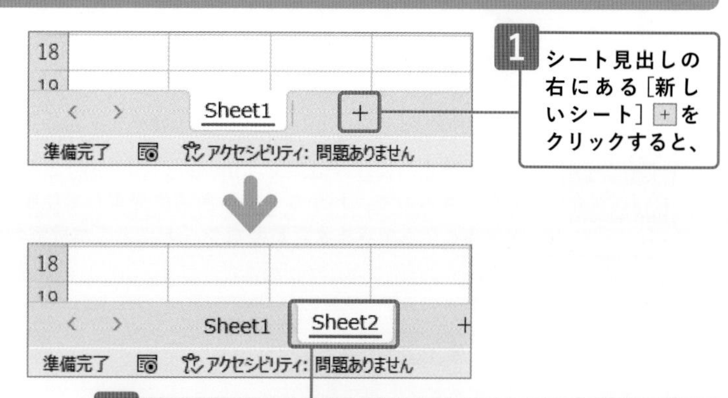

Memo アクティブシートとは

アクティブシートとは、現在選択されている作業対象のシートです。アクティブシートのシート見出しには緑の下線が表示されます。

レッスン 86-2 ワークシートを削除する

練習用ファイル 86-2-講座申込状況.xlsx

操作 ワークシートを削除する

ワークシートを削除するには、シート見出しを右クリックして、［削除］をクリックします。
削除したワークシートは完全に削除され［元に戻す］で復活させることはできません。注意しましょう。

Memo ワークシートに何も入力されていない場合

削除するワークシートに何も入力されていない場合は、手順3の確認メッセージは表示されません。

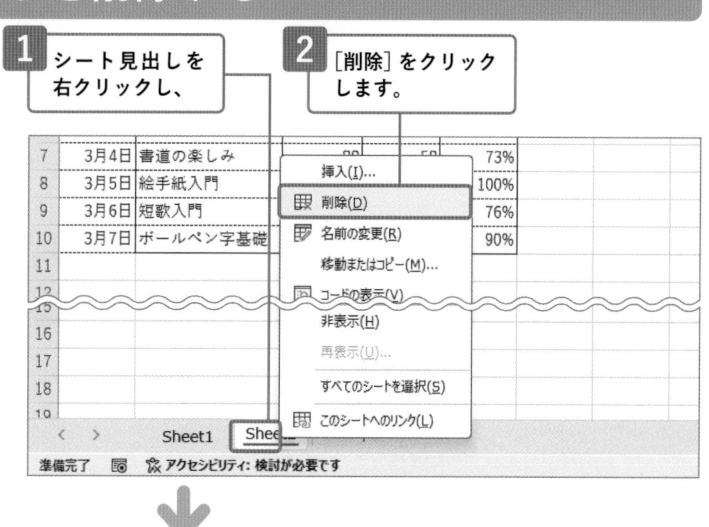

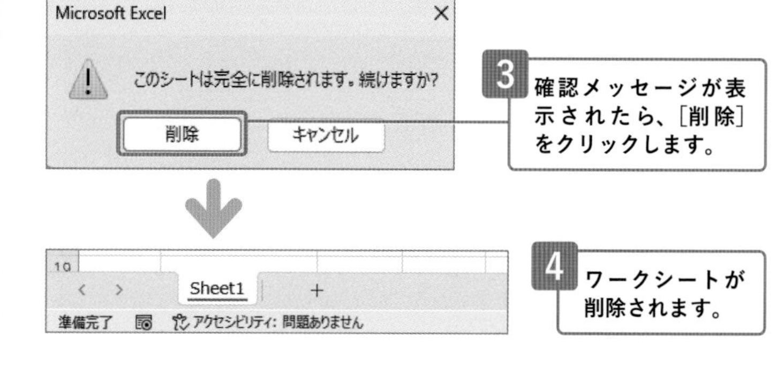

Section 87

シート見出しの文字列や色を変更する

シート見出しには、既定で「Sheet1」「Sheet2」とシート名が表示されます。シート名は自由に変更できるので、わかりやすい名前に変更して使用しましょう。また、シート見出しに色を設定することもできます。重要なシートに色を付けておくと目印になり選択しやすくなります。

習得スキル	操作ガイド	ページ
▶シート名の変更	レッスン87-1	p.325
▶シート見出しの色の変更	レッスン87-2	p.325

まずは パッと見るだけ！

シート見出しの文字列と色

シート見出しの文字列をシートに作成している表の内容に合わせて変更したり、シート見出しに色を付けて強調したりできます。複数のシートに同じ色を設定してグループ分けに利用してもよいでしょう。

● シート名の変更

Before 操作前

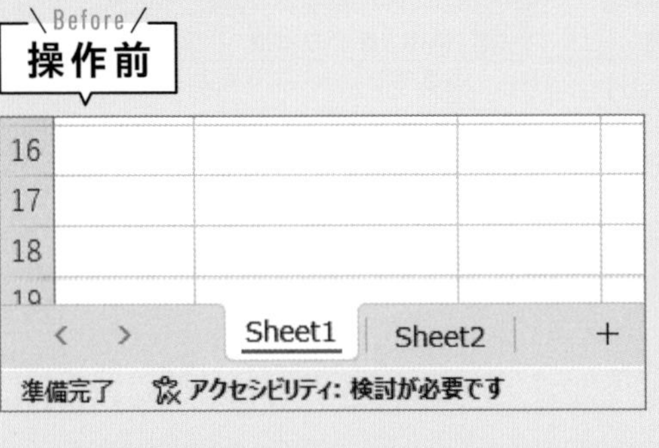

After 操作後

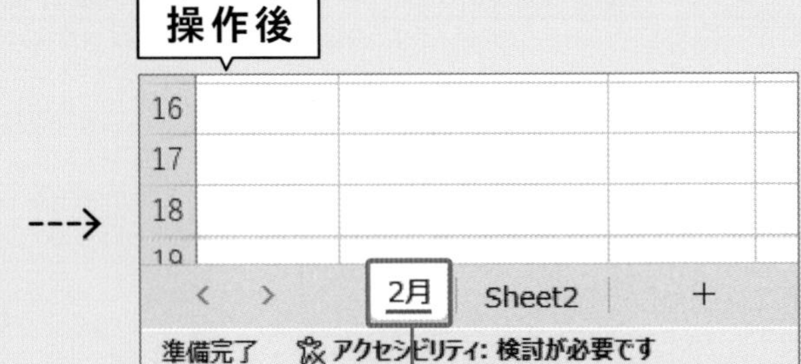

シート名をワークシートの内容に合わせて名前を変更した

● シート見出しの色を設定

Before 操作前

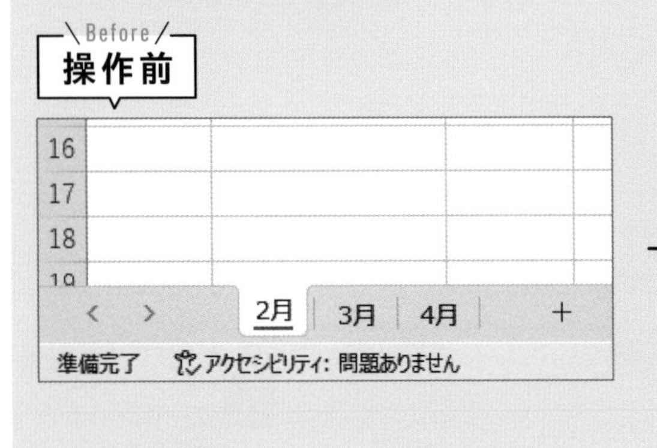

After 操作後

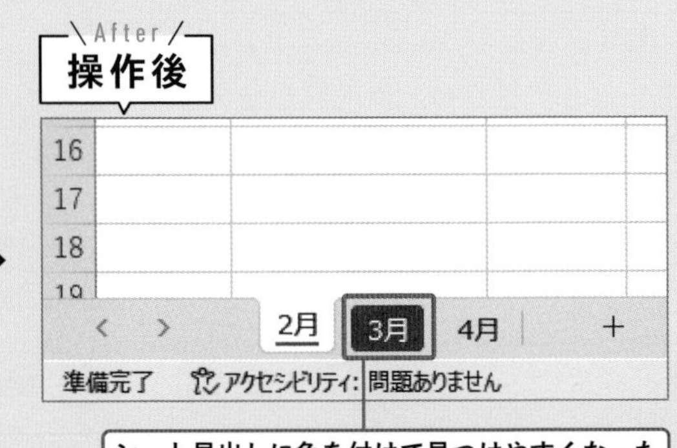

シート見出しに色を付けて見つけやすくなった

レッスン 87-1 シート名を変更する

87-1-講座申込状況.xlsx

操作 シート名を変更する

シート名を変更するには、シート見出しをダブルクリックし、編集状態にしてシート名にしたい文字列を入力します。

Memo 右クリックで変更する

シート見出しを右クリックし❶、[名前の変更]をクリックすることでも❷、シート名を変更できます。

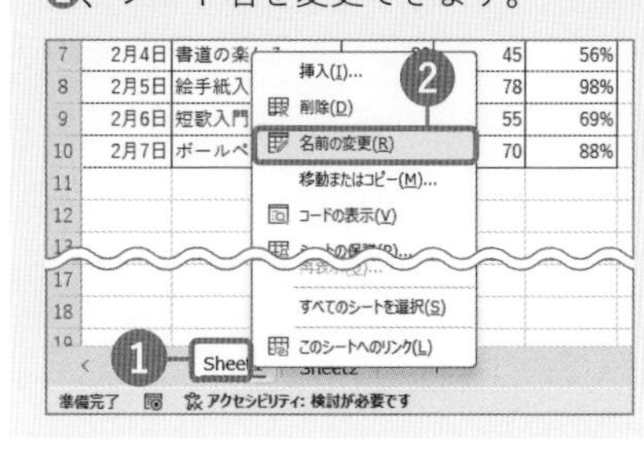

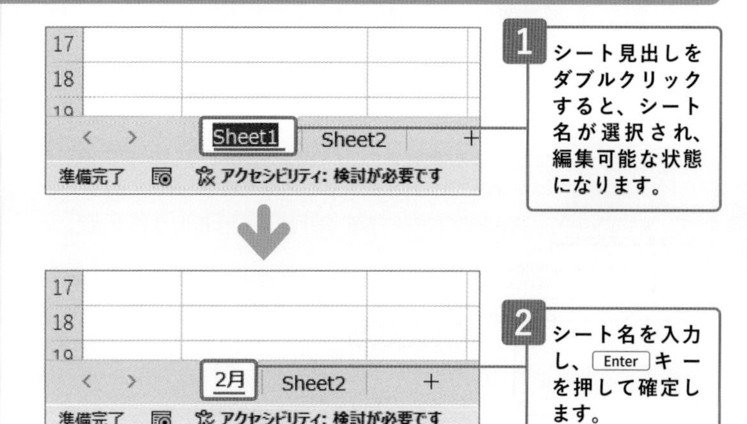

1 シート見出しをダブルクリックすると、シート名が選択され、編集可能な状態になります。

2 シート名を入力し、Enter キーを押して確定します。

コラム シート名に使えない文字

コロン「:」、円マーク「¥」、スラッシュ「/」、疑問符「?」、アスタリスク「*」、左角かっこ「[」、右角かっこ「]」といった記号は使えません。また、シート名は空欄にできません。

レッスン 87-2 シート見出しの色を変更する

87-2-講座申込状況.xlsx

操作 シート見出しの色を変更する

シート見出しの色を変更するには、色を変更したいシート見出しを右クリックし、[シート見出しの色]をクリックしてカラーパレットから選択します。

Memo 色を解除するには

手順2で[色なし]をクリックします。

1 シート見出しを右クリックし、

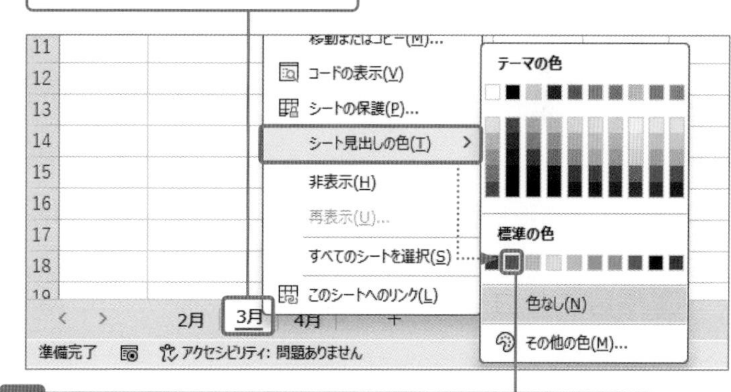

2 [シート見出しの色]→カラーパレットで色をクリックします。

3 シート見出しの色が変更されます。別のシート見出しをクリックして、アクティブシートでなくなると設定した色がはっきり表示されます。

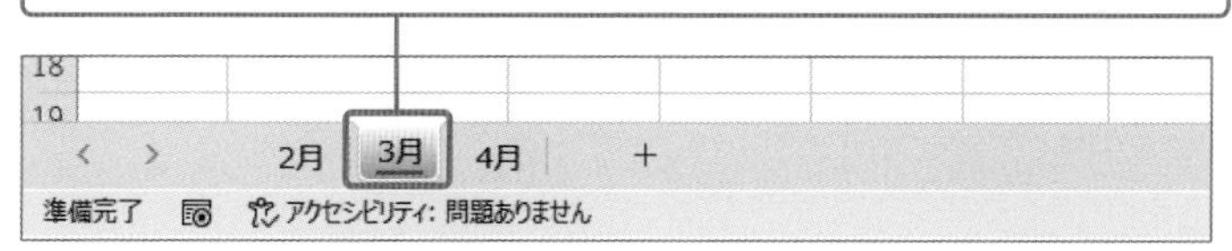

Section
88 シートを切り替える

ブックに複数のシートがある場合、シート見出しをクリックしてシートを切り替えますが、多くのシートを追加した場合のシートの切り替え方を紹介します。切り替え方法をマスターして、スムーズにシートを切り替えられるようにしましょう。

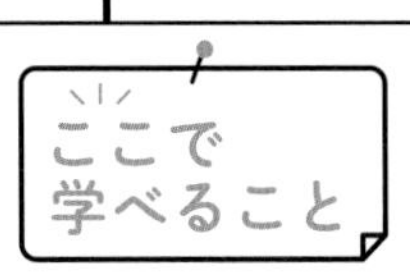

習得スキル	操作ガイド	ページ
▶シートの切り替え	レッスン88-1	p.327

まずは パッと見るだけ！

シートの切り替え

シート見出しをクリックすると、シートが切り替わります。シートが切り替わると、最前面に表示され、作業対象になります。この作業対象のシートを「アクティブシート」といいます。多くのシートの中からシートを選択するには、［シートの選択］ダイアログを使う方法があります。

●クリックで切り替え

Before 操作前

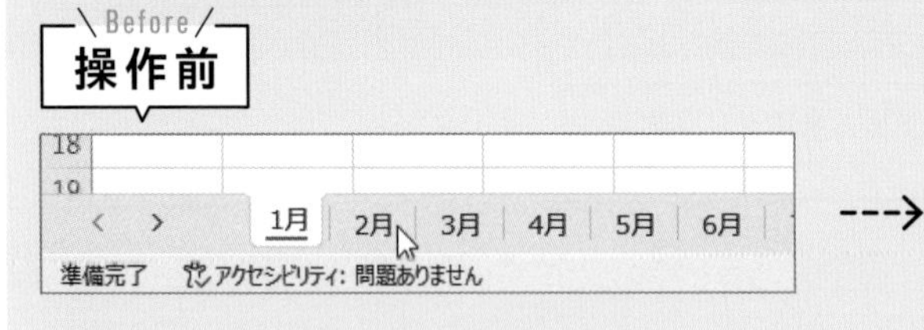

--->

After 操作後

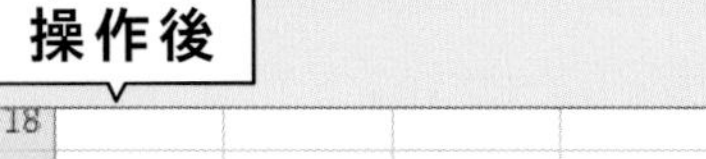

シート見出しをクリックして切り替えた

●［シートの選択］ダイアログで切り替え

Before 操作前

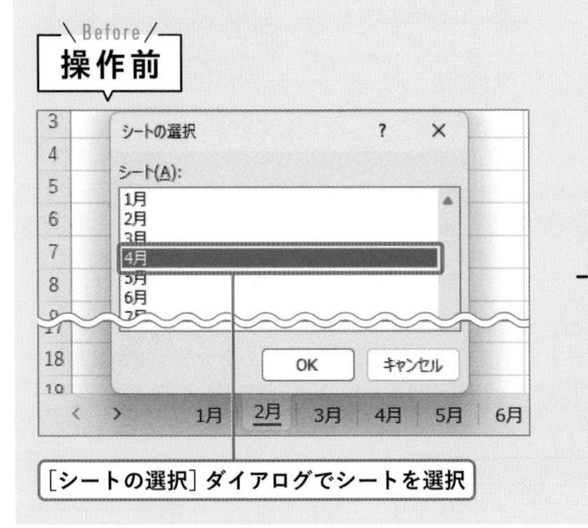

［シートの選択］ダイアログでシートを選択

--->

After 操作後

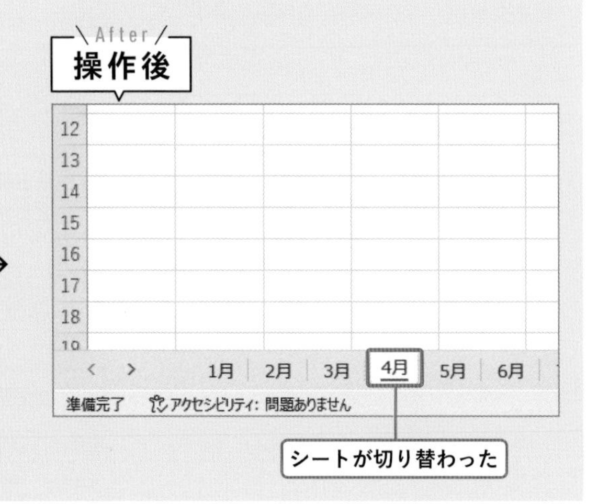

シートが切り替わった

レッスン 88-1 シートを切り替える

練習用ファイル 88-シート切り替え.xlsx

操作 シートを切り替える

多くのシートの中からシートを効率的に切り替えるには、[シートの選択] ダイアログを表示すると便利です。シート名の一覧の中から切り替えたいシート名を選択します。

Memo 切り替え操作と表示される見出しの種類

シートの切り替え操作には、下表のような種類があります。

操作	内容
<、>をクリック	1つずつ左、右のシート見出しを表示します。
Ctrl+<、>をクリック	一番左、一番右のシート見出しを表示します。
…をクリック	1つずつ左、右のシート見出しを表示し、アクティブシートも切り替えます。

ここでは、[シートの選択] ダイアログを表示してシートを切り替えます。

1 シート見出しの左にある<または>を右クリックします。

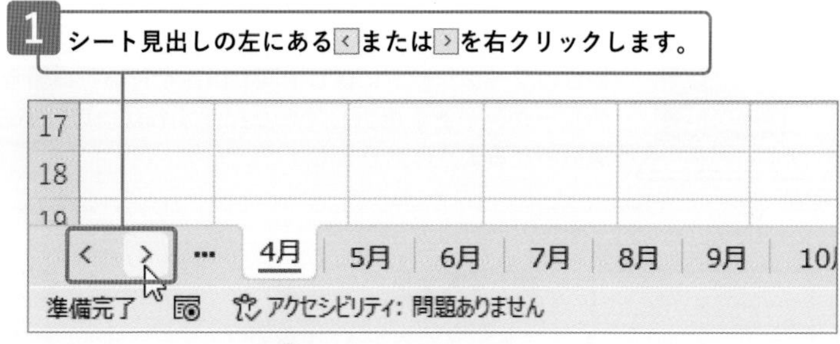

2 [シートの選択] ダイアログが表示されます。

3 切り替えたいシート名をクリックし、

4 [OK] をクリックすると、

5 指定したシートが選択されます。

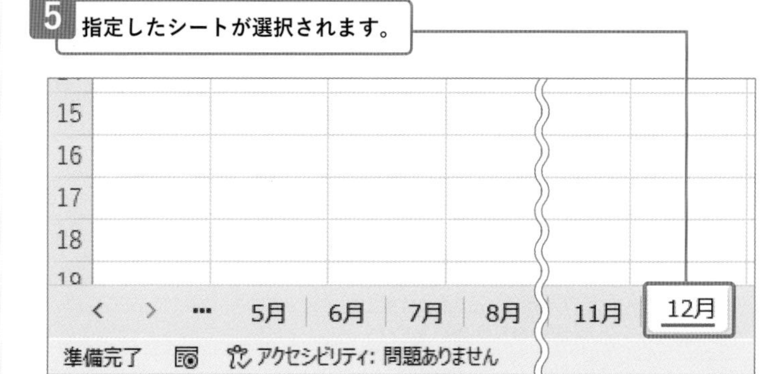

Section

89 複数のワークシートを選択する

複数のワークシートに対して同じ操作を行いたい場合、1つずつ操作するより、対象となる複数のワークシートを選択してから操作すれば一度で済みます。ここでは、複数のワークシートを選択できるようになりましょう。

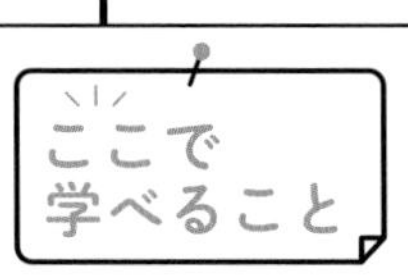

習得スキル	操作ガイド	ページ
▶複数のワークシートの選択	レッスン89-1	p.329

まずは パッと見るだけ！

複数のシートを選択する

複数のシートを選択するには、連続するシートを選択する方法と、離れたシートを選択する方法があります。それぞれの違いをここで確認しておきましょう。

● 連続するシートの選択

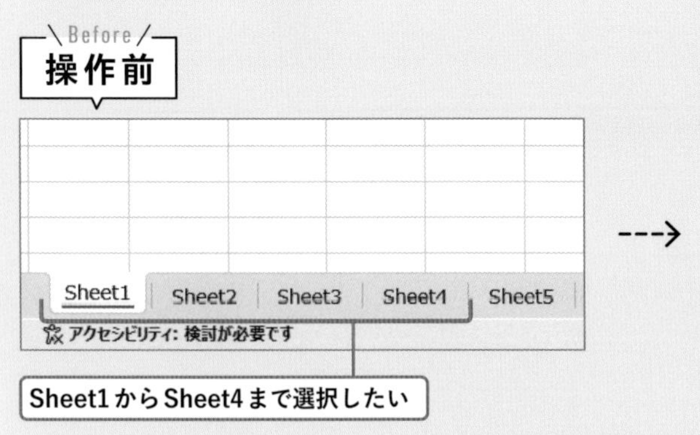

Sheet1 Sheet2 Sheet3 Sheet4 Sheet5

アクセシビリティ: 検討が必要です

始点のシートと終点のシートに挟まれたすべてのシートが選択された

● 離れたシートの選択

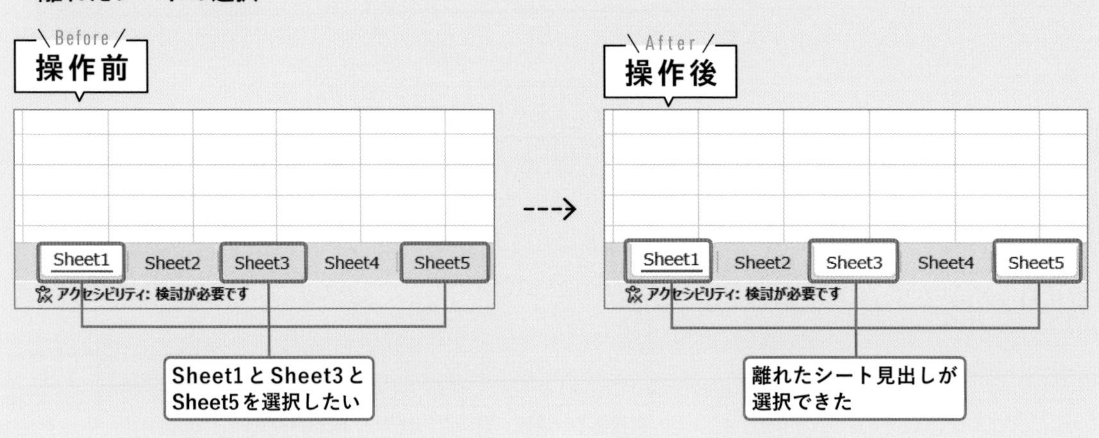

レッスン 89-1 複数のシートを選択する

練習用ファイル 89-複数シート選択.xlsx

操作 複数のシートを選択する

連続した複数のシートを選択する場合は Shift キー、離れた複数のシートを選択する場合は Ctrl キーを使います。複数のシートを選択しているとき、選択しているシートのシート見出しをクリックすると、選択は解除されずにクリックしたシートがアクティブシートになります。

Memo 複数シートの選択を解除するには

複数シートの選択を解除するには、選択されていないシートのシート見出しをクリックします。すべてのシートが選択されている場合は、アクティブシート以外のシート見出しをクリックします。

連続するシートの選択

ここでは［Sheet1］シートから［Sheet4］シートを選択します。

1 選択したい先頭のシートをクリックします。

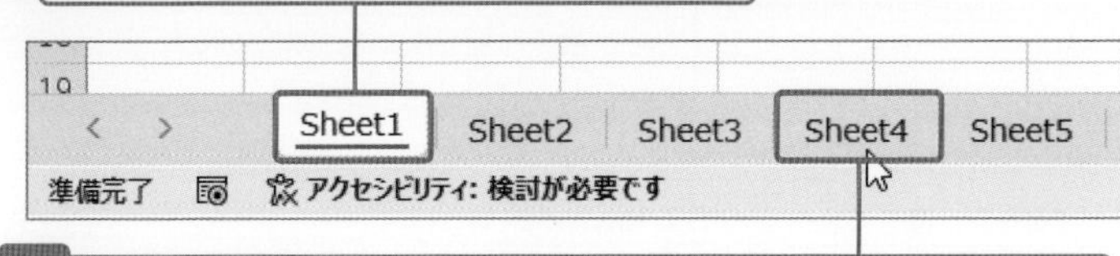

2 選択したい最後のシートを Shift キーを押しながらクリックすると、

3 連続したシートが選択されます。

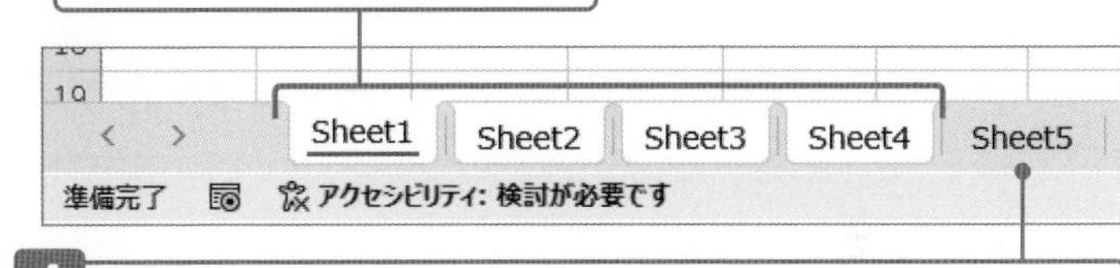

4 選択されていないシート（ここでは［Sheet5］シート）のシート見出しをクリックして複数シートの選択を解除しておきます。

離れたシートの選択

ここでは、［Sheet1］シート、［Sheet3］シート、［Sheet5］シートを選択します。

1 1つ目のシートのシート見出しをクリックします。

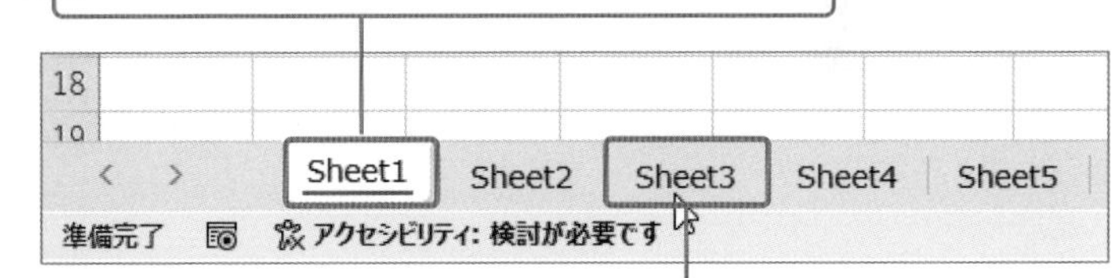

2 2つ目のシートのシート見出しを Ctrl キーを押しながらクリックします。

3 1つ目のシートと2つ目のシートが同時に選択されます。

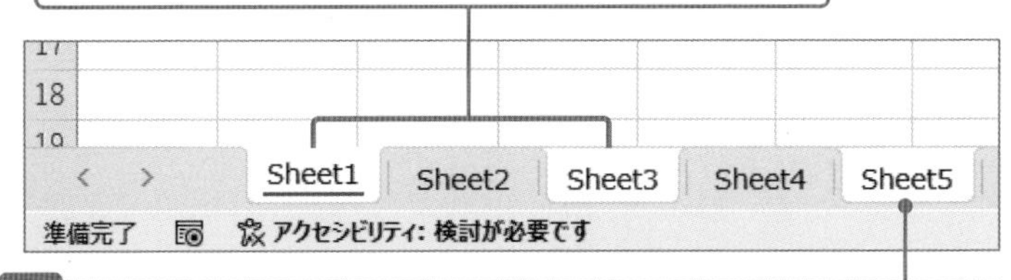

4 同様にして、3つ目のシートのシート見出しを Ctrl キーを押しながらクリックして選択します。

選択された複数シートは作業グループになる

複数のシートを同時に選択すると、選択されているシートは作業グループになります。作業グループでは、セルに文字を入力したり、罫線を設定したりすると、その操作が選択されているシートすべてに設定されます。そのため、同じ表を複数のシートに同時に作成できるというメリットがあります。

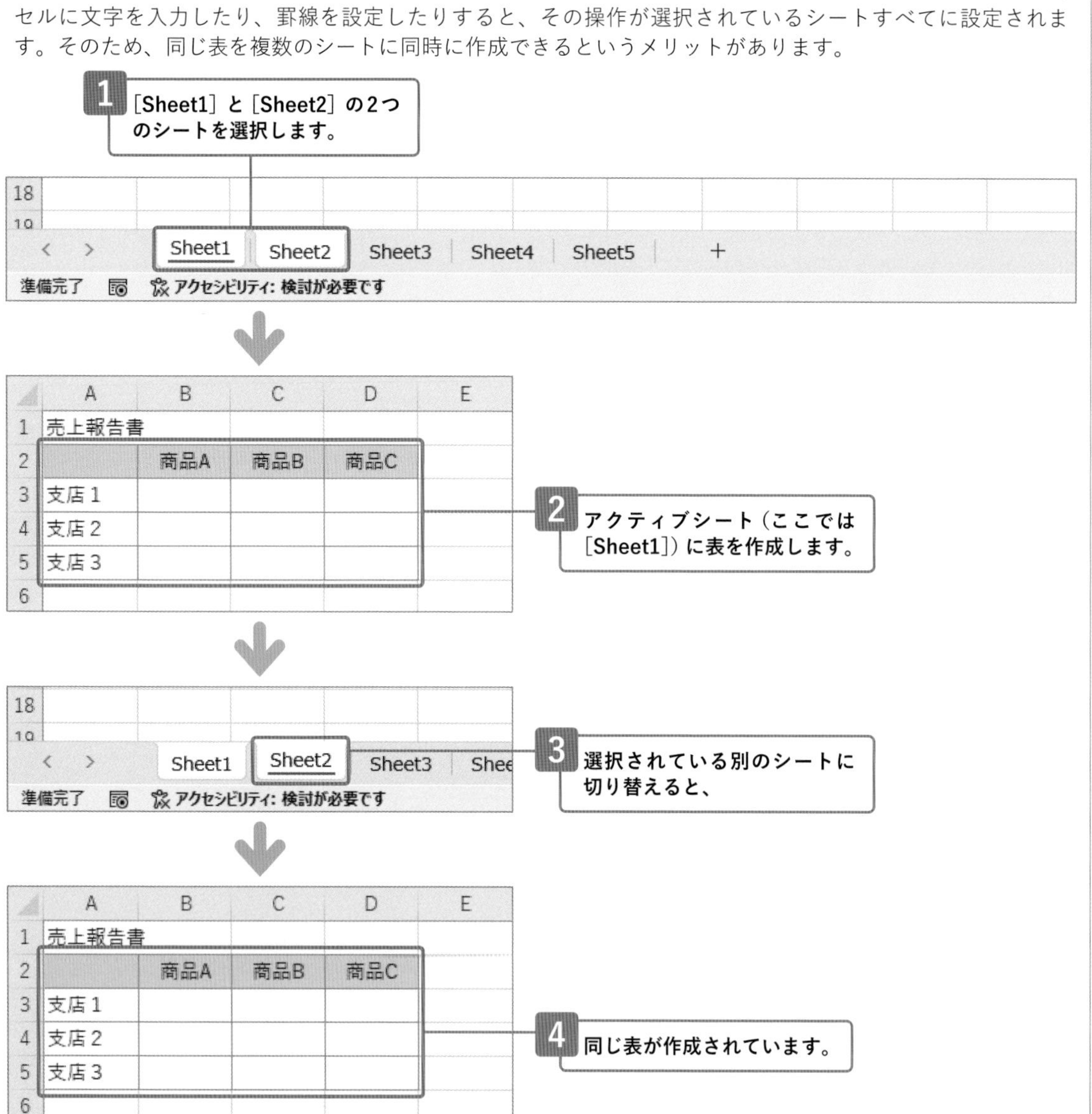

Section

90 ワークシートを移動／コピーする

ワークシートを別の位置に移動して順番を変更したり、ワークシートごと複製したい場合はワークシートを移動、コピーします。ブック内での移動やコピーだけでなく、開いている他のブックへ移動／コピーすることもできます。ここではワークシートの移動とコピーの方法を覚えましょう。

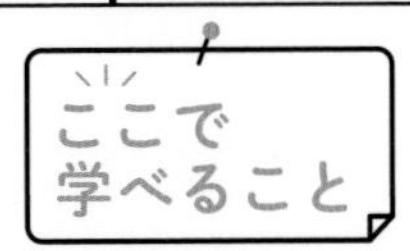

習得スキル	操作ガイド	ページ
▶シートの移動とコピー	レッスン90-1	p.332

まずは パッと見るだけ！

シートの移動とコピー

ワークシートの並び順を変更したいときは、ワークシートを移動して調整します。また、ワークシートをコピーして、まったく同じ内容を複製して利用することができます。シートのコピーは、データのバックアップとしても使うことができます。

● ワークシートの移動

Before 操作前

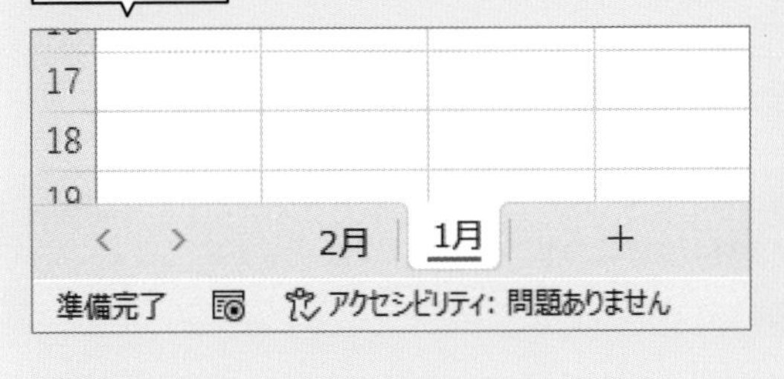

After 操作後

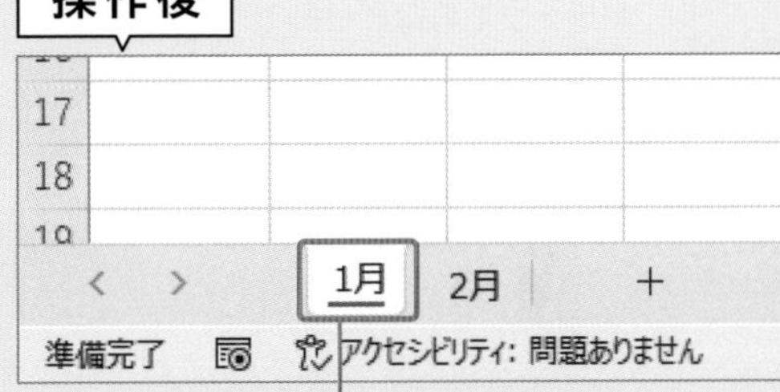

シート見出しをドラッグすると移動する

● ワークシートのコピー

Before 操作前

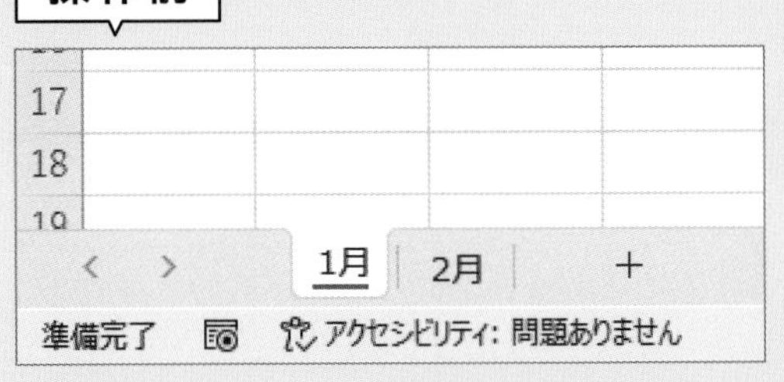

After 操作後

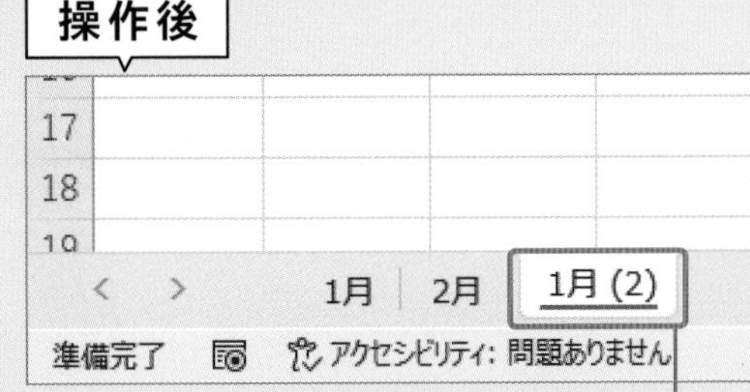

シート見出しを Ctrl キーを押しながらドラッグするとコピーされる

レッスン 90-1 ワークシートを移動/コピーする

90-売上報告書.xlsx

操作 ワークシートを移動/コピーする

ワークシートの移動は、シート見出しを移動先までドラッグします。
また、ワークシートのコピーは、シート見出しを Ctrl キーを押しながらコピー先までドラッグします。

ワークシートの移動

ここでは、[1月] シートを [2月] シートの前に移動します。

1 移動するワークシートのシート見出しにマウスポインターを合わせ、移動先までドラッグします。

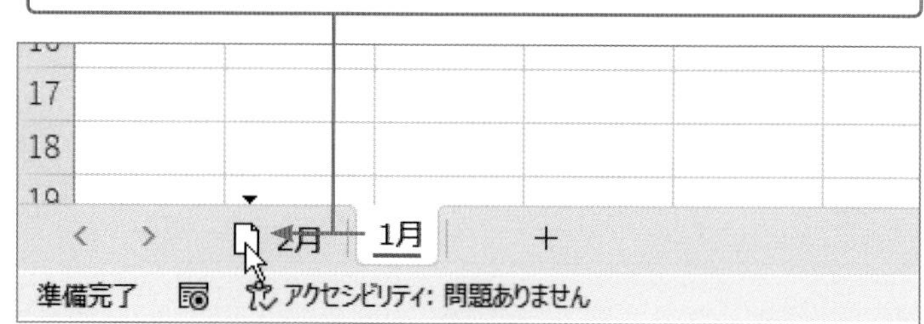

2 ワークシートが移動します。

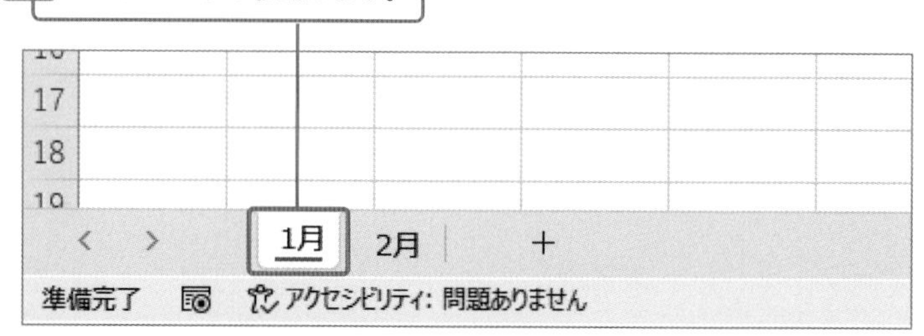

Point ドラッグでのコピーの注意点

Ctrl キーを押しながらシート見出しをドラッグするとき、コピー先で先にマウスのボタンを放してから Ctrl キーを放してください。Ctrl キーを先に放すと移動になってしまいます。
また、ドラッグでコピーする場合は、コピーするシートのすぐ隣にはコピーできません。いったん1つ離れた位置にコピーしてから、移動して調整してください。

ワークシートのコピー

ここでは [1月] シートを [2月] シートの後ろにコピーします。

1 コピーするワークシートのシート見出しにマウスポインターを合わせ、Ctrl キーを押しながらコピー先までドラッグします。

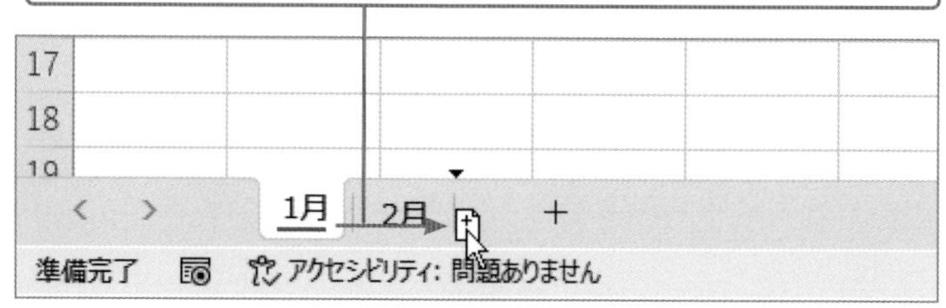

2 コピー先で、先にマウスのボタンを放してから Ctrl キーを放すと、ワークシートがコピーされます。

17
18
1月 2月 1月 (2)
準備完了 アクセシビリティ: 問題ありません

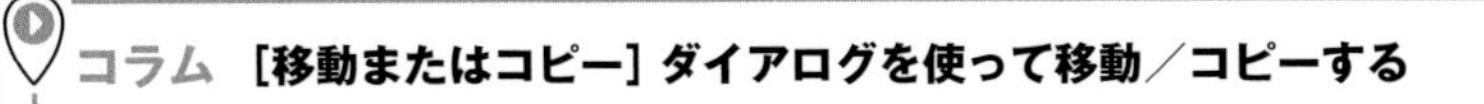

コラム ［移動またはコピー］ダイアログを使って移動／コピーする

［移動またはコピー］ダイアログを表示すると、ブック内だけでなく、開いている他のブックや新規ブックにシートを移動、またはコピーできます。

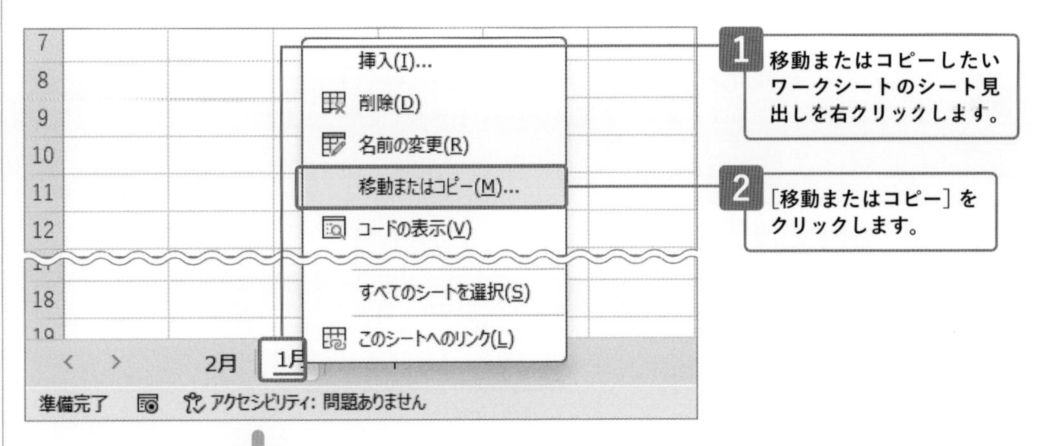

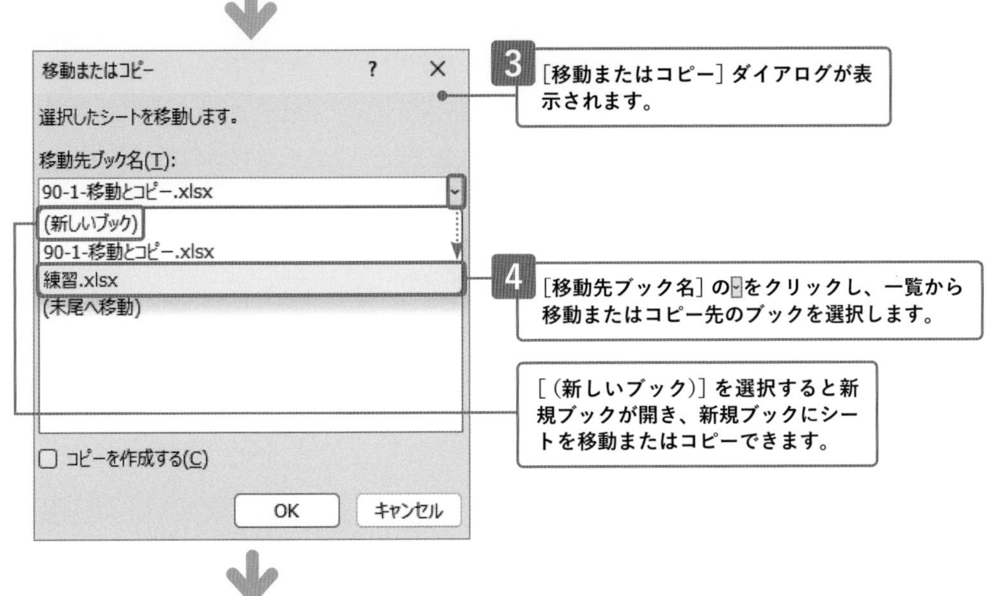

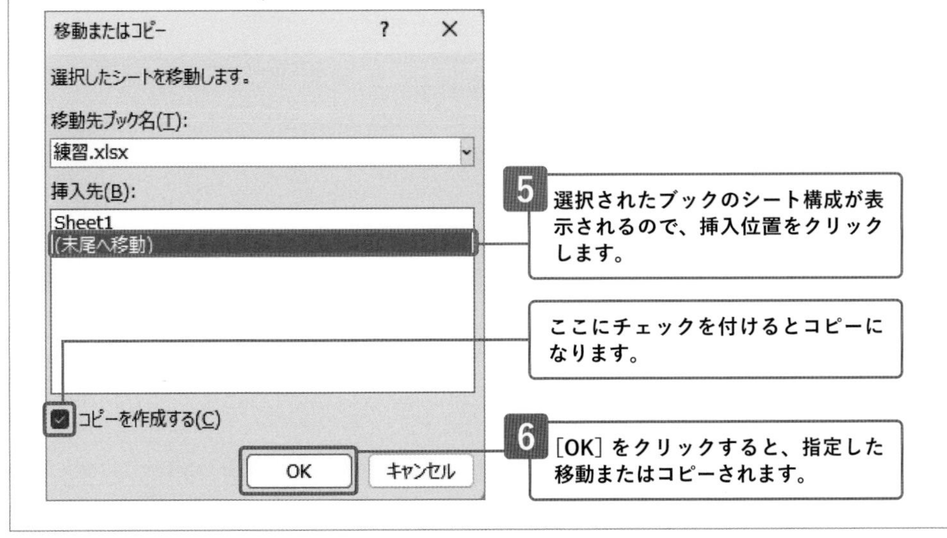

Section

91 ワークシートを非表示にする

ワークシートを削除したくはないけど、表示したくないという場合、ワークシートを非表示にして隠しておくことができます。必要なときに再表示して使用できます。

ここで学べること

習得スキル	操作ガイド	ページ
▶ワークシートを非表示にする	レッスン91-1	p.335
▶ワークシートを再表示する	レッスン91-2	p.335

まずは パッと見るだけ！

ワークシートの非表示と再表示

ひな型となる表が作成されているシートなど、通常は非表示にして隠しておき、必要なときだけ表示するといったことがしたい場合に、ワークシートの**非表示**と**再表示**の機能が便利です。

● ワークシートの非表示

Before 操作前

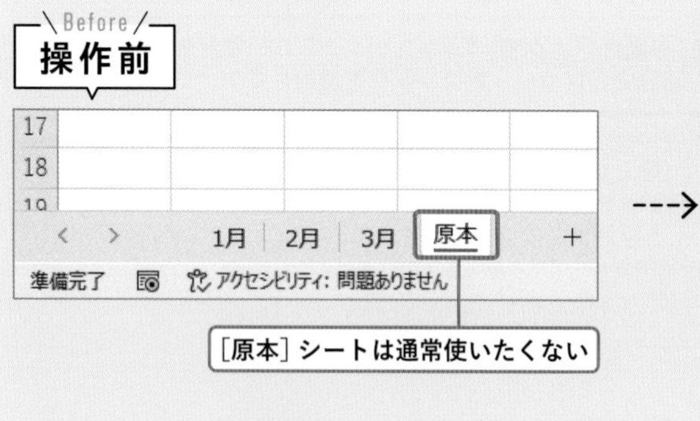

［原本］シートは通常使いたくない

After 操作後

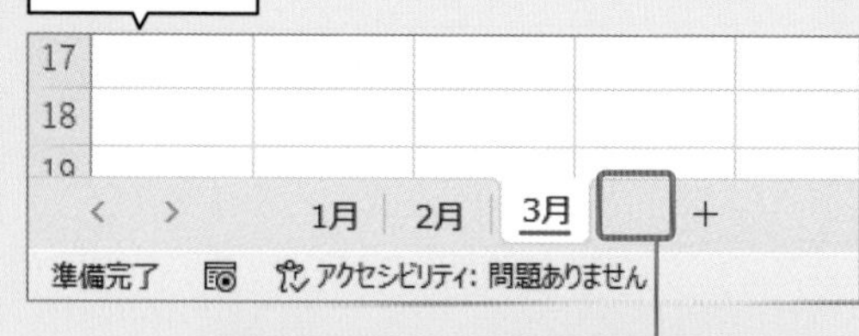

非表示にして一時的に選択できなくした

● ワークシートの再表示

Before 操作前

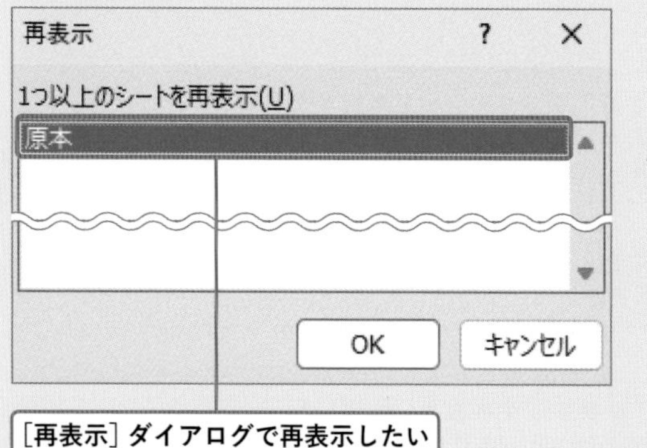

［再表示］ダイアログで再表示したいワークシートを選択する

After 操作後

13 14 15 16 17 18
1月 2月 3月 原本
準備完了 アクセシビリティ: 問題ありません

再表示されて使用できるようになった

レッスン 91-1 ワークシートを非表示にする

練習用ファイル 91-1-売上報告書.xlsx

操作 ワークシートを非表示にする

シートを非表示にするには、非表示にしたいワークシートのシート見出しで右クリックし、[非表示] をクリックします。

Memo 全シートを非表示にはできない

ブック内のすべてのシートを非表示にすることはできません。少なくとも1つはワークシートを表示しておく必要があります。

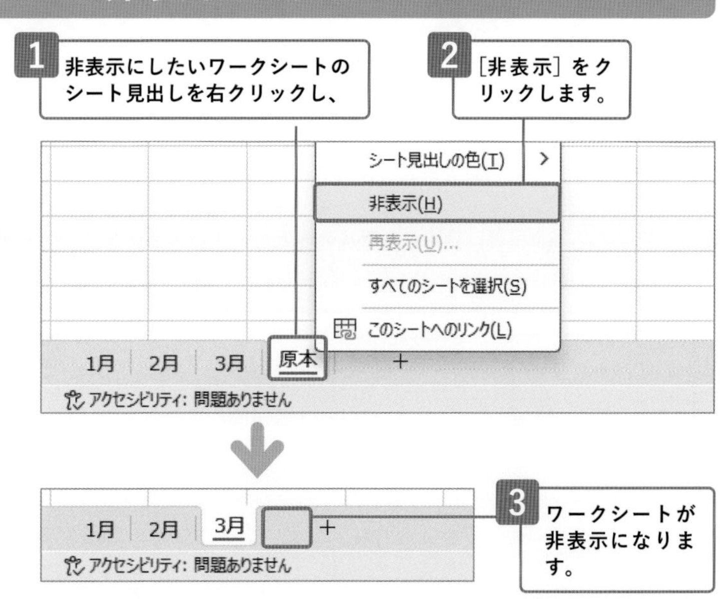

レッスン 91-2 ワークシートを再表示する

練習用ファイル 91-2-売上報告書.xlsx

操作 ワークシートを再表示する

非表示になっているワークシートを再表示するには、[再表示] ダイアログを表示し、再表示したいシートを選択します。

Memo 複数のシートをまとめて再表示する

非表示にしているワークシートが複数ある場合、[再表示] ダイアログで複数のワークシートをまとめて選択し、一度に再表示することができます。1つ目のシートをクリックで選択し、2つ目以降のシートを Ctrl キーを押しながらクリックして、複数のシートを選択したら、[OK] をクリックします。

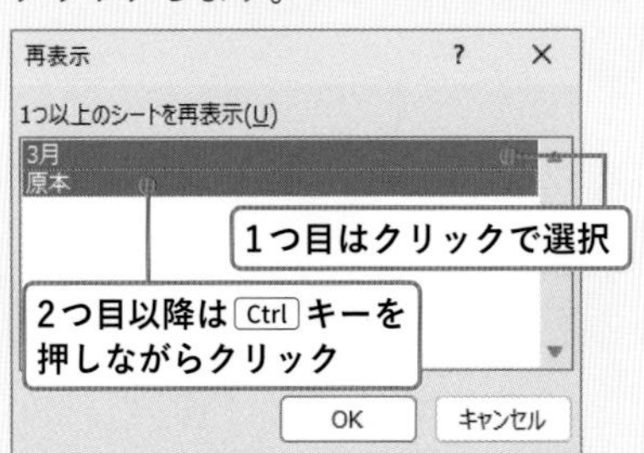

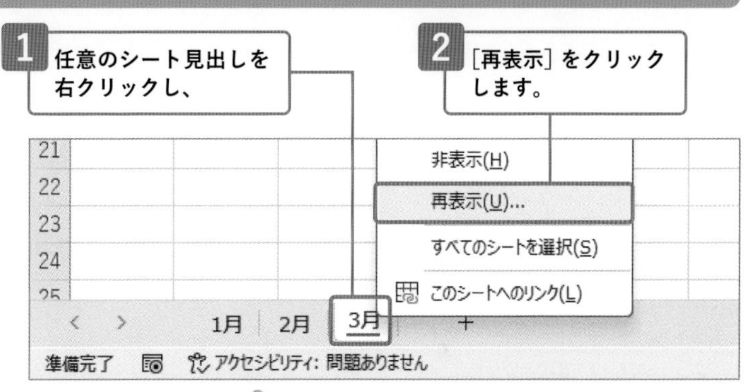

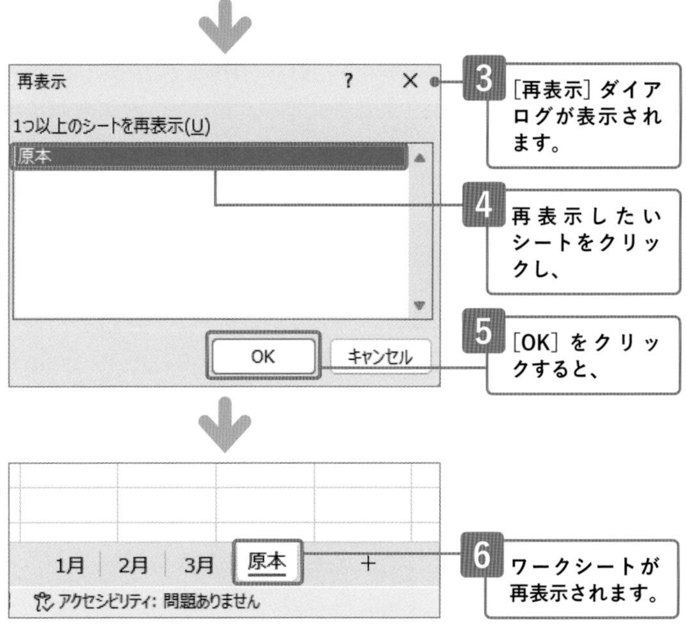

Section

92 指定したセルのみ入力できるようにシートを保護する

表に数式が入力されているなど、削除されたら困るデータが入力されている場合、シートを保護すると、削除されるリスクがなくなります。入力したいセルだけセルのロックを解除しておくと、指定したセルのみ入力できるようになり、シートを保護できます。

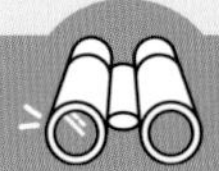

習得スキル	操作ガイド	ページ
▶ロックを解除してシートを保護する	レッスン92-1	p.337
▶シートの保護を解除する	レッスン92-2	p.339

まずは パッと見るだけ！

セルのロック解除とシートの保護

ワークシートを保護するという機能を使うと、ワークシート上のデータを削除したり、変更したりという操作を制限することができます。また、一部のセルだけ入力できるようにしたい場合は、先に対象となるセルのロックを解除し、その後ワークシートを保護します。

Before 操作前

	A	B	C	D	E
1	成績表				
2	学籍NO	英語	数学	国語	合計
3	S001	68	100	87	255
4	S002	100	83	98	281
5	S003	77	84	80	241
6	S004	51	67	82	200
7	S005	83	90	77	250
8	S006	92	90	96	278
9	S007	96	80	90	266
10	S008	80	97	84	261
11	平均点	80.9	86.4	86.8	254.0
12	最大値	100	100	98	281
13	最小値	51	67	77	200
14					

赤枠で囲んだ範囲だけ入力/削除できるようにしたい

After 操作後

	A	B	C	D	E
1	成績表				
2	学籍NO	英語	数学	国語	合計
3	S001		100	81	181
4	S002	86	72	99	257
5	S003	74	96	83	253
6	S004	100	85	70	255
7	S005	56	99	62	217
8	S006	83	100	98	281
9	S007	97	60	68	225
10	S008	81	72	84	237
11	平均点	82.4	85.5	80.6	238.3
12	最大値	100	100	99	281
13	最小値	56	60	62	181
14					

セルB3のデータは削除できるが、セルE3のデータは削除できない

操作後のセルE3は、合計を出す数式が保護されているのね！

ここでは入力したいセルのロックを解除し、ワークシートを保護しました

レッスン92-1 セルのロックを解除し、シートを保護する

92-1-成績表.xlsx

操作 セルのロックを解除してシートを保護する

セルのロックを解除するには、[ホーム]タブの[書式]で[セルのロック]をクリックして設定をオフにします。シートを保護するには、[ホーム]タブの[書式]で[シートの保護]をクリックします。このときシート保護を解除するためのパスワードを指定できます。

Memo セルのロックのオンとオフ

手順2でメニューの[セルのロック]の前にあるアイコンが🔒の状態はセルがロックされています。
[セルのロック]をクリックするとロックが解除されアイコンが🔓になります。クリックするごとにロック、ロック解除が切り替わります。

入力できるセル範囲を指定してシートを保護

ここではセル範囲B3～D10だけ入力できるようにしてシートを保護します。

1 まず、セルのロックを解除します。入力可能にするセル範囲を選択し、

2 [ホーム]タブ→[書式]→[セルのロック]をクリックします。

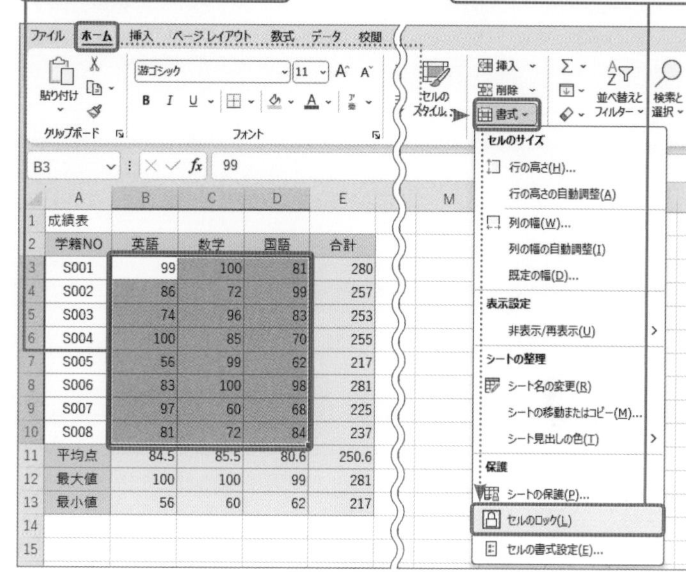

3 次にシートを保護します。[ホーム]タブ→[書式]→[シートの保護]をクリックします。

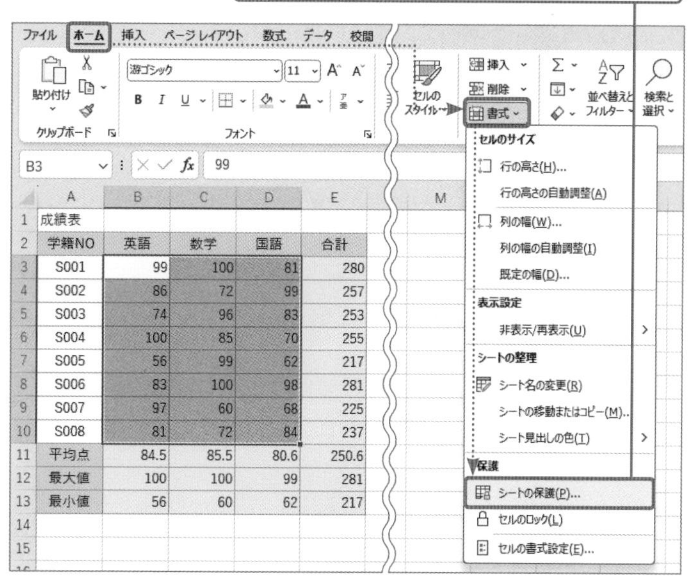

Point パスワードの入力

パスワードは大文字・小文字を区別して入力します。パスワードを忘れるとシートの保護を解除できなくなるので、どこかにメモするなどして保管しておきましょう。
なお、パスワードを設定しなくてもシートを保護できます。手順7で空欄のまま［OK］をクリックします。

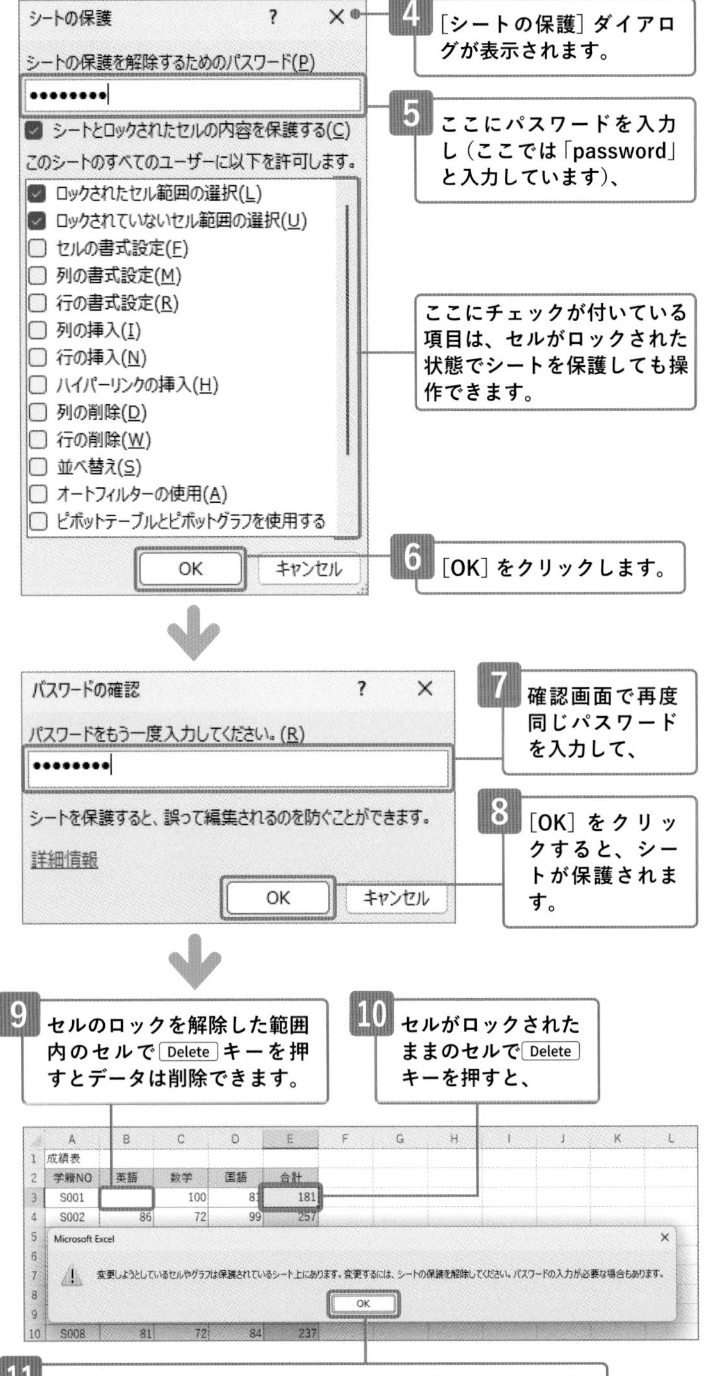

レッスン 92-2 シートの保護を解除する

92-2-成績表.xlsx

操作 シートの保護を解除する

数式を変更したり、書式を変更したりしたい場合は、シートの保護を解除します。シートを保護したときにパスワードを設定している場合は、パスワードが必要になるので用意しておきましょう。
シート保護を解除するには、[ホーム] タブの [書式] で [シート保護の解除] をクリックします。

Section 93 異なるシートを並べて表示する

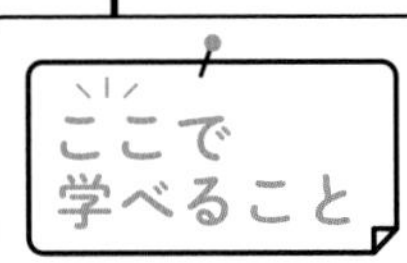

同じブック内の異なるシートを同時に表示して作業したいとき、新しいウィンドウを表示します。同じブックのウィンドウが2つになるので、一方のシートを切り替えて見比べることができます。ウィンドウを整列すれば、2つの画面を見やすく整えることができます。

ここで学べること

習得スキル	操作ガイド	ページ
▶シートを整列して表示する	レッスン93-1	p.341

まずは パッと見るだけ！

シートを整列する

ここでは、売上が月別に保存されているシートが、並列で表示される様子を確認してください。

Before 操作前

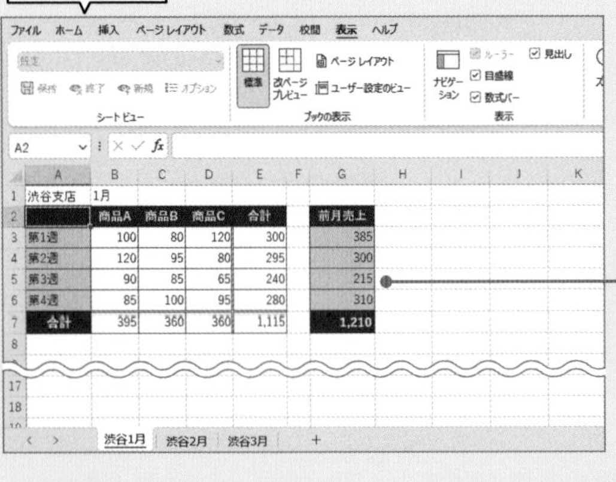

After 操作後

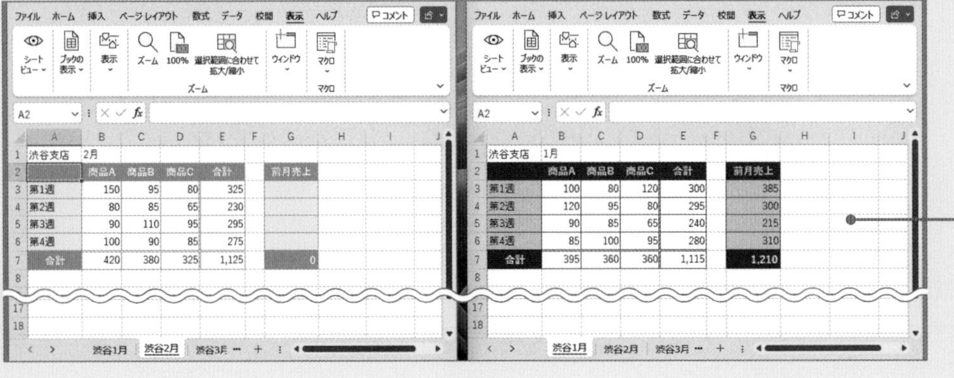

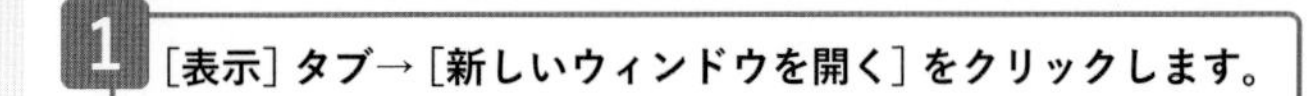

レッスン93-1 新しいウィンドウを表示してシートを整列する

練習用ファイル 93-渋谷支店.xlsx

操作 シートを整列する

ブック内にある異なるシートを並べて表示するには、まず、新しいウィンドウを開いてウィンドウを2つにします。次に、ウィンドウを整列して並べます。新しいウィンドウは[表示]タブの[新しいウィンドウを開く]をクリックして表示し、ウィンドウの整列は[表示]タブの[整列]をクリックします。

Memo 同じブックのウィンドウを整列するには

同じブックのウィンドウを整列する場合は、[ウィンドウの整列]ダイアログで、[作業中のブックのウィンドウを整列する]にチェックを付けてください。

Memo 追加したウィンドウを閉じる

追加したウィンドウは、作業が終わったら閉じておきます。どちらのウィンドウを閉じても構いません。ウィンドウの[閉じる] をクリックして閉じたら、残ったウィンドウは[最大化]をクリックして最大表示しておきましょう。

1 [表示]タブ→[新しいウィンドウを開く]をクリックします。

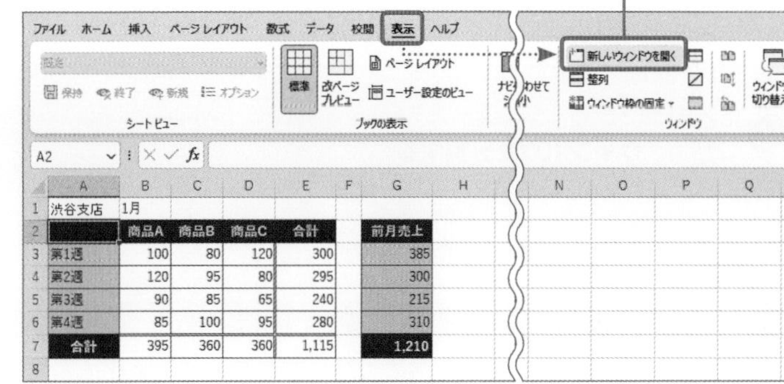

2 [表示]タブ→[整列]をクリックします。

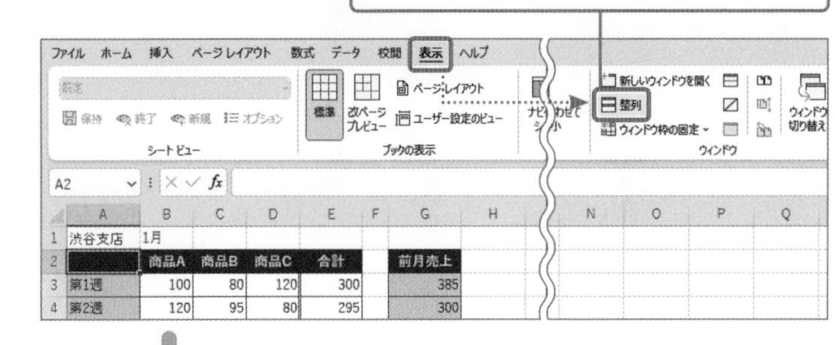

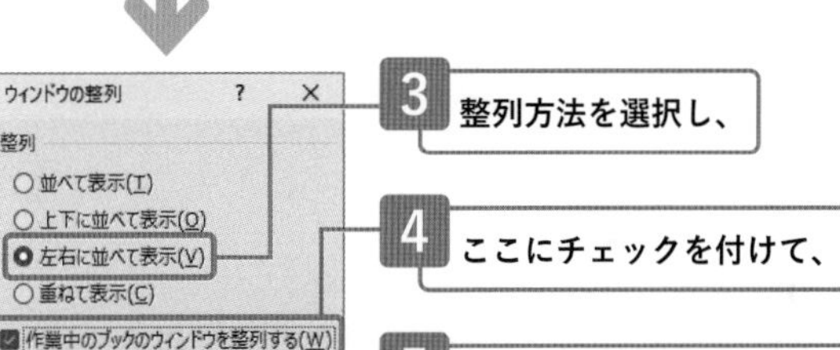

3 整列方法を選択し、

4 ここにチェックを付けて、

5 [OK]をクリックします。

6 ウィンドウが指定された方法で整列します。

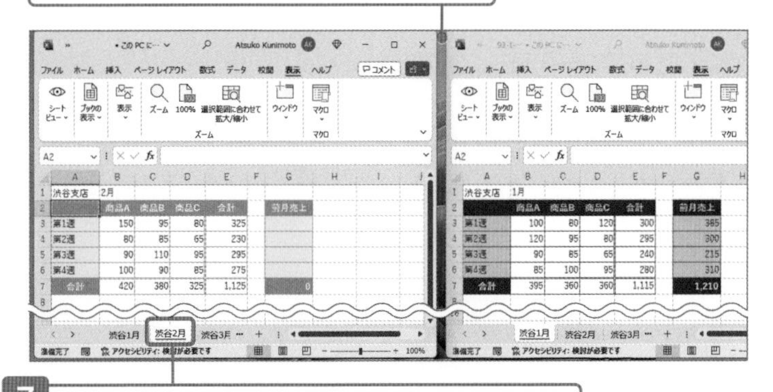

7 シート見出しをクリックしてシートを切り替えると、ブック内の別のシートが並んで表示されます。

Memo 異なるブックを整列する

複数のブックを開いている場合、ブックとブックを整列することができます。その場合は、新しいウィンドウを開く必要はありません。複数のブックが開いている状態で、[ウィンドウの整列] ダイアログで [作業中のブックのウィンドウを整列する] のチェックを外して整列してください。

コラム ウィンドウを分割する

ワークシートに大きい表が作成されているような場合、1つのワークシート内で異なる場所を同時に見たいことがあります。それには、ウィンドウを分割します。分割されたそれぞれでスクロールすることができるので画面移動して調整できます。上下に2分割する場合は、分割したい位置で行選択し、左右に2分割する場合は、分割したい位置で列選択します。4分割したい場合は、分割したい位置でクリックしてから、[表示] タブの [分割] ⊟をクリックします。表示された分割線にマウスポインターを合わせ、ドラッグすると移動できます。また、ダブルクリックすると分割線が解除されます。ここでは上下に2分割します。

3 画面に分割線が表示され、

4 それぞれの画面にスクロールバーが表示されます。

	A	B	C	D	E	F	G	H	I	J
1	2024年									
2		東京			大阪			福岡		
3		第1営業部	第2営業部	計	第1営業部	第2営業部	計	第1営業部	第2営業部	計
4	03/01(Fri)	2,810	3,590	6,400	1,659	3,227	4,886	3,855	2,794	6,649
5	03/02(Sat)	2,071	3,566	5,637	3,219	3,787	7,006	4,696	4,388	9,084
6	03/03(Sun)	4,487	4,427	8,914	4,391	1,910	6,301	1,575	2,432	4,007
7	03/04(Mon)	1,917	2,753	4,670	2,679	4,709	7,388	1,660	2,537	4,197
8	03/05(Tue)	2,058	4,601	6,659	1,744	1,833	3,577	3,223	4,649	7,872
9	03/06(Wed)	1,693	4,245	5,938	4,268	1,593	5,861	4,446	4,461	8,907
16	03/13(Wed)	3,092	3,367	6,459	2,157	2,859	5,016	2,675	3,970	6,645
17	03/14(Thu)	3,585	3,520	7,105	4,215	2,148	6,363	4,317	2,855	7,172
18	03/15(Fri)	2,968	2,634	5,602	2,908	2,025	4,933	2,967	4,728	7,695
23	03/20(Wed)	1,997	[illegible]	[illegible]	[illegible]	2,652	[illegible]	[illegible]	[illegible]	[illegible]
24	03/21(Thu)	3,132	4,314	7,446	3,156	2,289	5,445	4,415	4,127	8,542
25	03/22(Fri)	2,876	4,353	7,229	4,402	2,848	7,250	4,695	2,996	7,691

Sheet1

準備完了　アクセシビリティ: 問題ありません

Section

94 2つのブックを並べて比較する

2つのブックを並べて比較したい場合は、[並べて比較] を使います。[並べて比較] を使ってウィンドウを整列すると、上下または左右に並べて比較しながら作業ができます。2つのブックを同時にスクロールすることができるので同じ形の表を比較するのに便利です。

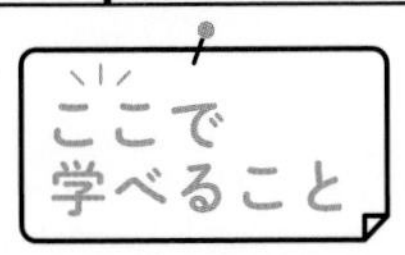

習得スキル	操作ガイド	ページ
▶ブックを並べて比較する	レッスン94-1	p.344

まずは パッと見るだけ！

ブックを並べて比較する

[並べて比較] 機能を使うと、2つのブックを並べて、同時にスクロールできるようになります。例えば、先月の報告書と比較しながら、今月の報告書を作成したいといった場合に使えます。

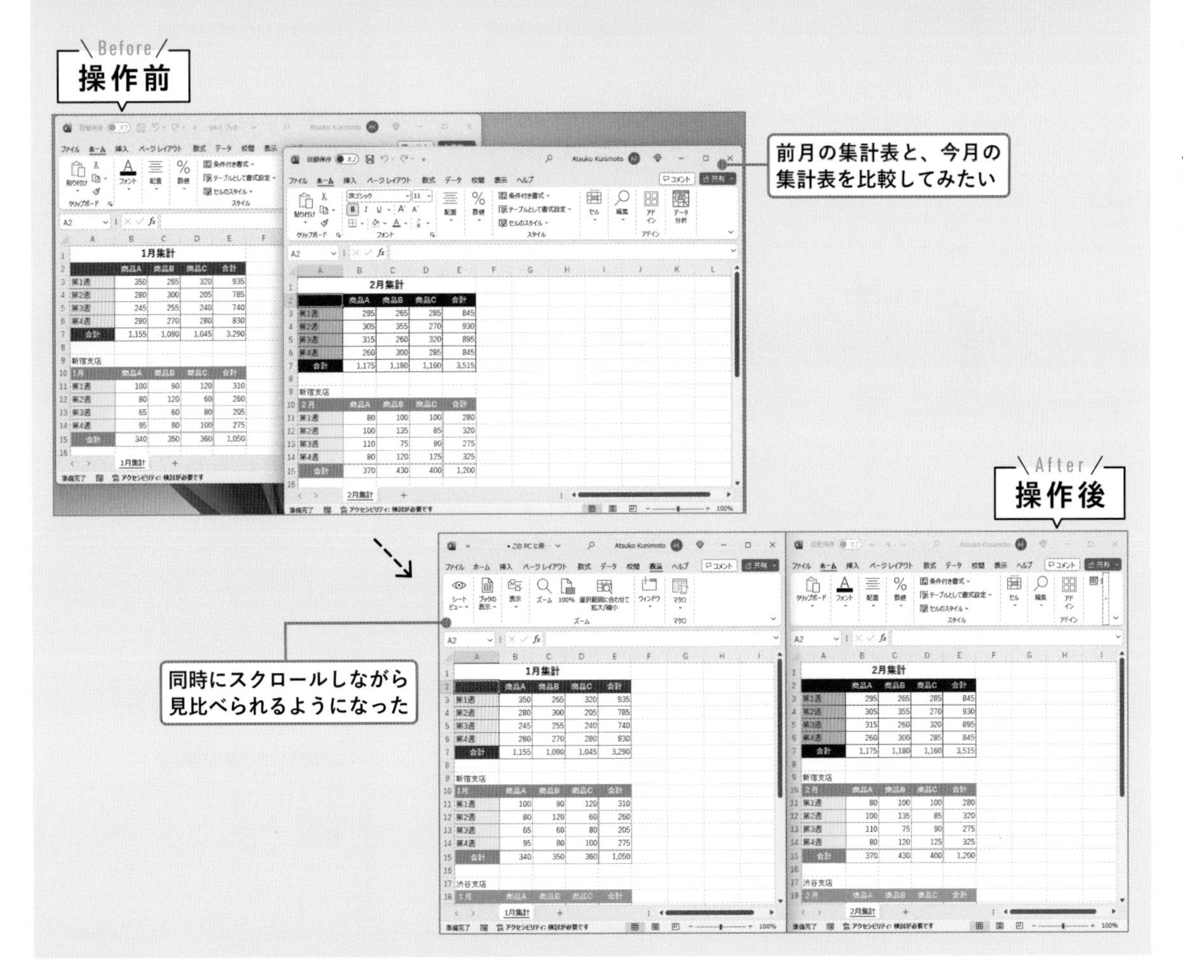

レッスン94-1 ブックを比較する

94-1月集計.xlsx
94-2月集計.xlsx

操作 ブックを比較する

ブックを比較するには、先に比較したいブックを2つ開いてから、[表示] タブの [並べて比較] をクリックします。自動的に2つのブックが整列し、同時にスクロールされるようになります。

Point ブックの先頭画面を表示しておく

[並べて比較] をクリックした時点での画面のまま同時スクロールされるので、[並べて比較] をクリックする前に2つのブック共に先頭画面を表示し、表示位置を揃えておきます。

Memo 同時にスクロールされない場合

どちらかのウィンドウの [最大化] をクリックして画面を最大化し、[表示] タブの [同時にスクロール] をクリックしてオンにします。その後、[元のサイズに戻す] をクリックしてウィンドウサイズを戻します。

Memo 並べて比較を解除する

どちらかのウィンドウの [最大化] をクリックして画面を最大化し、[表示] タブの [並べて比較] をクリックしてオフにします。

ここでは、2つのサンプルブックを開いている状態で操作します。

1 [表示] タブ→ [並べて比較] をクリックしてオンにします。

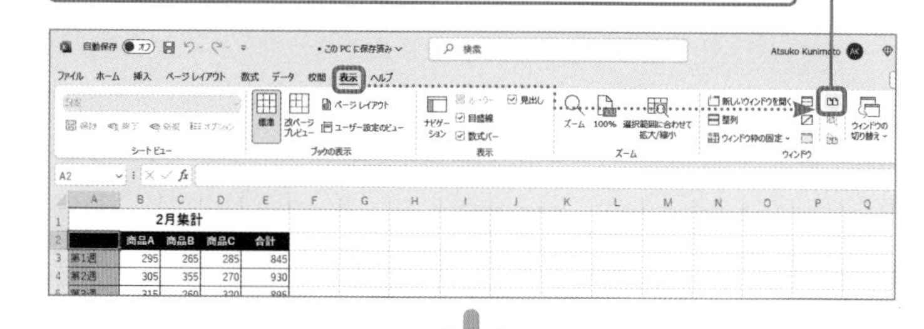

2 2つのブックが並んで表示されます（きれいに整列されなかった場合は、次ページのコラムを参照してください）。

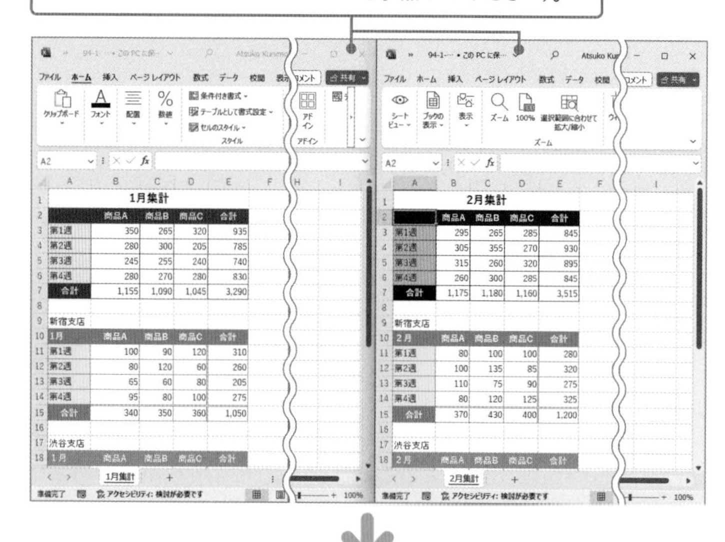

3 画面をスクロールすると、2つの画面が同時にスクロールされることを確認します。これで2つのブックを見比べながら作業ができます。

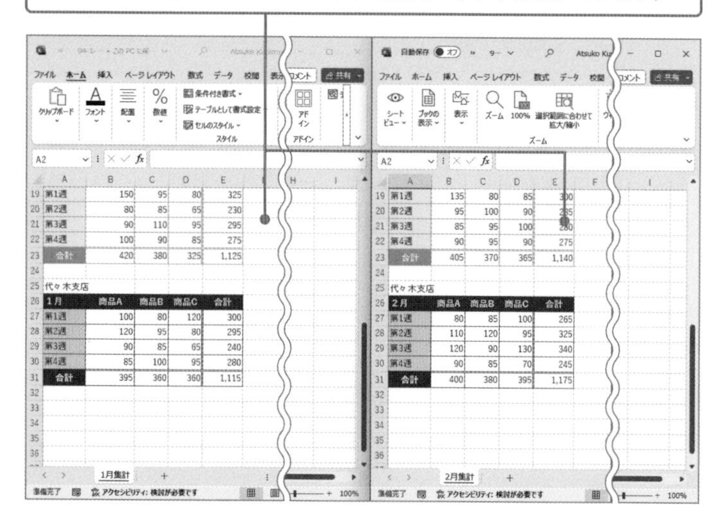

コラム　きれいに整列されなかった場合

[並べて比較] をクリックしても、きれいに左右に整列されなかった場合は、レッスン94-1のように [表示] タブの [整列] をクリックし、[ウィンドウの整列] ダイアログで [左右に並べて表示] を選択して、[作業中のブックのウィンドウを整列する] のチェックをオフにして整列してください。または、以下の手順でWindows 11の機能を使って整列させることもできます。ウィンドウの配置を入れ替えたいときも使えます。

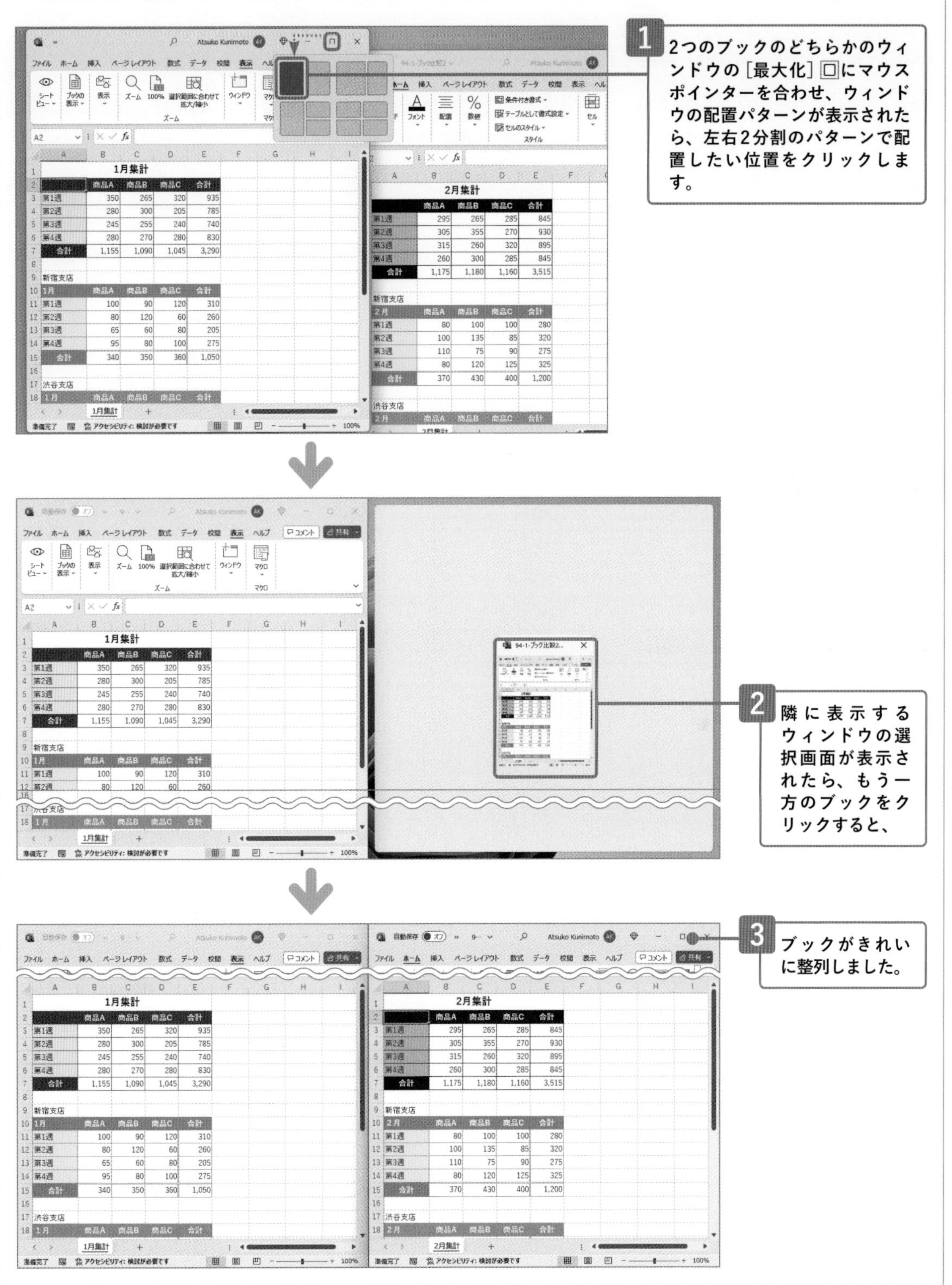

練習問題 ワークシートとブックの操作を練習しよう

練習用ファイル 演習9-講座申込状況.xlsx

以下の手順でワークシートやブックの操作の練習をしてみましょう。

1 非表示になっている［原本］シートを表示する

2 ［原本］シートを［3月］シートの右側にコピーし、シート名を「4月」に変更する

3 ［2月］シートと［3月］シートを選択し、シート見出しの色をオレンジ色に変更する

4 ［原本］シートのセル範囲A4～A10とセルE1とセル範囲D4～D10を入力可能な状態にして、パスワードを設定せずに、ワークシートを保護する

5 ［2月］シートを新規ブックにコピーして「講座申込状況2月」という名前で、練習ファイルと同じ場所に保存する

▼完成見本

	A	B	C	D	E
1	講座申込状況			作成日	
2					
3	開催日	講座名	定員	申込数	申込率
4		俳句入門	80		0%
5		楽しく学ぶ英会話	80		0%
6		はじめての囲碁	80		0%
7		書道の楽しみ	80		0%
8		絵手紙入門	80		0%
9		短歌入門	80		0%
10		ボールペン字基礎	80		0%

第10章

作成した表をきれいに印刷する

ワークシートに作成した表やグラフを印刷するには、[印刷] 画面を開き、印刷を実行します。印刷プレビューで印刷結果を事前に確認し、1ページに収まるようにしたり、用紙の中央に印刷されるようにしたりするなど、きれいに印刷するためのさまざまな設定項目が用意されています。

Section 95

ワークシートを印刷する

ワークシート上に作成した表やグラフの印刷は、[印刷] 画面を表示して実行します。ここでは、[印刷] 画面での印刷手順と [印刷] 画面の構成を説明します。

習得スキル	操作ガイド	ページ
▶[印刷] 画面の構成を知る ▶印刷の設定を知る	なし	p.348 p.349

まずは パッと見るだけ！

ワークシートの印刷

文書を印刷するには、[印刷] 画面を開き、印刷プレビューで設定を確認して印刷します。

● **印刷の手順**

❶ [ファイル] タブ→ [印刷] をクリックして [印刷] 画面を表示する
❷印刷プレビューで印刷イメージを確認する
❸印刷の設定や部数を確認、変更する
❹ [印刷] をクリックして印刷を実行する

● **[印刷] 画面の構成**

パソコンに接続されているプリンター名と現在の状態が表示される

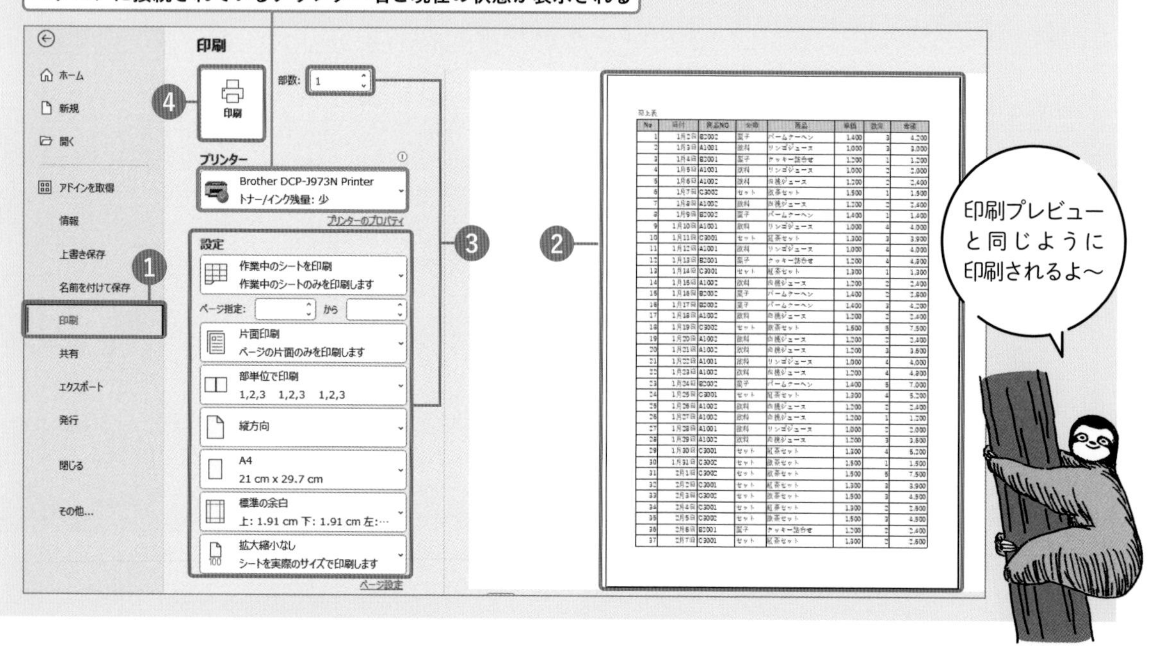

印刷の設定と内容

印刷の設定は、[印刷] 画面と [ページレイアウト] タブ、[ページ設定] ダイアログで行えます。

● [印刷] 画面の印刷設定

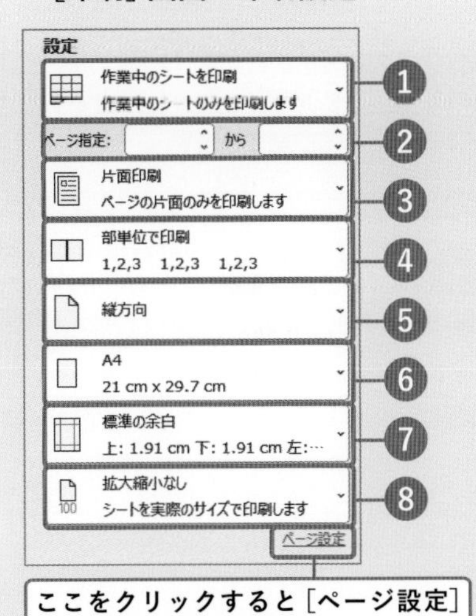

番号	設定内容
❶	印刷対象を [作業中のシートを印刷]、[ブック全体を印刷]、[現在の選択範囲を印刷] から選択
❷	印刷ページを指定
❸	印刷面を [片面印刷]、[両面印刷] のいずれかから選択
❹	印刷単位を [部単位]、[ページ単位] のいずれかから選択
❺	印刷方向を [縦方向]、[横方向] のいずれかから選択
❻	用紙サイズを選択
❼	余白を [最後に適用したユーザー設定]、[標準]、[広い]、[狭い] から選択。[ユーザー設定の余白] で [ページ設定] ダイアログを表示して数値で余白指定できる
❽	拡大/縮小印刷を [拡大縮小なし]、[シートを1ページに印刷]、[すべての列を1ページに印刷]、[すべての行を1ページに印刷] から選択。[拡大縮小オプション] を選択すると [ページ設定] ダイアログを表示し、より詳細に倍率を指定できる

● [ページレイアウト] タブ

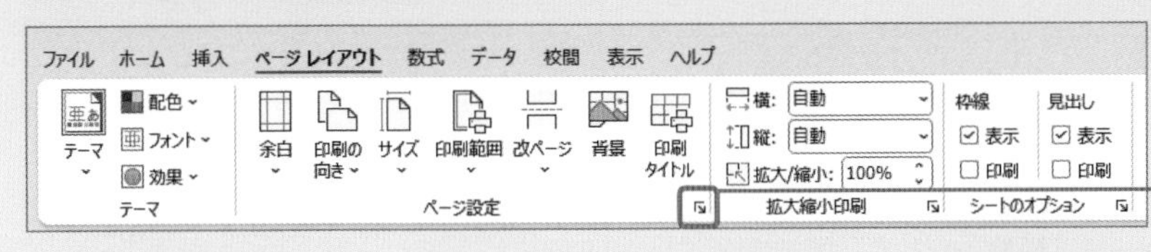

グループ名	設定項目
ページ設定	余白、印刷の向き、サイズという基本設定に加えて、印刷するセル範囲の指定、改ページ位置の指定、ワークシートの背景に表示する画像、印刷タイトルの設定
拡大縮小印刷	拡大/縮小印刷の方法を指定
シートのオプション	枠線の [印刷] にチェックを付けると、セルの線が印刷され、見出しの [印刷] にチェックを付けると、行番号、列番号が印刷される

● [ページ設定] ダイアログ

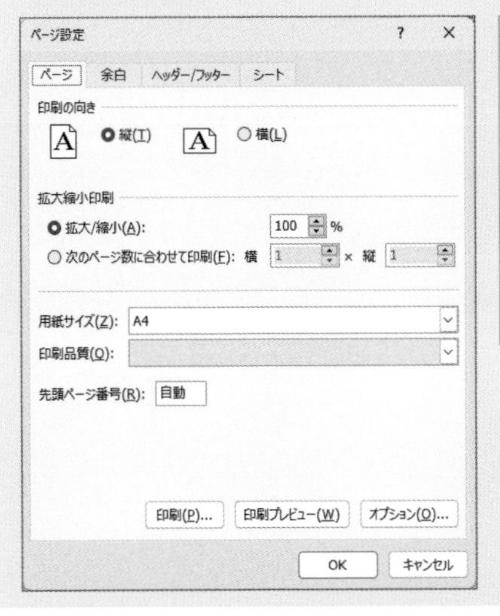

タブ	設定内容
ページ	印刷の向き、拡大縮小印刷、用紙サイズなどを設定できる
余白	用紙の上下左右の余白をセンチ単位で指定し、ページ中央印刷を設定できる
ヘッダー/フッター	ヘッダーとフッターを設定できる
シート	印刷範囲、印刷タイトル、印刷要素や印刷方法などを設定できる

Section

96 ブック内のすべてのシートを印刷する

既定の印刷対象は、[印刷] 画面を表示するときに作業していたワークシートです。ブック内のワークシートをすべて印刷したいときに、ワークシートを切り替えながら1つずつ印刷するのは面倒です。印刷対象をブック全体に変更することで、すべてのワークシートをまとめて印刷できます。

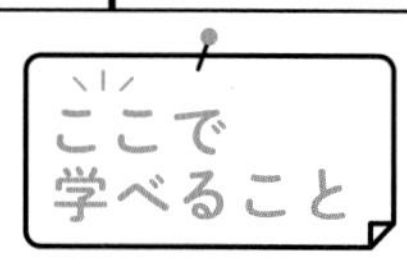

習得スキル	操作ガイド	ページ
▶すべてのワークシートの印刷	レッスン96-1	p.351

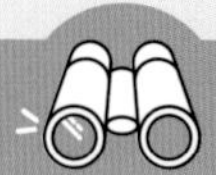

まずは パッと見るだけ！

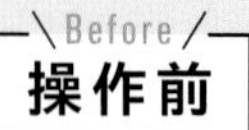

ブック内に [2月]、[3月]、[4月] と3つのワークシートがあるとき、すべてのワークシートの表を一度に印刷できるようにするには、印刷対象を [ブック全体を印刷] に変更します。

Before 操作前

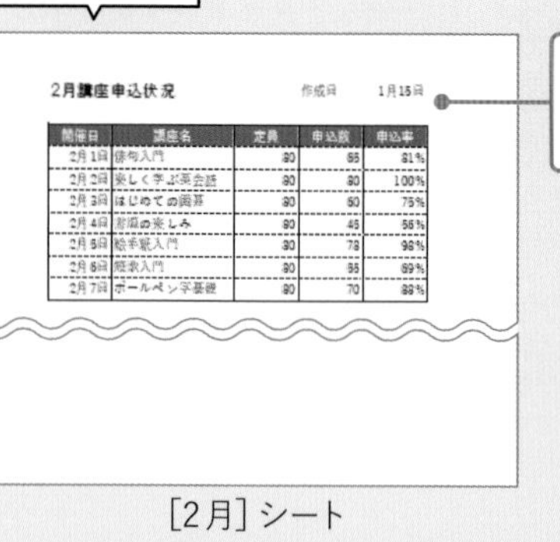

印刷対象：[作業中のシートを印刷] のとき、選択されているシートが印刷される

[2月] シート

After 操作後

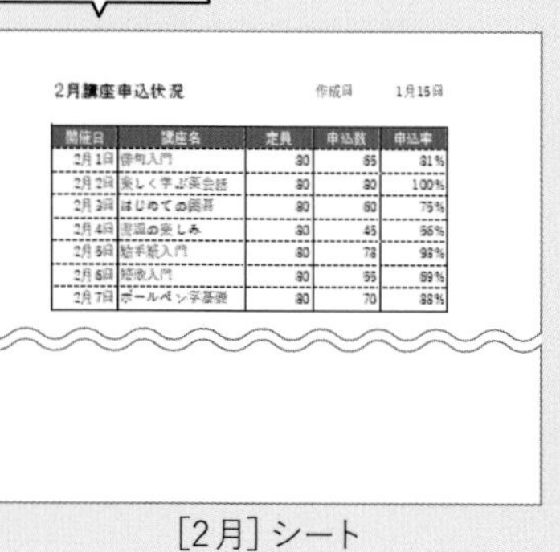

[2月] シート

[3月] シート

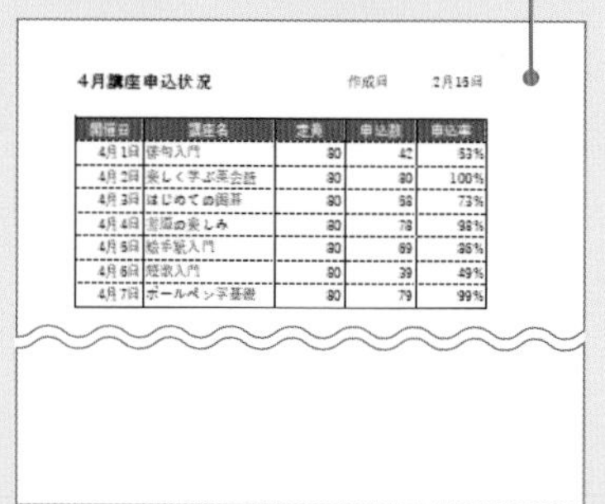

印刷対象：[ブック全体を印刷] のとき、すべてのシートが印刷される

[4月] シート

レッスン96-1 すべてのワークシートを一度に印刷する

96-講座申込状況.xlsx

操作 すべてのワークシートを印刷する

すべてのワークシートを一度に印刷するには、[印刷] 画面で印刷対象を [ブック全体を印刷] に変更します。印刷対象を [ブック全体を印刷] に変更すると、印刷プレビューのページ数が変わり、ページを切り替えてすべてのワークシートの印刷プレビューが確認できます。

Point [2月] シートと [4月] シートだけ印刷したい

[2月] シートと [4月] シートだけ印刷したい場合は、[2月] シートと [4月] シートを選択してから、[印刷] 画面を表示します。印刷対象は、[作業中のシートを印刷] のままにします。

1つ目のシート見出しをクリックし、2つ目以降のシート見出しを Ctrl キーを押しながらクリックして、印刷したいシートを選択してから [印刷] 画面を表示します

Memo ワークシートの一部分だけ印刷したい

ワークシート内に複数の表があり、その1つだけを印刷したいとか、大きい表の一部分だけを印刷したい場合は、印刷したいセル範囲を選択してから、[印刷] 画面を表示し、印刷対象を [選択した部分を印刷] に変更します。

1 [ファイル] タブ→ [印刷] をクリックし、[印刷] 画面を表示します。

2 [作業中のシートを印刷] → [ブック全体を印刷] をクリックします。

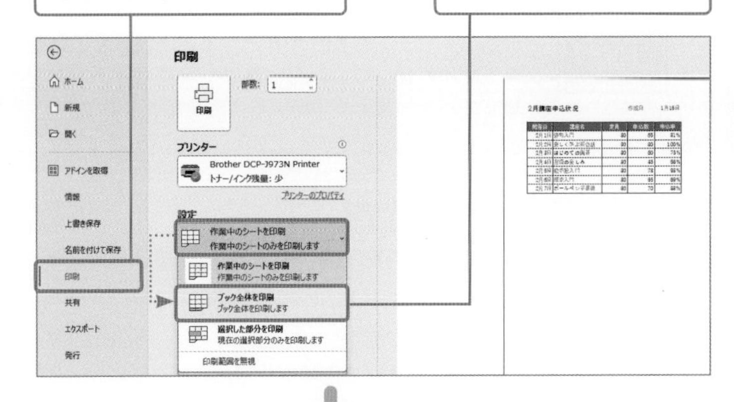

3 印刷対象が [ブック全体を印刷] になります。

4 印刷ページが増えるので、▶ をクリックすると、

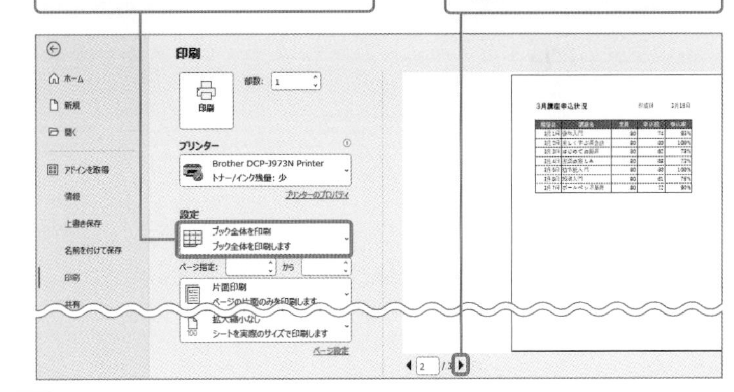

5 次のシートの印刷プレビューが表示されます。

Memo ワークシート上のグラフだけを印刷したい

ワークシートに作成したグラフだけ印刷したいときは、ワークシートにあるグラフを選択してから [印刷] 画面を表示します。自動的に印刷対象が [選択したグラフを印刷] に変更になり、印刷プレビューはグラフのみが表示されます。

グラフを選択してから [印刷] 画面を開くと、印刷対象が自動で [選択したグラフを印刷] に変更されます。

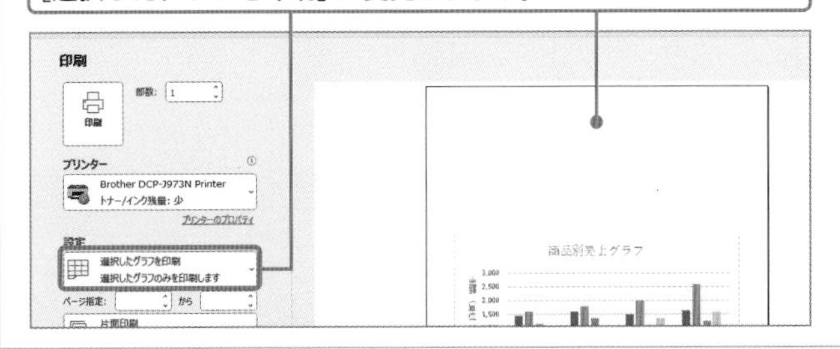

Section

用紙の中央に配置して印刷する

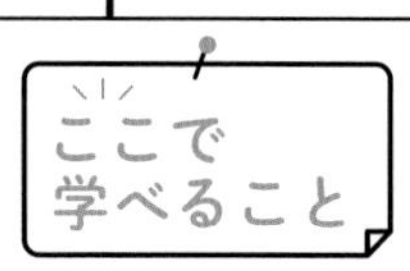

印刷プレビューを表示すると、表が用紙の左上に配置され、バランスがよくありません。設定を変更すれば、この問題は簡単に解決できます。ここでは、用紙の左右または上下に中央に配置してバランスよく印刷する方法を紹介します。

習得スキル	操作ガイド	ページ
▶用紙の中央に印刷	レッスン97-1	p.353

まずは パッと見るだけ！

用紙の中央に印刷する

用紙に対して印刷する表が小さい場合は、用紙の左上にかたよって印刷されてしまいます。用紙の中央に配置するように設定すれば、バランスよく印刷できます。

Before
操作前

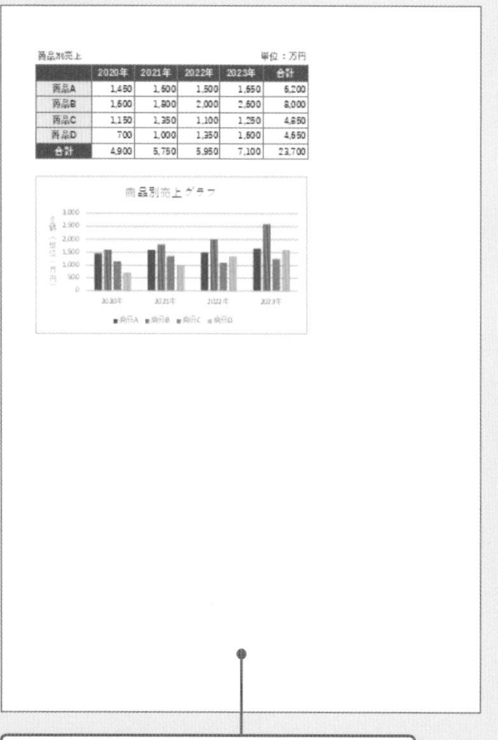

商品別売上　単位：万円

	2020年	2021年	2022年	2023年	合計
商品A	1,450	1,600	1,500	1,650	6,200
商品B	1,600	1,800	2,000	2,600	8,000
商品C	1,150	1,350	1,100	1,250	4,850
商品D	700	1,000	1,350	1,600	4,650
合計	4,900	5,750	5,950	7,100	23,700

表やグラフが用紙の左上にかたよっている。バランスが悪い

After
操作後

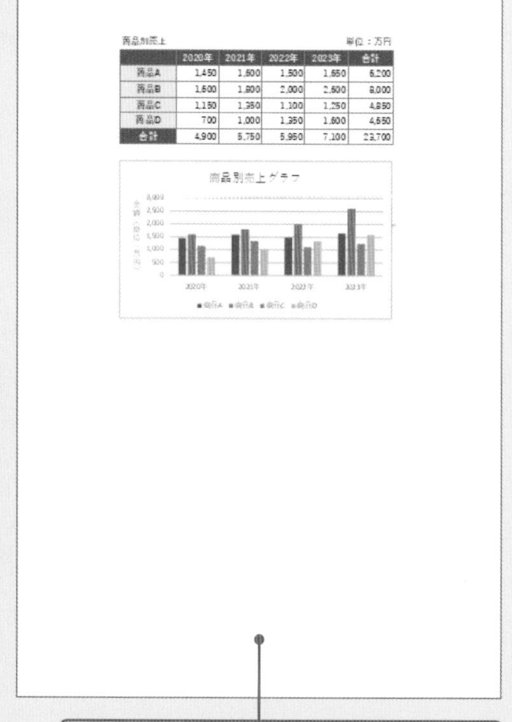

商品別売上　単位：万円

	2020年	2021年	2022年	2023年	合計
商品A	1,450	1,600	1,500	1,650	6,200
商品B	1,600	1,800	2,000	2,600	8,000
商品C	1,150	1,350	1,100	1,250	4,850
商品D	700	1,000	1,350	1,600	4,650
合計	4,900	5,750	5,950	7,100	23,700

用紙の中央に印刷されるように設定変更したら、バランスがよくなった

レッスン 97-1 水平方向または垂直方向に中央に配置して印刷する

97-商品別売上.xlsx

操作 用紙の中央に印刷する

表やグラフを用紙の中央に配置して印刷するには、[ページ設定] ダイアログの [余白] タブの [ページ中央] で [水平] または [垂直] にチェックを付けます。

Memo 上下に中央に配置する

用紙の上下で中央に配置するには、手順4で [垂直] にチェックを付けます。

1 [ファイル] タブ→ [印刷] をクリックし、[印刷] 画面で印刷プレビューを確認します。

2 [ページ設定] をクリックします。

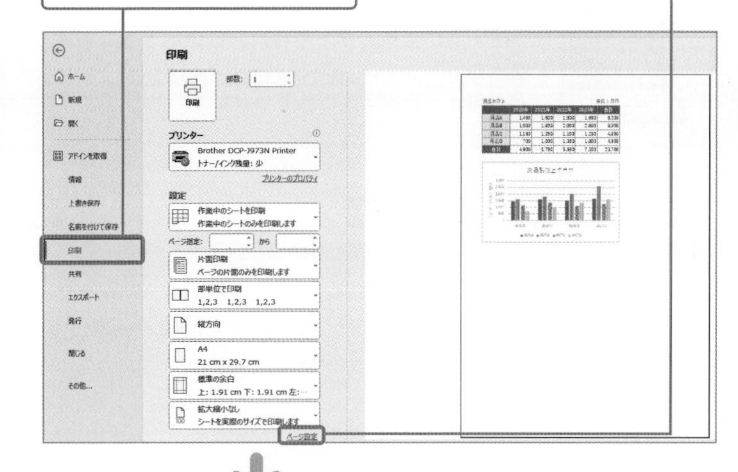

3 [ページ設定] ダイアログが表示されます。

4 [ページ中央] の [水平] にチェックを付けて、

5 [OK] をクリックすると、

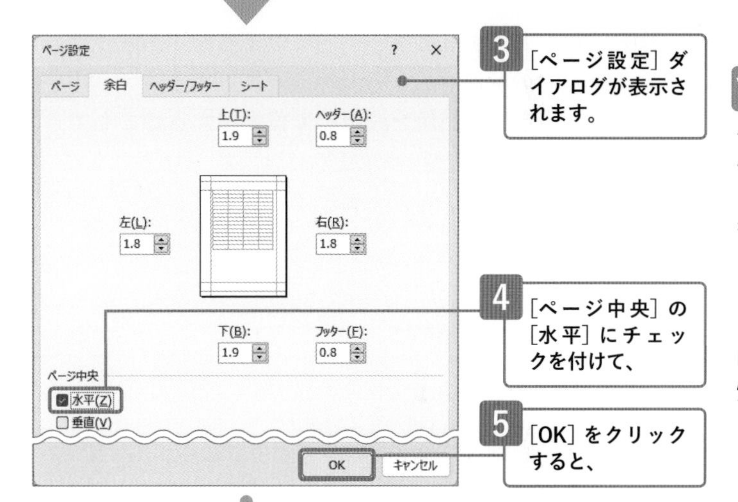

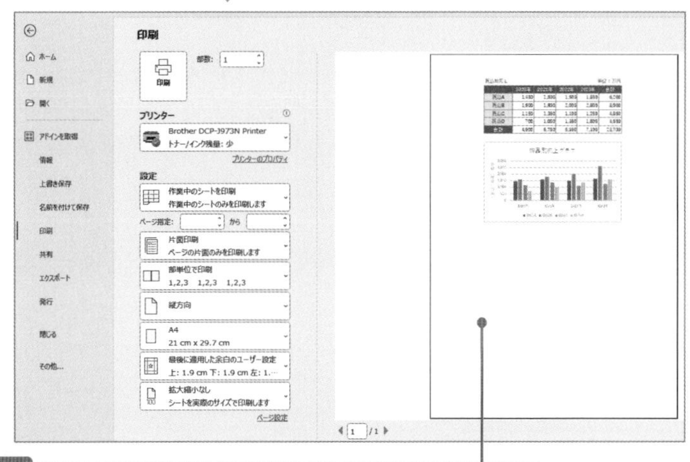

6 用紙の水平方向に中央に配置されたのが確認できます。

Section

98 余白を変更する

余白とは、用紙の上下左右にある印刷しない領域です。余白を小さくすることで印刷できる範囲が広がります。[標準]、[広い]、[狭い] といった選択肢から選択することもできますし、数値で細かく指定することもできます。ここでは、余白の変更方法を確認しましょう。

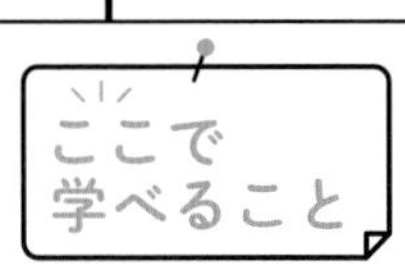

習得スキル	操作ガイド	ページ
▶数値を指定して余白を調整する	レッスン98-1	p.355

まずは パッと見るだけ！

余白を調整して印刷範囲を変更する

余白の取り方によってページ内に収まる印刷範囲が変わります。余白の設定で [広い] を選択すると上下左右の余白が広がるため印刷範囲が小さくなり、[狭い] を選択すると印刷範囲が大きくなりますが、自分で数値を設定して微調整することもできます。

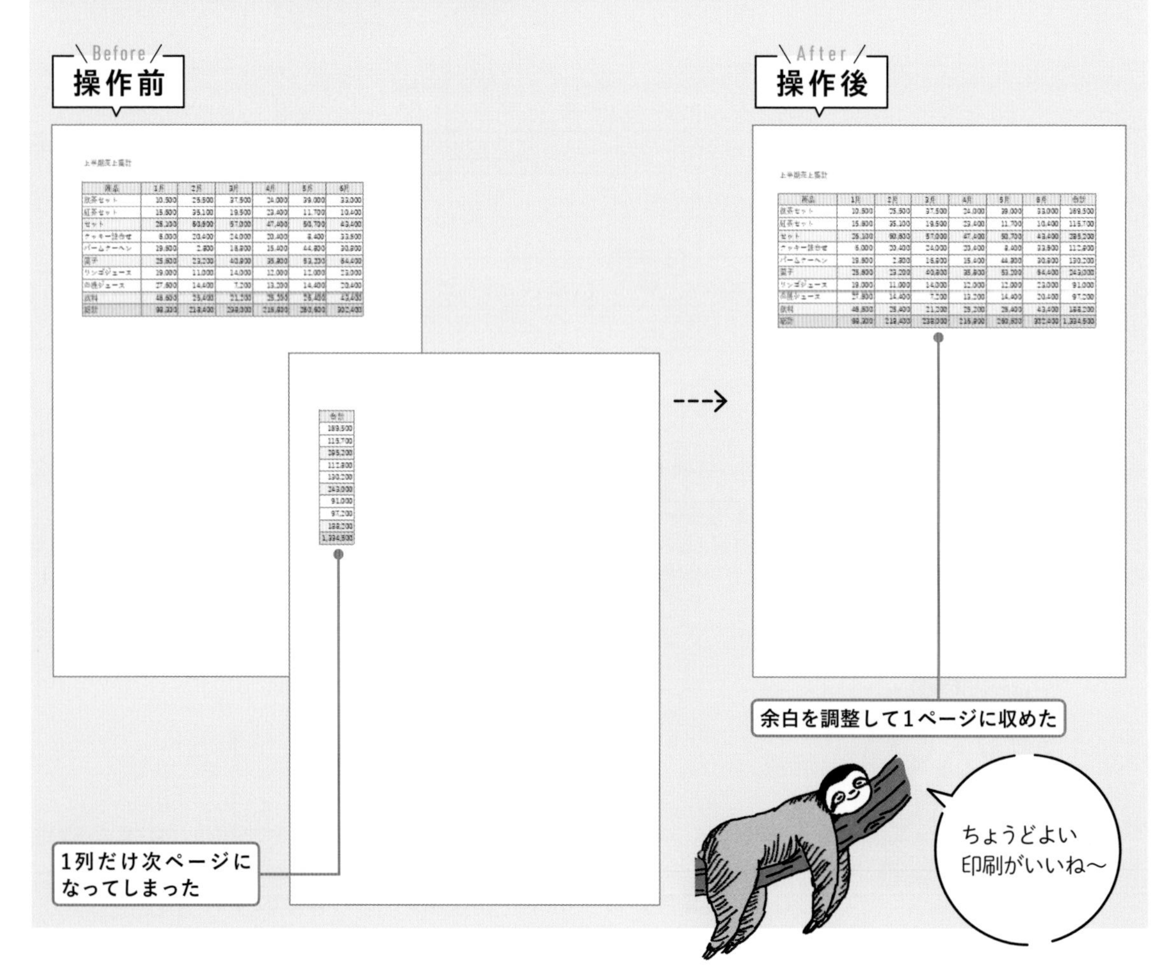

レッスン 98-1 数値を指定して余白を調整する

98-上半期売上集計.xlsx

操作 余白を数値で調節する

ここでは、余白を数値を使って自分で調整してみましょう。
数値で指定するには、[ページ設定]ダイアログの[余白]タブを表示します。cm単位で変更できます。

上級テクニック 印刷イメージで余白ラインを表示する

印刷イメージの右下にある[余白の表示]をクリックすると、余白ラインが表示されます。用紙にどのくらい空きがあるのかの目安になります。p.98で紹介したように、余白ラインをドラッグすることで余白を調整することができます。

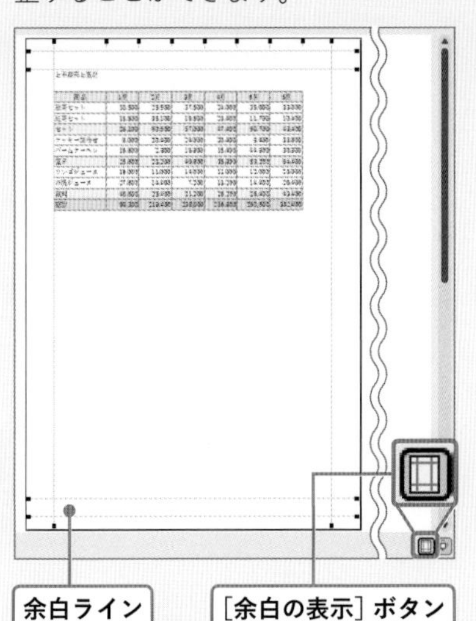

ここでは、上下の余白を「2.5センチ」、左右の余白を「1.5センチ」に設定します。

1 [ファイル]タブ→[印刷]をクリックし、[印刷]画面を表示しておきます。

2 [標準の余白]→[ユーザー設定の余白]をクリックします。

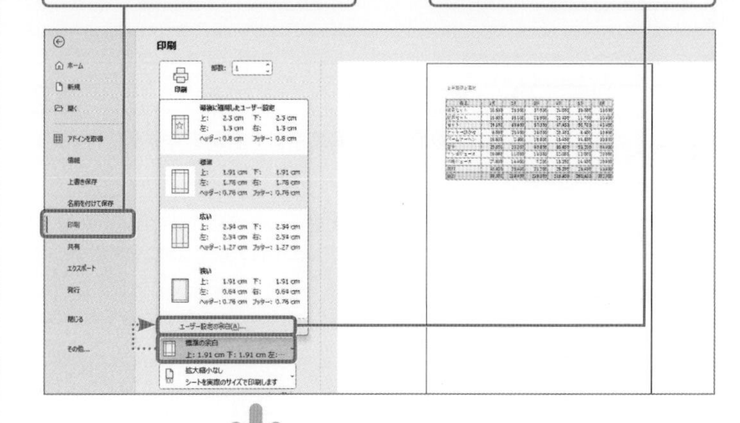

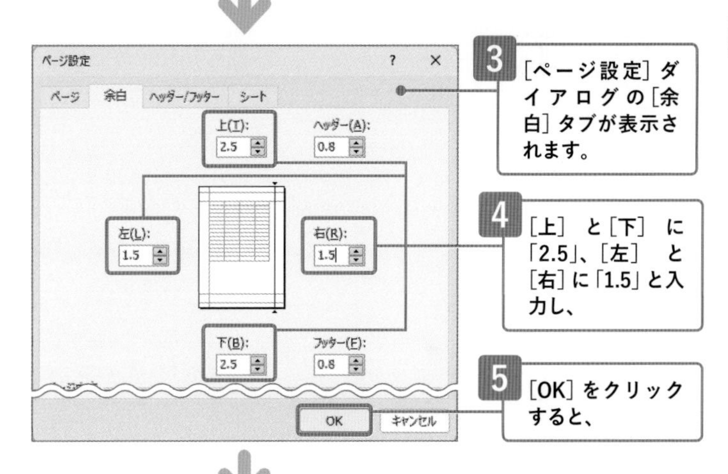

3 [ページ設定]ダイアログの[余白]タブが表示されます。

4 [上]と[下]に「2.5」、[左]と[右]に「1.5」と入力し、

5 [OK]をクリックすると、

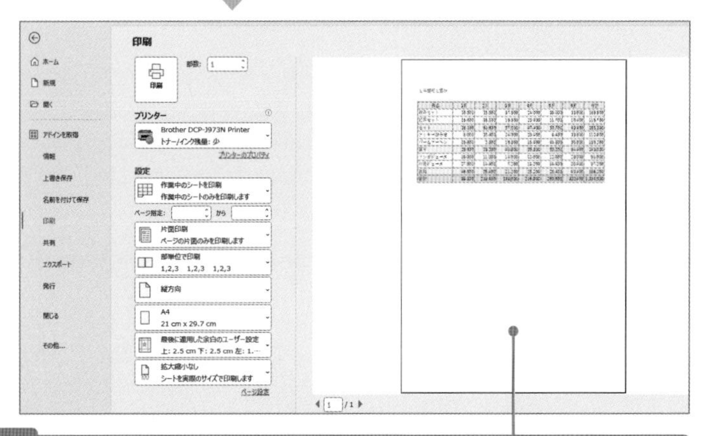

6 左右余白が調整されて、1ページに収まりました。また、上余白が多少広がり、少しゆとりができました。

Section

99 用紙1枚に収まるように印刷する

少し大きい表で、印刷イメージを表示すると1ページに収まらない場合、余白の調整だけでなく、印刷倍率を変更することでも調整できます。横方向を1ページに収めるのか、縦方向を1ページに収めるのかを指定することで自動的に倍率が変更されます。

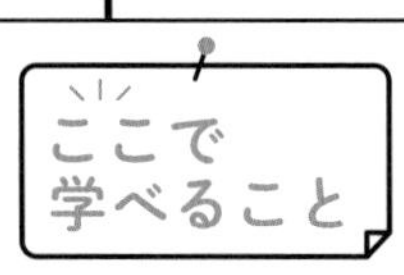

習得スキル	操作ガイド	ページ
▶印刷倍率の変更	レッスン99-1	p.357

まずは パッと見るだけ！

印刷倍率を調節する

余白を変更することなく、表を1ページに収めて印刷するには、拡張縮小の設定を変更します。すべての列を1ページに印刷するように設定するだけで印刷倍率が自動調整されます。

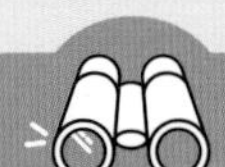

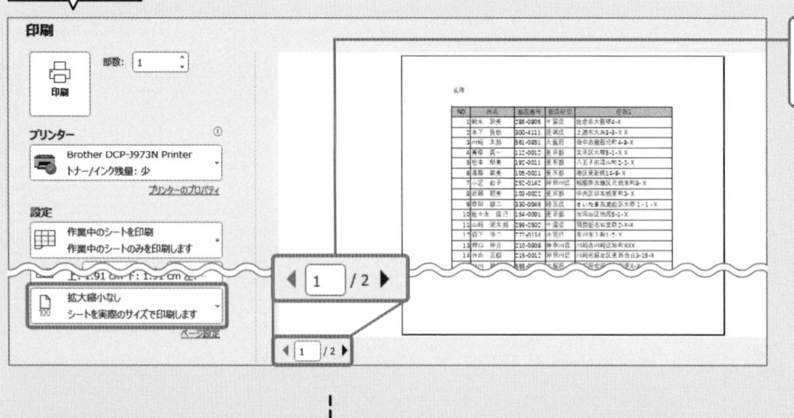

倍率変更しない［拡大縮小なし］では1ページに収まっていない

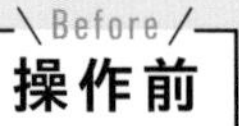

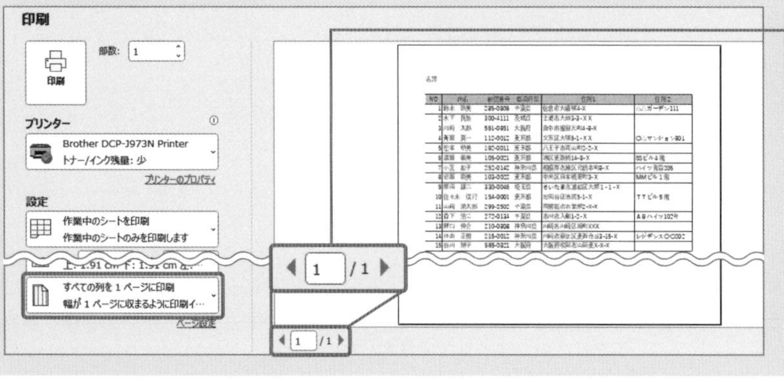

［すべての列を1ページに印刷］に変更したら、表の横幅が1ページに収まるように印刷倍率が変更された

レッスン99-1 1ページに収まるように印刷倍率を調節する

99-名簿.xlsx

操作 印刷倍率を調整する

1ページに収まるように印刷倍率を変更するには、[印刷] 画面で [拡大縮小なし] をクリックして、

- [シートを1ページに印刷]
- [すべての列を1ページに印刷]
- [すべての行を1ページに印刷]

のいずれかを選択します。

コラム ワークシートに表示される点線は何？

[印刷] 画面からワークシートに戻ると、ワークシート上に薄い点線が表示されることがあります。これは印刷プレビュー後に自動的に表示される改ページの線です。
この線は印刷されません。気になる場合は、ブックを閉じてから開き直すと消えます。
なお、印刷倍率が [シートを1ページに印刷] のような自動倍率になっている場合は表示されません。

ここでは、表の横幅が1ページに収まるように設定を変更します。

1 [ファイル] タブ→[印刷] をクリックし、[印刷] 画面を表示しておきます。

2 [拡大縮小なし] → [すべての列を1ページに印刷] をクリックします。

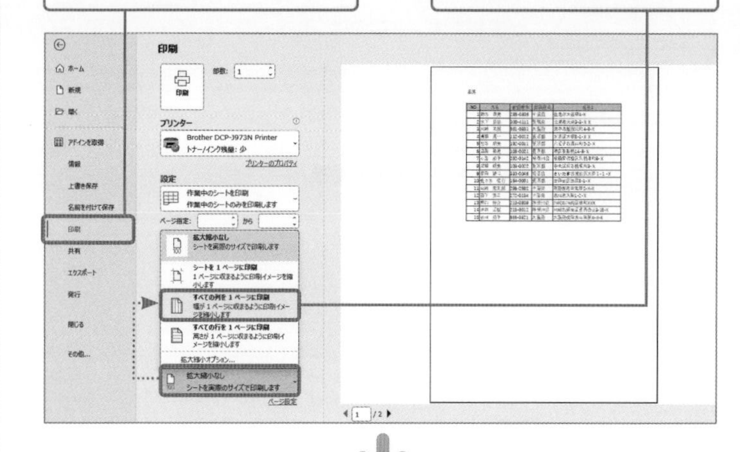

3 設定が [すべての列を1ページに印刷] に変更になります。

4 印刷倍率が自動調節されて、1ページに収まりました。

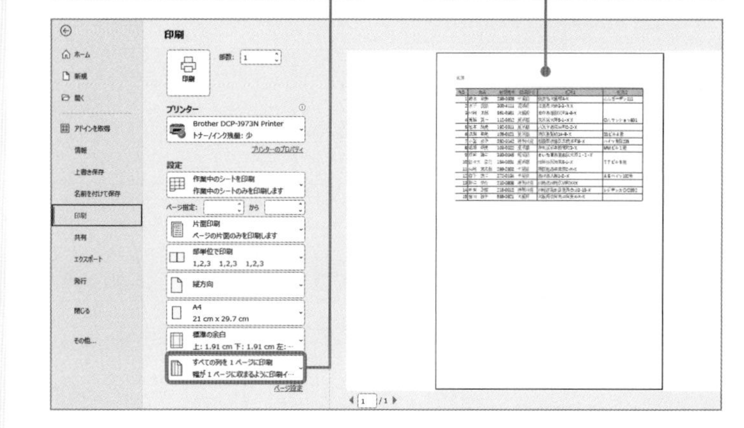

Memo [ページレイアウト] タブで印刷倍率を変更する

[ページレイアウト] タブの [拡大縮小] グループでは、[横] と [縦] でページ数を指定できます。また、[拡大/縮小] では数値でパーセントを指定して印刷倍率を変えられます。縮小するだけではなく、拡大することもできます。

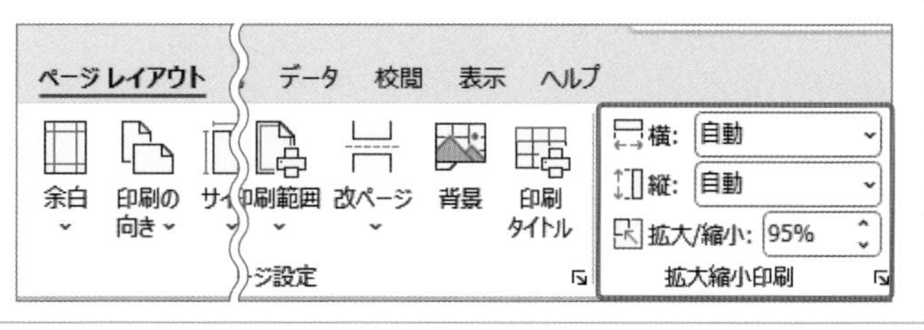

Section

100 改ページの位置を調整する

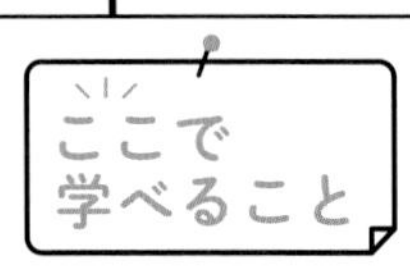

複数ページになるような大きい表を印刷する場合、支店や月が切り替わる行のような切りのいい位置で改ページを設定し、ページを分けることができます。改ページの設定には、[改ページプレビュー]が便利です。ここでは[改ページプレビュー]を使って改ページを設定してみましょう。

習得スキル	操作ガイド	ページ
▶任意の位置で改ページする	レッスン100-1	p.359

まずは パッと見るだけ！

任意の位置で改ページを設定する

売上表のように、データ件数が多い表を印刷するとき、月ごとにページが分かれているとデータが見やすくなります。改ページ位置を調整することで格段と読みやすい資料になります。

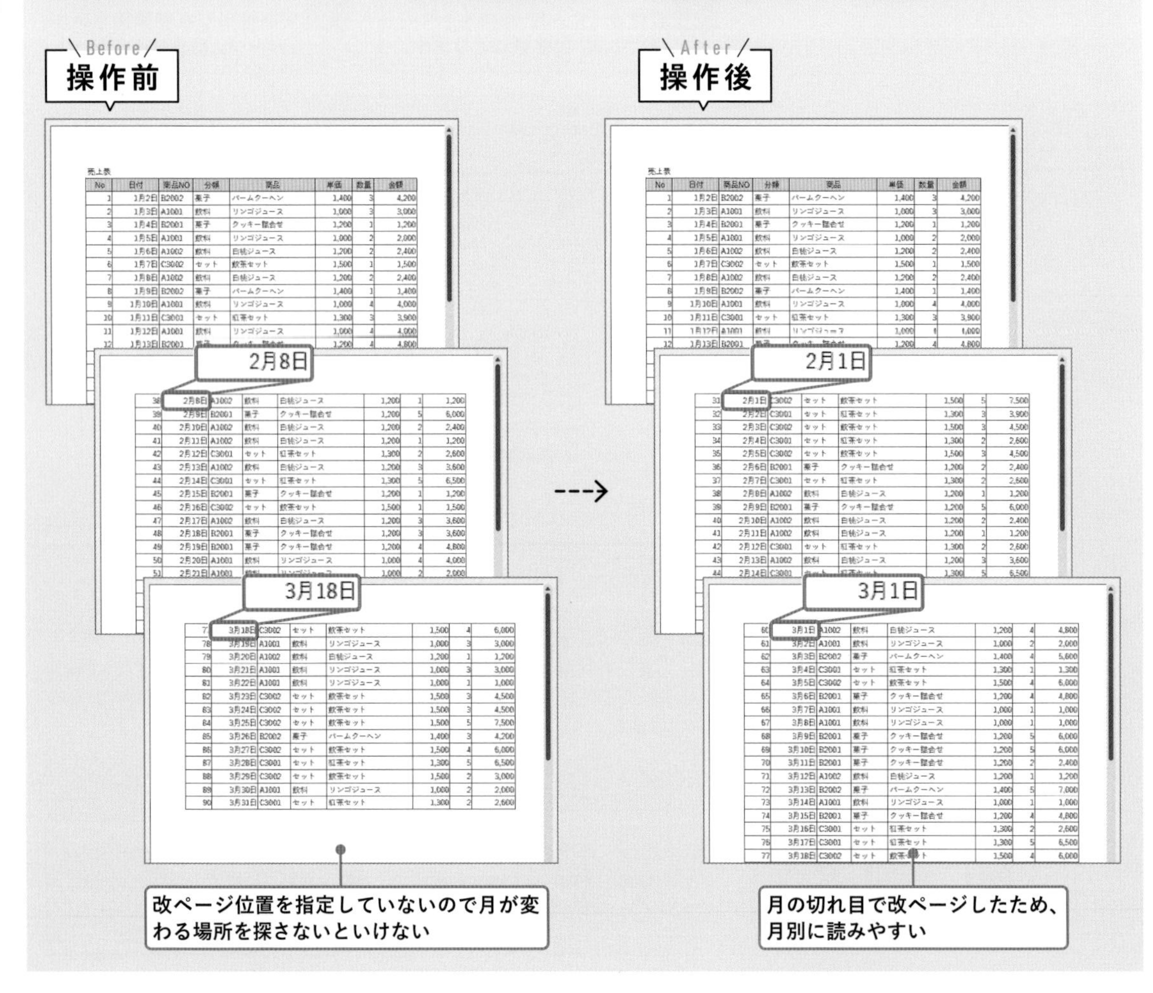

レッスン 100-1 月ごとに改ページされるように設定する

100-売上表.xlsx

操作 改ページを調整する

改ページの調整を[改ページプレビュー]を表示して設定変更します。[表示]タブの[改ページプレビュー]をクリックして表示します。

Memo 改ページを追加する

改ページを追加したいときは、改ページしたい位置にアクティブセルを移動し❶、[ページレイアウト]タブの[改ページ]→[改ページの挿入]をクリックします❷。

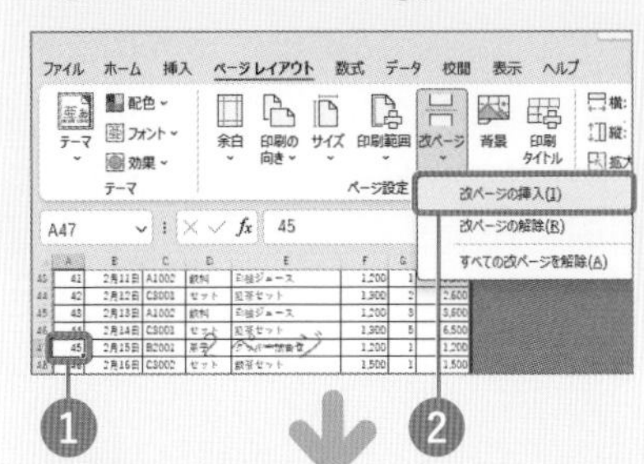

アクティブセルの上下に改ページが挿入されます。ここでは、セルA47にアクティブセルがあるので、セルA47の上に改ページが挿入されます。

ここでは、月ごとに改ページされるように調整します。

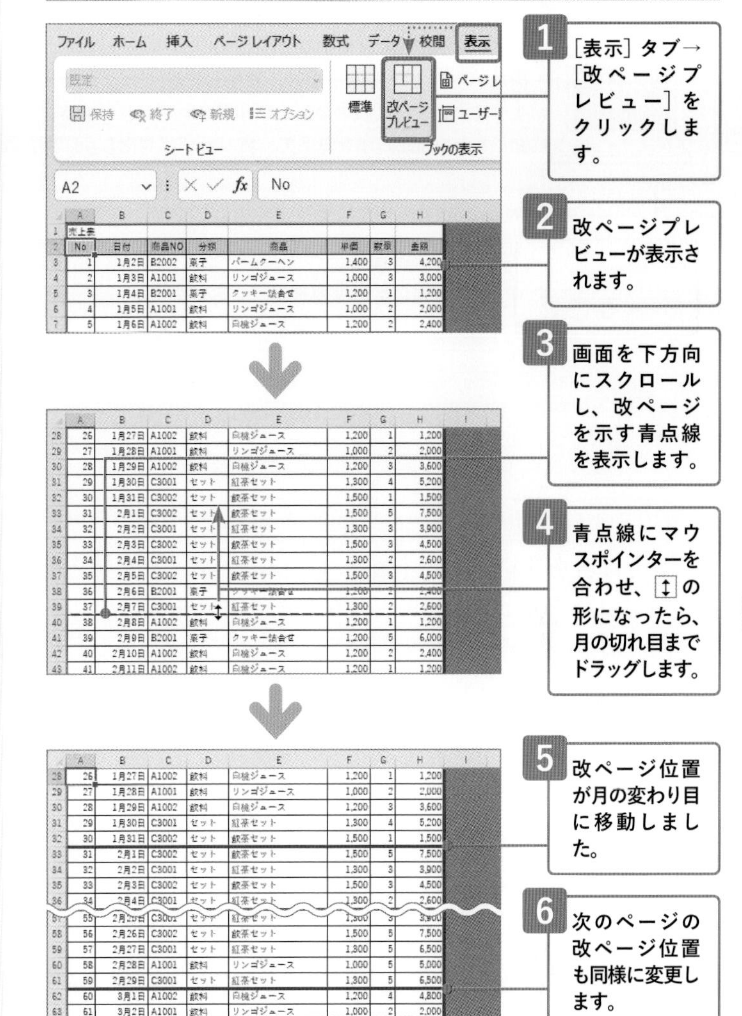

1 [表示]タブ→[改ページプレビュー]をクリックします。

2 改ページプレビューが表示されます。

3 画面を下方向にスクロールし、改ページを示す青点線を表示します。

4 青点線にマウスポインターを合わせ、↕の形になったら、月の切れ目までドラッグします。

5 改ページ位置が月の変わり目に移動しました。

6 次のページの改ページ位置も同様に変更します。

7 [表示]タブ→[標準]をクリックして画面表示を元に戻しておきます。

コラム 改ページプレビューの表示

改ページプレビューでは、印刷範囲や改ページ位置の確認と変更ができます。灰色の部分は印刷されない部分で、白と灰色を区切る青実線が印刷範囲です。これをドラッグすると印刷範囲を変更できます。また、挿入した改ページ位置は実線、自動改ページ位置は点線で表示されます。これらの線をドラッグして改ページ位置を変更できます。

周囲の青実線が印刷範囲

表内部の線が改ページ位置

点線や実線をドラッグすると、改ページ位置や印刷範囲が変更できる

Section

101 全ページに表の見出しを印刷する

複数ページで印刷する場合、既定の印刷では、2ページ目以降は表の見出し部分は印刷されません。すべてのページに表の見出しが印刷されるようにするには、印刷タイトルを設定します。ここでは印刷タイトルの設定方法を覚えて、各ページに見出しが印刷されるように設定を変更してみましょう。

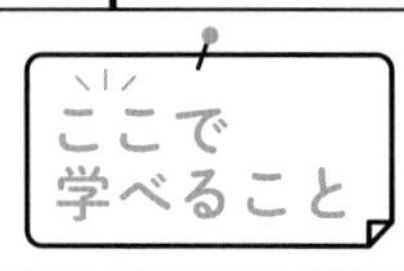

習得スキル	操作ガイド	ページ
▶印刷タイトルの設定	レッスン101-1	p.361

まずは パッと見るだけ！

表の見出しを印刷タイトルに設定する

大きな表を印刷すると、複数ページの中で、1ページ目だけに**表の見出し**が印刷されます。2ページ以降で見出しが印刷されないと、資料を読むのに不便です。1ページ目にしか印刷されない列見出しを印刷タイトルに設定することで、2ページ目以降も印刷されるようになります。

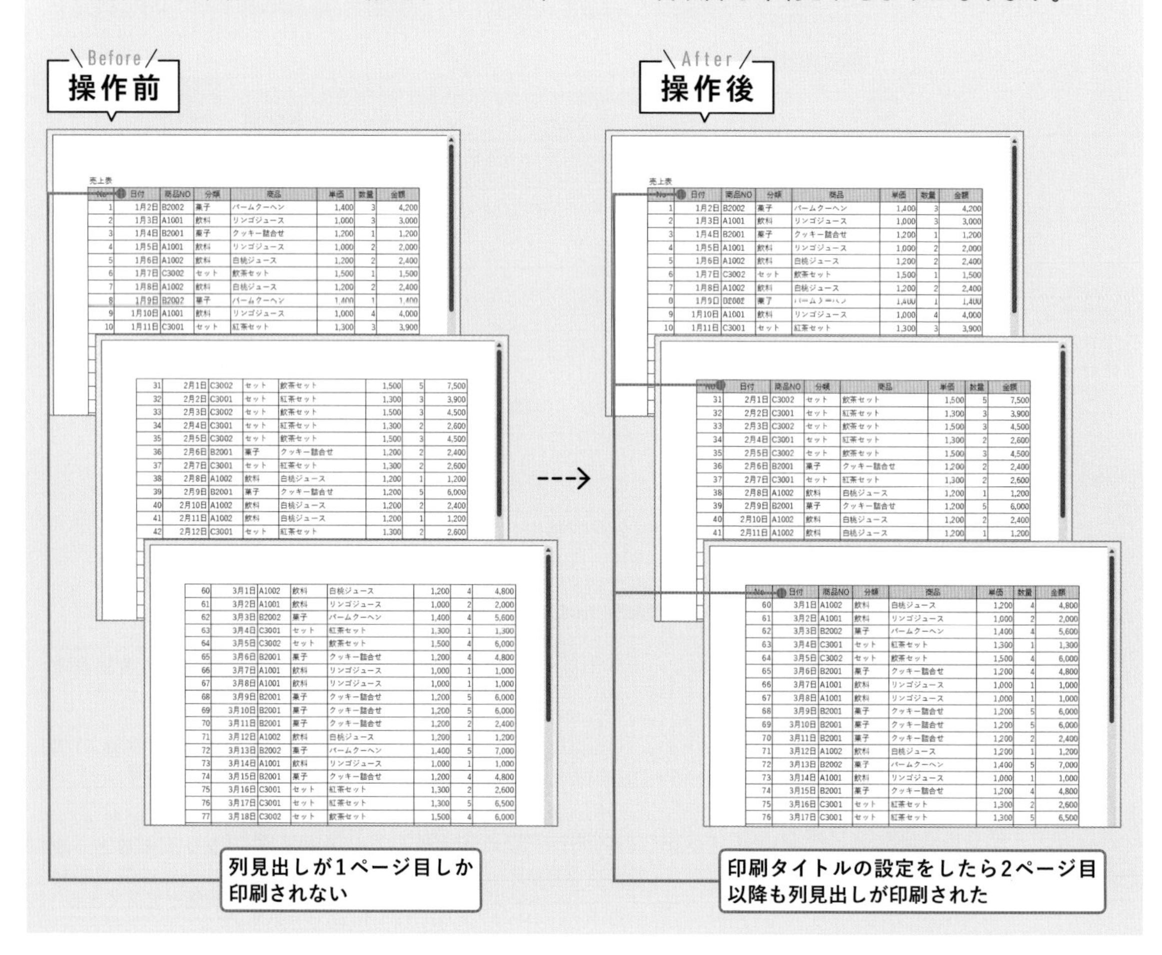

レッスン 101-1 印刷タイトルを設定して全ページに見出しを印刷する

101-売上表.xlsx

操作 印刷タイトルを設定する

表の1行目にある列見出しを、2ページ目以降も印刷するには、印刷タイトルの［タイトル行］を設定します。［ページレイアウト］タブの［印刷タイトル］をクリックし、［ページ設定］ダイアログの［シート］タブにある［タイトル行］で列見出しの行番号を指定します。
なお、表の1列目にある行見出しを印刷タイトルにするには、［タイトル列］で行見出しの列番号を指定します。

Memo 複数行をタイトル行に指定できる

ここでは、行番号2のみ指定していますが、1行目にある表のタイトルも含めたい場合は、行番号1から2までドラッグして複数行設定します。

ここでは、売上表の1行目にある列見出しを印刷タイトルに設定します。

1 ［ページレイアウト］タブの［印刷タイトル］をクリックします。

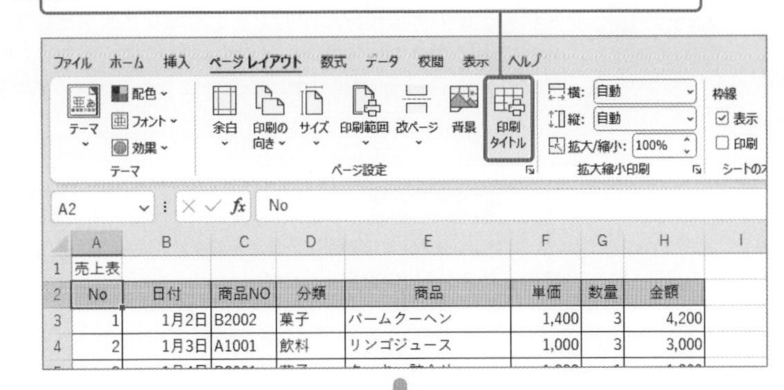

2 ［ページ設定］ダイアログが表示されます。

3 ［シート］タブの［タイトル行］をクリックし、表の列見出しの行番号（ここでは行番号2）をクリックし、

4 ［OK］をクリックします。

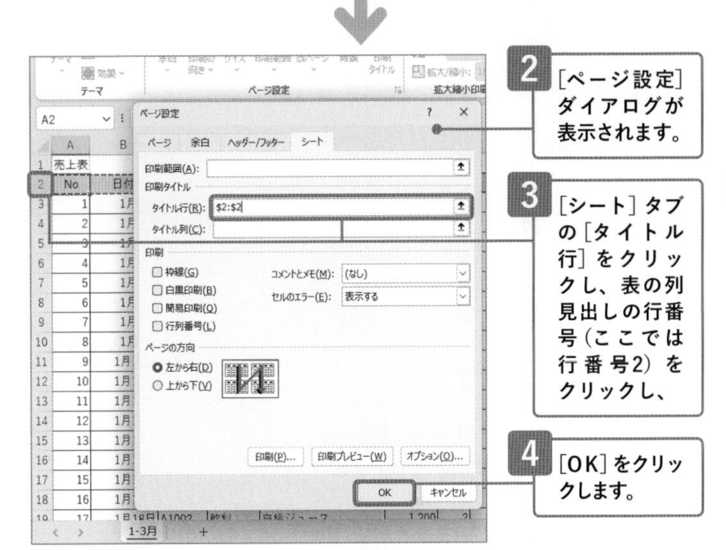

5 ［ファイル］タブ→［印刷］をクリックして［印刷］画面を表示します。

6 ［次のページ］▶をクリックして、印刷プレビューで2ページ目以降も見出しが表示されることを確認します。

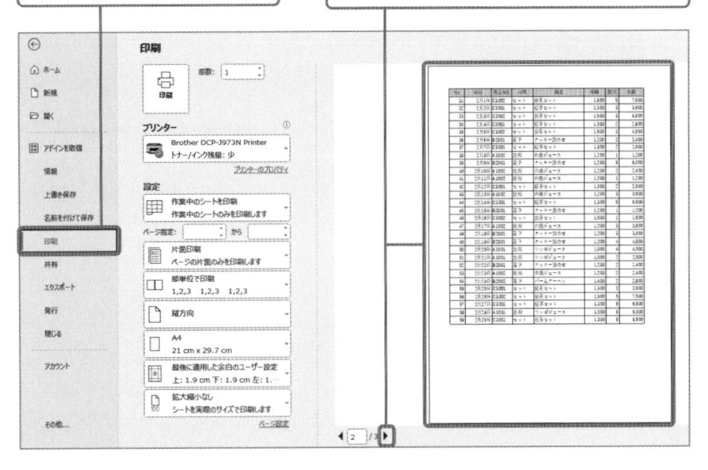

Section

102 ヘッダーとフッターを設定する

用紙の上部の余白部分に印刷できる領域をヘッダー、下部の余白部分に印刷できる領域をフッターといい、日付やページ番号などの情報を印刷できます。ヘッダー、フッターの設定には、[ページレイアウトビュー] が便利です。ここでは [ページレイアウトビュー] を使って設定してみましょう。

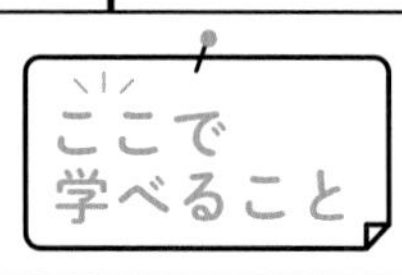

習得スキル	操作ガイド	ページ
▶ヘッダーの設定	レッスン102-1	p.363
▶フッターの設定	レッスン102-2	p.364

まずは パッと見るだけ！

ヘッダーとフッターを印刷する

用紙の上部や下部に日付やページ番号を各ページに印刷すると、複数の部数を印刷したときに順番がわかりやすくなり、便利です。

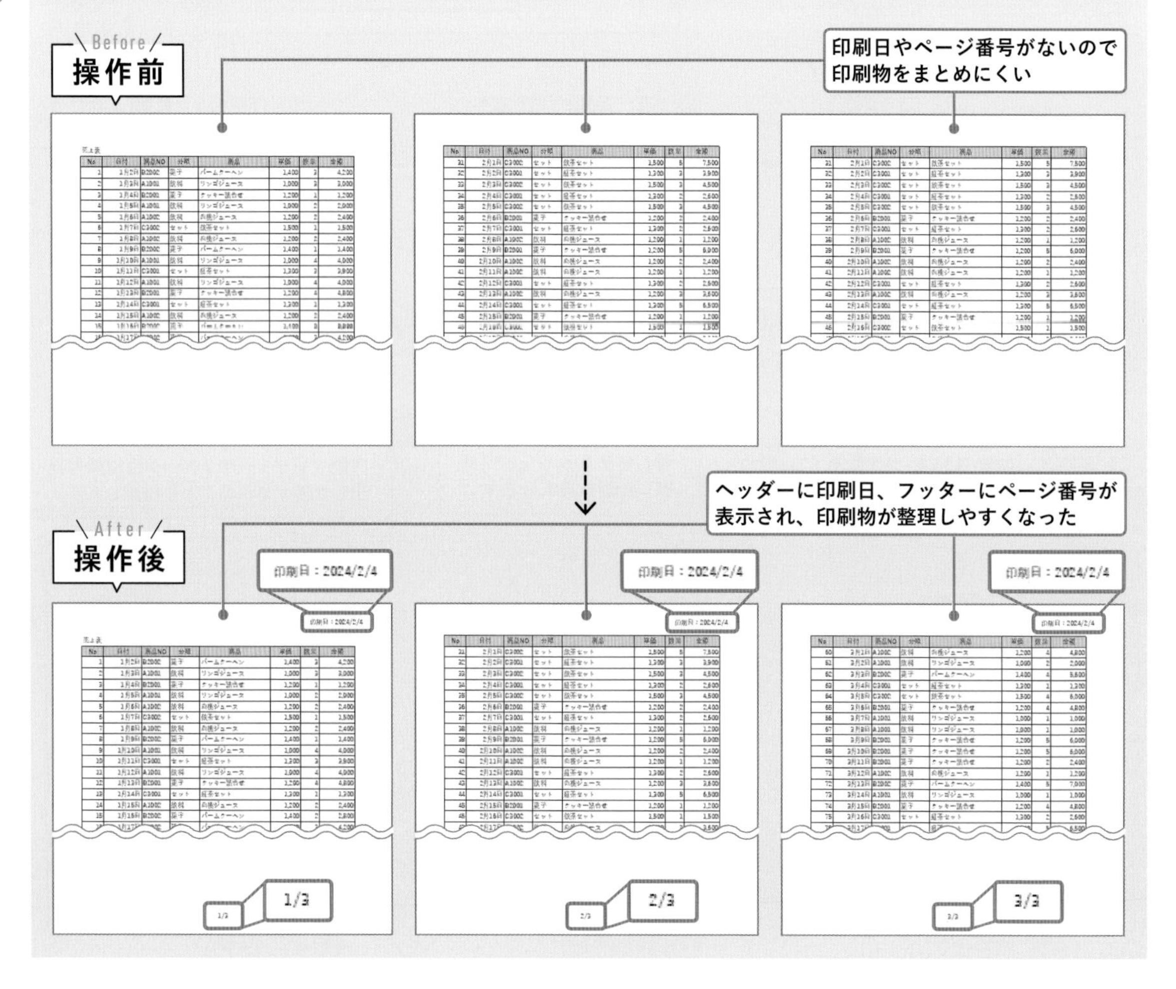

レッスン 102-1 ヘッダーに今日の日付を設定する

102-1-売上表.xlsx

操作 ヘッダーを設定する

ヘッダーは、用紙の上余白に印刷できる領域です。ページレイアウトビューを表示すると、画面の上部にヘッダーの設定欄が表示されます。ヘッダーの欄にカーソルを表示し、印刷したい内容を設定します。

Point ページレイアウトビュー

[ページレイアウトビュー]は、印刷イメージを確認しながら編集できる画面です。ヘッダーとフッターの領域が表示されるため、画面で直接編集できます。ヘッダーやフッターの欄をクリックすると、コンテキストタブの[ヘッダーとフッター]タブが表示され、ヘッダーやフッターで表示する項目を選択できます。

Memo 日付のコード

手順5で[現在の日付]をクリックすると、日付のコード「&[日付]」が入力されます。文字列で入力されるので、直接「&[日付]」と入力して指定することもできます。
このコードが入力されると、パソコンの現在の日付が表示されます。固定の日付を印刷したい場合は、「2024/2/4」のように直接文字入力してください。

ここではヘッダーの右側に印刷時の日付を「印刷日：(現在の日付)」となるように設定します。

1 [表示]タブ→[ページレイアウト]をクリックします。

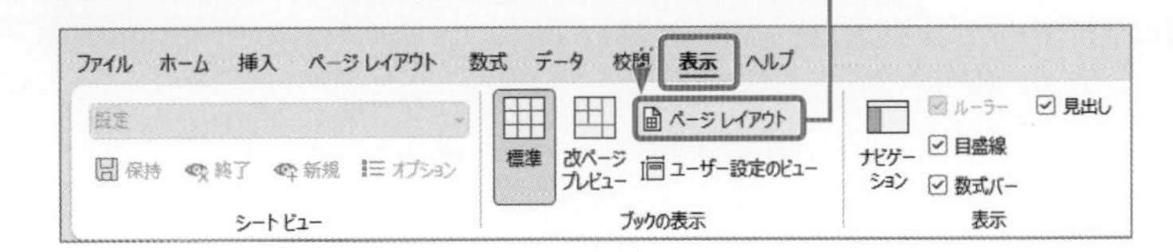

2 ページレイアウトビューに切り替わって、ヘッダーの領域が表示されるので、ヘッダーの領域内をクリックします。

3 コンテキストタブの[ヘッダーとフッター]タブが表示されます。

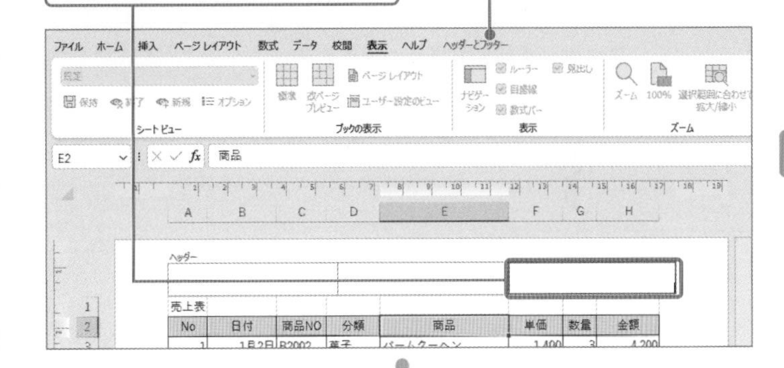

4 ヘッダー欄にヘッダーに表示する文字列(ここでは「印刷日：」)を入力し、

5 コンテキストタブの[ヘッダーとフッター]タブ→[現在の日付]をクリックします。

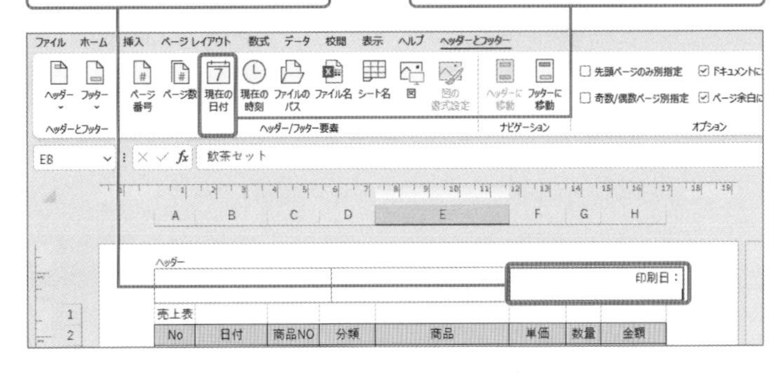

6 現在の日付を意味するコード(&[日付])が挿入されます。

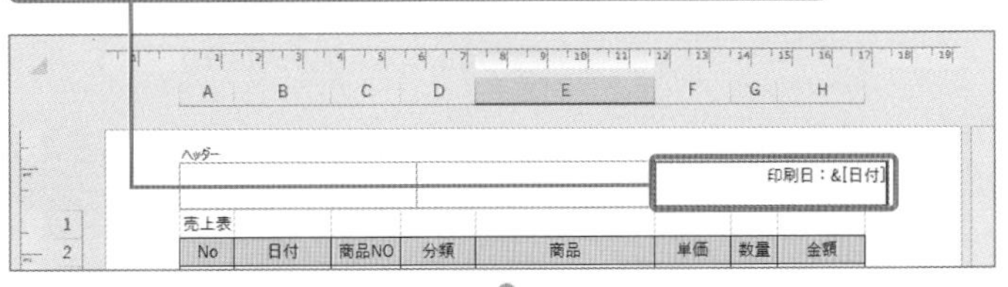

7 ワークシート上のいずれかのセルをクリックすると、

8 編集画面に戻り、現在の日付が表示されます。

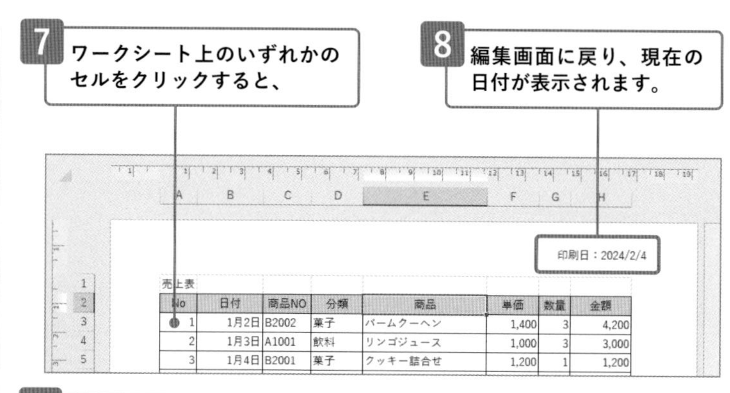

9 ［表示］タブ→［標準］をクリックして標準ビューに戻します。

レッスン 102-2 フッターにページ番号を設定する

練習用ファイル 102-2-売上表.xlsx

操作 フッターを設定する

フッターは、用紙の下余白に印刷できる領域です。ヘッダーと同様に［ページレイアウトビュー］で設定することができます。コンテキストタブの［ヘッダーとフッター］タブにある［フッターに移動］をクリックしてフッターに移動できます。

Memo 設定リストから選択する

コンテキストタブの［ヘッダーとフッター］タブの［ヘッダー］、［フッター］をクリックすると❶、ヘッダーやフッターに配置する設定リストのパターンが一覧表示されます❷。設定後のイメージが確認できます。例えば、「1/?ページ」を選択するとページ番号とページ数を表示するフッターが挿入できます。

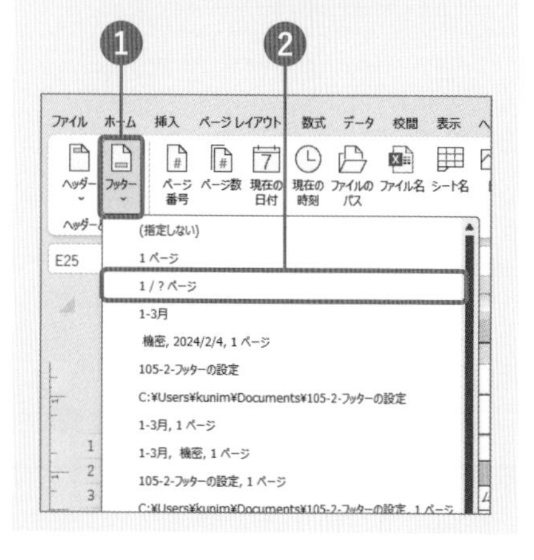

ここでは、フッターの中央にページ番号を設定します。

1 レッスン102-1の手順を参照して［ページレイアウトビュー］を表示し、ヘッダー領域のいずれかの欄をクリックします。

2 コンテキストタブの［ヘッダーとフッター］タブ→［フッターに移動］をクリックします。

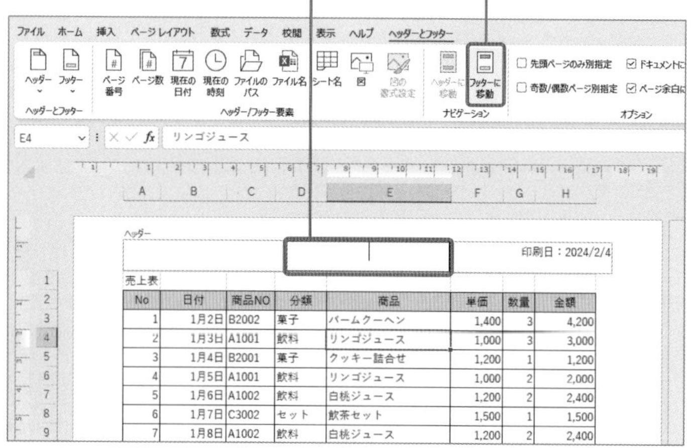

3 フッターが表示されたら、フッターを設定したい欄をクリックしてカーソルを移動します。

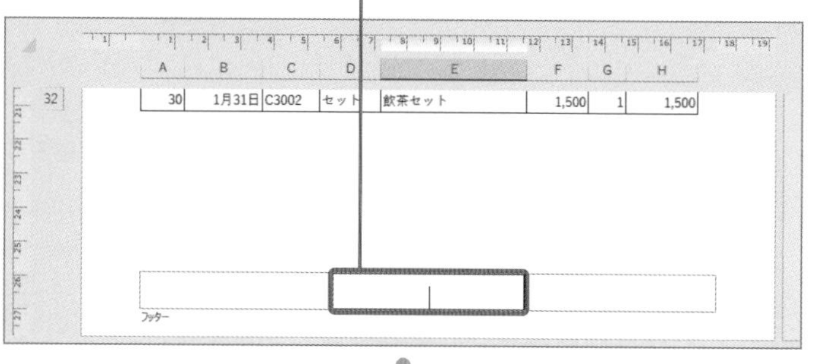

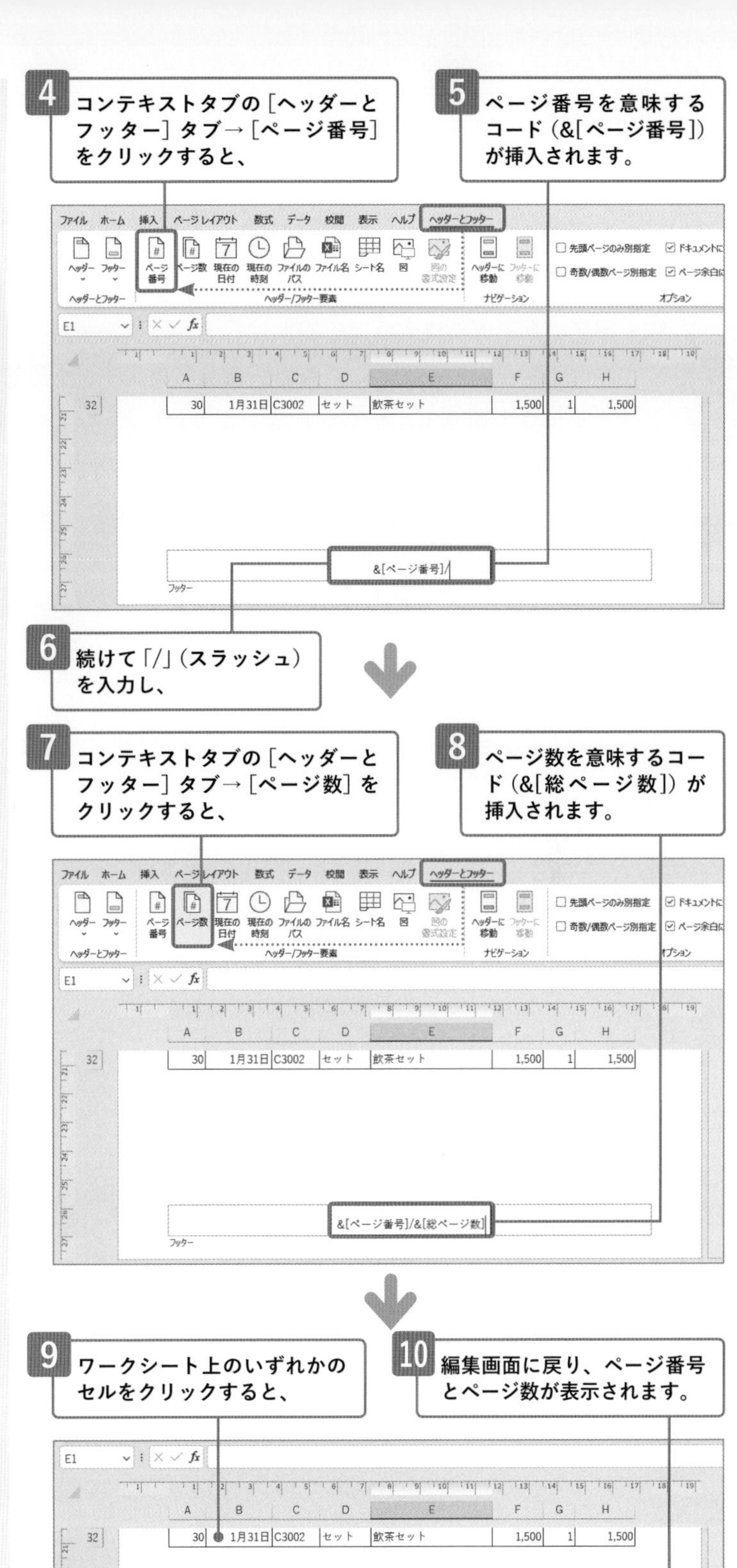

11 ［表示］タブ→［標準］をクリックして標準ビューに戻しておきます。

練習問題 印刷の設定を練習しよう

練習用ファイル 演習10-売上表.xlsx

以下の手順でワークシートの印刷設定をしてみましょう。

1 余白を上下「2.0センチ」、左右「1.5センチ」に設定を変更する

2 表が用紙の水平方向に中央に印刷されるように設定する

3 月ごとに用紙が変わるように、月の切れ目で改ページを設定する

4 各ページに表の列見出しが印刷されるように印刷タイトルを設定する

5 ヘッダーの左側にシート名を設定し、右側に現在の印刷日を設定する

ヒント：p.363のPointを参照し、ページレイアウトビューでヘッダーの左の枠に「売上表」と入力する

6 フッターの中央に「1ページ」の形式で表示されるようにページ番号を設定する

▼完成見本

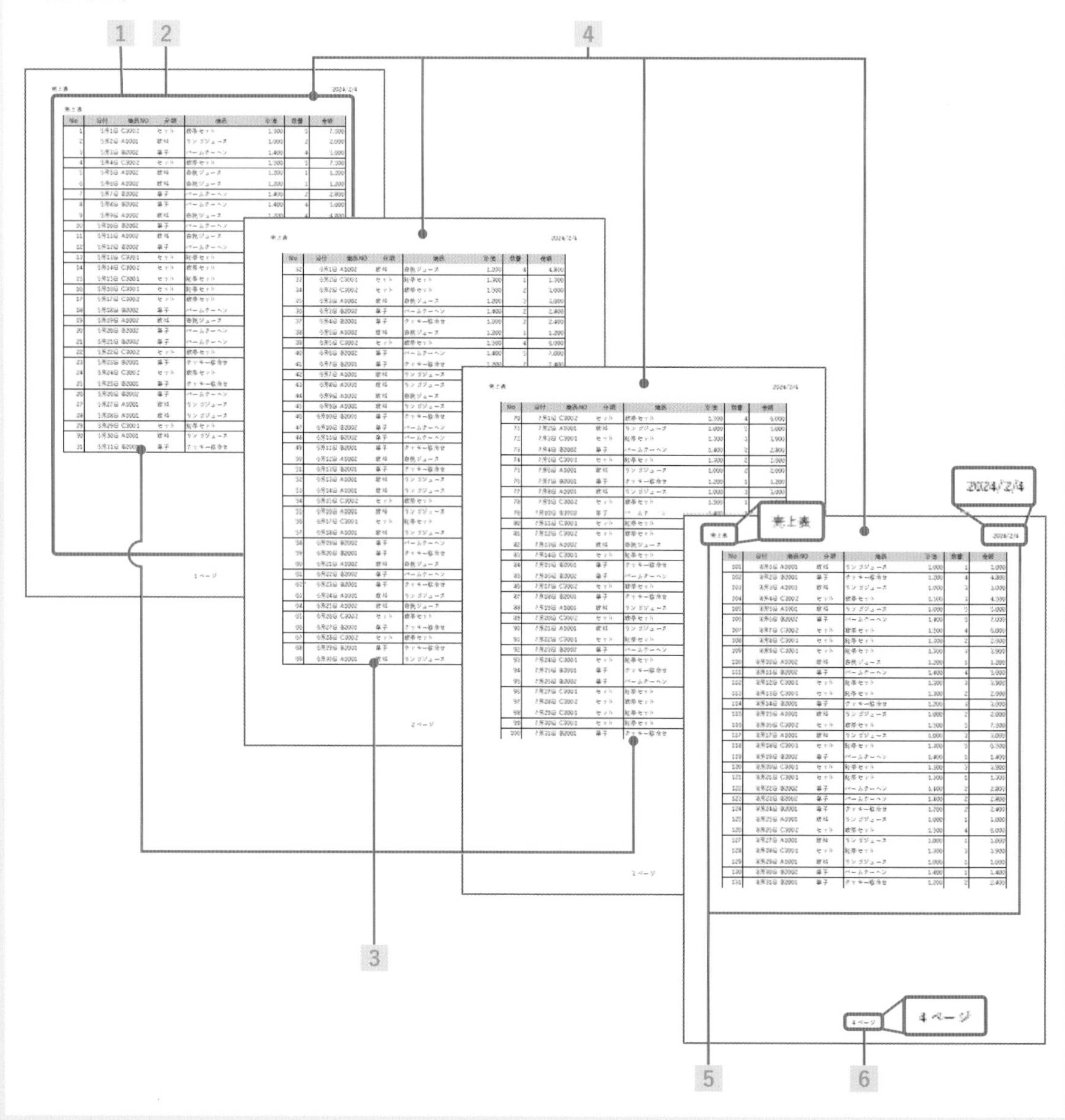

第11章

共同作業に便利な機能

ブックをネットワーク上に保存し、共有の設定をすると、ブックを他のユーザーと共同して編集することができます。ブックにコメントを残して、共同で編集するユーザーとコメントのやり取りをすることもできます。ここでは、文書をOneDriveに保存し、共有した文書を他ユーザーと編集する方法を紹介します。

共有までできれば完璧！

103 OneDriveを利用する

OneDriveとは、マイクロソフト社が提供するオンラインストレージサービスです。Microsoftアカウントを持っていると、インターネット上に自分専用の保存場所であるOneDriveが提供され、Excelのブックや写真などのデータを保存できます。

ここで学べること

習得スキル	操作ガイド	ページ
ブックをOneDriveに保存	レッスン103-1	p.369
Excelブックの共有	レッスン103-2	p.370

まずは パッと見るだけ！

OneDriveへの保存とブックの共有

ブックをOneDriveに保存すると、別のパソコンからブックを開くことができます。ブックを共有すれば、複数のユーザーがブックを開いて編集できるようになります。

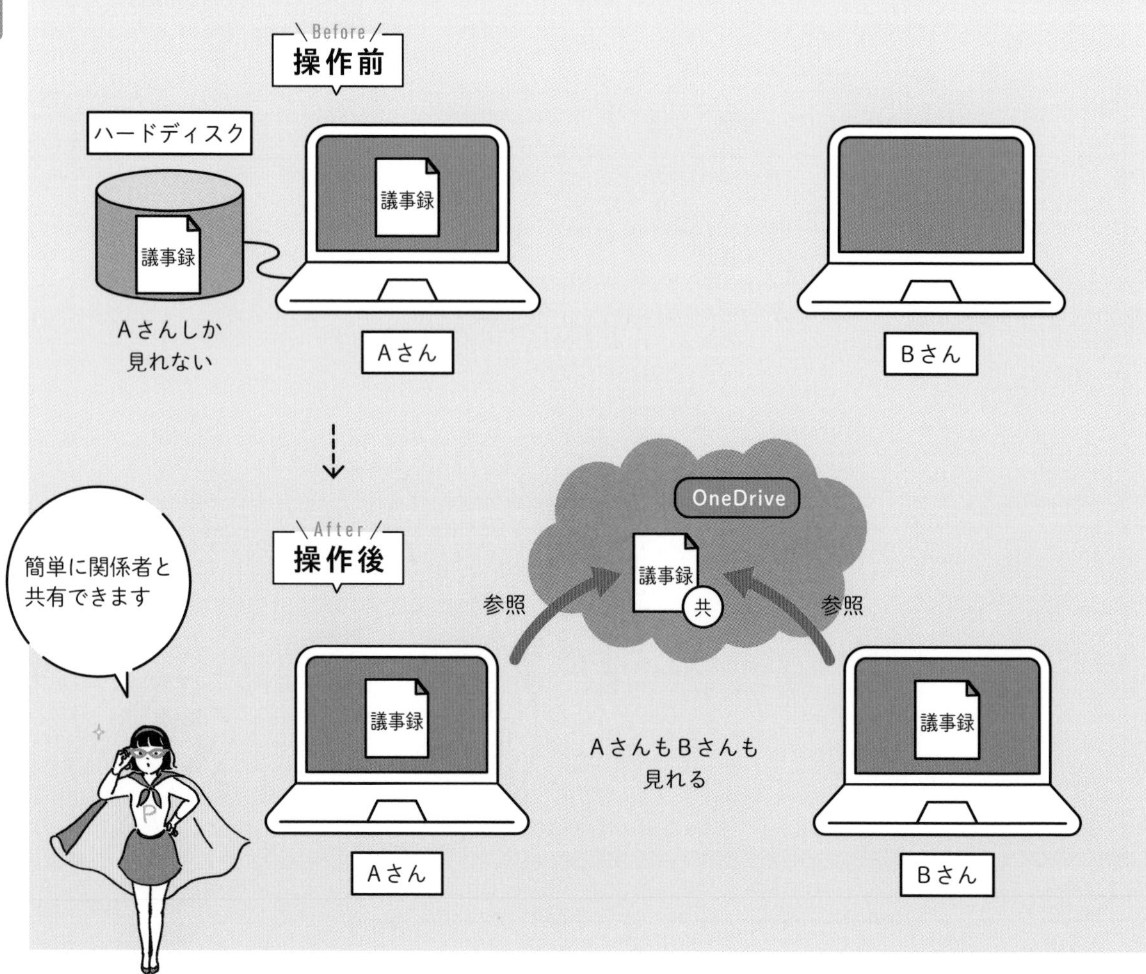

レッスン 103-1 ブックをOneDriveに保存する

103-売上集計表.xlsx

操作 OneDriveにブックを保存する

Microsoftアカウントでサインインしていれば、自分のパソコンに保存するのと同じ感覚でOneDriveにブックを保存できます。
OneDriveにブックを保存すると、自動保存機能によってブックに変更があると自動的に保存されるようになり、保存し忘れることがなくなります。

Point Microsoftアカウントでサインインする

タイトルバーの右端にある［サインイン］をクリックし❶、表示される画面でMicrosoftアカウントを入力して❷、［次へ］をクリックします❸。サインインが完了するとアカウント名がタイトルバーに表示されます。

まだMicrosoftアカウントを作成していない場合は、「アカウントを作成しましょう」から作成できます。

Memo OneDriveの利用可能容量

1つのMicrosoftアカウントにつき、無料で5GBまで使用できます。なお、Microsoft 365では1TBまで使用できるようになります。詳しくはMicrosoft社のWebページで確認してください。

Microsoftアカウントでサインインしておきます。

1 ［ファイル］タブ→［名前を付けて保存］をクリックし、

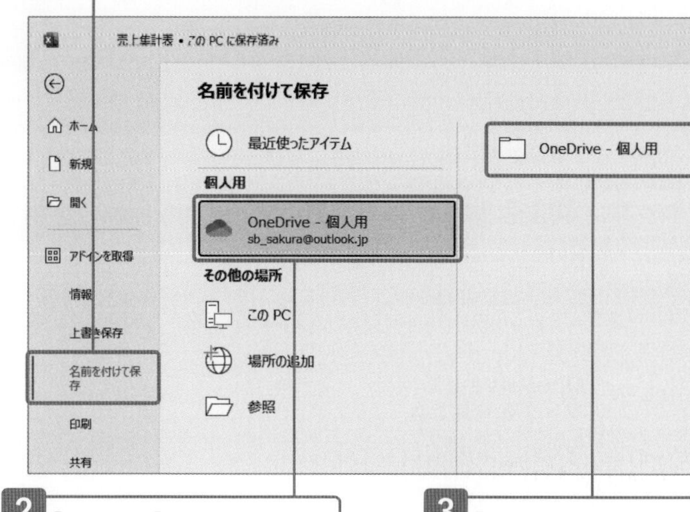

2 ［OneDrive］をクリックして、

3 ［OneDrive-個人用］をクリックします。

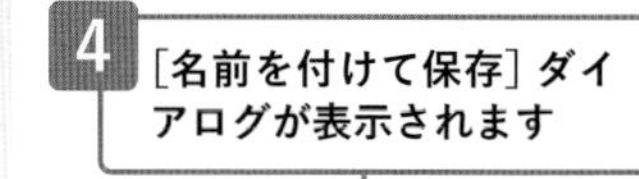

4 ［名前を付けて保存］ダイアログが表示されます

5 保存先となるOneDriveのフォルダー（ここでは「ドキュメント」）をクリックし、

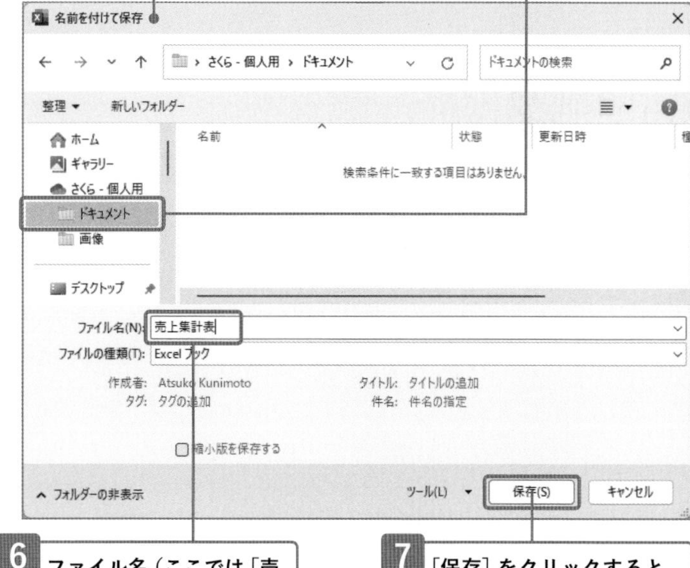

6 ファイル名（ここでは「売上集計表」）を入力して、

7 ［保存］をクリックすると、指定したOneDriveのフォルダーに保存されます。

8 ブックが保存され、編集画面に戻ると［自動保存］が［オン］になります。以降、文書に変更があると自動的に保存されるようになります(p.92参照)。

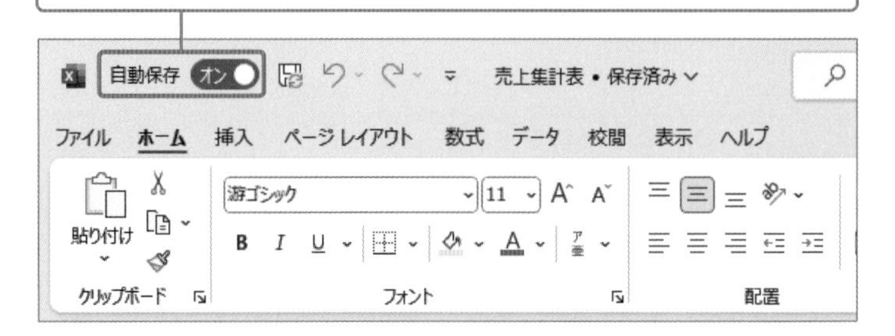

レッスン 103-2 ブックを共有する

練習用ファイル 103-売上集計表.xlsx

操作 OneDrive上でブックを共有する

OneDriveに保存されているブックをExcelで開いている場合、Excelからブックを他のユーザーと共有することができます。文書を共有するには、タイトルバー右端にある［共有］をクリックします。

レッスン103-1で保存したOneDrive上にある［売上集計表.xlsx］を使います。また、共有するファイルをあらかじめOneDriveに保存しておきます。

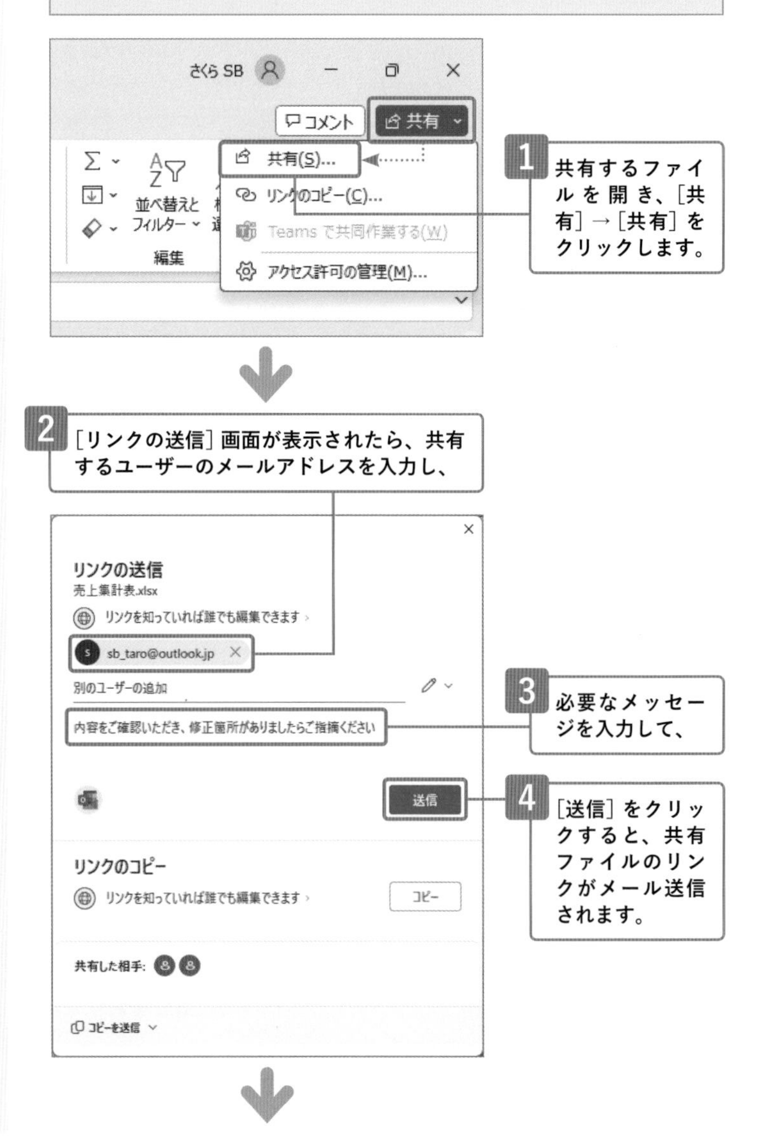

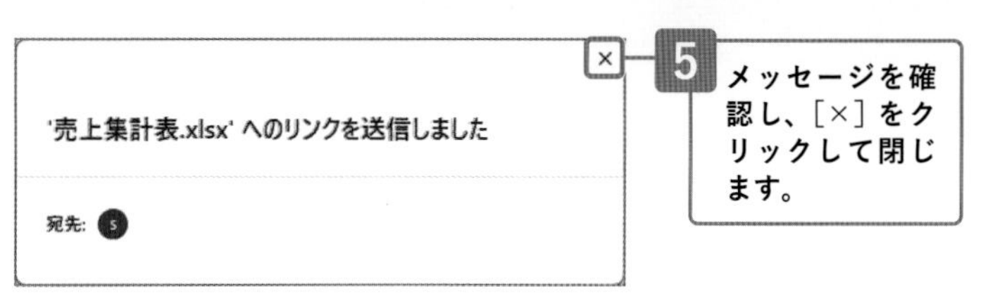

5 メッセージを確認し、[×] をクリックして閉じます。

コラム　共有者に届くメール

共有者には以下のようなメールが届きます。届いたメールを開き、[開く] をクリックすると❶、OneDrive上の文書が編集できる状態で開きます❷。

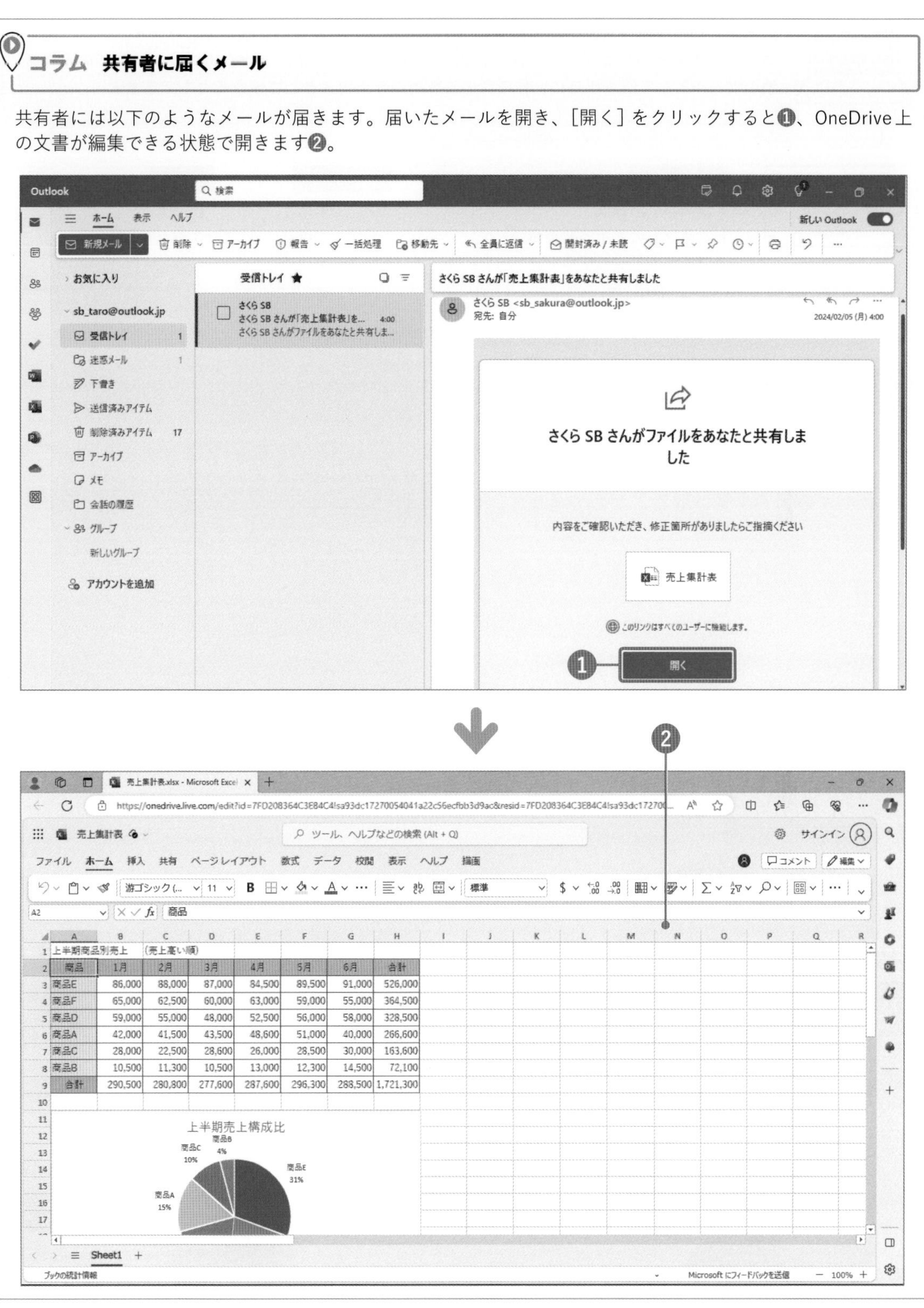

商品	1月	2月	3月	4月	5月	6月	合計
商品E	86,000	88,000	87,000	84,500	89,500	91,000	526,000
商品F	65,000	62,500	60,000	63,000	59,000	55,000	364,500
商品D	59,000	55,000	48,000	52,500	56,000	58,000	328,500
商品A	42,000	41,500	43,500	48,600	51,000	40,000	266,600
商品C	28,000	22,500	28,600	26,000	28,500	30,000	163,600
商品B	10,500	11,300	10,500	13,000	12,300	14,500	72,100
合計	290,500	280,800	277,600	287,600	296,300	288,500	1,721,300

Section

104 コメントを挿入する

コメント機能を使うと、セルの内容について、確認や質問事項を残しておけます。ブック内でコメント間を移動しながら、内容を確認し、返答ができます。ブックの内容についての意見交換のツールとして使う以外に、作成者の確認用の覚え書きとして使うこともできます。

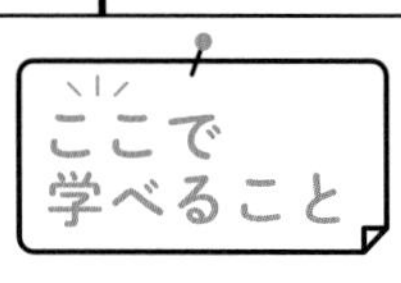

習得スキル	操作ガイド	ページ
▶コメントの挿入	レッスン104-1	p.373
▶コメントの表示／非表示	レッスン104-2	p.374
▶コメントに返答する	レッスン104-3	p.375

まずは パッと見るだけ！

コメントの挿入

セルにコメントを挿入すると、セルの右側にコメントが追加されます。別のユーザーからコメントに対する返答を受け取ることもできます。

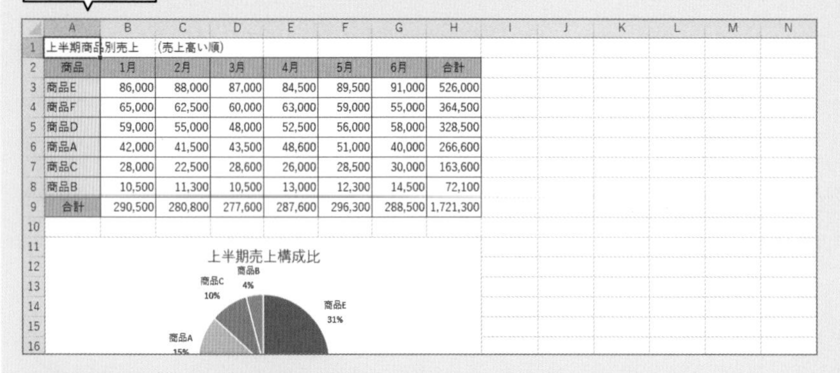

	A	B	C	D	E	F	G	H
1	上半期商品別売上		(売上高い順)					
2	商品	1月	2月	3月	4月	5月	6月	合計
3	商品E	86,000	88,000	87,000	84,500	89,500	91,000	526,000
4	商品F	65,000	62,500	60,000	63,000	59,000	55,000	364,500
5	商品D	59,000	55,000	48,000	52,500	56,000	58,000	328,500
6	商品A	42,000	41,500	43,500	48,600	51,000	40,000	266,600
7	商品C	28,000	22,500	28,600	26,000	28,500	30,000	163,600
8	商品B	10,500	11,300	10,500	13,000	12,300	14,500	72,100
9	合計	290,500	280,800	277,600	287,600	296,300	288,500	1,721,300

After
操作後

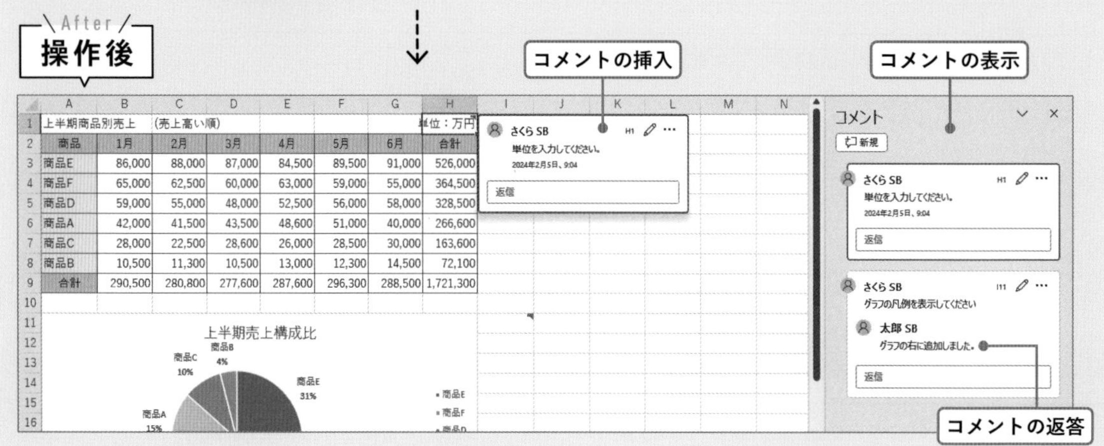

	A	B	C	D	E	F	G	H
1	上半期商品別売上		(売上高い順)					単位：万円
2	商品	1月	2月	3月	4月	5月	6月	合計
3	商品E	86,000	88,000	87,000	84,500	89,500	91,000	526,000
4	商品F	65,000	62,500	60,000	63,000	59,000	55,000	364,500
5	商品D	59,000	55,000	48,000	52,500	56,000	58,000	328,500
6	商品A	42,000	41,500	43,500	48,600	51,000	40,000	266,600
7	商品C	28,000	22,500	28,600	26,000	28,500	30,000	163,600
8	商品B	10,500	11,300	10,500	13,000	12,300	14,500	72,100
9	合計	290,500	280,800	277,600	287,600	296,300	288,500	1,721,300

レッスン 104-1 コメントを挿入する

104-1-売上集計表.xlsx

操作 コメントを挿入する

コメント機能を使うと、ブック内のセルや内容について、確認や質問事項を欄外に残しておけます。複数人で校正する場合にやり取りするのに使えます。

Point コメントが設定されたセル

コメントが設定されたセルには、セルの右上にが表示されます。マウスポインターを合わせると、コメントが表示されます。

ショートカットキー

- コメントの挿入
  Ctrl + Alt + M

1 コメントを付けたいセルを選択し、

2 ［校閲］タブ→［新しいコメント］をクリックすると、

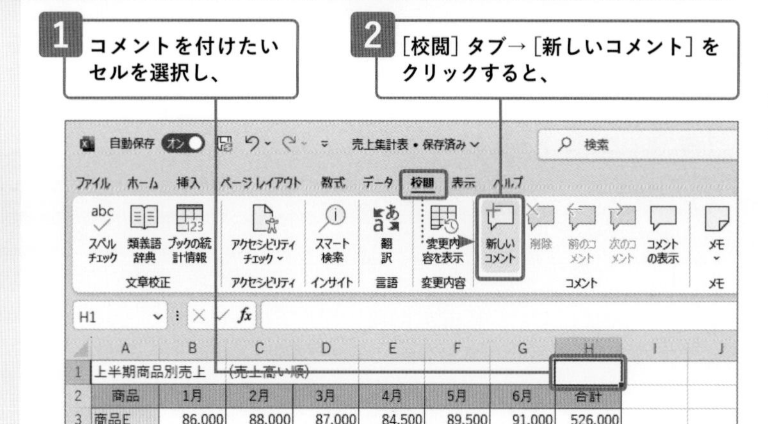

3 コメントウィンドウが表示されるので、コメントを入力し、

4 ［コメントを投稿する］をクリックします。

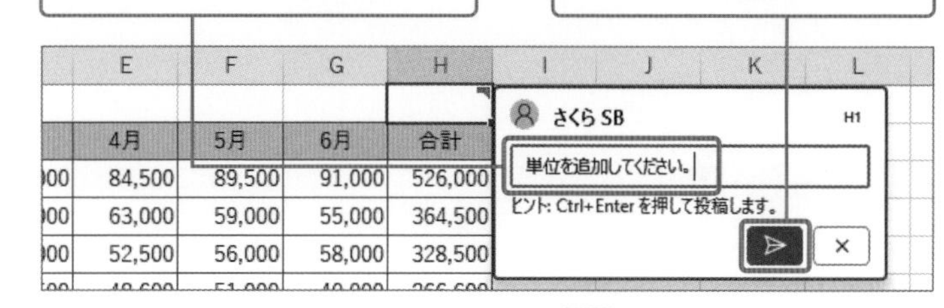

5 コメントが確定されます。

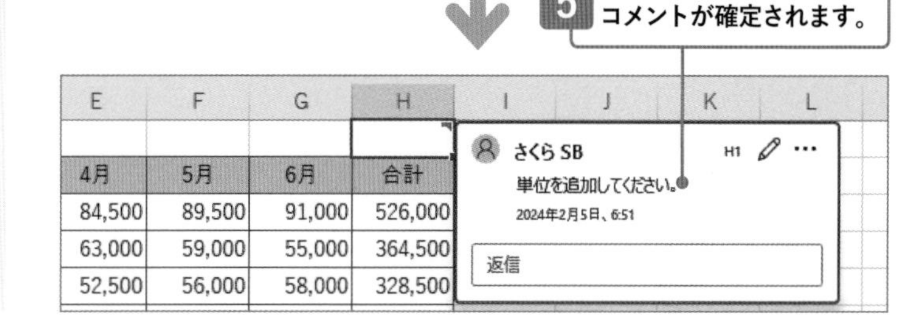

Memo コメントを削除する

コメントを削除する際、投稿前と投稿後で操作が異なります。

●投稿前のコメントの削除

投稿前の場合は、コメント内の［キャンセル］をクリックします。

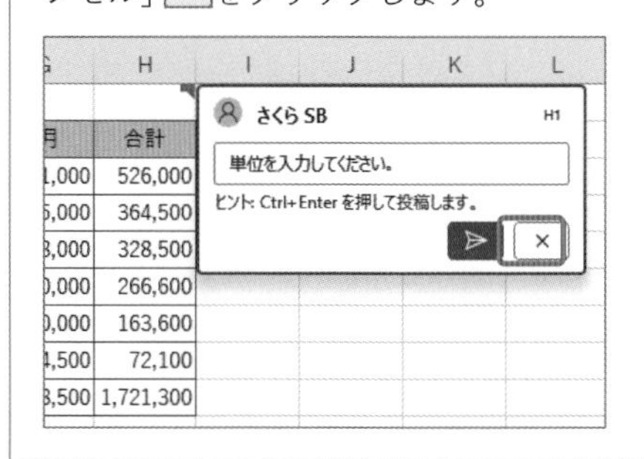

●投稿済みのコメントの削除

投稿済みのコメントの場合は、削除したいコメントが入力されたセルをクリックし❶、［校閲］タブ→［削除］をクリックします❷。

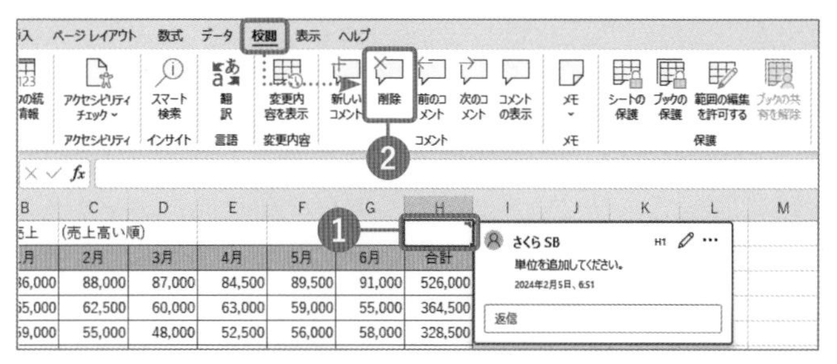

レッスン104-2 コメント一覧の表示

104-2-売上集計表.xlsx

操作 コメント一覧を表示する

セルに挿入されているコメントの一覧を表示するには、[校閲] タブの [コメントの表示] をクリックします。[コメント] 作業ウィンドウが表示され、コメントが一覧表示され、ここで編集することができます。

Memo コメントを切り替える

ブック内に複数のコメントが挿入されている場合、[校閲] タブの [次のコメント] または [前のコメント] で順番に閲覧できます。

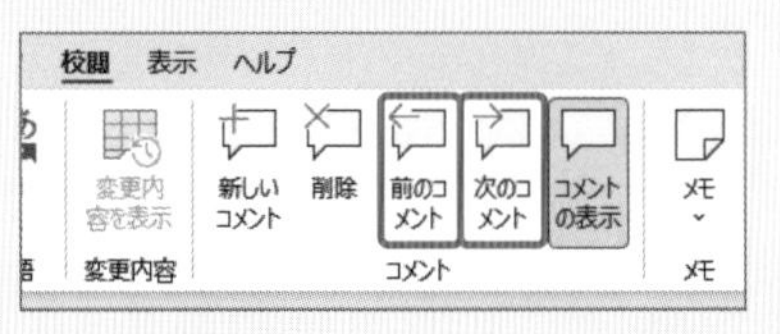

1 [校閲] タブ→ [コメントの表示] をクリックします。

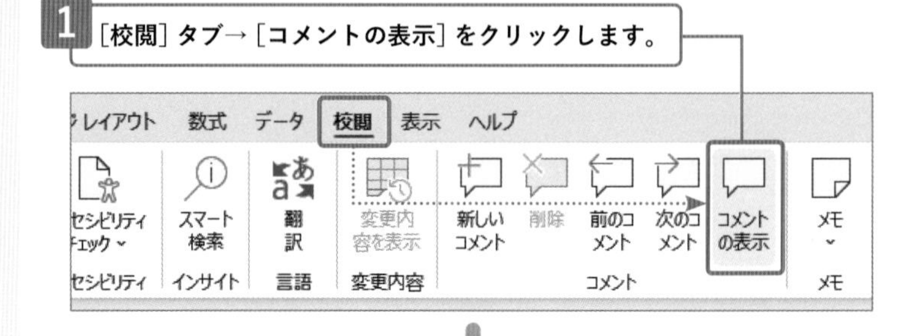

2 [コメント] 作業ウィンドウが表示され、ワークシート上のコメントが一覧表示されます。

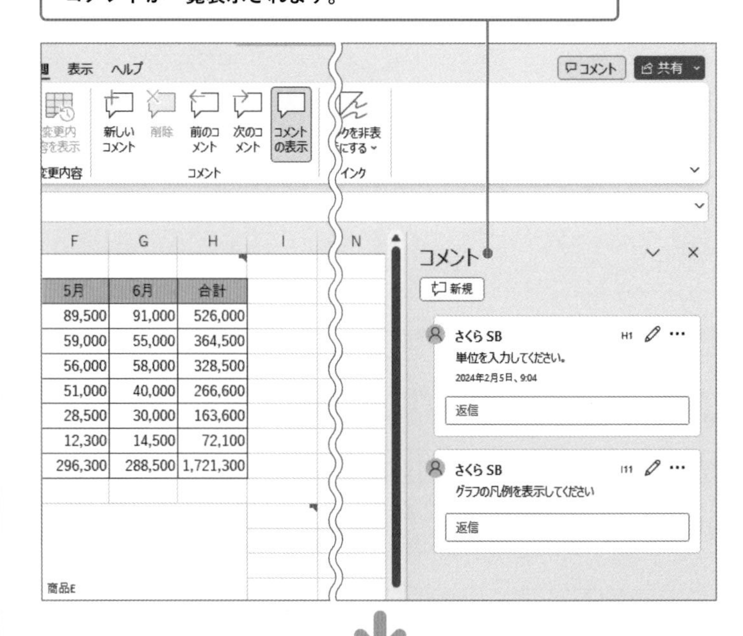

3 コメントをクリックして選択して編集できます。

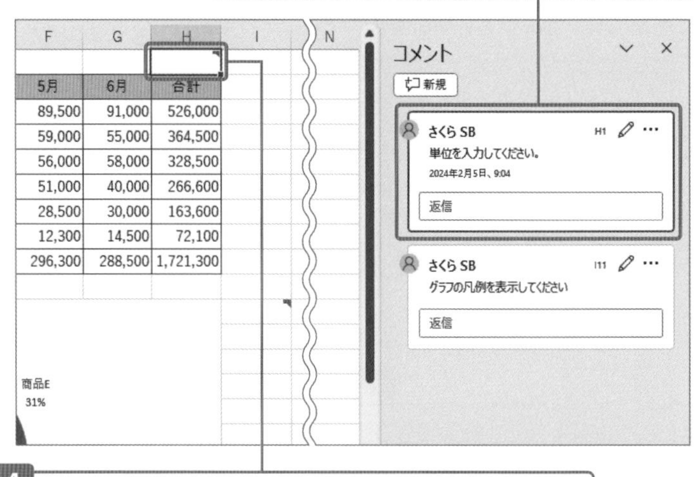

4 選択されたコメントが挿入されているセルが選択されます。

レッスン 104-3 コメントに返答する

104-3-売上集計表.xlsx

操作 コメントに返信する

コメントに対する返信をするには、コメントウィンドウにある［返信］ボックスに入力し、［返信を投稿する］▶をクリックします。

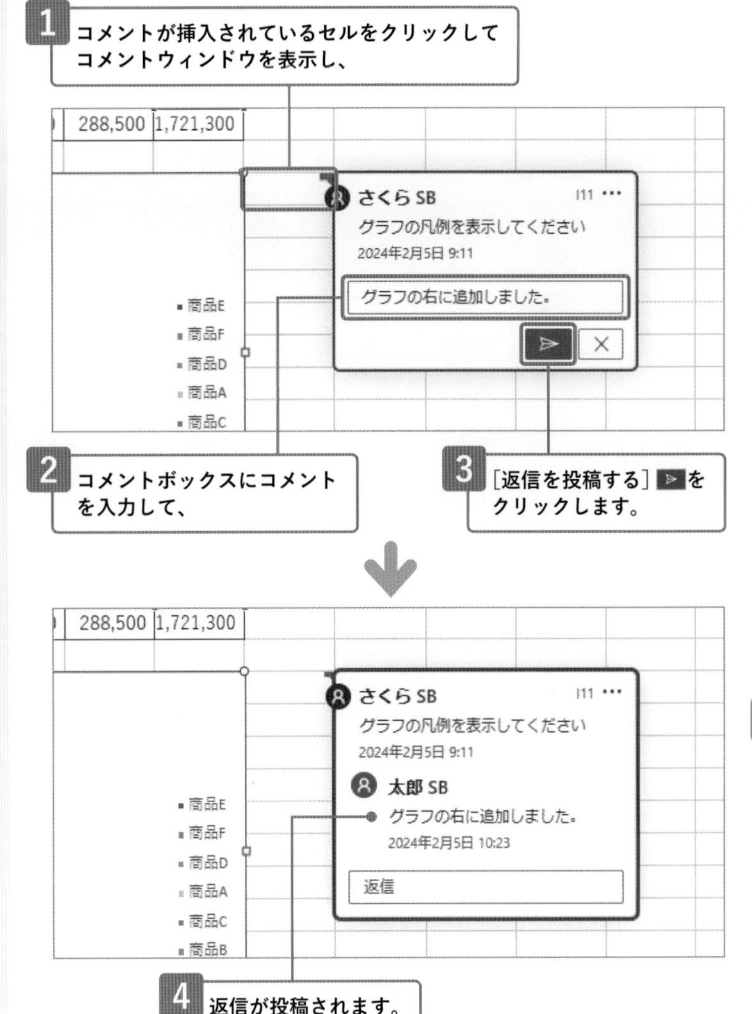

Memo コメントを解決する

コメントウィンドウの…をクリックし、表示されるメニューで［スレッドを解決する］をクリックすると❶、コメントウィンドウが解決済みと表示されます❷。

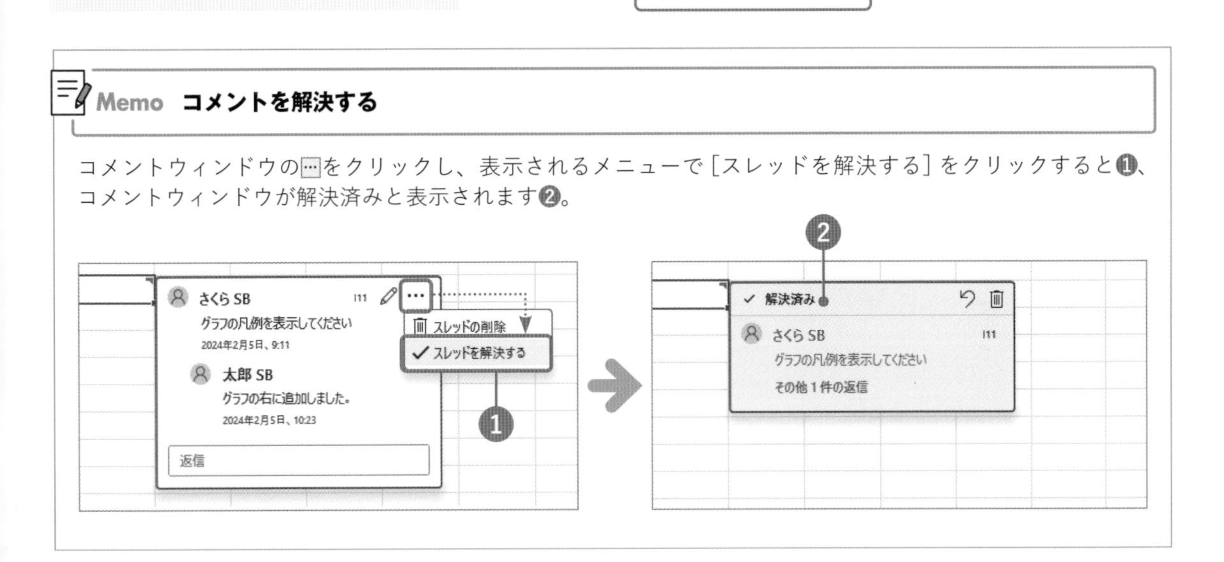

コラム メモを追加する

メモは、セルに対するメモ書きです。自分用の覚え書きや、相手とのやり取りを前提としないテキストなどを入力します。メモを入力するには、[校閲] タブの [メモ] → [新しいメモ] をクリックします。

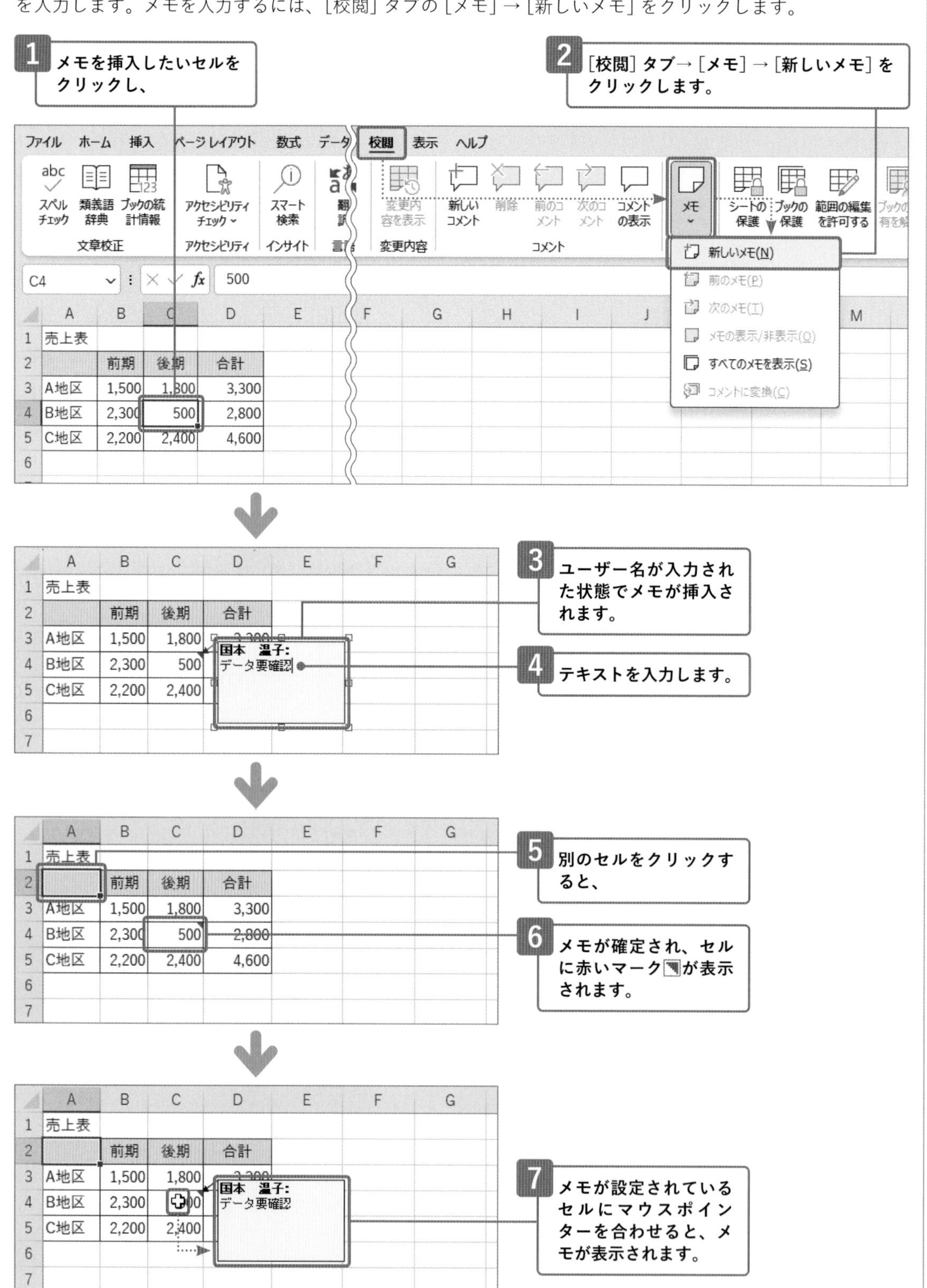

練習問題 コメントの挿入と返信の練習をしよう

演習11-売上報告書.xlsx

ブック「売上報告書」に以下の手順で、コメントの挿入／返信／コメントを表示してみましょう。

1. セルE1にコメントを挿入し、「作成日の日付を入力してください。」とテキストを入力して、投稿する
2. セルB4の値を「25000」に変更し、セルに設定されているコメントに「数値を確認し、修正しました。」と入力して、返信する
3. ［コメント］作業ウィンドウを表示してコメントを一覧で表示する

▼完成見本

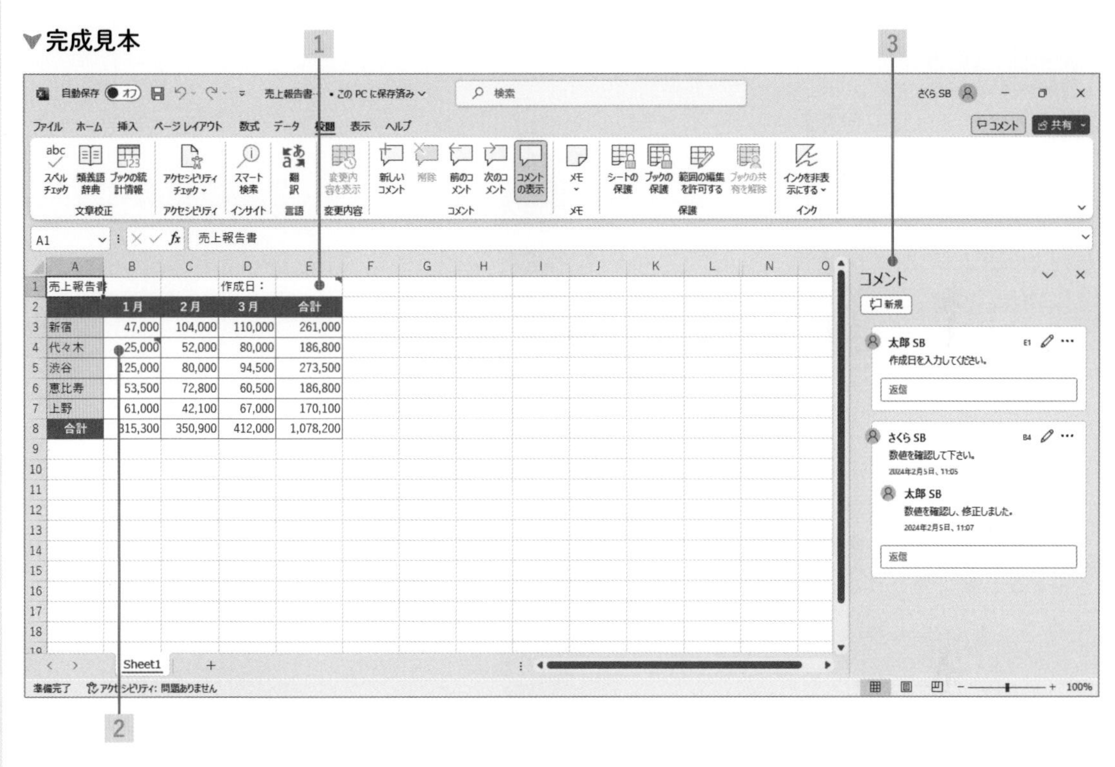

マウス／タッチパッドの操作

クリック

画面上のものやメニューを選択したり、ボタンをクリックしたりするときなどに使います。

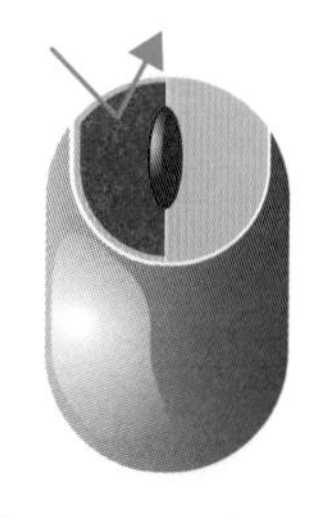

左ボタンを1回押します。

左ボタンを1回押します。

右クリック

操作可能なメニューを表示するときに使います。

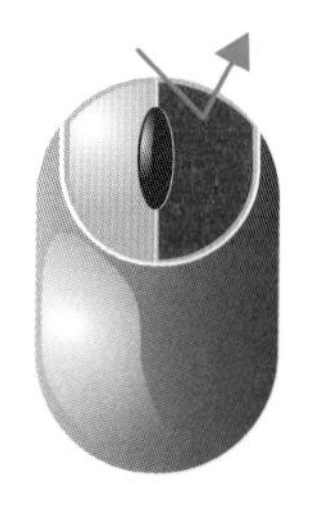

右ボタンを1回押します。

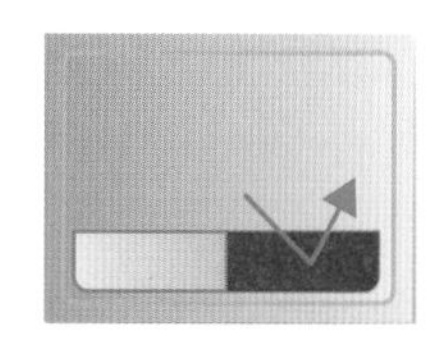

右ボタンを1回押します。

ダブルクリック

ファイルやフォルダーを開いたり、アプリを起動したりするときに使います。

左ボタンをすばやく2回押します。

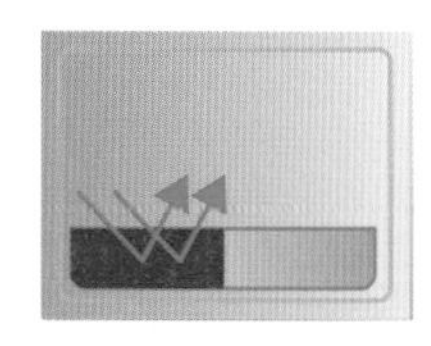

左ボタンをすばやく2回押します。

ドラッグ

画面上のものを移動するときなどに使います。

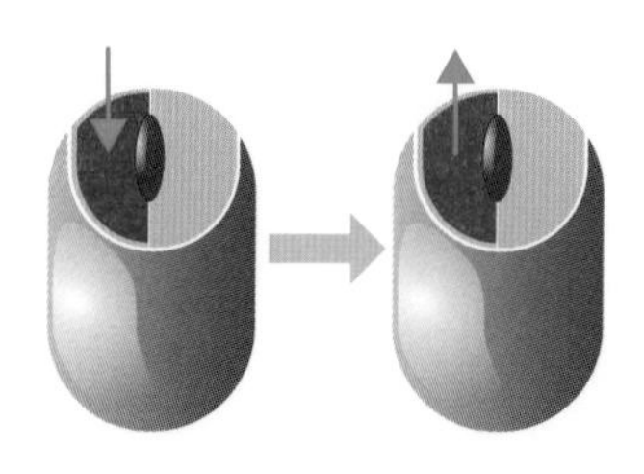

左ボタンを押したままマウスを移動し、移動先で左ボタンを離します。

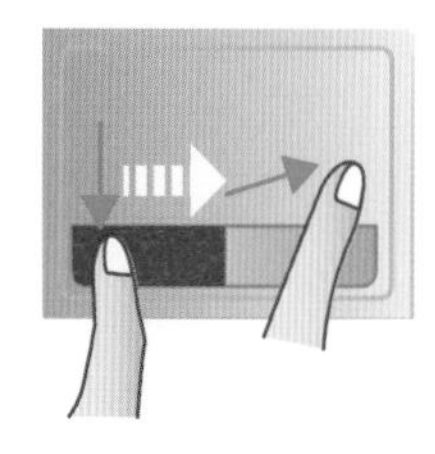

左ボタンを押したままタッチパッドを指でなぞり、移動先で左ボタンを離します。

よく使うキー

ショートカットキー

複数のキーを組み合わせて押すことで、特定の操作をすばやく実行することができます。本書中では ○○ ＋ △△ キーのように表記しています。

▶ Ctrl ＋ A キーという表記の場合

▶ Ctrl ＋ Shift ＋ Esc キーという表記の場合

便利なショートカットキー

Excel使用時に知っておくと便利なショートカットキーを用途別にまとめました。たとえば、白紙の文書を作成するときに使用する Ctrl ＋ N とは、Ctrl キーを押しながら N キーを押すことです。

●ブックの操作

ショートカットキー	操作内容
Ctrl ＋ N	空白ブックを作成する
Ctrl ＋ O	［開く］画面を表示する
Ctrl ＋ F12	［ファイルを開く］ダイアログを表示する
Ctrl ＋ S	ブックを上書き保存する
F12	［名前を付けて保存］ダイアログを表示する
Ctrl ＋ W	Excel を終了せずにブックを閉じる
Alt ＋ F4	ブックを閉じる／アプリを終了する
Ctrl ＋ P	［印刷］画面を表示する
Ctrl ＋ Z	直前の操作を取り消して元に戻す
Ctrl ＋ Y	元に戻した操作をやり直す
F4	直前の操作を繰り返す
ESC	現在の操作を取り消す

●アクティブセルの移動

ショートカットキー	操作内容
Ctrl ＋ Home	セル A1 に移動する
Tab	右隣に移動する
Shift ＋ Tab	左隣に移動する
Home	選択しているセルの A 列に移動する
PageUp	1画面上方向にスクロールする
PageDown	1画面下方向にスクロールする
Alt ＋ PageDown	1画面右方向にスクロールする
Alt ＋ PageUp	1画面左方向にスクロールする
Ctrl ＋ ↓	データが入力された範囲の下端のセルに移動する
Ctrl ＋ ↑	データが入力された範囲の上端のセルに移動する
Ctrl ＋ →	データが入力された範囲の右端のセルに移動する
Ctrl ＋ ←	データが入力された範囲の左端のセルに移動する

●範囲選択

ショートカットキー	操作内容
Ctrl ＋ Shift ＋ :	アクティブセル領域を選択する
Shift ＋ Space	ワークシートの行全体を選択する
Ctrl ＋ Space	ワークシートの列全体を選択する
Ctrl ＋ Shift ＋ ↓	データが入力された範囲の下端のセルまでを選択する
Ctrl ＋ Shift ＋ ↑	データが入力された範囲の上端のセルまでを選択する
Ctrl ＋ Shift ＋ →	データが入力された範囲の右端のセルまでを選択する
Ctrl ＋ Shift ＋ ←	データが入力された範囲の左端のセルまでを選択する
Ctrl ＋ A	表全体、ワークシート全体を選択する

索引

記号・アルファベット

あ行

か行

さ行

た行

な行

は行

ま行

や行

ら行

わ行

注意事項

- 本書に掲載されている情報は、2024年2月現在のものです。本書の発行後にExcelの機能や操作方法、画面が変更された場合は、本書の手順通りに操作できなくなる可能性があります。
- 本書に掲載されている画面や手順は一例であり、すべての環境で同様に動作することを保証するものではありません。読者がお使いのパソコン環境、周辺機器、スマートフォンなどによって、紙面とは異なる画面、異なる手順となる場合があります。
- 読者固有の環境についてのお問い合わせ、本書の発行後に変更されたアプリ、インターネットのサービスなどについてのお問い合わせにはお答えできない場合があります。あらかじめご了承ください。
- 本書に掲載されている手順以外についてのご質問は受け付けておりません。
- 本書の内容に関するお問い合わせに際して、編集部への電話によるお問い合わせはご遠慮ください。

本書サポートページ https://isbn2.sbcr.jp/23913/

著者紹介

国本 温子（くにもと あつこ）

テクニカルライター。企業内でワープロ、パソコンなどのOA教育担当後、Office、VB、VBAなどのインストラクターや実務経験を経て、現在はフリーのITライターとして書籍の執筆を中心に活動中。

企画協力　ヒートウェーブ株式会社　Heat Wave IT Academy　大住 真理子
カバーデザイン　新井 大輔
カバーイラスト　ますこ えり
カバーフォト　[ExperienceInteriors]/[E+]:ゲッティイメージズ提供
制作協力　岡本 晋吾・後藤 健大・荻原 尚人・河野 太一
制作　BUCH+
編集　本間 千裕

やさしく教わる Excel
[Office 2021 ／ Microsoft 365対応]

2024年 4月6日　初版第1刷発行

著　者　国本 温子
発行者　小川 淳
発行所　SBクリエイティブ株式会社
〒105-0001 東京都港区虎ノ門2-2-1
https://www.sbcr.jp/
印　刷　株式会社シナノ

落丁本、乱丁本は小社営業部にてお取り替えいたします。
定価はカバーに記載されております。
Printed in Japan　ISBN978-4-8156-2391-3